国家出版基金项目
NATIONAL PUBLICATION FOUNDATION

"十三五"国家重点图书出版规划项目

中国兵学通史

隋唐五代卷

黄朴民　主编

邱剑敏　著

CTS｜岳麓书社
·长沙·

图书在版编目（CIP）数据

中国兵学通史.隋唐五代卷/邱剑敏著;黄朴民主编.—长沙:岳麓书社,
2022.1（2023.4 重印）

ISBN 978-7-5538-1575-6

Ⅰ.①中… Ⅱ.①邱…②黄… Ⅲ.①军事思想史—中国—隋唐时代
②军事思想史—中国—五代十国时代 Ⅳ.①E092.2

中国版本图书馆 CIP 数据核字（2021）第 225628 号

ZHONGGUO BINGXUE TONGSHI · SUI-TANG WU DAI JUAN

中国兵学通史·隋唐五代卷

主　　编:黄朴民

作　　者:邱剑敏

项目统筹:李业鹏

责任编辑:孙世杰

责任校对:舒　舍

书籍设计:萧睿子

岳麓书社出版发行

地址:湖南省长沙市爱民路47号

邮编:410006

版次:2023 年 4 月第 1 版

印次:2023 年 4 月第 2 次印刷

开本:640mm×960mm　1/16

印张:32.25

字数:464 千字

书号:ISBN 978-7-5538-1575-6

定价:190.00 元

承印:长沙超峰印刷有限公司

如有印装质量问题,请与本社印务部联系

电话:0731-88884129

《中国兵学通史》编委会

顾　问：糜振玉　　吴如嵩　　吴九龙
主　编：黄朴民
副主编：孙建民　　熊剑平　　魏　鸿
编　委：卜宪群　　王子今　　白立超
　　　　白效咏　　仲伟民　　全根先
　　　　刘　庆　　刘　忠　　孙建民
　　　　孙家洲　　孙继民　　李元鹏
　　　　邱剑敏　　宋　杰　　陈　峰
　　　　陈　曦　　赵国华　　高润浩
　　　　黄朴民　　梁宗华　　蒋重跃
　　　　熊剑平　　潘　宏　　魏　鸿

总　序

一、军事历史与兵学思想的地位和价值

孔子说"有文事者必有武备，有武事者必有文备"（《史记·孔子世家》），这充分揭示了一个基本事实，即军事始终是社会生活中的重要组成部分，与之相适应，就是军事历史与兵学思想理应成为历史学研究的主要对象之一。强化军事历史与兵学思想研究，对于推动整个历史研究，深化人们对历史现象的全面认识和历史发展规律的深刻把握，实具有不可替代的意义。

必须重视对军事历史与兵学思想的研究，这是由军事在社会生活与历史演进中具有决定性意义这一性质所决定的。就中国范围而言，军事往往是历史演进的最直观表现形态。国家的分裂与统一，新旧王朝的交替，政治势力之间的斗争倾轧，下层民众的反抗起义，中华民族内部的融汇，等等，绝大多数都是通过战争这个途径来实现的。战争是社会生活的焦点，是历史演进的外在表现形式。

更为重要的是，在中国历史上，军事渗透于社会生活的各个领域、各个层面，成为历史嬗变的指针。具体地说，最先进的生产力往往发源于军事领域，军事技术的进步在科技上呈现引导性的意义。换言之，最先进的工艺技术首先应用于军事方面，最优良的资源优先配置于军事领域，最突出的科技效率首先反映于军事实践。这种情况早在先秦时期便已出现，所谓"美金以铸剑戟，试诸狗马；恶金以铸锄夷斤劚，试诸壤土"（《国语·齐

语》），"来天下之良工"（《管子·小问》），"聚天下之精材，论百工之锐器"（《管子·七法》），等等，都表明军事技术发展程度乃是整个社会生产力最高发展水平的一个标尺。秦汉以降，军事技术的这种标尺地位仍没有丝毫改变，战船制作水平的提高，筑城工艺技术的进步，火药、火器的使用，钢铁先进武器装备的铸造，等等，都是该历史时期先进生产力的集中体现，都毫无例外地起着带动其他生产领域工艺技术水平提高的重要作用。

军事在历史演进中的中心地位同样也体现在政治领域。"国之大事，在祀与戎"（《左传·成公十三年》），这是一条被经常引用的史料，可谓耳熟能详。对一个国家来说，有两件核心的大事：第一是祭祀，借沟通天人之形式，表明政权的合法性和神圣性；第二就是战争，保卫自己的国家，开疆拓土，在激烈而残酷的竞争中生存下去。我们认为，这八个字是了解中国古代历史真相及其特色的一把钥匙，因为它简明扼要地道出了古代社会生活的两个根本要义。以祭祀为中心的巫觋系统与以作战为主体的政事系统，各司其职，相辅相成。这与世界上绝大多数民族和国家政治起源的情况相类似，从氏族社会晚期的军事民主制时代开始，权力机构的运作，是按两个系统的分工负责来具体实施的，这在西谚中被形象地概括为：将上帝的交给上帝，将恺撒的交给恺撒。当然，随着中国历史的演进，"祀"渐渐地更多成为仪式上的象征，而"戎"，即以军事为中心的政务，则打破平衡，成为国家事务的最大主体，在国家政治生活中逐步走向相对中心的位置，所谓"兵者，国之大事，死生之地，存亡之道，不可不察也"（《孙子兵法·计篇》），反映的就是这个客观现实。

这种情况可谓贯穿于整个中国古代的历史。历史上中央集权的强化，各种制度建设的完善和重大改革举措的推行，往往以军事为主体内容。所谓的中央集权，首先是对军权的集中，这从先秦时期的虎符发兵制到宋太祖"杯酒释兵权"，到朱元璋以五军都督府代替大都督府，清代设置军机处等制度和行政措施可以看得十分清楚。国家法律制度与规章，也往往是在军队中首先推行，然后逐渐向社会推广。如军功爵制滥觞于春秋时期赵简子的铁地誓师辞："克敌者，上大夫受县，下大夫受郡，士田十万，庶人工商遂，人臣隶圉免。"（《左传·哀公二年》）战国时期普遍流行的"什伍连坐法"、秦国的"二十等爵制"等，后来逐渐由单纯的军中制度演变为控制与管理整个社会的奖惩制度。从这个意义上说，军队是国家制度建设的先行者，军事在国家政治发展中起着引导作用。至于中国历史上的重大改革，也几乎无一例外以军事为改革的主要内容，如商鞅变法中"尚首功"的措施、大力推进的"耕战"政策，汉武帝"非常之事"中发展骑兵的战略方针，王安石变法中"保甲法""将兵法"等强兵措施，张居正改革中强军与整饬边防的举措，均是具体的例证。而战国时期赵武灵王的"胡服骑射"，则更是完全以军事为中心带动社会政治全面改革与创新的运动。

在思想文化领域，军事同样占有重要地位。先秦时期，儒学其实并未享有后世那种崇高地位。当时，社会上真正崇拜的是赳赳武夫，所以《诗经·兔罝》中说"赳赳武夫，公侯干城"，赳赳武夫是国家的栋梁。现在国学中讲的经史子集图书分类法是隋唐以后出现的，在《汉书·艺文志》中，图书分为"六略"："六艺""诸子""诗赋""兵书""术数""方技"。其中，"兵书"是独立的一类，与"六艺""诸子"等是并驾齐驱的。

就世界范围而言，军事历史与军事思想作为历史学的重要组成部分也是毋庸置疑的。西方早期的历史著作，如希罗多德的《历史》、修昔底德的《伯罗奔尼撒战争史》、恺撒的《高卢战记》、色诺芬的《长征记》、韦格蒂乌斯的《兵法简述》，大都是军事史著作，其中多有相关战争艺术的记载。这一传统长期得以延续，使得在当今欧美国家的历史学界，军事史仍然是人们研究的热点问题之一。有关战争、战略、军队编制、作战技术、武器装备、军事地理、军事人物、军事思想等各个方面的研究都比较成熟，并取得了丰硕的成果，杰弗里·帕克主编的《剑桥战争史》就是这方面的代表之一。与此相对应，军事历史以及军事理论的研究在历史学界甚至整个学术界都拥有较高的地位，产生了较大的影响。

总之，无论东方还是西方，军事历史与军事思想文化都是历史文化中的重要内容，不懂军事就无法全面地了解古今中外的历史。数千年的中西文明史，在某种意义上是一部军事活动史，一部军事思想文化发展史，抽掉了军事内容，就谈不上有完整意义的世界历史。

在整个军事史的研究体系中，军事思想史也即"兵学史"的研究占有核心的地位，具有指导性的意义。英国历史学家柯林武德指出："一切历史都是思想史。"① 其言信然！我们认为，思想史是历史学研究的主要内容与主体对象，思想史的考察，是历史研究的主要方法。林德宏教授曾专门讨论了思想史在历史学研究中的关键作用：历史研究的顺序，是从直观的历史文物开始，展开对历史活动（以历史事件为中心）的认识，再进入对历史思想的探讨（叩问思想背景，寻觅思想动机，从事思想反思）。很显然，我们只有进入思想史这个层次，才可能对人类历史有完整而本质的理解与把握。②

总之，各个领域深层次的历史都是思想史，思想史研究是历史学研究的最终归宿。这一点，在军事史研究中也没有例外，兵学思想的研究，是整个军事史研究的主干与重心。换言之，在中国源远流长的军事史中，兵学思想无疑是其灵魂与核心之所在，它在很大程度上规范了整个军事的面貌，是丰富多姿、异彩纷呈的军事文化现象的精神浓缩和哲学升华，是具体军事问题的高度

---

① ［英］柯林武德著，何兆武、张文杰、陈新译：《历史的观念》（增补版），北京大学出版社，2010 年，第 212 页。

② 参见林德宏：《思想史与思想家》，《杰出人物与中国思想史》，江苏教育出版社，2000 年。

抽象，也是军事发展规律的普遍揭示。所以，兵学思想研究理应成为军事史研究的重点，也应该成为整个学术思想文化发展史认知中的重要一维。

二、中国历代兵学的内涵与主题

军事思想，用比较规范与传统的概念来表述，就是兵学。所谓中国古代兵学，指的是中国历史上探讨战争基本问题，阐述战争指导原则与一般方法，总结国防与军队建设普遍规律及其主要手段的思想学说。它萌芽于夏商周时期，在春秋战国时期形成独立的学术理论体系，充实提高于秦汉三国两晋南北朝至隋唐五代时期，丰富发展于两宋以迄明清时期，直至晚清让位于近代军事学。

先秦时期是中国军事思想发展的第一个高峰，其间分为四个阶段。第一个阶段是萌芽、初步发展期，包括甲骨文、金文、古代典籍如《尚书》《诗经》《周易》中的军事思想，代表作是古本《司马法》。它们体现了"军礼"的基本精神，提倡"以礼为固，以仁为胜"（《司马法·天子之义》），主张"九伐之法"（《周礼·夏官》），"不鼓不成列"（《左传·僖公二十二年》），"不杀黄口，不获二毛"（《淮南子·氾论训》），提倡"逐奔不过百步，纵绥不过三舍"（《司马法·仁本》），"战不逐奔，诛不填服"（《春秋穀梁传·隐公五年》），强调"军旅以舒为主，舒则民力足。虽交兵致刃，徒不趋，车不驰"（《司马法·天子之义》），贵"偏战"而贱"诈战"，"结日定地，各居一面，鸣鼓而战，不相诈"（《春秋公羊传注疏·桓公十年》何休注），出兵打仗还有很多其他的限制，"不加丧，不因凶"（《司马法·仁本》）等，凡此种种，不一而足。

第二个阶段是春秋后期，以《孙子兵法》为标志。春秋后期，战争发生重大改变。第一，战争性质由争霸变为兼并，战争更加残酷，如孟子讲的"争地以战，杀人盈野；争城以战，杀人盈城"（《孟子·离娄上》）。第二，军队成分发生改变，原来当兵的都是受过良好礼乐教育的贵族，此时是普通老百姓。第三，战争区域扩大了，由原来的黄河中下游大平原，扩大到南方的丘陵、沼泽、湖泊地区。第四，更重要的是武器装备变了，原来是原始社会就开始用的弓箭，此时有了弩机，准确率提高，射程加大。武器装备变化带来了整个作战样式、军队编制体制、军事理念和理论的变革。战争的变化带来军事的革命性变化。西周至春秋前期，军队行进比较缓慢，如《尚书·牧誓》所言："不愆于六步、七步，乃止齐焉""不愆于四伐、五伐、六伐、七伐，乃止齐焉"。而春秋后期成书的《孙子兵法》则强调"兵之情主速，乘人之不及，由不虞之道，攻其所不戒也"（《孙子兵法·九地篇》），兵贵神速。原来讲礼貌和规则，"不以阻隘""不鼓不成列"（《左传·僖公二十二年》），现在则"兵以诈立，以利动，以分合为变"（《孙子兵法·军争篇》），军队打仗靠诡诈、欺骗而取胜。毫无疑问，《孙子兵法》的诞生，是中国兵学文化史上的一次具有根本意义的变革与飞跃。后人评曰："孙武之书十三篇，众家之说备矣。奇正、虚实、强弱、众寡、饥饱、劳逸、彼己、主客之情状，与夫山泽、水陆之阵，战守、攻围之法，无不尽也。微妙深密，千变万化而不可穷。用兵，从之者胜，违之者败，虽有智巧，必取则焉。可谓善之善者矣。"（戴溪《将鉴论断·孙武》）可谓恰如其分，洵非虚言！

第三个阶段是春秋后期到战国后期，是《孙子兵法》的延续、演变阶段。当时的兵书浩如烟海，有代表性的包括《尉缭子》《吴子》《孙膑兵法》及今本《司马法》，这些兵书立足于战国时期"争地以战，杀人盈野；争城以战，杀人盈城"（《孟子·离娄上》）的现实，沿着《孙子兵法》所开辟的道路前进，对自上古至战国的军事历史进行梳理与总结，对军事活动的一般规律加以揭示，大大深化了人们有关军队建设与治理要领的认识，从而使对战争指导原则与作战指挥艺术的理解与运用进入了崭新的阶段。

　　第四个阶段是总结、综合阶段，出现了《六韬》。《六韬》托名姜太公，但实际上至少是战国后期成书的，甚至有可能是秦汉时期的著作。它篇幅很大，有六十篇，内容庞杂，不光讲军事问题，还有先秦诸子的政治理念。《六韬》包括"兵权谋""兵形势""兵阴阳""兵技巧"，体现了综合性，这与当时整个社会的思想趋于综合是相一致的。

　　从秦汉一直到隋唐五代是中国军事思想发展的过渡期，这个时期的兵书不多，但是大量的战争实践丰富了军事理论。比如之前是东西线作战，没有南北问题，不会出现"南船北马"的考虑。此外，军事思想更多地体现在对策上，如韩信的《汉中对》，诸葛亮的《隆中对》，羊祜的《平吴疏》，以及杜预和王濬的平吴思想，西汉张良与东汉邓禹、来歙等人的献计献策，高颎与贺若弼为隋文帝提出的军事建议等。这些对策是真正的精华，军事学的实用性大大提高了。除军事家外，政治家、思想家也普遍在关注军事问题。比如晁错的《言兵事疏》，王符《潜夫论》中的《边议》《劝将》《救边》《实边》诸篇，都是论兵的名篇佳作。

　　这一时期军事思想的发展有两个主要标志，一是兵学主题的转换，一是战略向战役、战斗层次的转换。兵学主题的转换在《黄石公三略》中有鲜明的体现。首先，《黄石公三略》是大一统兵学，这一主题与先秦兵学不一样。先秦兵学讲的是夺天下、取天下的问题，而《黄石公三略》讲的是安天下、治天下的问题。秦汉时期虽然也有战争，但总体上和平发展是主流，所以这时的兵学更多是为了维护安全，而不是讲攻城略地的问题。其次，这一时期的兵学主题由作战变为治军，所以《黄石公三略》很少涉及作战指挥的具体内容，都是强调如何治理军队，尤其是如何处理好君主和将帅的关系问题，这既可以说是兵学，也可以说是政治学。三国两晋南北朝到隋唐五代时期有丰富的战争实践，所以到《唐太宗李卫公问对》，就把原来《孙子兵法》中很抽象的东西，用真实的战例来印证，把孙子的原则具体化、细节化了，"分别奇正，指画攻守，变易主客，于兵家微意时有所得"（《四库全书总目·兵家类》）。所以，秦汉至隋唐五代的中国军事思想虽然是比较平稳地发展，但还是有其鲜明的特色。

宋元时期是中国军事思想发展的第三个大的阶段。元代军事思想主要体现在蒙古骑兵的军事实践中，具有鲜明的北方民族特色，但形诸文字的兵学论著很少。而宋代兵学则形成了中国传统兵学的一个高峰。宋代比较优待知识分子，但是，宋代实际上又处于"积弱"的状态，没有强大的军事实力，于是，在一定程度上只能靠军事谋略来加以必要的弥补。宋代的军事理论繁荣集中体现在以下几个方面。首先，宋代武学兴起，系统并规范地培养专业的军事人才，并使这一制度成为定制。其次，宋代颁定"武经七书"，成为武学的官方教科书。中国自古治国安邦文武并用，文是指儒家经典"十三经"或"四书五经"，武就是"武经七书"。更重要的是，宋代兵书分门别类，更加专业化。《孙子兵法》包括治军、作战、战略、军事观念等，是综合性的兵书。而宋代兵书有专门研究军事制度的，如《历代兵制》；有讨论守城问题的，如《守城录》；有大型的兵学类书，如曾公亮等人编撰的《武经总要》；有具体讨论各种战法战术的，如《百战奇法》；有对军事历史人物、事件进行评论的，如《何博士备论》等。宋代虽然兵书著述繁富，但在"崇文抑武"治国方略以及文人论兵思潮之下，兵学儒学化倾向严重，创新性不足，在总结火器初兴条件下新的战术战法、指导战争实践方面未能发挥应有作用，兵学在文献繁荣的表象之下已经蕴含着衰落的危机。

明清时期，中国军事思想发展进入守成阶段。这是中国古代兵学的终点，也是迈向新生的起点，有其显著特色。

就明代而言，当时的兵书数量众多，如《阵纪》《兵𡘋》《投笔肤谈》等。有些兵书在兵学文化上也不乏建树，表现为重视具体的军队战术要领总结，如戚继光的《纪效新书》和《练兵实纪》。又如，明代出现倭寇，遇到海防这一新问题，于是出现了海防兵书，如郑若曾的《筹海图编》。明代还引进了西洋火器，如佛郎机、红衣大炮等，火器的广泛运用催生了孙承宗的《车营叩答合编》。孙承宗关于新型战法的讨论，显然受到了传统兵学的深刻影响，即便是讨论车战的奇正，也未能在总体上跳出传统范式。但他也试图结合装备发展情况对车战的战法进行探讨，以求更好地发挥火器的威力，这一点显得难能可贵，传统兵学就此迎来转型良机。但令人遗憾的是，封建王朝的更替随即打断了这一转型进程。

清代兵书亦不少，但对兵学贡献最大的却不是兵书，而是有军事实践的曾国藩、胡林翼、左宗棠等人，他们提出了相对完整的治军和练兵思想，如"训有二，训打仗之法，训作人之道"①，"练有二端，一曰练技艺，二曰练阵法"②，在作战方法上创造了水陆相依、围城打援等经过实战检验的有效战法。但从根本上讲，曾国藩等人对兵学的主要贡献仍是在传统兵学框架之内，并未对兵学产生结构性的改变，而仅做了传统兵学思维的实践性转化等工作。所以总体上看，兵学在西方军事理论被引入到中国之前并无体系上的重大突破，亦未扭转步步沦落的局面。总之，明清军事思想有其一定的创新内容，但从根本上讲，并没有重大的突破，乃是中国古代兵学的终点。

19 世纪 60 年代以后，西方军事理论被大规模介绍到中国，传统兵学中的原生缺陷逐步被补足，中国军事学发生重大变革，传统的兵学逐步让位于近代军事学。如以军事教育取代传统的选将，装备保障与建设也逐步形成理论，兵学的内涵发生了较大变化。同时，伴随西方军事理论一同被引入的科学主义精神，推动

---

① 《曾国藩全集·批牍》，岳麓书社，1994 年，第 246 页。
② 《曾国藩全集·诗文》，岳麓书社，1986 年，第 438 页。

了兵学逐步从以经验主义为基础向以科学主义为基础的转变。其中，跳出传统兵学以"范畴"为核心与载体的术语体系，借鉴和应用西方近代军事学，使军事术语得以规范地使用，可谓是兵学趋向专业化和科学化的重要特征之一。这个进程使得传统兵学逐渐开始转型，并最终以军事学的面貌出现在历史舞台之上。但是，如果从深层次考察，这种转型还是保留有传统兵学的明显烙印，带有中国文化的鲜明特征。如，被人们视为按近代军事学体系编撰而就的《训练操法详晰图说》一书，依然不乏"训必师古，练必因时""自古节制之师，存乎训练。训以固其心，练以精其技……权其轻重，训为最要"之类的言辞，与王守仁、戚继光、曾国藩、胡林翼等人的主张一脉相承，无本质上的区别。

综上所述，中国历代兵学的发展脉络清晰，逻辑结构完整，思想内容丰富，表现形式多样，在各个时代都有所丰富和发展，但其核心的内容与基本的原则没有本质上的变化。茅元仪说"后《孙子》者，不能遗《孙子》"（《武备志·兵诀评》），意谓后世的兵书不能绕开《孙子兵法》另起炉灶。作为中国古代兵学的最高成就，《孙子兵法》是难以超越的。茅元仪所说的，正是这个道理。

我们认为，中国古代兵学主要包括历史上丰富的军事实践活动所反映的战争观念、治军原则、战略原理、作战指导等内容，其主要文字载体是以《孙子兵法》为代表的卷帙浩繁、内容丰富、种类众多、哲理深刻的兵书。其他文献典籍中的论兵之作也是其重要的文字载体，这包括《尚书》《周易》《诗经》《周礼》等儒家经典中的有关军事内容，《墨子》《孟子》《老子》《管子》《吕氏春秋》《淮南子》等所载先秦两汉诸子的论兵文辞，正史、政书等典籍中的言兵之作，唐、宋、元、明、清诸多文集中的有关军事论述，它们和专门的兵书著作共同构筑起中国古代兵学思想这座巍峨瑰丽的文化殿堂。

毫无疑问，中国古代兵学的主要载体是卷帙浩繁的兵书典籍。民国时期陆达节编有《历代兵书目录》，著录兵书 1304 部，6831 卷。据许保林《中国兵书知见录》《中国兵书通览》的统计，乃为 3380 部，23503 卷（959 部不知卷数，未计在内）。而按刘申宁《中国兵书总目》的说法，则更多达 4221 种。《汉书·艺文志·兵书略》曾对西汉以前的兵学流派做过系统的区分，将先秦两汉兵学划分为兵权谋家、兵形势家、兵阴阳家和兵技巧家四个大类。在四大类中，兵权谋家是最主要的一派，其基本特征是："权谋者，以正守国，以奇用兵，先计而后战，兼形势，包阴阳，用技巧者也。"显而易见，这是一个兼容各派之长的综合性学派，其关注的重点是战略问题。中国古代最重要的兵书，如《孙子兵法》《吴子》《六韬》《孙膑兵法》大都归入这一派。兵形势家也是比较重要的兵学流派，其特征是"雷动风举，后发而先至，离合背乡，变化无常，以轻疾制敌者也"，主要探讨军事行动的运动性与战术运用的灵活性、变化性。兵阴阳家，其特征是"顺时而发，推刑德，随斗击，因五胜，假鬼神而为助者也"，即注意天时、地理与战争胜负关系的研究。兵技巧家，其基本特征是"习手足，便器械，积机关，以立攻守之胜者也"，这表明该派所注重的是武器装备和作战技术、军事训练等。秦汉以降，中国兵学思想生生不息，代有发展，但其基本内容与学术特色基本没有逾越上述四大类的范围。

中国古代兵学内容丰富，博大精深，大体而言，它的基本内容是：在战争观上主张文事武备并重，提倡慎战善战，强调义兵必胜，有备无患，坚持以战止战，即以正义战争制止和消灭非正义战争，追求和平，反对穷兵黩武。从这样的战争观念出发，反映在国防建设上，古代兵家普遍主张奖励耕战，富国强兵，居安思危，文武并用。在治军思想方面，兵家提倡"令文齐武"，礼法互补。为此，历代兵家多主张以治为胜，制必先定，兵权贵一，教戒素行，器艺并重，赏罚分明，恩威兼施，励士练锐，精兵良器，将帅贤明，智勇双全，上下同欲，三军齐心。在后勤保障上，提倡积财聚力，足食强兵，取用于国，因粮于敌。在兵役思想上，坚持兵民结合，因势改制等。战略思想和作战指导理论是中国古代兵学思想的主体和精华，它的核心精神是先计后战，全胜为上，灵活用兵，因敌制胜。一些有关的命题或范畴，诸如知彼知己、因势定策、尽敌为上、伐谋伐交、兵不厌诈、出奇制胜、避实击虚、各个击破、造势任势、示形动敌、专我分敌、出其不意、攻其无备、善择战机、兵贵神速、先机制敌、后发制人、巧用地形、攻守皆宜等，都是围绕着"致人而不致于人"，即夺取战争主动权这一根本宗旨提出和展开的。

总之，以兵书为主要载体的中国古代兵学，内容丰富，哲理深刻，体大思精，可谓璀璨夺目，异彩纷呈，乃是中国传统文化的重要组成部分，无愧为一笔弥足珍贵的优秀文化遗产。

三、中国历代兵学研究中遭遇的"瓶颈"

与儒家、道家、释家乃至于墨家、法家等诸子学术的研究相比，有关兵学的研究，显然处于相对滞后的状态。成果为数不多姑且不论，在有限的研究成果中，质量上乘、体系严整、见解独到之作亦属凤毛麟角，更多的是词条的扩大与组合，可又缺少词条的科学与准确，犹如什锦拼盘，看不出兵学发展的脉络与规律，见不到兵学典籍所蕴含的时代特征与文化精神。这主要表现为：第一，兵学历史的研究被边缘化，长期不能进入历史学研究的主流，即陈寅恪先生所说的"预流"。与政治史、经济史、思想史、文化史、社会史等学科相比，军事史完全是一个敲边鼓的角色，研究成果数量单薄，质量恐怕也不尽如人意。第二，在有限的研究领域中，军事史不同分支的研究状况也不一样，发展很不平衡。相对而言，兵制的研究稍为成熟，如蓝永蔚《春秋时期的步兵》、谷霁光《府兵制度考释》、雷海宗《中国文化与中国的兵》等，均是学术价值重大、学术影响深远的著述。然而对于战争、军事技术、作战方式、兵要地理、兵学理论的研究，却显得远远不够。第三，战争史作为军事史的主体，研究思路与方法严重缺乏创意。研究者对许多战争的考察与评析，仅仅局限于宏观勾勒的层面，满足于战略的抽象概括，只讲到进步或落后这一性质层面的东西，很少能进入战术的解析层次，未能围绕战法这个核心展开研究。因此，得出的结论往往不够深入，不同的战争分析到最后，看上去似乎都大同小异。第四，学术研究的视野与角度不够开阔，对问题的认识与理解不够全面与辩证。如在充分肯定传统国家安全观为和平防御的同时，对历史上曾经大量存在的穷兵黩武现象缺乏足够的关注，仅看到"苟能制侵陵，岂在多杀伤"的一面，而忽略中国传统军事文化中还存在着"边庭流血成海水，武皇开边意未已"的另一种事实。

当然，兵学历史的研究不尽如人意的主要原因，还是在于兵学学科的自身性质。所谓"巧妇难为无米之炊"，就是这个道理。

在《汉书·艺文志》中，"兵书"虽然自成一类，但兵家并没有被列入"诸子"的范围，兵学著作没有被当作理论意识形态的著述来看待，它的性质实际上与"术数""方技"相近。换言之，《汉书·艺文志》"六略"，前三"略"，"六艺""诸子""诗赋"属于同一性质，可归入"道"的层面；而后三"略"，"兵书""术数""方技"又是一个性质近似的大类，属于"术"的层面。"道"的层面，为"形而上"；"术"的层面，为"形而下"。"形而下"者，用今天的话来说，是讲求功能性的。它不尚抽象，不为玄虚，讲求实用，讲求效益，于思想而言，相对苍白，于学术而言，相对单薄。除了极个别的兵书，如《孙子兵法》之类外，绝大部分的兵学著作，都鲜有理论含量，缺乏思想的深度，因此，在学术思想的总结上，似乎很少有值得关注的兴奋点存在，而为人们所忽略。

这一点，不但古代如此，当今几乎也一样。目前流行的各种哲学史、思想史著作较少设立讨论兵学思想的专门章节，个别的著作即便设置，也往往篇幅有限，具体阐释未能充分展开，令人稍感遗憾。由此可见，中国兵学思想的研究，从学科性质上考察就有相当的难度，而要从工具技术性的学科中发掘"形而上"的抽象性质的思想与理论，则多少会令人感到失望。

此外，与儒家因应道家、释家的挑战，不断更新其机理，不断升华其形态的情况大不相同的是，兵学长期以来所面对的战争形态基本相似，战争的技术手段没有发生本质性的飞跃，大致是冷兵器时代的作战样式占主导。宋元以后尤其是明清时代出现火器，作战样式初步进入冷热兵器并用时期，但即便是在明清时代，冷兵器作战仍然占据着战场上的中心位置。这样的物质条件与军事背景，在很大程度上制约了兵学思想的更新与升华。即使有所变化与发展，也仅仅体现在战术手段的层面，如明代火器的使用，使战车重新受到关注，于是就产生了诸如《车营叩答合编》之类的兵书；同样是因为火器登上历史舞台，战争进入冷热兵器并用时期，就有了顺应这种变化而出现的《火攻挈要》等兵书和相应的冷热兵器并用的作战指导原则。但是需要指出的是，这种局部的、个别的、枝节性的发展变化，并没有实现兵学思想的本质性改变、革命性跨越。从这个意义上说，茅元仪《武备志·兵诀评》所称的"前《孙子》者，《孙子》不遗；后《孙子》者，不能遗《孙子》"，的确是准确地揭示了《孙子兵法》作为兵学最高经典的不可超越性，但同时也隐晦地说明了兵学思想的相对凝固性、守成性、内敛性。

没有研究对象的改变，就无法激发出更新的需求，而没有更新的需求，思想形态、学术体系就难以注入新的生机，就会处于自我封闭、不求进取的窘态。在这种情况下，我们今天要从学科发展的视野来考察兵学理论的递嬗，显然会遇到极大的障碍，而要总结、揭示这种演进的基本规律与主要特征，更是困难重重，充满挑战了。例如，某些大型军事类辞书，在各断代军事思想的词条中，也常常是横向地不断重复诸如战争观上区分了"义战"

与"非义战"的性质，作战指导上强调了"避实击虚""因敌制胜"之类的表述。先秦词条这么讲，秦汉词条这么讲，到了明清的词条，还是这么讲，千篇一律，缺乏发展性和创新性。应该说，这一局面的形成，不是偶然的，而是其研究对象本身停滞不前、自我封闭所导致的。

如果说，以上的归纳总结是兵学思想发展存在的明显的"先天不足"的制约，那么我们还应该更清醒地注意到，这种归纳与总结，还有一个"后天失调"的重大缺陷。

从先秦时期"赳赳武夫，公侯干城"，到汉武帝时代，朝廷"彬彬多文学之士"，汉元帝"柔仁好儒""纯任德教"，中国古代社会的风尚悄然发生了某种变化，阳刚之气似乎有所消退，军人的地位逐渐降低，普通士兵更成了一群可以随时"驱而往，驱而来"的"群羊"（参见《孙子兵法·九地篇》），社会风气一改而成为"好铁不打钉，好男不当兵"。五代以降，兵士脸上刺字的现象时有发生，明代"军户"身份世袭，社会地位低下，就是这方面的例证。这样的群体，在文化知识的学习与掌握上自然属于"弱势群体"，他们文化程度不高，知识积贮贫乏，阅读能力有限，学习动力缺乏。如果兵书的理论性、抽象性太强，那么就会不适合他们阅读与领悟。所以，大部分的兵书只能走浅显、通俗的道路，以实用、普及为鹄的。由此可知，兵学受众群体的文化素质和精神需求上的特殊性，在很大程度上制约了兵学思想的精致化、哲理化提升。

这一点，从后世经典的注疏水平即可看出，与儒家、道家乃至法家经典相比，兵书注疏滞后、浅薄，实不可以道里计。兵家的著述在注疏方面，绝对无法出现诸如郑玄之于《诗经》、何休之于《公羊传》、杜预之于《左传》、王弼之于《老子》、郭象之于《庄子》这样具有高度学术性，注入了创新性思维与开拓性理论的著作，有的往往是像施子美《施氏七书讲义》、刘寅《武经七书直解》、朱墉《武经七书汇解》这样的通俗型注疏，仅仅立足于文字的疏通，章句的串讲而已。即便偶尔有曹操、杜牧、梅尧臣、张预等人注《孙子》聊备一格，但是他们的学术贡献与价值，依旧无法与郑玄、王弼等人的成就相媲美。而这种整体性的滞后与粗疏，自然严重影响到兵学思想的变革与升华，使兵学思想的呈现形态失去了值得人们激发热情、全力投入研究的兴奋点与推动力，往往只能在缺乏高度的平台之上做机械性的重复，这显然会导致兵学思想整体研究的严重滞后。

兵学思想史研究的"后天失调"，还表现在这一领域的研究者长期以来在专业素质构成上一直存在着种种局限，并不能很好地适应兵学思想发展史研究的特殊要求。从本质上讲，军事史是历史与军事两大学科彼此渗透、有机结合而形成的交叉学科。这一属性，决定了兵学思想史其实也是军事史与思想史的综合与贯通，这一学术特性，对研究者提出了特殊的要求，即他们最好能具备历史与军事两方面的专业素养。但是由于种种原因，这样的复合型队伍自古至今似乎并未能真正建立起来。熟谙军事者，历史知识、哲学思辨往往相对单薄，这不免导致其研究难以上升到理论思维的高度；而通习历史者，又往往缺乏军旅活动的实践经验，这当然会造成其所研究的结论多属门外谈兵，不着边际。如《礼书通故》一类典籍中有关"偏"的考据，就近乎盲人摸象，花费大量精力考证一"偏"的战车数量，提出莫衷一是的"九乘说""十八乘说""二十七乘说""八十一乘说"等说法，除了徒增纷扰之外，实在看不出能真正解决什么问题。

正是因为兵学思想史的研究，让军事学界、历史学界两大界别的人士都不无困惑、深感棘手，所以一般的人都不愿意身陷这个泥淖。宋代著名兵学思想家、经典兵书《何博士备论》的作者何去非，尽管兵学造诣精深，又身为武学教授（后称武学博士），但自上任之日起就不安心本职工作，曾转求苏轼上书朝廷，请求"换文资"，即希望把他由武官改为文官。何去非的选择，就是这方面非常有代表性的例子。这种研究队伍的凋零没落、薪火难传，恰恰证明了兵学思想发展史研究确实存在着难以摆脱的困境，直至今天仍是亟待突破的"瓶颈"。

除上述困难之外，兵学研究所面临的挑战还包括以下两个因素：一是军事史研究范围与内涵的界定不够清晰。目前的学术界，经常把军事制度的研究混入政治制度研究之中（如商鞅变法中的军功爵制、王安石变法中的保甲法等等），把军事技术的研究归入科技史的研究范畴，把军事法规的研究并入法制史的研究架构，结果是有意无意地放弃了很多本应该是军事史研究的问题，只把目光对准兵役制度、军事谋略，导致内容过于空泛。这也制约了军事史研究的发展。二是受制于文献载体有关军事史内容记载上的固有不足。古代文献中有关军事史战术层面的内容十分单薄，这与西方军事史著作有很大差异。西方的军事史著作对战术层面的内容记载相当详尽，如在记述汉尼拔指挥的著名的坎尼之战时，曾详细描绘了双方怎样排兵布阵，步兵、骑兵如何配置，谁为主攻、谁作牵制，战斗的具体经过又是怎样。反之，我们的史书记述，则侧重于战争酝酿阶段的纵横捭阖、逐谋斗智，而真正描述战争过程的往往就简单的几个字，"大破之""大败之"，一笔带过。我们既不知道是怎么胜的，也不知道是怎么败的，这就为我们从战术层面深化兵学历史的研究带来了重重障碍。

四、我们如何实现兵学研究的"突破"

危机也意味着转机，困境也意味着坦途。我们认为，中国兵学历史的研究固然存在着种种问题，但是，在大家的共同努力下，它的发展和繁荣也并非没有希望。换言之，使它走出困境的转机同样是可以争取和把握的，关键是我们如何寻找到赢得转机的途径与方法。

其一，寻求转机与实现突破，要求我们对兵学历史的研究予以主观上的更大重视，应该明确形成这样的一个基本共识：一个民族、一个国家、一支军队如果不尊重自己的悠久军事文化传统，不善于从以往的军事历史中借鉴得失，获得启迪，那么就难以拥有与理解完整的历史，就没有资格侈谈什么军事理论创新，也不能建立真正有价值的战略学、战术学、军制学，遑论在世界大变局中确立自己的地位，施展自己的影响。一句话，不珍惜传统，肯定不会有光明的未来；漠视历史，迟早会受到历史的惩罚。基于这样的共识，中国兵学历史的研究必将获得动力，因为研究者的责任感与成就之间实际上存在着共生的关系。更重要的是，我们应该通过对中国兵学发展历史的考察与总结，从中积极地汲取经验。众所周知，以史为鉴，可以知兴替。中国历代战争的战略决策、战略指导与作战指挥，以及建军、治军、用将、训练、治边等方面的经验教训，至今仍有给人以启迪和借鉴之处。兵学历史的研究，固然是学术性的探索与诠释，但是，研究者也应始终立足于当代，注重历史与现实的贯通，致力于从丰厚的历史文化资源中寻求有益的启示。我们认为：一部兵学发展史，其实就是一部军事变革史，更是一部军队发展、国防建设的启示录。我们虽然不能从历史博物馆里取出古人的"剑"同未来的敌人作战，但我们可以熔化古人的"剑"铸造新的"武器"。

其二，寻求转机与实现突破，要求我们在思维模式、研究范围、研究方法等方面进行扎实的工作，开辟新的道路，提升新的境界。这包括：对兵学历史学科的内涵和外延要有一个科学而清楚的界定，确立起兵学历史研究的主体性，树立问题意识、自觉意识，使兵学历史研究的独立性得以完全体现；对兵学历史研究人员专业素质提出更高的要求，彻底改变长期以来军事与历史"两张皮"，懂历史的不太熟悉军事，谙军事的在历史学基本训练方面偏弱的情况；尽量调整兵学历史研究领域内各个分支研究不平衡的局面，在继续加强兵制史、兵书著作研究的同时，积极开展以往相对薄弱的军事技术、作战方式、阵法战术、兵要地理等分支学科的研究，使整个兵学历史的研究能够得到均衡协调的发展，各个分支方向既独立推进，又互为补充、互为促进。其中，尤为重要的是调整与改善兵学史研究的基本范式，必须积极尝试研究角度的重新选择，转换习以为常的研究范式，改变陈陈相因的研究逻辑。具体地说，就是实现研究重心的转移，从以研究军事人物思想、兵书典籍理论为主导，变为以研究战法与思想共生互动为宗旨。这个共生互动的关系，可以用一个相对稳定的逻辑结构来描述，即武器装备的改进与发展，引发作战方式、战略战术的变革，同时也促成了军队编制体制的调整和变化，而这些变化，最终又推动了兵学理论的创新、军事思想的升华。而兵学思想的发展，同样要反作用于作战指导领域，使得战法的确立与变革能够在理论的指导下，更趋合理，更趋成熟，以适应军事斗争的需要，为达成一定的战略目标创造积极有利的条件。

在围绕"武器装备—作战方式—兵学理论"这一主线与结构展开叙述的同时，尤其要注意对兵学思想发展史上阶段性特点的概括与揭示。区分不同时期兵学思想的鲜明特征，探索产生这些特征背后的深层次政治、经济、社会、文化原因，观察和说明该时期兵学思想较之于前，传承了什么，又增益了什么，对于其后兵学思想的发展起到了哪些作用，产生了何种影响。换言之，我们今天对历代兵学思想的研究，其成功与否，就是看能不能跳出通常的兵学思想总结上的时代性格模糊、阶段性特点笼统的局限，而真正把握了兵学思想与文化的历史演进趋势和个性风貌。

其三，寻求转机与实现突破，要求我们在从事兵学历史研究过程中，在充分运用历史方法的同时，尽可能借助于军事的范畴、概念与方法，注重从军事的角度考察问题、解决问题。应该说，这正是兵学历史研究讲求科学性、学术性的必然要求。面对军事制度上的疑难问题，我们完全可以参考现代军制的原理与方法来协助解决，例如，释读先秦军队编制体制中"偏"的问题就是如此。我们知道"偏"是先秦时期车战的战车编组形式，但是一偏到底有几乘战车，文献记载说法各异，有"九乘说""十八乘说""二十七乘说""八十一乘说"种种，可谓各有道理，莫衷一是。另外，像先秦军队既有"军、师、旅、卒、两、伍"六级编制，又有"三十人乘制""七十五人乘制"，彼此关系又是怎样？如果花大力气去求证，结果很难如愿，但我们若了解现代军队编制特点的话，那么也许能掌握解决问题的钥匙，即理解军队编制上平时管理和战时配属是两种方式，一支军队可以有平时隶属体制、战时合成编制、临时战斗编组等多种编制。先秦军队就平时隶属体制而言，可以有六级；就战时合成编制而言，即为"乘"；就临时战斗编组而言，又可以有"九乘""二十七乘"等不同的大小"偏"形式。这就是一个参照现代军队编制以深化军事史研究的重要例子。

再如，我们以往研究"韩信破赵"时部署的背水阵，一般只关注到军心士气问题，即韩信之所以部署背水阵，乃是为了激发士兵的战斗意志，置之死地而后生。这几乎是两千多年来人们的一致看法，韩信自己也是如此表白的。但是，我们如要从军事学的角度来分析，那么背水阵其实包含着十分丰富的战术作战要领。首先是变换主客。韩信设置背水阵的主要目的在于引诱赵军前来攻击，如此，本来是处于攻击地位的韩信军队反而变成了防御一方，而在军队作战中，防御和进攻所需的兵力相差是很大的，这叫作"客倍主人半"（《孙膑兵法·客主人分》）。韩信通过背水阵的设置，改变了双方的攻守地位，弥补了自己兵力的不足，在一次进攻性战役中，打了一场漂亮的防守作战，最终取得了胜利。这个主客变置的关键因素，再加上布列圆阵、兵分奇正、置之死地而后生等战术要领，背水阵达到了预期的目标。这个例子可谓极其生动而有力地证明了兵学历史研究离不开军事学要素与方法。总之，兵学历史研究过程中许多学术上的疑难问题，若能借助军事学的原理与方法，解决起来并非不可能。如用现代军事中的"战略预备队"概念诠释《握奇经》中"四为正，四为奇，余奇为握奇"的"余奇"含义，就能使人豁然开朗。又如，拿方阵战术的基本要领来观照"勇者不得独进，怯者不得独退""不愆于六步、七步，乃止齐焉"等兵学指导原则的意义之所在，同样也是恰到好处。

　　其四，寻求转机与实现突破，我们还需要拓宽视野，以世界军事发展进程为参照，来考察中国兵学历史的演进规律、文化内涵与时代精神。英国军事学家富勒在其代表作《装甲战》一书中曾经这么说过："世界上没有绝对新的东西。我曾说过，学员只要研究一下历史，就可看出，战争的许多阶段将再次采用基本相同的作战形式。只需进行一些研究和思考，就会认识到，过去所采用的所有战略和战术，自觉或不自觉地都是根据军事原则制定的。……无论军队是由徒步步兵、骑兵，还是由机械化步兵组成，节约兵力、集中、突然性、安全、进攻、机动和协调等原则总是适用的。总之，摩托化和机械化只是改变了战争的条件，即改变了将军使用的工具，而不是他的军事原则，这一点是显而易见的。"这是从时间的角度说明军事学基本原则的永恒性、稳定性。其实，从空间的视角考察，这种同一性、常态化又何尝不是如此！中西方军事著作在语言体例、逻辑概念梳理、形象描述等方面固然存在着很大的差异，是两类军事文明的产物。但是，《淮南子·氾论训》言："百川异源而皆归于海，百家殊业而皆务于治。"万变不离其宗，中西方军事学的核心问题，如重视将帅、灵活多变、集中兵力、以攻为主、重视精神因素及士气的振奋等，完全可以说是旨趣一致、异曲同工的，这种一致与相似，远远胜过所谓的"差异"与"对立"。我们应该充分看到中西方军事学的这种同一性，从而更好地认识中西方军事思想文化中那些超越时空的价值，并从中获得有益的启迪。这一点，乃是我们在研究中国兵学历史时，必须予以充分留意与高度关注的。换言之，我们今天的兵学研究，既要立足本土，同时又要面向世界，从世界军事文明递嬗的视域把握中国兵学的精髓，揭示中国兵学的特色，认知中国兵学的价值。

总之，兵学历史的研究只要真正回归历史、回归军事，那么就可以超越过去僵化的模式与平庸的论调，把握住新的发展契机。

鉴于以上基本认识，我们这个兵学历史研究的小团队，不揣谫陋，砥砺而行，和衷共济，经过数年的积极努力，撰写了这套300余万言、7卷本的《中国兵学通史》，就中国兵学历史发展的时代背景、基本内涵、演变轨迹、主要特征、表现形式、重要地位与文化影响等加以全景式的回顾、梳理与总结。在此基础上，我们重点考察与揭示中国历史上的代表性兵学著作、诸子论兵之作、重大战争中所反映的兵学基本原则、四部典籍所蕴含的兵学思想要义及其对中国兵学文化发展的卓越贡献，并对影响与制约中国历史上兵学发展的基本要素，如武器技术装备、军队体制编制、作战样式与战法、军种兵种构成与变化、军事训练与军事法规等，进行必要而细致的考察与剖析。总之，我们的初衷，是要梳理中国古代兵学产生、发展及演变的历史轨迹，总结中国古代兵学的主要成就，揭示中国古代兵学的基本特征，阐释中国古代兵学的文化价值。

受水平所限，本书难免存在着一些值得商榷与改进之处，衷心欢迎诸位专家和广大读者不吝批评指正，以匡不逮，无任感谢。

是为序。

黄朴民

2021 年 10 月 26 日于中国人民大学国学院

目 录

绪 论

隋唐王朝的先后建立，一举结束了自西晋末以来将近三百年的分裂割据局面，天下重归统一。隋唐五代处于中国封建社会发展的上升时期，同时又是冷兵器时代的兴盛期，在政治、经济、军事、文化等领域都得到了空前发展，综合国力大幅度提升，国家声望日隆，缔造了在东亚乃至世界上具有广泛影响的封建大一统帝国。隋唐五代兵学上承先秦汉魏两晋南北朝兵学传统，在博采众长的基础上有所创新，下启宋代兵学走向全面繁荣，在系统总结前人兵学成果的基础上，注重汲取新的实战经验融会贯通，体现出儒道兵思想交融、注重实用、锐意进取等时代特征，较好地完成了由冷兵器时代过渡到冷兵器火器并用时代的历史使命，在中国兵学发展史上占有独特的地位。

一

隋唐五代始自隋文帝开皇元年（581），终于后周恭帝显德七年（960），历时 380 年。在这段时期，兵学在起伏中发展，在沉寂后复兴，较好地顺应了现实需求，呈现出自身独有的时代特征。根据各阶段兵学发展大势，隋唐五代兵学可划分为隋代兵学、唐代前期兵学、唐代后期兵学、五代兵学。

一是重建大一统帝国背景下的隋代兵学。自西晋末年以来，天下重新陷入分裂局面近三百年之久。隋文帝杨坚登基后，始终着眼统一大业，充分发挥高颎、崔仲方、杨素、贺若弼、韩擒虎等良臣猛将的作用，实施了正确的战略指导，注重"积形""造势"，成功地践行了《孙子兵法》的"善战者，胜于易胜者也"[①] 和"所措必胜，胜已败者也"[②] 的"称胜"战略思想，最终以较小的代价完成了重建大一统帝国的伟业。隋代兵学始于隋文帝开皇元年（581），终于隋恭帝义宁二年（618）。隋代兵学历时仅38年，大体经历了从兴盛到衰落再到兴盛的发展过程。隋初统一战争表现出高超的战略指导思想，尤其是注重协同配合、水陆并进、重点突破的江河作战思想，堪称中国古代渡江作战的典范。高颎提出的"取陈之策"、贺若弼提出的"御授平陈七策"、长孙晟提出的"攻突厥之策"，以及杨素、贺若弼、韩擒虎在作战和治军过程中体现出来的善择战机、长于用奇、攻虚击弱、优俘攻心、信赏明罚思想，反映了隋代前期兵学的基本状况，隋末农民战争思想则代表了隋代后期兵学的最高水平。

　　二是总结用兵经验的唐代前期兵学。唐代处于中国古代冷兵器发展的末期，唐代兵学如实反映了冷兵器时代兵学向冷兵器火器并用时代兵学过渡时期的真实状况。唐代兵学对唐统一战争的成功经验进行了深刻的总结，提出了不少有创新价值的兵学观点；同时又深受胡汉民族融合、文化交流的影响，吸纳了游牧民族兵法中的精华，反映在军队编成、训练、作战方式等方面。[③] 唐代兵学以安史之乱爆发为界，划分为唐代前期兵学、唐代后期兵学。唐代前期兵学又称盛唐兵学，自唐高祖武德元年（618）开始，至唐玄宗天宝十四载（755）为止。安史之乱前的唐代兵学发展大致经历了从兴盛渐趋衰落的过程。贞观年间是这一阶段兵学发展的高峰，以《李靖兵法》（又称《大唐卫公李靖兵法》《卫公兵法》）和反映该时期兵学

---

① 孙武撰，曹操等注，杨丙安校理：《十一家注孙子校理》卷上《形篇》，中华书局，1999年。

② 《十一家注孙子校理》卷上《形篇》。

③ 参见王援朝：《唐代兵法形成新探》，《中国史研究》1996年第4期。

状况的《唐太宗李卫公问对》① 为代表作；还有政论与兵学融为一体的著作，如《贞观政要》。该阶段出现了一本谈论王霸经权达变之术的杂书《长短经》，还有专论一种军事技艺的"兵技巧"类兵书《射经》；先后涌现了以唐太宗李世民、李靖、李勣、侯君集、苏定方、刘仁轨、裴行俭、郭元振等为代表的兵家；此外还有文人论兵者，如陈子昂等。这些都极大地丰富了这一阶段的兵学内容。

三是经世致用的唐代后期兵学。唐代后期兵学始于唐玄宗天宝十四载（755），终于唐哀帝天祐四年（907）。安史之乱是唐王朝由盛而衰的转折点，不少有识之士对此进行了深刻的反思，兵学问题受到了高度重视，兵学得以再度复兴。一方面，在平定安史之乱和藩镇叛乱的战争中涌现出了郭子仪、李光弼、张巡、李晟、马燧、浑瑊、李愬等一批能征善战、智勇双全的杰出将领，还有"练达兵机"的高级军事幕僚李泌、陆贽；另一方面，李筌、杜佑、杜牧、王真等大量文人本着经世致用的考量，积极谈兵论战，出现了《太白阴经》《阃外春秋》《李筌注孙子》《阴符经疏》《通典·兵典》《杜牧注孙子》《道德经论兵要义述》《贾林注孙子》《陈暤注孙子》等兵学著作，文人论兵群体由此形成。这时的兵家更加注重兵学的实用功能，期望借助兵学扭转军事上的颓势，再现盛唐辉煌。以大规模流动作战思想为特色的唐末农民战争思想则进一步丰富了这一时期的兵学内容。

四是从分裂走向统一背景下的五代兵学。五代兵学始于后梁太祖开平元年（907），终于后周恭帝显德七年（960），历时54年。五代十国时期虽然时间很短，但是政权林立，战争频繁激烈，社会动荡不安。这一时期的战争类型多样，以兼并战争为主，辅以民族战争、农民战争、统一战争。在王朝频繁更替的乱象背后，重建大一统的趋势不可阻挡。五代兵学反映了从分裂走向统一大势的兵学状

---

① 该书成书时间不详，但可视为一部比较客观地反映了唐代前期兵学状况的兵书予以研究。该书又称《李卫公问对》《李靖问对》《唐李问对》《问对》。

况，王朴的《平边策》，李存勖的攻虚击弱、长途奔袭思想，周德威的以骑制步思想，郭崇韬的速战速决思想，柴荣的"修道"备战、精兵治军思想代表了该时期的兵学水平。

二

隋唐五代兵学产生于一个特定的历史背景，受到了大一统帝国的政治、经济、文化、宗教、外交等诸多因素的错综复杂的影响，民族大融合背景、儒道兵合流的思想文化背景、冷兵器时代向冷兵器火器并用时代过渡的军事技术背景都不容忽视，其中民族融合的时代背景与民族战争的深刻影响值得特别关注。

自西晋灭亡之后，中国进入南北对峙、争战不休的动荡时期。北方游牧民族纷至沓来，纷纷在中原建立政权。为进一步巩固统治，他们自觉不自觉地走向封建化，并在此进程中加深了与汉族的融合。在民族大融合的过程中，农耕民族的汉文化与游牧民族的胡文化在碰撞中彼此借鉴，其结果是胡文化日渐汉化，汉文化也渐染胡风。①这在兵学上也得到了充分体现，中原传统兵法吸收了胡人兵法中的有价值的成分。比如李渊借鉴突厥军队的编成、训练、作战方式，"饮食居止，一同突厥"②，几乎全盘仿照突厥组建骑兵，大获成功，从此使唐军拥有了一支具有强大战斗力的轻骑兵，在唐朝统一战争中立下卓越战功。

由于受周边地缘环境的影响，中国历代中原王朝主要受到来自北方游牧民族的威胁，安土重迁的农耕民族与"逐水草而居"的游牧民族之间的战争贯穿了中国古代历史。自先秦以来，匈奴、鲜卑、柔然、突厥、回纥、契丹、女真、蒙古等北方游牧民族相继崛起，陆续进入中原，形成了游牧民族周期性南下的现象。游牧经济自身

---

① 参见王援朝：《唐代兵法形成新探》，《中国史研究》1996 年第 4 期。
② 温大雅撰，李季平、李锡厚点校：《大唐创业起居注》卷一《起义旗至发引凡四十八日》，上海古籍出版社，1983 年。

所具有的不稳定性，导致游牧民族在突然发生自然灾害后面临生存危机。学者林立平指出，"这种时候，生存的需要便驱使他们发挥马背上的优势，武力掳掠和军事征服也就在所难免了。简而言之，承认社会经济结构的不平衡性，就必须正视边疆与内地存在军事冲突的可能"①。相对于农耕民族而言，游牧民族所拥有的"马背上的优势"，充分反映在其灵活机动的骑兵战术和大规模骑兵集团作战的能力上。隋唐五代时期，突厥崛起漠北，成为中原王朝的主要威胁，此后代之而起的还有薛延陀、吐谷浑、吐蕃、回纥等周边游牧民族。中原王朝军队与游牧民族军队展开长时期的频繁而激烈的交战，彼此互相吸纳对方的长处，借鉴对方优越的战略战术，在战争实践中促进了兵学的发展。学者王援朝认为，自魏晋南北朝以来，兵法的发展逐渐出现了胡汉融合的趋势。唐代兵法是胡汉融合的二元兵法，除中原传统兵法的内容外，还有直接来自游牧民族兵法的内容，具体反映在战略上强调进攻，建立了机动性强的骑兵集团，经常采取突袭和远程奔袭战法，实施大纵深的迅猛追击；在战术上重视使用骑兵迂回包抄，步骑结合，以步制骑。② 隋唐五代兵家在民族战争实践中不断创新战法，在互动影响中取长补短，在融会贯通中自成一体，极大地推动了这一时期兵学思想的发展。

隋唐五代兵学在发展过程中还受到了当时社会思想文化的深刻影响。就社会主流思想文化而言，这一时期既有别于魏晋南北朝，也迥异于宋辽金元，多元化的思想文化兼容发展，最终成就了富有特色的隋唐五代兵学。早在先秦时期，在百家争鸣的宽松氛围下，兵家与儒家、道家、墨家、法家、阴阳家等思想流派竞相发展，形成了社会思想文化多元并存的局面，涌现出了融兵、儒、法、道等诸家学说于一体的《六韬》《荀子》《韩非子》等。显然，这一时期的兵学博采众家之长，吸纳儒、道、墨、法等思想精华，在兼容并

---

① 林立平：《隋唐的边疆政策》，马大正主编：《中国古代边疆政策研究》，中国社会科学出版社，1990年，第157页。

② 参见王援朝：《唐代兵法形成新探》，《中国史研究》1996年第4期。

蓄中得到长足发展。自西汉"独尊儒术"之后，儒学的地位日渐上升，开始全面渗透于社会各方面，对兵学产生了越来越大的影响。随着儒家思想正统地位的确立，兵儒合流现象遂成为中国古代军事思想发展的主流，儒家政治理论与兵家权谋之道两者得到有机的结合，相辅相成。① 除此之外，道家、法家思想也在社会上产生了广泛的影响，尤其在汉、唐时期最为显著，汉魏时期的《三略》《将苑》，唐代的《太白阴经》《长短经》等将兵家、儒家与道家、法家思想融会贯通，反映了这一时期多种思想交融的特点。

与西汉经学、魏晋玄学、两宋理学不同，隋唐五代时期并没有出现某一种思想流派长期独尊的局面，相对宽松的社会氛围为诸家思想的融合创造了有利条件。黄朴民等学者认为，中国古代的思想文化整合与融会先后经历了三个高潮，至隋唐时期进入了第三个高潮。② 隋唐儒、道、兵诸家思想的交融，是对先秦两汉以来的儒、道、兵合流的传承与发展。儒、道、兵思想在互相竞争和借鉴过程中共同发展，而兵学也在与儒、道的互动中得到了长足进步。尽管儒学在该时期并未处于绝对统治地位，但其影响却与日俱增，呈现上升的发展势头。隋文帝、唐太宗均采取了扶持儒学的态度，儒家思想对兵学发展产生了极大影响，特别是深刻地影响了这一时期的战争观和国防思想。这一时期兵家主张修文德，绥四方，武与德要相辅相成。陈子昂提出以仁德安民服敌以固国，建议统治者"修文德，去刑罚，劝农桑，以息天下之人，务与之共安"③，广施恩惠于民众，以宽政治理国家，收揽民心，以此安定天下；李筌主张"先文德以怀之"，如果不服再"命上将，练军马，锐甲兵，攻其无备，

---

① 参见黄朴民：《兵儒合流与学术兼容》，《中国军事科学》1999 年第 3 期。
② 参见黄朴民、魏鸿、熊剑平：《中国兵学思想史》，南京大学出版社，2018年，第 245—246 页。
③ 陈子昂：《陈拾遗集》卷八《上军国利害事·人机》，上海古籍出版社，1992 年。

出其不意"①。在兵儒合流过程中，隋唐五代属于儒学对兵学的初步整合期，为宋明兵儒深度合流、儒学基本完成对兵学的整合奠定了基础。这一时期出现的以刘仁轨、裴行俭为代表的文人儒将群体，恰是兵儒合流背景下的历史产物，反映了儒家思想主导下的兵学发展趋势和武将儒家化的时代需求。

道家与兵家的互动互通关系由来已久。在长期的历史演进过程中，一方面传统兵学的思想智慧渗透于道教主要思想领域，另一方面道教思想深刻影响了传统兵学的战争观和兵学家的价值观。② 正是由于道教与军事存在密切的关系，道教典籍中存在大量的论兵文献，道教教理教义蕴含着关注军政问题的思想倾向，有学者明确提出了"道教兵学"之说，并对其主要内容、宗教色彩、价值与历史地位做了深入探讨。③ 当代著名学者吴如嵩则从思想流派的角度切入，指出先秦的兵家可以分为法兵家、道兵家、儒兵家、墨兵家、杂兵家、纵横兵家等，提出了道兵家的概念。④ 唐代道家与兵家思想在交流互鉴中深度整合，道家中不乏精通兵学者，兵家中屡有谙熟道教者，出现了以李筌、王真、赵蕤为代表的道兵家群体，极大地充实了这一时期兵学内容，也对隋唐五代兵学的发展产生了很大影响，具体反映在以道论兵的战争观和战争指导上。李筌提出将《道德经》的"以正治国，以奇用兵，以无事取天下"作为治国用兵的指导思想，同时又主张"主有道德"，实行"王道"，达成"内圣外王"的目标；认为"善用兵者，非信义不立，非阴阳不胜，非奇正不列，非诡谲不战"⑤，提出将儒家的"信义"、道家的"阴

---

① 李筌：《太白阴经》卷二《人谋下·贵和篇》，《中国兵书集成》编委会：《中国兵书集成》第二册，解放军出版社、辽沈书社，1988 年。

② 参见于国庆、詹石窗：《道教与传统兵学互通关系略论》，《社会科学战线》2013 年第 4 期。

③ 参见于国庆、詹石窗：《道教兵学简论》，《哲学研究》2012 年第 12 期。

④ 参见吴如嵩：《〈尉缭子〉的兵形势特色》，《军事历史研究》1988 年第 2 期。

⑤ 《太白阴经》卷二《人谋下·沉谋篇》。

阳"、兵家的"诡谲"统一起来。王真由道论兵,认为人和万物由"道"所产生,应当遵"道"而行;指出战争和祸乱的根源都在于争利,提出了"去争""遏乱"的战争观;将道家和儒家思想融合在一起,提出了道、德、仁、义、礼兼而用之的经国治军思想。

除儒、道之外,隋唐五代兵学还受到法家、纵横家等思想流派的影响。在较为宽松的思想氛围下,这一时期的兵学以包容开放的姿态博采众长,在兼收并蓄过程中得到充实发展。

值得注意的是,隋唐五代处于冷兵器时代向冷兵器火器并用时代过渡的时期。在这一过渡时期,冷兵器发展到了较高程度,在火器尚未运用到战场之时,战争指导者为了打败对手、赢得胜利,一方面着力研发实用性更强、杀伤力更大的新型冷兵器,另一方面深入探索克敌制胜的新战法。当前学术界主流观点认为,中国古代冷兵器时代与火器时代的时间划分以公元 10 世纪为界,① 公元 10 世纪以前为冷兵器时代,10 世纪以后为火器时代。② 显然,隋唐五代属于冷兵器时代末期。在继承前代成果的基础上,隋唐五代时期的冷兵器得到进一步发展,冷兵器时代的军事技术基本定型。这一时期冷兵器的发展主要反映在铁兵器制造技术和大型军事器械等方面。

随着钢铁冶炼技术和钢铁材料质量的提高,隋唐五代时期的铁兵器极其盛行,体现在铁兵器制造数量、性能、形制构造等方面,尤其是兵器形制构造的统一,极大地提高了军队武器装备制式化、专业化和标准化水平。这一时期的格斗兵器以槊、枪、刀为代表。隋唐名将善用槊者很多,这是一种专供骑兵使用的长矛,槊头宽大,有两刃,是轻骑兵作战时的常用兵器。尉迟敬德就因善用槊而闻名于世。此外,长柯斧、陌刀也是该时期较有特色的格斗兵器,对于当时的唐军战法也产生了较大影响。隋唐五代的大型军事器械主要

① 参见钟少异:《中国古代军事工程技术史(上古至五代)》导言,山西教育出版社,2008 年,第 1 页。

② 冷兵器在火器时代并没有立即消失,在相当长时期内仍然被大量运用于战场。因此,火器时代包含了较长的一段冷兵器和火器并用的时期。

有强弩、抛石机、拍竿等，无论是抛射距离还是杀伤力，都比前代有了显著改进。这一时期出现的竹竿弩、伏远弩、绞车弩、大木单弩等远射程的强弩，以及抛车、云艚（将军炮）、擂石车等威力巨大的车载抛石机，被广泛运用于战场，对当时的野战和攻守城作战产生了深远影响。军事技术发展对作战及军事理论的影响，由此可见一斑。

三

兵学的发展受到诸多内因和外因的影响，是综合因素作用下的产物。中国兵学在长期发展演进过程中，受到不同历史背景下的政治、文化、军事等因素的影响，呈现出明显的阶段性特征。隋唐五代兵学也不例外，全面展现出不同于其他时期的独特性。透过这些表象，我们更应该关注隐藏在这些时代特征背后的深层次因素，由此揭示其本质属性。

一是文武兼修、仁诈统一思想。隋唐五代兵学广泛吸纳各家思想精华，在不断取舍和互鉴中充实并完善了文武兼修、仁诈统一思想。

早在先秦时期，以儒家、兵家为代表的诸子就对战争观做了深入的探讨。孔子主张"有文事者必有武备，有武事者必有文备"①，提出了"文事""武事"兼备的国策；孙子提出"令之以文，齐之以武"②的治军指导思想；吴起提出"内修文德，外治武备"③，主张对内要修明政治，对外要加强战备。先秦关于"文""武"内涵及其相互关系的论述是相当丰富的，多从国防观或治军观的角度阐

---

① 司马迁：《史记》卷四十七《孔子世家》，中华书局，1959 年。
② 《十一家注孙子校理》卷中《行军篇》。
③ 《吴子》卷上《图国》，《中国兵书集成》编委会：《中国兵书集成》第一册，解放军出版社、辽沈书社，1987 年。

述。《孙子兵法》较早形成了仁诈辩证统一思想，① 一方面提出"兵者，诡道也"②"兵以诈立"③，另一方面又提出"非仁不能使间"④，将诈与仁辩证统一起来，形成了完整的战争指导理论，对后世产生了极大影响。

　　隋唐五代兵学吸纳了先秦兵家思想，深化了对文武兼修、仁诈统一观点的认识，推动了兵学理论与实践的发展，其中唐太宗和杜牧做出了突出贡献。唐太宗在登基之前以武拨乱，为平定天下立下汗马功劳；即位之后大力推行文治，呈现贞观盛世。具体来说，唐太宗对文武兼修做了富有创意的理论阐发和实践探索。他认为治国安邦要做到文武兼用，"理人必以文德，防边必以武威"⑤，主张以文德治理人民，用武威巩固边防。唐太宗强调要灵活运用"文武"手段，做到"文武之道，各随其时"⑥，认为在乱世要以武功平定天下，而在治世则要以文德绥怀四方，也就是说要根据时势变化，合理选择"文武之道"。文武兼修的丰富内涵反映在两方面：一方面是指文治与武功不可偏废，相互为用；另一方面是指文与武有主次之分、轻重之别，在推行"文武之道"时要突出重点，或以"文治"为主，辅以"武功"，或以"武功"为主，辅以"文治"。唐太宗的成功实践反映在对"文武之道"的主次、轻重的合理把握上，尤其在"贞观之治"中得到生动体现。他在早年创业阶段崇尚武功，登基之后注重守成，强调在天下统一后要着重"修文"，探索太平盛世的治国之道，所采取的措施主要有尊崇儒术、大兴礼乐、抑佛崇道、举办学校、编纂史书、以史为鉴等，⑦ 营造了较为宽松的政治氛围，

---

① 参见于汝波：《略谈〈孙子兵法〉的仁诈辩证统一思想》，《管子学刊》1992 年第 1 期。

② 《十一家注孙子校理》卷上《计篇》。

③ 《十一家注孙子校理》卷中《军争篇》。

④ 《十一家注孙子校理》卷下《用间篇》。

⑤ 董诰等：《全唐文》卷十《太宗皇帝·金镜》，中华书局，1983 年。

⑥ 刘昫等：《旧唐书》卷二十八《音乐志》，中华书局，1975 年。

⑦ 参见赵克尧、许道勋：《唐太宗传》，人民出版社，1984 年，第 282—353 页。

创建了较为清明的政治环境。与此同时，唐太宗以"武备"辅助"文治"，指出"土地虽广，好战则人凋；邦境虽安，忘战则人殆。凋非保全之术，殆非拟寇之方，不可以全除，不可以常用"①，强调要慎重用兵，但又不可不备战，尤其要加强边防战备，实施武力戍边，以巩固边境安全。唐太宗还指出仁与诡、诚与诈应辩证处理，认为取得政权后要"增修仁义"，不可重蹈秦朝"益尚诈力"的覆辙，但用兵仍需要以谋略取胜。②唐代著名兵家裴行俭则明确区分了行为对象，指出"抚士贵诚，制敌贵诈"③，认为施用诚、诈要做到内外有别，对己方用诚，对敌方用诈。世人对于《孙子兵法》是否蕴含仁诈统一思想，历来说法不一。唐代杜牧首次明确指出"武之所论，大约用仁义，使机权也"④，认为孙子兵学思想兼有仁与诈，可谓是深入解读《孙子兵法》兵学本质的真知灼见，也为后人进一步探究兵法开阔了思路。

　　二是积极有为的战略利益拓展。纵观漫长的中国封建社会发展史，隋唐五代正好是中期，处于封建社会发展的上升期。学术界认为，中国历史上先后出现了三大盛世，即西汉盛世、唐代盛世、康乾盛世。⑤作为三大盛世之一，唐代盛世局面的表现是多方面的，比如政治清明、社会安定、经济发展、文化昌盛等，而积极有为的战略利益拓展则是唐廷大力维护国家安全利益的有效手段。

　　唐建国之初，统治者深谋远虑，从长计议，着手解决了两大战略问题，为日后的战略利益拓展奠定了坚实基础。其一是正确处理"安内"与"服外"的关系。唐朝君臣对"内"与"外"关系有着

---

① 吴兢撰，谢保成集校：《贞观政要集校》卷九《议征伐第三十五》，中华书局，2003年。

② 参见司马光：《资治通鉴》卷一百九十二《唐纪八》，太宗贞观元年六月，中华书局，1956年。

③ 《资治通鉴》卷二百二《唐纪十八》，高宗永隆元年三月。

④ 杜牧：《樊川文集》卷十《注孙子序》，上海古籍出版社，1978年。

⑤ 参见兰丕炜：《中国封建盛世的兴衰》，中国大百科全书出版社，1994年，第2页。

深刻的认识，将其比喻成"根本"与"枝叶"的关系，强调本末不可倒置。唐太宗指出"治安中国，而四夷自服"①，认为"中国百姓，天下根本；四夷之人，乃同枝叶。扰其根本以厚枝附，用求久安，未之有也"②。凉州都督李大亮在此基础上总结为"欲绥远者，必先安近""深根固本，人逸兵强，九州殷盛，四夷自服"③。由此可见，"治安中国"居于首位，只有"安内"才能"服外"；同时，"服外"也是"安内"的必要手段。当代学者于汝波指出："唐太宗正是采用了这种'安内'和'服外'相辅相济的方略，才获得了内政和外交上的巨大胜利，使国势形成了不断上升的良性互动。"④ 其实，唐朝统治者对"内""外"关系的处理之道，也为历代封建盛世时期统治者所采用。他们根据安全威胁的性质和轻重缓急综合考量，大都遵循着先内后外、先重后轻的顺序，逐次解决所面临的安全威胁。⑤ 当然，实践中的"安内"与"服外"关系更为复杂，尤其要关注二者的互动关系，切不可低估"服外"对"安内"的影响。只有正确处理二者辩证关系，在变化中灵活处置，才能最有效地拓展战略利益。其二是积形造势的韬晦之计。战争是实力的对抗，弱者要想打败强敌，必须采取适宜的战术策略，要善于以屈求伸，暗中发展实力，等待时机成熟后反击破敌。唐高祖李渊起兵之初卑事突厥，唐太宗即位之初隐忍"渭水之耻"，都是韬光养晦之举，经过长期富国强兵、整军备战之后，最终一击获胜。

唐朝积极有为的战略利益拓展，是唐朝统治者推行积极防御战略的外在表现，究其本质，乃是维护和巩固国家安全利益，进而构建唐主导的天下秩序。与前朝相比，唐朝统治者的战略理念是充满

---

① 《资治通鉴》卷一百九十三《唐纪九》，太宗贞观三年十二月。

② 《贞观政要集校》卷九《议安边第三十六》。

③ 《贞观政要集校》卷九《议安边第三十六》。

④ 于汝波：《唐代前期"安内"与"服外"关系的争论和决策》，《中国军事科学》2002 年第 2 期。

⑤ 参见高润浩：《盛衰之变：中国封建盛世时期安全战略研究》，军事科学出版社，2005 年，第 104—106 页。

积极进取精神的。唐太宗一反传统做法，不再修筑长城，而以人为长城，精选良将守备边境，收到了良好的效果。他曾说道："朕今委任李世勣（后因避太宗李世民讳，单名勣）于并州，遂使突厥畏威遁走，塞垣安静，岂不胜远筑长城耶?"① 唐太宗此举，与孙子"择人而任势"兵学思想暗合。

众所周知，任何军事行动都受到客观地缘环境的影响，而国家决策者和军队将帅在指导战争实践和拓展战略利益时，也必须遵循隐藏在背后的地缘战略规律。在地缘战略规律中，利益分布非均衡规律和由近及远扩展规律对战略利益拓展的影响最为显著。利益分布非均衡规律是指国家利益因为地理差异和社会发展不平衡而出现非均衡的分布，可分为核心区、重要区、边缘区和利益相关线。由近及远扩展规律是指一个国家实现统一或对外扩张一般都是由近及远进行的。② 唐朝统治者在拓展战略利益时，首先解决威胁核心利益者，然后解决威胁重大利益者，以此顺推。当代学者高润浩指出："隋唐王朝利益拓展的方向选择与先后顺序，受威胁的严重度、利益的关联度与统治者的关注度等多种因素影响。"③ 唐朝战略利益拓展方向、对象依次是北方的东突厥、薛延陀等，西北方向的吐谷浑和西域的高昌、龟兹、西突厥、突骑施等，东北方向的高句丽④、百济、渤海国等，西南方向的吐蕃、南诏等。唐朝初期，横行于漠南、漠北的东突厥对唐廷安全构成了严重威胁。北部安全事关王朝存亡，实乃唐朝生死攸关的利益。武德七年（624）八月，东突厥颉利可汗

① 《旧唐书》卷六十七《李勣传》。
② 参见程广中：《地缘战略论》，国防大学出版社，1999 年，第 87—97 页。
③ 高润浩：《试析隋唐时期战略利益的拓展》，《中国军事科学》2010 年第 1 期。
④ 高句丽是公元前 1 世纪至公元 7 世纪期间的中国古代边疆政权，南北朝时期改称"高丽"，又称"高氏高丽"。高句丽与公元 918 年王建建立的高丽（又称"王氏高丽"）有本质区别，二者没有承继关系。为示区别，本书行文统一称"高句丽"，所引史料涉及"高句丽""高丽"者，一概遵从原书，不做改动。

派兵大举入寇,兵锋直指豳州(治今陕西彬州),大有南下进犯关中之势,唐朝统治者一度打算迁都以避其锋。武德九年(626)八月,颉利可汗率大军南下,经陇右进入关中,其中一部人马进至唐都长安附近,最终与唐太宗李世民订立便桥之盟,而唐太宗则将其称为"渭水之耻"。由此可见,唐太宗在贞观初年着力解除北方边患,既是出于维护核心利益、巩固王朝统治的现实考虑,同时也是出于拓展战略利益的长远考虑。之后,唐朝统治者在西北、东北、西南等方向持续拓展战略利益,声威远播,收效显著,引领唐廷在不断发展壮大中走向强盛。

三是因时而变、革故鼎新的兵学创新精神。隋唐五代时期爆发了频繁而激烈的战争,统一战争、平叛战争、农民战争等多种样式的战争深刻地影响了这一时期兵学的发展,也催生了一大批灿若星河的著名将帅。以隋文帝杨坚、杨素、唐太宗李世民、李靖、郭子仪、李光弼、周世宗柴荣等为代表的杰出兵家,在长期战争实践中勇于创新战略和作战指导方法,在府兵制改革、大规模江河作战思想、轻骑兵作战理论、精兵建设等方面取得长足进步,极大地推动了隋唐五代兵学的发展,也鲜明地体现了因时而变、革故鼎新的创新精神。

隋唐五代兵学在兵制上的创新,突出反映在府兵制改革上。府兵制起源于西魏,是以府为基本单位征调民户当兵的制度,至隋唐时期进入兴盛期。自隋文帝始,统治者着眼提高军队战斗力,先后推行了大刀阔斧的府兵制改革,为一统天下、巩固国防奠定了坚实基础。

隋朝的府兵制改革集中反映在户籍和卫府制两个方面。为巩固统治,隋王朝在全国军事要地和边防重镇设置军府,将府兵编入民户,寓兵于农,兵民合一。在军府地区,府兵平时直属地方州县管辖,同一般民户一样生产生活,具有"民籍"的性质;在应征服役期间,府兵在军府的统管与组织下进行军事训练,执行宿卫和作战任务,具有"军籍"的性质。[1] 为适应战争的需要,进一步提升军

---

① 参见谷霁光:《府兵制度考释》,上海人民出版社,1962年,第103页。

队战斗力，同时增强国家对军队的掌控，隋朝统治者大力改革府兵制，下令废止府兵官兵鲜卑赐姓制度，革除了府兵鲜卑部落制的遗风，顺应了时代发展趋势，有利于争取汉族人民的支持，对于推进封建大一统发挥了积极作用；将各地乡兵纳入府兵系统，增置军府，增强了府兵实力；创立十二卫府、十六卫府体制，形成了较为完备的指挥体系，健全了府兵组织系统；改革军民分籍，实行"兵农合一"制，在乡为农，在军为兵，平时生产，战时出征，轮流番上宿卫。

唐朝建立之初，高祖李渊继承隋制，恢复并建立了府兵制。唐太宗即位以后，进一步完善了府兵的征集与训练制度，府兵制的组织机构更趋完善，府兵的任务与作用更加明确，府兵的分布更趋合理，形成了"内重外轻"的军事格局，有利于巩固王朝统治。府兵战时出征，平时习武，耕战并重，"寓兵于农""兵农合一"，无论是在宿卫京师、戍守边防以及征行作战方面，都发挥了相当重要的作用。唐前期政局稳定，边境安固，经济繁荣，与府兵的作用密不可分。隋唐统治者紧密结合历史实践，不断改革、完善府兵制，从而使其很好地契合了现实需要，在特定时期内发挥了积极的作用。

隋唐五代兵家锐意创新兵学范畴，对奇正、虚实、攻守、主客、久速、形神等范畴做了富有新意的阐释，[①] 极大地推动了这一时期兵学理论的发展。《问对》注重对兵学理论考镜源流，特别是从新的视角诠释了奇正、虚实等兵学范畴，对后世兵学产生了较大影响。《问对》提出了"奇正相变"的用兵法则，唐太宗主张"吾之正，使敌视以为奇；吾之奇，使敌视以为正……以奇为正，以正为奇，变化莫测"[②]，认为在作战中是用正还是用奇需要"临时制变"，根据战场实际情况而定；李靖指出"善用兵者，无不正，无不奇，使敌莫测。故正亦胜，奇亦胜"[③]，强调只要"正""奇"运用得当，

---

① 参见于汝波、黄朴民主编：《中国历代军事思想教程》，军事科学出版社，2000 年，第 100—103 页。
② 吴如嵩、王显臣校注：《李卫公问对校注》卷上，中华书局，2016 年。
③ 《李卫公问对校注》卷上。

无论是用"正"还是用"奇"都可以取胜，从而突破了以往认为只有用"奇"才能获胜的传统观点，对于后人正确理解并运用"奇正"具有理论价值和实践意义。《问对》还重新诠释了"攻守""久速""主客"等兵学范畴，指出"攻是守之机，守是攻之策，同归乎胜而已矣"①"较量主客之势，则有变客为主、变主为客之术"②，深化了前人对相关兵学范畴的认识，在学术和实战指导方面都具有重大意义。李靖在总结战争实践经验基础上，提出在坚持速战速决的同时，如果战场情况有变而难以速胜时，就应该实施权变，"避其锋势，与其持久"③，强调速胜战与持久战各得其所，各适其宜，切忌只讲速胜或持久而不知灵活变通。李筌较深入地探讨了"形神"范畴，认为"旗帜金革依于形，智谋计事依于神"④，并揭示了二者的互动关系，"形不因神，不能为变化；神不因敌，不能为智谋"⑤，指出"形"不依赖军事谋略的运用，就不能产生灵活多变的战法；"神"不依赖敌情的变化，就不能成为克敌制胜的有效谋略，从而深刻阐述了"形"与"神"之间相互作用的辩证关系，极大地丰富了这一对范畴的兵学内涵。

　　伴随着轻骑兵的发展，隋唐五代兵家适时地创新了轻骑兵战术及作战思想。在隋末唐初战争中，由于重装骑兵在作战中越来越暴露出机动性差的致命弱点，极大地制约了其发展；同时，轻骑兵则伴随着格斗兵器的改良得到了较大发展。此消彼长，重装骑兵日渐式微，而轻骑兵的地位与日俱增。轻骑兵通常担当袭击、截击、追击或堵击的作战任务，在军事行动中充分发挥了其行动快捷、机动灵活的优势，显示出无可替代的作用，至唐初已发展成为骑兵的主力。李渊、李世民父子统领唐军在霍邑之战、浅水原之战、柏壁之

---

① 《李卫公问对校注》卷下。

② 《李卫公问对校注》卷中。

③ 杜佑撰，王文锦等点校：《通典》卷一百五十四《兵典七·兵机务速》，中华书局，1988 年。

④ 《太白阴经》卷二《人谋下·兵形篇》。

⑤ 《太白阴经》卷二《人谋下·兵形篇》。

战、虎牢之战等诸多战役中，李靖、侯君集、契苾何力、阿史那社尔、苏定方等将领在卫疆战争中，每每在作战关键时刻，善于充分利用骑兵的速度优势与冲击力出奇制胜：或者在战局陷入僵持之际，以轻骑兵侧击对手；或者以轻骑兵试探敌情，测其虚实；或者以轻骑兵千里奔袭，覆其巢穴；或者以轻骑兵组成突击队，实施战术突击；或者以轻骑兵为诱饵，诱敌深入；或者以轻骑兵迂回包抄，前后夹击敌人，最终凭借轻骑兵赢得作战的胜利，极大地促进了轻骑兵战术的发展。唐代兵家还进一步发展了轻骑兵作战思想。李世民主张要充分发挥轻骑兵机动性强、冲击力大的优势，坚决执行乘胜追击、穷追猛打的歼灭战思想，强调"功难成而易败，机难得而易失，必乘此势取之"①，率轻骑兵快速进军，连续作战，取得了一系列战役的胜利。李靖提出了"用兵上神，战贵其速"②的轻骑兵作战指导思想，并将其成功运用于战争实践。他在突袭颉利之战、西击吐谷浑之战中，充分利用了轻骑兵的快速机动优势，对敌军实施袭击，战果辉煌，取得了统一战争和巩固边疆作战的一系列胜利。

战法是兵学理论中最活跃、最具灵性的部分，直接关系作战成败，而战法创新也是隋唐五代兵学颇为闪光之处。

首先是野战战法创新。隋唐五代时期，中原王朝军队与北方游牧民族骑兵频繁交战，双方为克敌制胜而不得不求新求变，在对抗中借鉴彼此作战思想，在战斗中不断创新野战战法，极大地推动了这一时期的兵学发展。隋朝大将杨素在与强大的突厥骑兵作战时，"悉除旧法，令诸军为骑阵"③，采取以骑制骑战法，因敌制胜，最终击败了突厥军。在诺真水之战中，薛延陀军与唐军在作战过程中几经反复。薛延陀大度设主动改变战法，变骑战为步骑作战，命令"每五人，以一人经习战阵者使执马，而四人前战，克胜即授马以追

①　《资治通鉴》卷一百八十八《唐纪四》，高祖武德三年四月。
②　《通典》卷一百五十四《兵典七·兵机务速》。
③　魏徵、令狐德棻：《隋书》卷四十八《杨素传》，中华书局，1973年。

奔，失应接罪至于死"①，首战击败了唐军。唐军将领薛万彻被迫求变，改骑战为步战，"率长稍数百为队，齐奋以冲之"②，猛烈冲击薛延陀军的长阵，终于反败为胜，薛延陀军大败而逃。唐将苏定方率步骑军与西突厥骑兵作战，采取步骑配合的战法，先以步兵"攒稍外向"③，连续抵抗住了对方骑兵的三次冲击，而后唐军骑兵趁机出击，一举击败了对手。此外，隋唐五代兵家还创新了轻骑兵长途奔袭战法。在巩固边疆战争中，李靖、李勣、苏定方、李道宗、薛万彻、执失思力等将领展现了高超的作战指挥艺术，娴熟地运用轻骑兵，采取了长途奔袭的战术，通过快速灵活的机动性，突然对敌发起猛烈的攻击，往往能够一击获胜，充分显示出唐军强大的野战作战能力。

其次是阵法创新。唐代阵法以六花阵、横阵、竖阵、行引方阵为主，其中李靖创置了六花阵，强调各阵营密切衔接，不同兵种合理配置，体现出协同、集中、机动等特点。唐代创新阵法，突出反映在撤退阵法上，如李靖提出的逐次抵抗、交互掩护的边战斗边撤退的战术，被后世兵家普遍运用于战争实践，有力地推动了中国古代战术原则的发展。

再次是攻守城战法创新。唐军将领在指导攻守城作战过程中能够依据敌情和战场态势的变化而通权达变，创新战法，常能出奇制胜。在太原之战中，李光弼在守城过程中创新了地道战战法，秘密通过地道向城外敌军发起突袭；在常山之战中又创新了以弩制骑战法，最终击败了攻城的安军骑兵。李世民在指挥洛阳、虎牢之战中，正确分析了战场态势，采取了围城打援的战法，一面围攻洛阳，一面打击援兵，收到了一举两克的良好效果。在收复长安之战中，李晟没有因循常法从正面逐次攻城，而是反其道行之，率军冲敌腹心，直捣黄龙，"自苑北攻之，溃其腹心"④，一举获胜，从而创新了攻

---

① 《旧唐书》卷一百九十九下《铁勒传》。
② 《旧唐书》卷一百九十九下《铁勒传》。
③ 《资治通鉴》卷二百《唐纪十六》，高宗显庆二年十二月。
④ 《资治通鉴》卷二百三十一《唐纪四十七》，德宗兴元元年五月。

城战法。历史实践表明，隋唐五代兵家在守城战中注重采取攻守结合战法，特别强调把主动出击、消灭敌人有生力量作为扼制对手进攻的有效手段，以攻为守，积极防御，争取战场主动权，为战略反攻创造有利条件；在攻城战中主张灵活采取战法，"践墨随敌"①，或围城打援，或长围久困，或奇袭出击，或施计用谋，或综合多种手段，选择最适宜的攻城战法，并充分结合敌情我情和战场态势，进行合理创新，以获取最佳战争效益。

最后是大规模江河作战战法创新。伴随着战略战术和军事技术的进步，隋唐五代兵家在大规模江河作战指导方面也有所创新。在隋灭陈之战中，隋军采取了多路出击、水陆并进、各路配合、重点突破的战法，八路人马在横贯长江上、中、下游的广阔作战空间同时展开；杨俊、杨素、刘仁恩三路人马从长江上游迅猛进军，采取分割围歼战法，切断了上游陈军支援下游建康之路，有力地配合了下游隋军的作战行动。在唐平萧铣之战中，李靖利用长江连日暴雨而水势迅速上涨时机，采取突袭战法，率军顺流而下，果断出击，取得一场速胜。这一时期江河作战战法创新主要体现在战役组织周密、水陆协同顺畅、主次配合默契等方面，具体做法是以主力歼敌主力，直捣腹心，以偏师策应主力，牵制分割敌军，② 通过快速进军、突袭，达成速战速决的作战目的。

兵书是兵法的载体，是传承和创新兵学理论的物质基础。③ 隋唐五代兵学的创新，也在兵书方面得到了深刻的体现。其一是对兵书流派、分类的创新性认识。《问对》考镜源流，系统梳理兵学发展源流，富有创意地将兵书划分为两大流派，分别以《六韬》《三略》和《司马法》《孙子》为代表，指出兵书分类"大体不出三门四种

---

① 《十一家注孙子校理》卷下《九地篇》。
② 参见《中国兵学思想史》，第 253 页。
③ 参见王显臣、许保林：《中国古代兵书杂谈》，解放军出版社，1983 年，第 1—19 页。

而已"①，其中"三门"是指《太公谋》《太公言》《太公兵》，"四种"是指兵权谋家、兵形势家、兵阴阳家、兵技巧家这四个种类的兵书。《问对》关于兵书流派、分类的独特见解，为后人持续深入研究兵书提供了一条重要线索。② 其二是兵书种类的创新。隋唐五代兵书内容丰富，涵盖了军事、政治、法律、历史、地理、天文等领域，在兵书种类的创新方面做了可贵的探索。这里有综合类兵书，如《太白阴经》；有兵技巧类兵书，如《射经》；有注释类兵书，如《李筌注孙子》《杜牧注孙子》等；有兵史类兵书，如《问对》《阃外春秋》；有战略类兵书，如《道德经论兵要义述》；有服务军事的地理图书，如《元和郡县图志》；有涉及军事制度的法典，如《唐六典》；有涉及兵学的综合型图书，如《通典·兵典》《长短经》；等等。其三是兵书著述、编纂体例的创新。这一时期的兵家锐意创新，创立了分类辑录、专题论述、注解、图志、典章等兵书著述和编纂体例，对后世综合类兵书《武经总要》《武备志》等产生了深远影响。其四是撰写方法的创新。《问对》《通典·兵典》《长短经》等娴熟运用史论结合方法探讨兵学，深入剖析历代经典战例，生动揭示蕴含其中的用兵之道，将抽象的兵学理论和作战原则具体化，便于世人深刻领悟和灵活运用兵学思想，开创了一条以战例研习兵学之路，形成了兵史类兵书的新类别，对后世兵书发展产生了深远的影响。

在中国兵学发展史上，隋唐五代兵学处于承上启下的历史地位，在传承前人成果基础上不断发展，在长期战争实践过程中勇于创新，创设了武举制度，注解《孙子》多有创新性阐释，推出了涉及兵学的通史式政书《通典·兵典》，出现了《问对》《李靖兵法》《太白阴经》《道德经论兵要义述》等著名兵书，在战争观、国防思想、战略策略思想、作战指导思想、建军治军思想等方面提出了富有价值的兵学观点，对后世产生了深远影响，也将中国兵学推向了一个新的发展阶段。

---

① 《李卫公问对校注》卷上。
② 参见许保林：《中国兵书通览》，解放军出版社，1990 年，第 50—51 页。

第一章　隋唐五代兵学发展的动因

兵学作为反映军事活动规律的理性认识，伴随着社会的发展、战争形态的演进而更新，与政治、经济制度的深刻变革密切关联，更与军事技术、军兵种、军事交通、文化交流等因素息息相关。隋唐兵学的发展既源于武器装备的改善，又源于轻骑兵战术在战争实践中的广泛而成功的运用，也源于对后世产生深远影响的武举、武庙的创设，而交通运输的发展、民族融合的推进，以及日益活跃的以长安为中心向外辐射的文化交流，更是进一步助推了隋唐五代兵学的繁荣发展。

第一节　武器装备的改善和创新

孙子曰："兵者，国之大事，死生之地，存亡之道，不可不察也。"[1] 由于战争事关国家、民族的生死存亡，战争胜负对交战双方的影响不可估量。为获取胜利，任何一方都竭尽全力地整军经武，增强军事实力，尤其注重大力发展军事技术，以此推动武器装备的更新和军事工程、指挥通信、军事交通等技术的发展。

隋唐统治者重视发展农业和手工业，大力推广先进的生产技术，传统的纺织、造船、矿冶、陶瓷、造纸等手工业技术得到显著提高，雕版印刷术的发明，更加促进了科学技术的推广和传播。隋唐五代

----

[1] 《十一家注孙子校理》卷上《计篇》。

政治、经济、文化尤其是科学技术的繁荣，极大地推动了军事技术的发展。在冶金技术和有色金属冶铸业高度发达的基础上，铁兵器在隋唐时期达到了顶峰，日益提高的造船技术极大地增强了水军的作战能力，火药的发明揭开了火器时代的帷幕。隋唐五代军事技术的跃进，主要表现在一系列武器装备的改善和创新上。

首先是冷兵器的改进。唐代具有代表性的并在战争实践中产生较大影响的冷兵器，主要有陌刀、长柯斧、车弩、擂石车等，其中陌刀、长柯斧属于格斗武器，车弩、擂石车属于抛射武器。唐代出现的陌刀又叫"拍刀"，是从东汉的长刀发展而来的新型砍杀兵器，由一面有刃改为两面有刃，从而进一步提高了砍杀效能。唐代善用陌刀者有阚棱、李嗣业、张兴等。史载阚棱"善用两刃刀，其长丈，名曰'拍刀'，一挥杀数人，前无坚对"①。唐玄宗统治时期，唐军专门设置陌刀队，由善用陌刀的将领统率，在作战时以密集横排队形配置在阵前，充任冲锋陷阵的攻击部队。显然，这是对之前步兵进攻阵法的创新，并在实战中收到了奇效。长柯斧是一种对前代斧做了较大改进的新型长兵器，刃部加宽，比以前的斧更加锋利，具有更强的战斗性能。在长安香积寺之战中，唐军初战不利，阵形混乱。大将李嗣业手执陌刀"大呼奋击，当其刀者，人马俱碎，杀数十人"②，稳住了阵脚，而后趁安军争抢唐军遗弃辎重的机会实施反击，率"步卒二千以陌刀、长柯斧堵进，所向无前"③，一举扭转了战场态势，击败了安禄山军，充分体现了陌刀、长柯斧巨大的实战效能。

唐代的弩有轻弩、强弩，尤其是强弩对作战胜负往往能产生不可忽视的影响，所谓"争山夺水，守隘塞口，破骁陷果，非弩不克"④。唐代的强弩以车弩最具代表性。车弩又称"绞车弩"，是从

①　欧阳修、宋祁：《新唐书》卷九十二《阚棱传》，中华书局，1975 年。
②　《资治通鉴》卷二百二十《唐纪三十六》，肃宗至德二载九月。
③　《新唐书》卷一百三十八《李嗣业传》。
④　《通典》卷一百四十九《兵典二·法制》。

先秦时期的弩炮发展而来。弩炮大概出现于战国晚期，是一种安装在架子上发射的大型强弩，一次可发射多支箭，弩弓强劲，射程较远，常需多人或牲畜拉曳，引绳张弓。《墨子·备高临》所提到的"连弩之车"，《六韬》所提及的"绞车连弩"均应属于这一类远射兵器。唐代出现的车弩较之前代有了不小的改进，具有更大的威力。《通典》所载的车弩，是在绞车上安装一具张力为十二石的弩弓，可同时发射七支箭，射程达七百步，"所中城垒，无不摧陷，楼橹亦颠坠"①，所射中的城垒没有不崩溃的，足见其无比强大的威力。这一时期还有一种用黄杨、桑、柘等木料制成的木弩，弓长一丈二尺，"绞车张之，大矢自副，一发，声如雷吼"②，可以击败成队的士卒。具有强大威力的车弩被广泛运用于作战之中，尤其在攻守城的战斗中发挥了独特作用。

隋唐五代时期，抛石机被越来越广泛地运用于战场，在种类、形制、用途等方面都有了变化，不仅出现了车载式抛石机（唐人谓抛车），而且在野战、攻城战、守城战中都不同程度地发挥了作用，显示了其独特的军事价值。隋末，李密率军进攻洛阳之前，"命护军将军田茂广造云旝三百具，以机发石，为攻城械，号'将军炮'"③。唐初，抛石机的威力得到了极大增强。辽东道行军大总管李勣率军攻打辽东城（今辽宁辽阳）时，"勣列抛车，飞大石过三百步，所当辄溃，虏积木为楼，结绳罔，不能拒"④。抛车在攻城战中产生了强大威力，顿挫了守军士气，为最终顺利攻下城池发挥了重要作用。唐代兵家还对先前使用的抛车进行了切合时宜的革新。李光弼在防守太原作战中，使用了一种需要二百人牵拉、可抛射巨石的新型擂石车，"石所及辄数十人死"⑤，一发巨石能够击毙对手数十人，敌

① 《通典》卷一百六十《兵典十三·攻城战具》。
② 《通典》卷一百五十二《兵典五·守拒法》。
③ 《新唐书》卷八十四《李密传》。
④ 《新唐书》卷二百二十《高丽传》。
⑤ 《新唐书》卷一百三十六《李光弼传》。

军人数的十分之二三都是被抛射的飞石击毙、击伤的，由此可见擂石车的巨大杀伤力，极大地丰富了唐代守城战法。

其次是战船的发展。隋唐五代时期的舰船制造业有了新的发展，不仅在洪州（治今江西南昌）、嘉州（治今四川乐山）、饶州（治今江西鄱阳）等地设立造船场，而且在朝廷设立专司造船、水运等事务的水部郎中、舟楫署令等官职。这一时期的主要战舰有楼船、五牙船、斗舰、海鹘船、游艇等。隋代的造船技术已经远远超过前代。为准备灭陈之战，杨素奉命在永安（治今重庆奉节东）组织建造战船，其中最大型号的战船称为"五牙"，其形制"上起楼五层，高百余尺；左右前后置六拍竿，并高五十尺，容战士八百人"①。此外还有其他型号的战船，"次曰'黄龙'，置兵百人。自余平乘、舴艋各有等差"②。隋文帝开皇八年（588），杨素率舟师沿长江顺流而下，"舟舻被江，旌甲曜日"③，其中出动的"黄龙"就达数千艘。唐代的造船技术有了进一步的提高，能够制造出形制和载重量更大的战船。荆南节度使成汭督造的"和州载""齐山""截海""劈浪"，都是形制巨大的战舰，"每舰载甲士千人"④，唐代制造船舰的水平也由此达到了一个新的高度。值得注意的是，战船上的配套装备及相关船具也得到了很大发展，钩镰、拍竿、舱面战棚和桨、帆、橹、舵等都得到了极大的改善，提高了战船的航速和稳定性，增强了其机动性和攻防能力。隋唐五代造船技术的进步，为这一时期大规模的江河作战及战法的创新奠定了基础。

最后是火药的发明。火药之所以能够产生，与道家的炼丹有着密切的关联。炼丹家将硝石、硫黄作为药物用来炼制长生药，在炼制过程中逐渐深化了对硝石、硫黄药性的研究。在此基础上，唐代炼丹家创造了"伏火硫黄法"，将硫黄引入自供氧燃烧体系，为火药

---

① 《资治通鉴》卷一百七十六《陈纪十》，长城公祯明元年十一月。
② 《资治通鉴》卷一百七十六《陈纪十》，长城公祯明元年十一月。
③ 《资治通鉴》卷一百七十六《陈纪十》，长城公祯明二年十二月。
④ 《资治通鉴》卷二百六十四《唐纪八十》，昭宗天复三年四月。

的发明提供了有利条件。其后的炼丹家进一步探索，提出了"伏火矾法"，把等量的硝石、硫黄、马兜铃粉均匀拌和，无须借助空气中的氧气也能迅猛燃烧，基本形成了火药的雏形。至迟在唐末，火药武器已经被运用于军事实践。唐哀帝天祐初年，郑璠"以所部发机飞火，烧龙沙门，率壮士突火先登入城，焦灼被体"[1]，在攻打豫章城（治今江西南昌）时首次使用了火药。这是火药武器运用于战争实践的最早历史记载。

与先前朝代相较而言，隋唐五代的武器装备取得了长足发展，对军队指挥和作战方式等诸多方面都产生了重大影响，其中对战法的影响尤其显著。

众所周知，中原军队与北方游牧民族军队之间长期频繁的交战，占据了中国古代战争史的主要内容。为有效抵御游牧民族的骑兵袭击，中原军队多采取以车制骑的战法，通过坚固的战车构筑防御阵形，以抗衡胡骑高速迅猛的冲击。至隋唐五代时期，工匠已经能够使用焖钢法冶炼优质钢材，并以此铸造兵器，使得兵器刃部更加锋利，极大地增强了格斗兵器的杀伤力。总体而言，该时期制造的钢铁兵器比之前更加精良，兵器的形制、韧性、锋利程度等都有了变化，杀伤性能得到较大提升；而车弩、擂石车的发明及其被大规模地运用于作战实践，则是隋唐五代抛射兵器的最大亮点。武器装备的发展对当时的战法产生了全方位的影响。现以隋唐五代时期的几种较有代表性的冷兵器为例，深入探讨其对战法革新所产生的影响。

随着冷兵器的发展，至唐代前期，陌刀、长柯斧、槊等格斗兵器已被广泛运用于战场，在对抗骑兵的战争实践中收到了以奇制胜的效果。陌刀是唐军步兵作战的主要兵器，后来唐军还专门配置了陌刀队。李嗣业在长安香积寺之战中，对传统的以步击骑战法做了大胆的创新，命令步兵手持陌刀、长柯斧攻击对手骑兵，最终战胜了安禄山军队。在曳咥河之战中，苏定方率领步、骑兵1万余人对抗西突厥的10万骑兵，在众寡悬殊的态势下，采取以步遏骑的战

---

[1]　路振：《九国志》卷二《郑璠传》，中华书局，1985年。

法，命令步兵手持长槊保持防御阵形，抵御对手骑兵冲击。这一战法在实战中收效显著，唐军在成功抵御住了对手骑兵冲击后，适时实施反击，一举获胜。苏定方在此战中充分发挥了槊的优长，即槊头宽大且有锋利的两刃，杀伤力强，同时槊又是长柄兵器，特别适用于步兵抵抗冲击力强大的骑兵，以此极大地增强了步兵的抗御能力，也给以步遏骑战法充实了新鲜内容。强弩、抛车等抛射兵器也被成功运用于战场，在野战、攻守城作战中发挥了奇效，推动唐代战法进一步向前发展。郭子仪在野战中善用弓弩，先让唐军假装败退，诱敌追击，而后命令事先准备好的伏兵一齐发射弓弩，大败对手。在常山之战中，李光弼将强弩运用于守城战中，采取以弩遏骑的战法，以应对拥有优势兵力的强敌骑兵。他调集一千名弩手分为四队，在城墙上向城下轮番密集射击，最终击退了安军的进攻。在太原之战中，李光弼运用自创的新型擂石车重挫了对手，成功阻滞了安军的攻城行动，进一步丰富了唐军的守城战法。

　　以武器装备为核心的军事技术是从事一切军事活动的物质基础，是构成军队战斗力的重要因素，也是引起兵学理论变革的诸因素中最活跃的因素，军事技术的进步势必对兵学的发展产生重大影响。也就是说，兵学的发展离不开军事技术的发展，而军事技术的发展深刻影响兵学的发展，表现在战略和作战指导思想、战争指挥方式、战法、军队编制、后勤保障等诸多方面。古今中外的战争史表明，包含武器装备在内的军事技术是促进兵学发展的原动力。唐代冷兵器的发展对该时期战法所产生的深刻影响，已为此做了有力的说明。

第二节　轻骑兵的勃兴

　　两晋南北朝时期，北方游牧民族先后建立了后赵、前燕、前秦、后秦、北凉，以及北魏、东魏、西魏、北齐、北周等政权。游牧民族以骑射为本，由游牧部落成员组成的军队基本上都是擅长骑射的骑兵。通过考古以及留存至今的壁画可以发现，这一时期的骑兵有不少是骑士和战马都披有铠甲的重装骑兵，也是当时军队的主力部队，称为"甲骑具装"。重装骑兵兴起于十六国时期，至北朝发展到顶峰，隋朝军队仍以重装骑兵作为主战军种。史载，大业七年（611）隋炀帝第一次征伐高句丽的大军分水、陆两路人马，陆路由步兵、骑兵组成，其中骑兵四十队，每十队为一团。

> 第一团，皆青丝连明光甲、铁具装、青缨拂，建狻猊旗。第二团，绛丝连朱犀甲、兽文具装、赤缨拂，建貔貅旗。第三团，白丝连明光甲、铁具装、素缨拂，建辟邪旗。第四团，乌丝连玄犀甲、兽文具装、建缨拂，建六驳旗。[①]

上述四团均为甲骑具装，每一团的人、马装备一样的铠甲，整齐划一，颇有壮观的声势。但是，自隋末唐初以来，重装骑兵在战争实践中越来越暴露出其机动性差的致命弱点，同时由于杀伤兵器的发展以及突厥轻骑兵的影响，轻骑兵日益兴起，逐渐取代了甲骑具装，一跃成为骑兵的主力。[②] 这里的轻骑兵是相对于重装骑兵而言。重装骑兵是指骑士与战马皆披铠甲，轻骑兵是指骑士披甲而战马不披甲，或者骑士、战马均不披甲。本文中的轻骑兵多指骑士披甲而战马不披甲这一类。

在重装骑兵与轻骑兵的此消彼长的过程中，骑兵的机动性与格斗武器的杀伤性成为影响骑兵发展的至关重要的因素。尽管甲骑具装拥有强大的防护力，但沉重的铠甲增加了战马的负担，使其难以迅捷地奔跑与持久地战斗。战马的具装铠通常由保护马头的"面帘"、保护马项的"鸡颈"、保护前胸的"当胸"、保护躯干的"马

---

① 《隋书》卷八《礼仪志三》。
② 参见王援朝：《唐初甲骑具装衰落与轻骑兵兴起之原因》，《历史研究》1996 年第 4 期。

身甲"、保护马臀的"搭后"、竖于马尻的"寄生"组成。① 其中面帘又分为两种,一种是整套在马头上,只露出耳目口鼻;另一种是半套在马头,露出耳目口鼻和下颌。具装铠的质料多用钢铁或皮革制作,骑士与战马所披铠甲配套使用。由于机动性差,隋朝的重装骑兵在与突厥轻骑兵的作战中,"每虑胡骑奔突,皆以戎车步骑相参,舆鹿角为方阵,骑在其内"②,只能采取被动的防御阵式以自保,可见机动灵活的轻骑兵在面对重装骑兵时占有相当大的优势,战争实践亦印证了这一点。在实战中,骑兵的机动性比防护力显得更加重要,充分发挥轻骑兵的快速奔驰的速度优势,可给对手以出其不意的袭击,或持续追击,或迅速迂回包抄,或突然截击,或远程奔袭,均展现了轻骑兵的独特作战功能。唐太宗李世民就是善用轻骑兵的高手,曾经回顾总结了自己的用兵心得:"每观敌陈,则知其强弱,常以吾弱当其强,强当其弱。彼乘吾弱,逐奔不过数十百步,吾乘其弱,必出其陈后反击之,无不溃败,所以取胜,多在此也!"③ 他在浅水原之战、虎牢之战等战役中成功运用"陈后反击"的战法,率领轻骑兵在敌营内反复冲杀,彻底搅乱了薛仁杲、窦建德军的指挥和部署,均取得了作战的胜利。

需要注意的是,格斗兵器和抛射兵器的发展对骑兵产生了重大的影响,更具杀伤威力的陌刀、长柯斧、长枪以及各种形制的强弩陆续出现并装备轻骑兵,对重装骑兵产生了极大的威胁,重装骑兵逐渐被轻骑兵取代。以矛枪为例,两晋南北朝时期的戈戟类兵器日渐衰微,长柄格斗武器被广泛使用于战场,槊(矛的一种)盛行一时。但是,由于矛的刃部较长,极大地影响了其刺杀的灵活性,逐渐被更加轻便且锋利的枪取代。隋唐以后,具有良好刺杀效果的枪成为军队的主要武器,对重装骑兵构成了更大的威胁。为了提高机动性,同时又为了应对更具威力的杀伤性武器,重装骑兵向轻骑兵

---

① 参见杨泓、于炳文、李力:《中国古代兵器与兵书》,新华出版社,1993年,第82页。

② 《隋书》卷四十八《杨素传》。

③ 《资治通鉴》卷一百九十二《唐纪八》,高祖武德九年九月。

的转型逐渐成为一种势不可当的发展潮流。

唐代轻骑兵肇兴于李渊担任太原留守备战突厥期间，由于兵马不多，马邑郡守王仁恭心怀恐惧，不敢与突厥军交战。深知突厥习性的李渊发表了自己的观点，并提出了应对之策：

> 突厥所长，惟恃骑射。见利即前，知难便走，风驰电卷，不恒其陈。以弓矢为爪牙，以甲胄为常服。队不列行，营无定所。逐水草为居室，以羊马为军粮，胜止求财，败无惭色。无警夜巡昼之劳，无构垒馈粮之费。中国兵行，皆反于是。与之角战，罕能立功。今若同其所为，习其所好，彼知无利，自然不来。①

经过一番商议，他们从仅有的不足五千人的队伍中，挑选出擅长骑射的士兵两千余人，组建了一支精干的轻骑兵部队，"饮食居止，一同突厥。随逐水草，远置斥堠"②，刻意效仿突厥，进行了长期严格的特殊训练。这就是后来南征北战、屡破强敌、扬威沙场的大唐轻骑兵的雏形。之后，骑兵队伍又接收了西突厥等北方游牧部落中主动前来归附的骑兵、作战中所俘获的对手骑兵等，轻骑兵的力量愈发壮大起来。

轻骑兵战术的高度发展，首先反映在唐初统一战争之中。自李渊在太原效仿突厥组建轻骑兵始，李渊集团在破历山飞之役、霍邑破宋老生之役、饮马泉与潼关两败屈突通之战、浅水原与薛氏父子之战、击破刘武周之战以及洛阳之战、虎牢之战中，皆能善用轻骑兵出奇制胜，充分利用了骑兵的速度优势与冲击力，往往在不利态势下转危为安，反败为胜，极大地推动了轻骑兵的发展。虎牢之战是李世民运用轻骑兵获胜的经典战例。他采取围城打援的战法，先在围攻洛阳之战中与王世充军对峙，以步兵配合轻骑兵作战，命令

---

① 《大唐创业起居注》卷一《起义旗至发引凡四十八日》。
② 《大唐创业起居注》卷一《起义旗至发引凡四十八日》。

"屈突通率步卒五千渡水以击之,因诫通曰:'待兵交即放烟,吾当率骑军南下。'兵才接,太宗以骑冲之,挺身先进,与通表里相应"①。李世民"与精骑数十冲之,直出其背,众皆披靡,杀伤甚众"②。之后,他又率轻骑兵急赴虎牢关阻击窦建德,在经过一段时间相持之后,登高相敌,果断决定出击,"亲率轻骑追而诱之,众继至。建德回师而阵,未及整列,太宗先登击之,所向皆靡。俄而众军合战,嚣尘四起。太宗率史大奈、程咬金、秦叔宝、宇文歆等挥幡而入,直突出其阵后,张我旗帜。贼顾见之,大溃"③。轻骑兵在这一战中充分发挥了突击的作用,通过突入敌阵,而后阵后反击,迅速而猛烈地打击了对手,在其尚未反应过来时就予以痛击,常常能够一击制胜。史载:"秦王世民选精锐千余骑,皆皂衣玄甲,分为左右队,使秦叔宝、程知节、尉迟敬德、翟长孙分将之。每战,世民亲被玄甲帅之为前锋,乘机进击,所向无不摧破,敌人畏之。"④恰为虎牢之战做了很好的注脚。正因为李世民精通骑术,重视发挥轻骑兵的作战优势,且具有高超的指挥艺术与灵活机动的战法,所以屡屡运用轻骑兵突击强敌,在战场上取得了以少胜多的作战效果。

唐王朝一统天下后,保疆固圉、巩固国防成为当务之急。在与边疆游牧民族的作战中,李靖继承了李世民善用轻骑兵的优良传统,在平定东突厥之战中率领精锐骑兵实施突袭,攻其无备,穷追猛打,不给对手喘息之机,最终灭亡了东突厥。在此战中,"李靖帅骁骑三千自马邑进屯恶阳岭,夜袭定襄,破之"⑤。颉利可汗遭此重创,派遣使者入朝谢罪,表达归附之意。唐太宗派唐俭等前往慰抚,诏令李靖率部迎接颉利归降。李靖分析了颉利首鼠两端的心态后,决定"选精骑一万,赍二十日粮往袭之"⑥,趁颉利会见唐朝使者而放松

---

①　《旧唐书》卷二《太宗纪上》。

②　《资治通鉴》卷一百八十八《唐纪四》,高祖武德四年二月。

③　《旧唐书》卷二《太宗纪上》。

④　《资治通鉴》卷一百八十八《唐纪四》,高祖武德四年正月。

⑤　《资治通鉴》卷一百九十三《唐纪九》,太宗贞观四年正月。

⑥　《资治通鉴》卷一百九十三《唐纪九》,太宗贞观四年二月。

戒备之机，派遣苏定方率领二百轻骑兵为前锋突袭敌营。突厥仓促间来不及组织有效反抗，颉利逃窜，唐军大获全胜，而轻骑兵的突袭无疑成为此战获胜的关键因素。李靖之后，侯君集、契苾何力、阿史那社尔、苏定方、薛仁贵等将领均善于运用轻骑兵，在边疆作战中取得了显赫战绩，轻骑兵已然成为左右战局的决定性力量。

第三节　武举的创设与影响

众所周知，科举制度始创于隋朝。在此之前，国家选拔军事人才通常采取以武艺取士的做法，如先秦时期大多采用"以射选士"的选人方式。[1] 除此之外，国家选拔武将的基本做法还有征辟、察举、廷荐等，主要由朝廷官吏推荐卓有才能的武士。隋朝废除了魏晋以来的九品中正制，开始采用分科考试、以试取士之法。唐承隋制，进一步发展、完善了科举制度。唐太宗颁发诏令："白屋之内，闾阎之人，但有文武材能，灼然可取……亦录名状，官人同申。"[2]高宗、玄宗也非常重视选拔人才，曾诏令官员举荐武勇之人，并且出现了选拔武将的考试。高宗在显庆二年（657）颁布诏令，要求官员察访"勇冠三军，翘关拔山之力；智兼百胜，纬地经天之才；蕴奇策于良、平，驰功绩于卫、霍；踪二起于吴、白，轨双李于牧、广"[3] 者参加考试，当年即有刘仁愿应诏中举。但是，这种临时下诏选拔武臣的考试尚不规范，具有较大的随意性。学者许友根认为，这一时期朝廷选拔武臣，无具体考试内容，无正式考试科目，无法定的选任程序，大多是偶尔为之。[4] 武则天创立武举，于长安二年

---

[1]　参见许友根：《武举制度史略》，苏州大学出版社，1997 年，第1—4 页。
[2]　王钦若等：《册府元龟》卷六十七《帝王部·求贤》，中华书局，1960 年。
[3]　《全唐文》卷十二《高宗皇帝·令百官各举所知诏》。
[4]　参见《武举制度史略》，第5 页。

（702）"春，正月，乙酉，初设武举"①，正式将选拔武臣纳入科举轨道，促使武臣选拔走上了制度化、规范化的轨道，极大地完善了科举制度。

唐代科举考试一般分为州府组织的地方性考试和中央组织的省试。科举考试科目可分为制科和常科两类。制科是指皇帝下诏临时举行的考试，主要有贤良方正、直言极谏，军谋宏远、堪任将帅等科；常科是指每年举行的科举考试，主要有秀才、进士、明经、明算等科。制科和常科均可选拔武臣，其中通过制科选拔武臣的考试被称为武制举，前面所列举的高宗下诏临时举行的选拔武臣的考试，即属于武制举；而武则天所创立的武举，则是科举中的常科选拔军事人才的考试，史称武贡举，分为武举乡贡和武举省试。

武制举和武贡举之间存在明显的差异。有学者详细列举了其差异：武制举临时设科，所选主要是将领，习文习武者皆可应试，开科时间和科目不固定；武贡举是模仿进士科而设，专门选拔武士，每年举行一次，考试科目、内容基本不变，并被后世沿用。武制举侧重考军事理论，注重谋略，但也设置了武艺技能科目；武贡举注重军事技能，只考武艺而不考理论。② 由此可见，二者的差异是显而易见的。本书的武举主要是指武贡举。武则天的贡献，在于创立定期逐级考试、规范选拔武臣的武举制度。参加武举者通过资格审查后，各州府掌管武官选举的官员对其进行选拔推荐，主要是对应试举子进行谋略和武艺考试，依据考试成绩定出等次，确定及第和落第，及第者被推送参加省试。兵部主持武举省试，每年考试一次，由兵部员外郎（后改为兵部侍郎）负责实施。武举考试主要考查骑射和运用武器的武艺技能，还考查应举者的身材、体力、体能等身体素质，一共包括长垛、骑射、马枪、步射、翘关、负重、形貌、言语等考试内容。武举及第以后，就会得到兵部"告身"，取得做官

① 《资治通鉴》卷二百七《唐纪二十三》，则天后长安二年正月。
② 参见周兴涛、汪荣：《唐代武举考论》，《山西师大学报》（社会科学版）2009 年第 3 期。

的资格，有的人立即参选授官，但更多的人需要经过一段时间的锻炼后再授予官职。

武则天创立武举主要是出于当时的时政需要。一是革新朝政的需要。唐王朝的统治支柱是关陇集团，统治集团的精英人士多出于此。武则天登基后，在肃清反对自己的关陇集团势力的同时，大胆破格用人，诏令"内外文武九品已上及百姓，咸令自举"①，尤其注重提拔庶族地主、寒门人士，"文可以经邦国，武可以定边疆，蕴梁栋之宏才，堪将相之重任……无隔士庶，具以名闻"②，拓宽了武臣选用渠道。而后，她进一步扩大科举范围，从宽取士，通过创立武举，将那些有一技之长的普通子弟吸纳到统治集团，不仅壮大了武将队伍，也巩固和加强了自身的统治基础。二是出于建立新的军事制度的需要。在唐高宗统治期间，随着均田制逐渐瓦解，府兵制的兵源问题愈发严重，丧失土地的农民无力负担府兵服役所需自备的兵甲和衣粮，不得不逃避征役。武则天采取了募兵制，同时又设立乡贡武举制度，选拔将士充实军队，激发民众的习武热情，以此提高军队战斗力。三是积极培植拥戴自己的党羽的需要。武则天以周代唐遭到了很多的阻力，亟须形成一股坚定支持自己的势力。她通过武举选拔任用一批将官，得到了军队的强力拥戴，极大地巩固了其执政地位。

唐代武举制度创设后，产生了较大的影响，为习武之人增加了入仕从政的机会，推动并强化了唐代社会的尚武风气。唐王朝统治集团起自关陇集团，深受胡人影响，有尚武余风。唐廷大力推行武举制度，极大地激发了唐人习武的热情，"弃文从武"者大有人在，其中不乏文人立志到边关建功立业，充分体现了盛唐积极进取的时代风貌，对促进国防安全具有积极意义。创立武举制度还有利于朝廷选拔军事人才和提高将帅素质。武举考试的内容以实战性技能为主，能够通过考试中举者必须具备较高的综合军事素质。唐王朝借

①　《旧唐书》卷六《则天皇后纪》。
②　《全唐文》卷九十五《高宗武皇后·求贤制》。

此可以选拔优秀的武士，将其充实到军队，增强军队的作战能力，同时也为拥有军事才能的一般官僚地主子弟打开了入仕之门，从而扩大了唐王朝的统治基础。被称为中兴名将的郭子仪就曾经参加武举考试，"以武举高等补左卫长史"①。他在社稷危亡之际，率军平定安史之乱，立下了不朽功勋，可以说是中国历史上通过武举途径选拔出来的最成功的武将。武举制度改变了之前选文不选武的做法，完善和发展了古代科举制度，为后世提供了借鉴的范例，对宋、明、清的武举制度产生了深远的影响。

第四节　交通运输的发展

隋唐五代时期，统一战争、民族战争、割据战争以及农民起义等各种形式的战争此起彼伏。在残酷而激烈的战争中，己方前线能否及时获取粮草及其他物资，直接影响战争进程甚至战争结局。后勤保障的重要性与日俱增，越来越受到各方的重视，而后勤保障离不开高效、完善的军事交通设施。在和平时期，为了更好地调配各地物资，以及促进各地的贸易往来、文化交流，进一步强化中央对地方政府的控制力，统治者也非常重视发展交通。由此可见，不论是战争年代还是和平时期，统治者都注重大力发展交通，兴建了不少与交通相关的大型军事工程，形成了以都城为中心的四通八达的交通网，驿道和驿站遍布各地，满足了当时的政治、经济、军事、文化等各方面的需求，具有重大的现实意义。

开凿并疏通运河无疑是隋唐五代时期最大的交通工程。早在春秋战国时期，我国已经开凿了胥河、邗沟、鸿沟，以及把长江水系与珠江水系连接起来的灵渠。这些都是以人力开凿出来的运河，当时主要是出于行军、运输军需物资等方面的考虑，当然在战后也有

①　《旧唐书》卷一百二十《郭子仪传》。

利于农田灌溉、人员流动，推动了经济、文化等方面的发展。

隋朝前后数次开凿或疏通运河，其中有两次直接出于军事的需要。开皇七年（587），为准备南下灭陈战争，隋文帝杨坚调发大批民工开通山阳渎运河，极大地改善了江淮地区的物资运输状况，为灭陈战争的顺利推进提供了有力保障。大业四年（608），隋炀帝杨广征发河北百余万民工开凿永济渠，引沁水（今沁河，发源于山西太岳山）南入黄河，北至涿郡（治今北京西南），不仅密切了河南、河北两地区的经济联系，而且成为南北军事运输的重要通道。几年之后，隋军东征高句丽所需的作战物资以及所扩充的兵员，就是经此从南方运往涿郡，充分体现了运河的军事价值。

隋唐时期的运河之所以深受统治者重视，除了重大的军事价值之外，还有一个重要原因在于它是漕运的干线。"漕"是指利用水路运送粮食到指定的集散地。所谓漕运，就是利用河道或海道等水道调运粮食的一种运输方式，是中国历史上的一项重要的经济制度。自三国两晋南北朝以来，江南地区得到持续不断的开发。耕作技术的推广加上得天独厚的气候和土壤条件，南方逐渐取代北方成为重要的粮仓。为保障统治机构的运转，隋唐统治者每年需从南方调运大量的粮食到北方。因此，漕运是否通畅会产生极大的影响，与王朝兴衰、统治安危息息相关。在各漕运干线中，运河是最便利也是最主要的干线，常年担负着繁重的运输任务，将统治阶级所需要的大量物资从南方运到中原、关中以及更遥远的边疆地区，被世人形象地称为"运粮河"。隋唐均以长安为都城，运河也是以此为中心，从长安向东经广通渠汇入黄河，至板渚（今河南荥阳市汜水镇东北黄河侧）后分为南、北二道，一道向东南经通济渠、山阳渎、江南河直达余杭（今浙江杭州市余杭区），一道向东北经永济渠直达涿郡，分别到达南、北的终点。隋炀帝在充分利用先秦以来的原有运河的基础上，疏通、扩建河渠并且相互连接，最终开凿了南北贯通的大运河，不仅促进了南北经济、文化的交流和发展，而且在军事上发挥了战略通道的重要作用，有利于维护和巩固大一统局面。

在前朝所创立的交通基础上，这一时期的交通运输也获得了长足的发展，尤以唐代交通为代表。唐代在水、陆交通上均有新的发展，建成了以长安为中心的水陆交通网。唐代发达的水上交通主要反映在日益完善的漕运、通达各地的江航以及逐步兴起的近海航线。唐朝继承了隋朝开发的大运河运输线，并且针对运河各段深浅不一的状况，采取节节运输、节节储备的方法，视水情变化而灵活使用南方船和北方船，在若干地点设置仓库储备漕粮，在时机合适之后再起运。唐朝在大运河所实施的分段漕运的方案，解决了此前困扰漕运的难题。此外，唐廷还注重维护以长安城为中心的关中漕运，以及沟通中原与岭南地区的灵渠漕运，重新疏通了原有的河渠，不仅可以通航，便于漕粮的运输，而且可以灌溉农田，成为促进农业生产发展的水利设施。唐廷还大力发展以长江为干线的水运线，自上游至下游依次由岷江段、川江段、三峡段、汉江段、九江段构成，涵盖了遍及长江南北两侧的雅砻江、岷江、嘉陵江、乌江、湘江、汉江、赣江，以及洞庭湖、鄱阳湖、太湖等天然水道，构成了四通八达的长江航线。除此之外，唐代还发展了近海航运，主要由北段、中段和南段航线组成。北段的环渤海航线是以营州（治今辽宁朝阳）为中心建立起来的海运线，各类物资经海运在此集散转运。中段是东海海运，从山东半岛胶州湾通航到辽东半岛、朝鲜半岛或长江口，在战争期间常被用于军事运输。南段是闽广海道，从福建、广东沿海通航到台湾、南洋等地。水路运输因为运输成本低、运载量大，成为唐代交通运输系统中不可或缺的一部分。

唐代的陆路交通尤为发达，建立了以长安、洛阳为枢纽的交通干线，当时称为"贡路"。从长安出发的贡路有 6 条：一是从渭北经鄜州（治今陕西富县）向北直抵河套，可到达安北都护府。二是由长安向西抵达雍州（治今陕西西安西北），一路沿西北方向，经上邽（今甘肃天水）、肃州（治今甘肃酒泉）直抵安西都护府治所龟兹（今新疆库车）或北庭都护府治所庭州（今新疆吉木萨尔北破城子）；另一路沿西南方向，经大散关、剑阁直抵益州（治今四川成都），而后通往雅（治今四川雅安西）、姚（治今云南姚安北）。三是由长安向南经子午谷，可抵达汉中。四是由长安沿东南方向通往蓝田、武关、襄阳，一路向西折往渝州（治今重庆），另一路向南通往荆州、潭州（治今湖南长沙）、桂州（治今广西桂林），再转向广州。这是秦汉以来由中原去往岭南的重要通道。五是从长安向东经潼关、陕州（治今河南三门峡市陕州区）、新安至洛阳，或者经蓝田、洛南、卢氏、宜阳至洛阳。这两条陆路交通线商旅往来繁忙，十分兴旺。六是从长安沿东北方向，经蒲州（治今山西永济西南蒲州镇）通往太原、云州（治今山西大同）、幽州（治今北京西南）。唐与吐蕃实施和亲政策之后，双方还开通了由长安出发，经鄯州（治今青海海东市乐都区）、鄯城（治今青海西宁）、唐古拉山口至吐蕃首府逻些城（今西藏拉萨）的道路，史称"唐蕃古道"。除此之外，唐廷还开发了对外交往的通道，主要有 7 条道路：一是由登州（治今山东烟台市蓬莱区）入高句丽渤海道。二是由营州（治今辽宁朝阳）入安东道。三是夏州（治今陕西靖边东北白城子）塞外通大同云中道。四是由中受降城（今内蒙古包头西南）沿西北方向入回纥道。五是由安西入西域道，向西通往中亚、西亚乃至地中海沿岸地区。六是由安南通天竺道，一路经广西、云南、缅甸至印度，另一路经老挝、泰国、缅甸至印度。七是由广州通海夷道。

唐代拥有较完备的水陆交通设施，具有较高的管理水平，集中体现为成熟的邮驿传舍制度。唐王朝建立了全国性的驿传网络，内地水陆交通要道上通常每三十里设置一座驿站，每驿设置驿长一人，主管驿务。驿站的主要职能是传递军政紧急公文、地方官员报告、地方贡品，为军人和官府出行人员提供食宿和交通工具等。在传承基础上，唐代建立了一套驿站的军事化管理体制[1]，兵部为驿站的最高管理机关，驾部郎中负责全面管理驿站的日常事务，负责地方军务的兵曹管理辖区内的驿站，重要地区的驿站则由军队直接负责管理。据《唐六典》卷五《尚书兵部·驾部员外郎》载，当时全国共有馆驿 1643 所，其中陆驿 1297 所，水驿 260 所，另外还有 86 所

---

[1]　参见况腊生：《试论唐代驿站的军事化管理体制》，《军事历史》2010 年第 6 期。

水陆兼用的驿站。① 唐代驿站的驿长既是军人，同时又编入民籍，多从家境殷实且多丁的富豪之家征取，可免除赋税、徭役，但需自备驿站所需的物资。唐代驿站实施军事化管理体制，极大地强化了其军事交通机构的职能，保障了全国交通体系的高效运转，同时又以此调运、集结军队和传达军令。唐王朝在战争准备和实施过程中，频繁使用驿站执行特定任务，充分反映了驿站的独特军事功能。唐代确立的驿站军事化管理体制，基本上被后世沿袭，奠定了中国古代驿站管理的基础。

第五节　日益活跃的文化交流

隋唐重建大一统局面，中国古代封建社会发展到了一个新的高度，政治体制趋于成熟，封建经济空前繁荣，对外文化交流十分活跃，尤其是有"开元盛世"美誉的盛唐更是缔造了灿烂的文化，对当时以及后世均产生了极其深远的影响。

唐代的中国是亚非各国进行文化交流的一个中心，都城长安则是对外经济文化交流的中心。长安是当时一座国际化的大都市，有着来自世界各国的使节、商人、留学生、僧侣、学者、艺术家以及达官贵人。他们有的来长安访问，有的求学，有的经商贸易，还有的来此传教，其中不少人在此长期居住，将其本国的文化传到了中国，返回时则将唐朝文化传播到了国外，中外文化在交流、传播中相互影响、渗透和融合。

唐廷在长安设置鸿胪寺，负责接待外国使节，增进了彼此间的了解；设置规模宏大的国子学和太学，接收来自全国各地的求学者以及来自高句丽、百济、新罗、日本的留学生。这些留学生学成之

---

① 参见杨希义、于汝波：《唐代军事史（上）》，军事科学院主编：《中国军事通史》第十卷，军事科学出版社，1998 年，第 159 页。

后，将先进的盛唐制度、文化、科技等带回本国，极大地促进了本国的发展，也扩大了中国文化的影响。唐廷还设置商馆招待外商，设立互市监、市舶司掌管对外贸易，长安的西市就是当时著名的商业区，聚集了众多的外商在此经营店铺。发达的交通运输为唐朝对外开展文化交流提供了便利条件，"丝绸之路"和远达非洲的海上交通极大地拓展了人们的活动范围，也进一步推动了中外文化交流。

　　唐朝与新罗、日本、印度等国家进行了广泛而深入的文化交流。朝鲜半岛原来是高句丽、百济和新罗鼎立的局面，后来新罗统一了朝鲜半岛。唐与新罗往来频繁，有大批新罗留学生到长安学习。新罗是向唐朝派遣外国留学生最多的国家，唐文宗开成五年（840）学成回国的留学生一次就达105人，不少留学生参加了唐朝的进士科举考试，一些人还在唐朝担任官职，他们成为传播唐文化的积极人士。新罗模仿唐朝的政治、文化、教育等制度，采用唐朝的历法、科举制，以中国的儒家经典为考试内容，引进了中国的雕版印刷术，还从唐朝带回大量的汉文典籍、丝绸、茶叶、瓷器等，极大地促进了本国的全面发展。日本与唐朝也开展了全面的文化交流，先后13次派遣正式的遣唐使，使团人数最多时超过550人，给唐朝带来珍珠绢、琥珀、玛瑙等贵重礼品，唐廷回送高级丝织品、瓷器、乐器等物品。日本全面学习唐朝的典章制度、佛学、医学、天文历法、建筑、手工业技术、文学艺术以及风俗习惯等，对本国的政治、社会和文化都产生了深刻的影响。日本选派大量的留学生赴唐求学，其中最著名的有阿倍仲麻吕（汉名晁衡）、空海等人，在中日文化交流方面发挥了积极作用。中国僧人鉴真历尽艰险，东渡日本，将律宗和佛寺建筑、雕塑、绘画等艺术以及医学传授给当地人，为两国文化交流做出了重大贡献。日本参照唐朝的均田制度、租庸调制、官制、律令，制定了本国的相关制度；在京都设立大学，学制和学习内容均模仿唐朝；采用汉字楷体偏旁和汉字草体，分别创造了"片假名""平假名"。此外，唐朝的音乐、绘画、雕塑、书法、工艺美术，以及先进的生产技术、天文历法、医学、建筑等陆续传入日本，大大推动了日本社会的发展。唐朝还和东南亚的越南、柬埔

寨、缅甸，南亚的印度、尼泊尔、斯里兰卡、巴基斯坦，中亚的吐
火罗国（今阿富汗北部），西亚的波斯（今伊朗）等国家建立了密
切的联系，开展了广泛的文化交流，既加深了彼此之间的了解，增
进了友谊，也促进了双方的文化发展。

　　在唐朝与百济、日本等国家的文化交流过程中，以《孙子兵法》
为代表的中国古代经典兵书也得到了广泛传播，产生了较大影响。
日本兵学家佐藤坚司认为，根据《日本书纪》的相关记载，中国兵
法是由百济人传入日本的，推测当于天智天皇二年（663）以前，而
这部中国兵法可能就是《孙子》。显然，《孙子》应该在更早的时间
就已传入朝鲜半岛了。另据《续日本纪》记载，吉备真备于养老元
年（717）至天平六年（734）赴唐留学18年，回国时将《孙子》
带回日本并在军队传授，后来还在平定惠美押胜之乱时，成功地运
用《孙子》克敌制胜。桓武天皇在延历八年（789）五月，在给征
东大使纪古佐美的敕书中提出了"兵贵拙速，未闻巧迟"的主张，
化用了《孙子》"兵闻拙速，未睹巧之久也"之意，表明《孙子》
已在日本广泛传播并屡被运用于实践之中。[①] 根据约编于日本宽平
二年（890）的《日本国现存书目录》记载，唐代传入日本的《孙
子》已有多种版本，主要有：

　　《孙子兵法》一卷　吴将孙武撰

　　《孙子兵法书》一卷　巨诩撰[②]

　　《孙子兵书》三卷　魏武解

　　《孙子兵书》一卷　魏武略解

　　《孙子八阵图》一卷[③]

　　这种现象一方面反映了日本人对《孙子》的高度重视，极尽研

---

① 参见佐藤坚司著，高殿芳等译：《孙子研究在日本》，军事科学出版社，
1993年，第1—2页。

② "巨"是"臣"字之讹，"臣诩"应即贾诩。

③ 参见高殿芳、穆志操：《涌入日本的〈孙子兵法〉》，《军事历史》1992年
第1期。

讨传习之能事；另一方面也反映了唐朝日益活跃的对外文化交流，尤其是与日本的文化交流达到了前所未有的高度。唐朝积极向外传播先进的制度、文化和科学技术，为推动世界各国的发展做出了不可磨灭的贡献。

第二章　隋唐五代兵学的时代特征

隋唐五代兵学承上启下，反映了冷兵器时代兵学向冷兵器火器并用时代兵学过渡时期的真实状况，对冷兵器时代的兵学理论做了系统总结，同时又注重汲取新的实战经验，提出了不少有创新价值的兵学观点，体现出豪迈进取、儒道兵诸家思想交融、理论分类总结、注重实用等时代特征。

第一节　"盛唐气象"影响下的豪迈
进取的兵学文化精神

唐朝处于中国古代封建社会发展的上升时期，不仅国力强大，幅员辽阔，人口众多，而且文化繁荣，制度完备，与外交流频繁，在东亚和世界范围内拥有无与伦比的影响力。"盛唐气象"集中反映了唐朝最强盛时期所展现出来的雄浑恢宏、高度自信、兼容并包、昂扬向上的时代风貌，而这种独具一格的时代风貌也为当时的兵家所濡染，进而内化为豪迈雄健、开放进取的兵学文化精神。

一、"以天下为家"的博大胸襟

盛唐时期的中国是当时世界上先进、强大的国家，通过向外输出文化、制度以及科学技术等，深刻地影响了许多国家和地区的发展。唐朝之所以能够引领和推动亚洲乃至世界文明进程，与大唐统治者强烈的"胡越一家"①、不分华夷的民族平等观念和"以天下为家"② 的博大胸襟是分不开的。

自立唐以来，高祖李渊就提出要以宽广的胸怀治国理军。唐太宗将这一思想发扬光大，主张"王者视四海如一家，封域之内，皆朕赤子，朕一一推心置其腹中"③。李渊、李世民提倡并践行的"四海如一家"思想的要义就是民族平等。能够提出这一思想并身体力行者，在中国古代史上是很少见的。正所谓"胡越一家，自古未有也"④，但在唐朝却实现了。唐太宗明确主张："自古皆贵中华，贱夷狄，朕独爱之如一。"⑤ 李渊父子的一系列观点、主张反映了其恢宏的大一统思想以及进步的天下观、民族观，外化为有唐一代贯彻始终的开明的民族政策，从形式到内容上都实现了超越前代的民族大融合。活跃于南北朝时期的匈奴、鲜卑、羯、氐、羌等民族进入中原以后，在经济、文化、语文、风俗乃至血统上与汉族融合，逐渐在民族融合过程中被同化。显然，"四海如一家"不仅包括汉族以及被汉族同化的中原少数民族，而且包括中原周边的各民族。李渊、李世民具有如此别具一格的华夷观，有其特殊的历史背景。自两晋南北朝以来的数百年间，民族大融合的局面已经形成，各民族之间交往密切，增进了相互间的了解。李氏久居西北地区，汉蕃杂居，各民族间的通婚日渐增多。李氏祖祖辈辈为武将，跟西北少数民族关系密切。李氏具有胡汉混杂的血统，唐高祖李渊的母亲出自鲜卑的独孤氏，唐太宗李世民的母亲窦氏、唐高宗李治的母亲长孙氏均为鲜卑族裔。深处这样一个民族交融、各族杂居的历史环境之中，李渊父子自然不能不受到极大的影响，尤其影响到他们的华夷观，使得其对周边少数民族基本上不抱成见，能够较平等地予以对待。

---

① 《资治通鉴》卷一百九十四《唐纪十》，太宗贞观七年十二月。
② 《贞观政要集校》卷五《论公平第十六》。
③ 《资治通鉴》卷一百九十二《唐纪八》，高祖武德九年九月。
④ 《资治通鉴》卷一百九十四《唐纪十》，太宗贞观七年十二月。
⑤ 《资治通鉴》卷一百九十八《唐纪十四》，太宗贞观二十一年五月。

为有效管理中原地区周边的少数民族地区，唐朝实行羁縻府州制度，府州的都督、刺史由本民族部落的酋长担任，可以世袭，负责管理本地区的政治、经济、军事等事务，拥有较大的自治权，同时又要服从唐王朝中央政府的管辖，奉唐正朔。唐朝实施羁縻府州制度，注意尊重和保留各少数民族的社会组织和风俗习惯，一般也不向其征收赋税，极大地争取了民心；大力推进中原与周边地区的经济、文化交流，将中原先进的技术、文化、制度传播至少数民族地区，使其获得了较快发展，由此促进了以汉族为主体的各民族间的团结、和睦，建立起比较平等的民族关系，出现了天下一家的兴旺景象。

盛唐所推行并一以贯之的民族平等理念，不仅体现在羁縻府州制度上，还体现在用人政策上。唐廷采用汉蕃并用、胡汉不分的选官任官标准，一度还重用蕃将蕃兵。在唐朝统治集团官员中，蕃人占有不小的比重。贞观时期，突厥出身的人担任五品以上官员者就占同级官员的半数。有的蕃人还被皇帝赐以国姓"李"，死后可以陪葬帝陵。在唐王朝所任用的文臣武将中，有不人来自突厥、回纥、铁勒、靺鞨、契丹、沙陀、羌、高句丽等周边少数民族，阿史那社尔、执失思力、契苾何力、李光弼、浑瑊、黑齿常之等人都为盛唐立下了卓著战功，以汉族为主体的各民族为开创盛唐之世做出了共同的努力。这也充分反映了唐朝所推行的民族平等的用人政策获得了巨大成功，赢得了各族人民的衷心支持，使其竭尽全力效命朝廷。

以唐太宗为代表的唐朝统治者具有比较开明的民族平等观，体现了博大宽广的胸怀。唐太宗指出："夷狄亦人耳，其情与中夏不殊。人主患德泽不加，不必猜忌异类。盖德泽洽，则四夷可使如一家；猜忌多，则骨肉不免为仇敌。"① 正是立足于民族平等观，才由此催生了具有宏观视野的国家观，产生了涵盖各民族在内的大一统观念。唐太宗豪迈地说道："我今为天下主，无问中国及四夷皆养活

---

① 《资治通鉴》卷一百九十七《唐纪十三》，太宗贞观十八年十二月。

之，不安者我必令安，不乐者我必令乐。"① 表达了天下共主、华夷一家的治国理念，也展现了引领四方的气魄与化育万民的担当。

唐太宗"以天下为家"的气度深刻地影响了后世帝王。唐高宗以"万国之主"自居，武则天表示要"恭临四海"，唐玄宗自称"君临宇内"，无不展现出恢宏的气势。这是在拥有强大实力并且高度自信的基础上油然而生的博大胸怀。

二、自由开放的时代氛围

在中国历史上，盛唐时期可以称得上是一个相对自由、开放、包容的时代。与其他朝代相比，唐代的社会氛围是比较宽松的，人们没有重重的思想束缚，全方位的对外开放与思想文化上的兼容并包造就了盛唐的非凡气度，善于吸纳，懂得包容，在融会贯通之中开创了一个彪炳千古的时代。

（一）自由的思想氛围

盛唐时期统治阶级基本上采取多种思想学说并立的政策，不排斥不打击某一思想流派，给予人们思想与宗教信仰上的自由，使得这一时期的社会呈现出思想多元化的局面。大体而言，这一时期的统治者奉行儒、道、佛三家并立的基本国策。虽然在某一时期、某一阶段，儒、道、佛中的一家可能会占据主导地位，但不会因此排斥、打压其他思想流派和宗教的发展，各家共存并立，由此形成了自由发展的思想氛围。

在儒、道、佛三家之中，统治者从维护自身统治的需要出发，通常会大力提倡儒家思想，从中找寻兴国安邦之道，以其教化黎民，用以经世致用。隋文帝杨坚本人不喜好儒家学说，但也不得不肯定其在纲常伦理、礼乐教化上的显著成效。隋朝上下各有所好，诸多学派、宗教各得其所，形成了思想自由活跃的局面。进入唐代以后，这种思想开放的局面不仅延续了下来，而且还有所发展。唐朝统治者组织人力整理儒家经典，确立了儒学的主导地位，以此更好地维

① 《册府元龟》卷一百七十《帝王部·来远》。

护王朝的统治。唐太宗认为儒家礼乐"可以安上治民，可以移风易俗，揖让而天下治者"①，体现了对儒学的推重之意。与此同时，唐朝统治者也大力改造和利用道教、佛教，将宗教作为服务于统治需要的工具。李渊父子与道教颇有渊源，早在晋阳起兵之时就得到道士的帮助。建立大唐王朝后，李渊为了抬高自己的出身门第，特意认老子为先祖。在此之前，道教将老子尊为"道德天尊"。因为均尊奉老子，李唐便与道教建立起亲密的关系，道教的地位空前提高，长时间排在佛教之前，一度还排在儒家之前。玄宗统治时期，唐廷崇道达到了一个高潮，科举考试内容增加了《道德经》，官方加强了道教经典的收集、注释、传播工作。唐玄宗将自己所注《道德经》及义疏颁布天下，命令大家研习，进一步提高了道教的社会地位，促进了道教思想的传播。唐廷在推重儒家、尊崇道教之时，对佛教也采取了开明的态度，对其既扶植又限制，充分利用佛教的教化功能，同时又使其始终处在自己的掌控之下。玄奘西行取经回国后，唐太宗命令官府大力支持其翻译佛经，并亲自撰写了《大唐三藏圣教序》，这表明他已将佛教看作是可以和儒、道一起为己所用的。李唐王朝奉行儒、道、佛三家并立之策，形成了各家思想兼容并存、自由发展的氛围，也给了各界民众选择思想流派、宗教信仰的自由，有利于调和阶级矛盾和维护统治秩序。

（二）开放的时代精神

盛唐区别于其他封建王朝的鲜明特征，便是开放的时代精神。②这种开放的时代精神，表现在与域外国家、周边民族全方位的开放的交往上，也反映在宽松、有节制的内部治理上。

首先是全面开放、兼容并包的文化心态。唐王朝在对外交往中采取全面开放的姿态，以兼容并包的博大胸怀吸纳外来文化的养分，同时也将先进的盛唐文化和技术传播到域外。这一时期对外交往最具代表性的事件有唐朝高僧玄奘西行取经、日本派出 13 次遣唐使、

①　《全唐文》卷六《太宗皇帝·颁示礼乐诏》。
②　参见吴相洲：《玄宗与盛唐气象》，大象出版社，2000 年，第 17—33 页。

鉴真东渡日本传播佛教文化。在中外文化交流中，彼此互通有无，在相互借鉴中取长补短，在相互影响下交融发展，在融会贯通中走向繁荣。中外文化相互激荡，为盛唐气象注入了新鲜的文化元素。请进、吸纳、融汇外来的文化、艺术、礼仪、习俗、生活方式等，形成了所谓的"胡化"之势，胡服、胡食、胡语、胡乐、胡舞、胡俗在唐代盛行一时，对唐朝产生了多方面的深刻影响。盛唐内地流行的外国或周边少数民族的服饰，一般统称为胡服。唐人以穿胡服、戴胡帽为风尚，尤其喜欢效仿突厥、回纥的服饰，而中原服饰也影响了域外，当时有"胡着汉帽，汉着胡帽"的说法。唐人深受胡俗的影响，胡坐、胡床在当时全面普及，并效仿胡人骑马出行，逐渐取代了原先的坐车出行方式。唐人将外来食品统称为"胡食"，以各式各样的胡饼为代表，包括蒸饼、煎饼、烧饼等。此外，石蜜（冰糖）、西域酒的制作方法也传入中原，极大地丰富了唐代的饮食文化，形成了富有时代特色的饮食风尚。胡乐、胡舞以及羌笛、琵琶、羯鼓等胡乐器也大量传入中原，在当时产生了广泛的影响。唐代的许多乐舞都吸收了胡乐的成分，龟兹乐、疏勒乐、高丽乐、天竺乐等胡乐深受人们的欢迎。① 节奏明快、气氛热烈、豪迈奔放的胡舞传达出昂扬向上的精神状态，在当时也极为流行，杨贵妃就是跳胡旋舞（从西域传来的一种胡舞）的高手。开放的文化心态形成了宽松、和谐的文化氛围，造就了文化的多元发展，奠定了盛唐海纳百川、恢宏大度的文化底蕴。

其次是密切胡汉关系的和亲政策。唐代的和亲政策不同于其他封建王朝。许多封建统治者是在自身力量不足以抗衡外来势力入侵时，便采取和亲政策与之结好，也就是将和亲作为应对游牧民族入侵的权宜之策。与之相比，唐代的和亲政策则上升到了战略高度，作为国家处理战争与和平的重大战略举措，不是权宜之策而是长期奉行的基本国策。另外，唐王朝无论在自身力量恢复时期，还是在

---

① 参见向达：《唐代长安与西域文明》，生活·读书·新知三联书店，1987年，第41—75页。

强大以后，均能够一如既往地贯彻和亲政策，在增进彼此交往、密切双方关系时，也将先进的制度、文化、技术等向外传播，促进了周边民族地区的发展。唐太宗是执行和亲政策的成功实践者，曾将文成公主出嫁吐蕃、衡阳公主出嫁西突厥、弘化公主出嫁吐谷浑，其中唐蕃和亲堪称典范，产生了深远的历史影响。文成公主远嫁松赞干布，将中原先进的生产技术、历法，以及谷物、菜籽、药材、茶叶、手工艺品，还有各类工匠传入吐蕃，极大地促进了吐蕃经济文化的发展，促进了汉藏两族的交往。持续不断的和亲政策折射了唐朝对待胡人的开放心态，不将其视为异类，而是主张胡汉交融，在开放性的交往中融为一体。敢于开放实质上体现出唐王朝统治者的高度自信。

再次是开放的边防观念。唐王朝在保卫边疆、巩固国防上跳出了前朝的思维模式，不在边境上修长城防守，而是倚靠有卓越才能的将领镇守边关，保疆固围。唐太宗曾经指出："隋炀帝劳百姓，筑长城以备突厥，卒无所益。朕唯置李世勣于晋阳而边尘不惊，其为长城，岂不壮哉！"[①] 唐太宗以大将为长城的观念，是建立在自身拥有强大的军事实力基础之上，同时还因其具有高瞻远瞩的战略眼光，从"治内服外"的战略高度筹划和维护国家安全利益。显然，这不仅是开放的边防观念，更是力图有所作为的进取型的边防观念。

最后是开放的内部治理。唐王朝在对内治理上也秉持开放的态度，形成了宽松的社会氛围。其一是用法宽平。盛唐统治者不崇尚重刑，不滥施淫威，主张宽简施政，以此争取民心。这说明以唐太宗、唐玄宗为代表的统治者能够较好地汲取隋亡教训，保持了较清醒的头脑，基本上做到了刑赏得当，从而巩固了执政根基。其二是兼听纳谏，从善如流。盛唐统治者能够放下身段，俯身倾听各方意见，广开言路，虚心纳谏，建立了历史上少见的君臣互信的关系。这不仅需要统治者具有宽广的胸怀、开明的观念，更需要其身体力行，在实践中率先垂范，树立并形成一股风气。唐太宗鼓励臣下积

---

① 《资治通鉴》卷一百九十六《唐纪十二》，太宗贞观十五年十月。

极进谏，魏徵屡屡犯颜直谏，君臣勠力同心，共同开创了贞观之治的局面。唐玄宗传承了这一作风，虚怀若谷，大胆任用直言敢谏的姚崇、宋璟、韩休、张九龄为宰相，为最终形成"开元盛世"发挥了积极作用。其三是尊重士人个性。盛唐通过改革、创新科举制度，扩大了选拔人才的途径，也给予士人更广阔的活动空间，允许其保留自己的个性，以充分发挥其才干，在一定程度上激发了士人建功立业的积极性。

三、尚武自强的盛唐之魂

一般说来，中国历史上的尚武精神的主体内容应包括尚武勇、尚武德、尚武略、尚武技四个组成部分，四者缺一不可。[①] 中华民族尚武精神从上古到近代，经历了一个由强到弱的演变过程。在这个漫长过程中，尚武精神的发展呈现出起伏不定的状态，出现了先秦与隋唐两个高峰。先秦时期是尚武精神高扬的时代，尤其是春秋战国时期达到顶峰。在此之后，尚武精神经过了一段时间的压抑，在隋唐时期又迎来一个大发展，尤其在盛唐时期得到全面张扬。李唐王室具有胡汉混杂的血统，且长期生活在胡汉杂居的西北地区，深受胡人尚武之风的影响，历来崇尚武功。李渊、李世民父子均善于弓马骑射。李世民拥有高超的箭法，不仅能够左右开弓，而且臂力过人，能够"箭穿七札，弓贯六钧"[②]。他曾经自夸"以弧矢定四方"[③]，这其实是初唐浓郁的尚武之风的缩影。身为统帅尚且如此，普通将士更是群起效仿，何况还能以此获取军功，加官晋爵。唐王朝尊崇军功，格外优待将门子弟，对立有战功的武将褒奖有加。盛唐统治者奖励军功并给予立功者极高的社会地位。唐朝法令规定，凡在战争中立有军功者，享有与公卿同等的地位，可以加官晋爵、

---

① 参见于汝波：《大思维：解读中国古典战略》，军事科学出版社，2001 年，第 195—199 页。

② 《旧唐书》卷六十六《房玄龄传》。

③ 《贞观政要集校》卷一《政体第二》。

赏赐良田美宅。因立军功成为勋官者享有许多特权，可免徭役，按勋阶高低可得永业勋田，可赎其刑罚等，由此促使尚武风气逐渐蔓延，直至占据主导地位。以军功博取功名成为这一时期人们的普遍追求，投笔从戎风行天下，远赴边关建功立业被视为无上荣光，越来越多的出身寒门者企望凭军功入仕，出人头地。

此外，唐王朝大量录用胡人为官，吸纳了大量骁勇善战的蕃将。这些蕃将彪悍尚武，被朝廷充实到中央和地方各级军队，从而将尚武之风扩散到更大的范围，极大地强化了尚武风气。在这样的时代背景下，上至贵族、下至百姓普遍习武，如果不谙武事，不仅会被他人轻视、耻笑，而且还会影响到自己的仕途。正因如此，不少文人也转而研究用兵之事，潜心韬略之术，希求获取军功。"宁为百夫长，胜作一书生"恰是这一时期尚武之风的写照。习武功、崇武事、建功业铸造了尚武自强的盛唐之魂。

四、开拓进取的精神风貌

盛唐时期文治武功均取得巨大成功，大张国威，遐迩闻名。这固然缘于盛唐君臣励精图治，在政治、经济、军事、文化、教育、外交、宗教等方面采取了一系列适宜的政策及具体举措，其中文化层面上的精神因素尤其不容忽视。这一时期的盛唐展现出了开拓进取的精神风貌，以坚决捍卫国家安全利益为出发点，在面临外部势力挑衅、边防安全受到威胁之时，能够果敢出兵反击侵扰，在自卫反击过程中拓展疆域。盛唐疆域远远超过了秦汉，最盛之时东至朝鲜半岛，南抵越南中部，西至咸海，北达贝加尔湖，拥有前所未有的势力范围。盛唐统治者在开疆拓土过程中，奉行"理人必以文德，防边必以武威"①的指导思想，强调文武并重，德威兼用，在文与武之间寻找平衡点，注意区分不同情势，有分寸、有节制地用兵，以防穷兵黩武。盛唐开拓疆域可分为三种情况：一是以武力反击周边民族的侵扰；二是征伐破坏藩属关系的边疆民族政权；三是征伐

---

① 《全唐文》卷十《太宗皇帝·金镜》。

中原王朝传统疆域内不愿臣服的政权。由此可见，盛唐统治者绝非肆意使用武力，而是在冷静分析、深思熟虑之后做出的务实之举。当然，开疆拓土只是开拓进取的精神风貌的外在表现，不因循守旧的创新变革才是其内在实质。盛唐人锐意进取，反对固守不变，主张力矫时弊，有所作为。他们认为没有恒永不变的制度、政策，一定要根据形势发展的需要进行革新。唐太宗李世民创新轻骑兵战法、李靖创新阵法和战术、武则天创设武举，均鲜明地体现了盛唐的创新理念。开拓创新精神不仅仅反映在武功上，更全面而深刻地反映在文治的方方面面。盛唐人正是因为具有开拓进取的精神风貌，才使其不囿旧规，敢于突破，从而开创了盛世新局面。

第二节　儒家、道家、兵家思想的渗透交融

在历经长时间分裂之后，隋朝重新实现了大一统。隋文帝着眼长治久安之考虑，顺应人心思定之时势，推行了"三教并奖"的文化政策，营造了相对宽松的社会氛围。他颁布诏令，既保护佛教、道教，又提倡儒教，认为三教不可互相替代，均有各自功能，故而主张儒、佛、道并重。"三教并奖"政策被隋炀帝沿用，并被唐朝统治者继续推行。唐太宗尚儒，但并未以个人好恶而排斥佛、道。他从维护国家统治的大局出发，在借助儒学教化人伦纲常、规范社会秩序的同时，也充分发挥了佛、道所具有的安定人心和淳化民风的作用。正因为儒、佛、道具有各自不同的社会功能，这才会被统治者用来作为维护和巩固统治的工具。在开明的文化政策引导下，唐代各家思想的互鉴、渗透、交融逐渐展开并走向深化。

黄朴民等学者认为，中国古代的思想文化整合与融汇先后经历了三个高潮。第一个高潮是西周初期周公"制礼作乐"，统一思想、规范礼乐；第二个高潮是起源于战国中后期、完成于董仲舒的思想学术的融合，以"罢黜百家，独尊儒术"为标志；至隋唐时期进入

了第三个高潮。① 隋唐儒、道、兵诸家思想的交融，是对先秦两汉以来的兵、儒、道合流的传承与发展。春秋战国时期，自由开放的思想氛围为诸子百家提供了广阔的发展空间，各家思想在互鉴中进步。两汉时期，兵、儒、道合流的趋势不可阻挡，进一步向前推进。《黄石公三略》（又名《三略》）博采儒家的仁、义、礼和道家的贵柔守雌思想，深入系统地探讨兵学问题，成为这一时期诸家思想合流的具有代表性的兵书。在此基础上，隋唐五代诸家思想的合流与融合继续向前发展。

在隋唐五代儒家、道家、兵家思想的融合互通中，道家与兵家思想的交融占据主导地位，表现得尤为活跃，所取得的成果也最为显著。应该说，"道家论兵"的文化现象在中国许多朝代都不同程度地出现过，但以唐代为盛。这一时期涌现出了以李筌、王真、赵蕤为代表的道兵家群体，并留下了《太白阴经》《阃外春秋》《阴符经疏》《道德经论兵要义述》《长短经》等一批道兵家著述，道家与兵家交融的广度与深度均是空前绝后的。在此之前，道家与兵家思想已经形成了互通关系，在观念、范畴、术语乃至行为模式、思维方法等方面相互激荡、影响，极大地丰富、完善了各自的理论体系。一方面，兵家思想智慧渗透于道家思想领域，表现在其为道家思考军事问题提供了核心概念和思维范式，兵学智慧被道家广泛运用于科仪法事、医学养生等非军事领域，在构建道教神仙理论上也发挥了一定作用。另一方面，道家思想也深刻影响了兵家的战争观、价值观，道家提出的"以道观战""不争""贵柔"等思想，对兵家的战争、战略、战术思想都产生了不同程度的影响；道家倡导并追求的飞升成仙、功成身退的理论，也对兵家的价值观产生了不可低估的影响。②

道家与兵家的交融互通始自先秦，至唐代达到高潮，"道家言

---

① 参见《中国兵学思想史》，第 245 页。
② 参见于国庆、詹石窗：《道教与传统兵学互通关系略论》，《社会科学战线》2013 年第 4 期。

兵"成为唐代兵学的鲜明特色。显然，道家思想的活跃与唐王朝大力推崇道教具有很大的关系。唐高祖李渊为抬高门第，自称是道教教主李耳后裔，并设立老君庙，此后全国各地广修道观。唐太宗沿习崇道政策，下诏确定道士、道姑的地位列于僧尼之上。唐高宗封太上老君为太上玄元皇帝，在各州郡设道观奉祀。《道德经》被列为科举课目，极大地带动了民间崇信道教之风。唐玄宗更是极大地壮大了道教的声势，一再给太上老君追加"大圣祖玄元皇帝"等尊号，并多次拜谒玄元皇帝庙；亲自为《道德经》作注，颁行天下；主持纂修《三洞琼纲》，成为中国历史上第一部《道藏》；经常召集道士封号、赐物、设观，抬高道士的社会地位。道教在唐代呈现兴盛之势，道家思想广泛流布，极大地影响了社会民众的思想观念。在这一特定的时代背景下，不少人钻研道家思想，并留下了不少相关著作。自《老子》始，道家就深入地探讨用兵之道，指出"以正治国，以奇用兵"①，对兵学表现出了异乎寻常的关注，但其论兵主要还是服务于避战、反战、止战的道家战争立场。显然，这与兵家的战争观是不同的。于国庆等学者指出，道家兵学具有完整的思想体系，由兵道观、兵略论和兵治论等要素构成，主张应尽量不去挑起战争，最好是不发生战争，是以反战为最终归宿的。② 道家论兵与兵家论兵既有相同点，又有相异处，形成了中国兵学史上独具特色的道兵家流派。道兵家的活跃极大地丰富了唐代兵学内容，具有明显的时代特征，主要表现在其用道家学说阐释兵学观点、具有浓厚的出世隐逸观念和方术神秘色彩等方面。③ 应该说，道兵家在战争观、思维方式、作战手段、治军之道等方面，都深刻地打上了道家思想的印记，产生了一定的历史影响，一些思想和具体主张还被后世兵家采用。

---

① 王弼注，楼宇烈校释：《老子道德经注校释》下篇《五十七章》，中华书局，2008 年。

② 参见于国庆、詹石窗：《道教兵学简论》，《哲学研究》2012 年第 12 期。

③ 参见王凤翔：《兵势水形：唐代道兵家发微》，《管子学刊》2016 年第 3 期。

　　道家与兵家的交融互通虽然是唐代普遍的文化现象，但是也应看到儒家、纵横家等其他思想也参与了唐代思想的大融合。儒家与道家思想也建立了互通关系，相互借鉴与融合。以柳宗元为代表的士大夫认为儒与道并不存在对立关系，儒道殊途而同归。在统治者的大力倡导下，研读《道德经》蔚然成风，儒者也不能避免，儒道合流成为一种不容小觑的社会潮流。儒学关注社会治乱、礼法纲常，强调"入世"；道家关注宇宙、自然现象及演化，强调"出世"，二者形成了互补关系，也为儒道合流提供了可能。治世用儒、乱世用道成为时人推崇的人生选择。兵儒合流在唐代也有所反映。学者黄朴民指出，两汉以降的兵儒合流在军事思想的各个层次、各个方面都有突出的反映，说明这种融合会通是全方位的，最终决定了中华古典军事文明的性格。① 唐代的兵儒合流也表现在多个方面，比如将儒家思想引入战争观，进一步确立了战争观上的儒学指导地位，具体表现就是宣扬"义战"，主张"兵非道德仁义者，虽伯有天下，君子不取"②，提倡以道德仁义规范战争活动。前人对此也有定论。《四库全书总目》在评论《太白阴经》时指出："兵家者流，大抵以权谋相尚，儒家者流，又往往持论迂阔，讳言军旅，盖两失之。笺此书先言主有道德，后言国有富强，内外兼修，可谓持平之论。"③这番话道出了唐代兵书在论兵问题上体现出的兵儒思想融合的时代风貌。从更宽广的视野来看，唐代的不少著述（不仅仅是兵书）均糅合了多家思想理论，应是唐代自由的思想氛围下的产物。李筌《太白阴经》、王真《道德经论兵要义述》皆是道、兵、儒思想兼取，鲜明地体现了思想融合的特征。赵蕤《长短经》更是博采道、兵、儒、法、纵横等诸家思想，汇集王霸谋略，充分反映了唐代思想交融的深度和广度。

---

① 参见黄朴民：《兵儒合流与学术兼容》，《中国军事科学》1999 年第 3 期。
② 《太白阴经》卷二《人谋下·善师篇》。
③ 永瑢等：《四库全书总目》卷九十九《子部·兵家类·太白阴经》，中华书局，1965 年。

第三节　兵学理论的分类归纳与系统总结

从兵学发展的历史长河来看，兵学理论的分类归纳与系统总结是兵学渐进性发展的自然结果，同时也是在诸多内外部因素的推动下所产生的兵学理论发展的跃进。唐代兵家对兵学理论的分类归纳、系统总结，为传承和发展中国古代兵学做出了贡献，也为宋代兵家撰著大型类书《武经总要》等兵书提供了有益借鉴，对后世兵学产生了较大影响。

在正式探讨之前，首先要对唐代以前兵学理论的归纳、总结情况有所了解。先秦时期，在频繁的战争实践、自由而活跃的思想交流、开放的政治体制、迅速进步的军事科技等诸多因素的综合作用下，中国古代兵学迎来了第一次大繁荣大发展，兵家著作竞相问世，各逞其长，同时儒、墨、道、法、纵横家等诸子皆言兵，极大地促进了兵学理论的发展。两汉以来，兵学理论在以兵儒合流为主导的思想潮流推动下进一步发展，尤其是首次明确将兵书区分为"权谋""形势""阴阳""技巧"四个类别，而兵学理论也由此分为兵权谋、兵形势、兵阴阳、兵技巧四类，对中国古代军事学术产生了极其深远的影响。隋唐五代兵学顺应了时代发展的需求，反映了这一时期在军事领域，尤其是在兵学范畴、作战指挥、轻骑兵战术、兵制、阵法等方面的创新之处，军事学术的发展为兵学理论的分类、总结奠定了坚实基础。

唐代兵学理论的分类、总结工作主要是由两类著作承担完成。一是涉及兵学内容的大型类书，主要有《艺文类聚·武部》《北堂书钞·武功部》《通典·兵典》等。二是综合型兵书，主要有《太白阴经》《长短经》等。这些著作对兵学理论进行了分类归纳与系统总结，尽管还是停留在"摘其菁华，采其指要"①，尚未深刻揭示其内在联系，但也称得上是一次有益的尝试，反映了当时兵家对兵学理论主体内容的认识程度②，对后世尤其是宋代兵学产生了直接影响。

唐代兵家对兵学理论的分类与总结主要表现在如下几方面。

一是对兵学理论体系进行了初步分类。唐代相关著作对兵学理论体系做了或粗或细的分类，从各自角度进行了探讨。《艺文类聚·武部》将其简明扼要地分为"将帅"和"战伐"两大类。《北堂书钞·武功部》将兵学理论体系分为 16 类，依次为论兵、讲武、征伐、将帅、谋策、号令、阵、骑、军容、兵势、攻战、克捷、守备、御边、降伏、功勋，所涉及的内容包含军事基本理论、军事训练、战争观、军官队伍建设、战略筹划、作战条令、布阵条令、骑兵、军队礼仪风纪、军队威势、进攻条令、战后处置、防御条令、边防、归顺安抚、庆功封勋等内容。《通典·兵典》将其分为 15 个大类别、137 个小类别，先摘引《孙子兵法》中的用兵原则，在阐述兵法要义的基础上，搜罗历代有关治军、作战等方面的战例和言论，以印证前述兵法观点。该书的优长在于资料翔实、战例丰富，缺点在于分类过于琐碎。在《兵典》15 卷中，每卷少者 2 小类，多者 15 小类，涉及战略谋策、选将用人、建军思想、治军之道、战阵技法、克敌制胜之法等丰富内容，但卷与卷之间、类别与类别之间并无内在关系，显得支离破碎，未能形成一个具有层次性、逻辑性的兵学理论体系。《太白阴经》将兵学理论体系分为人谋、杂仪、战具、预备、阵图、祭文捷书药方、杂占、遁甲、杂式共 9 大类，涉及军事理论、军事制度、医药、阵法、军仪典礼、军事训练、文书、医药、兵阴阳家学说等内容。该书对兵学理论体系的分类未必准确，但能够明确地将战具、预备、阵图分别划分为独立的类别，是对兵学理

---

① 欧阳询撰，汪绍楹校：《艺文类聚·序》，上海古籍出版社，1982 年。

② 参见王厚卿主编：《中国军事思想论纲》，国防大学出版社，2000 年，第 278—279 页。

论分类的一个贡献。《长短经》将其划分为 24 类，分别是出军、练士、结营、道德、禁令、教战、天时、地形、水火、五间、将体、料敌、势略、攻心、伐交、格形、蛇势、先胜、围师、变通、利害、奇正、掩发、还师，涉及战争观、治军、作战指导等方面的内容，对前人兵学思想理论进行综合分类归纳，虽然在分类上未能突出兵学要旨，略显零散，但也能自成一家之说。

二是对战具（武器装备以及作战保障器物）进行了较合理的分类。《太白阴经》在第四卷对战具进行了分类，将战具分为 8 类，依次是攻城具、守城具、水攻具、火攻具、济水具、水战具、器械、军装，既涵盖了攻城、守城、水攻、火攻等军事行动所需的武装器械，也包含了渡河器具和各种类型的战舰，还包含了唐代军队按一定比例配备的格斗武器、抛射武器、防护装具、金鼓旗帜以及日用器物，涉及攻守城器械、冷兵器、战舰、火器、军需等内容。《通典·兵典》没有对战具进行明确分类，但在《兵典十三》中收录了相关内容，在《攻城战具》《火兵火兽火禽火盗火弩》《水平及水战具》《军行渡水》《御敌水军绝下流败之》等篇中论及战具，涉及攻城具、火攻具、水战具、济水具，但无论是战具涵盖的内容，还是分类，都远不及《太白阴经》完备。

三是首次对军事侦察进行了初步分类和具体阐述，进一步发展了前人的兵学思想。《太白阴经》第五卷《预备》探讨了军事侦察的相关内容，将其分为烽燧台、马铺土河、游奕地听、报平安、严警鼓角、定铺、夜号更刻、乡导、井泉、迷途、搜山烧草、前茅后殿共 12 类，涉及烽火、斥候、巡逻、听声望远、驿传、号令、鼓角、示警等内容。这是自先秦以来对军事侦察所做的最全面的阐述。李筌还对前人兵学思想做了进一步丰富、发展。如在《乡导篇》中，他首先转述了孙子的思想，指出"不用乡导，难得地利"①，随后提出了自己的观点："夫用乡导者，不必土人，但谙彼山川之险易、敌

---

① 《太白阴经》卷五《预备·乡导篇》。

之虚实，即可任也。"① 认为选用向导不一定非用土著人，只要是熟悉地形条件、了解敌情的人都可以担任。接下来，李筌就如何充分发挥向导在作战中的重要作用展开详细论述："赏之使厚，收其心也；备之使严，防其诈也。是故锡之以官爵，富之以财帛，使有所恋；匹之以妻子，使有所怀。然后察其辞，鉴其色，覆其言，始终如一，可以用之也。"② 主张采取厚赏与严备相结合的举措，确定其"始终如一"，能够胜任向导，最终再决定予以任用。《太白阴经》关于如何选用向导的论述具有一定的创新性，对于前人兵学思想做了有益补充。这也从一个侧面反映唐代兵学思想取得了一定进步。

　　四是对若干兵学理论和观点进行了总结与阐发。《太白阴经》是一部对后世有较大影响的唐代兵书，里面不乏富有价值的兵学思想观点。该书还对前人的兵学理论做了一些总结性工作并有所创新，在中国兵学史上占有不容忽视的地位。作者李筌深入探讨了一系列兵学思想观点，涉及天道、地道、人和、富国强兵、谋略、选士、励士、刑赏、攻守、用间等内容，并且进行了较全面的总结。如在《数有探心篇》中，李筌首先分析了"探心之术"的由来，对其产生的特定社会历史背景做了较深入的探讨，指出"探心之术"是适应社会发展和战争实践的需要而产生的。其次阐明了"探心者"要具备的能力素质。再次提出了运用"探心之术"应遵循的行动准则，是对前人相关论述的系统总结，也有作者自己的思想观点。最后提出了争取战争主动权的指导原则，强调"道贵制人，不贵制于人。制人者，握权；制于人者，遵命也"③。李筌在该篇中就"探心之术"做了较深刻的研讨，在总结前人的相关兵学观点的基础上，得出了"情变于内者，形变于外，常以所见而观其所隐，所谓测隐探心之术也"④ 的结论，其中亦有自己的创见。在《刑赏篇》中，李筌探讨了古代治国治军的重要的刑赏制度，设立专篇全面系统地论

① 《太白阴经》卷五《预备·乡导篇》。
② 《太白阴经》卷五《预备·乡导篇》。
③ 《太白阴经》卷一《人谋上·数有探心篇》。
④ 《太白阴经》卷一《人谋上·数有探心篇》。

述了有关刑赏的诸多问题，包括建立刑赏制度的意义、作用，实施刑赏制度应该把握的指导原则等，对古代刑赏制度的相关思想观点进行了总结，指出"刑多而赏少，则无刑；赏多而刑少，则无赏。刑过则无善，赏过则多奸"①，强调刑赏要适度而不可过度；认为"赏，文也；刑，武也。文武者，军之法，国之柄"②，指出了刑赏在治军治国中的重要地位，主张二者结合使用；提出"刑赏之术，无私常公于世以为道"③，强调要秉公去私执行刑赏制度，这样才能收到"以刑禁，以赏劝"④的效果。《长短经》博采前代兵书之精义，对诸多兵家思想理论钩玄提要，并在此基础上就某一兵学观点进行专题性总结，其中也不乏个人观点的阐发。如在《格形》中，作者赵蕤围绕"安能动之""攻其所必趋"的兵学观点，列举了晋伐曹、卫以救宋，齐伐魏以救赵，曹操伐于毒老巢迫其撤军，曹操怂恿孙权攻击关羽后方以解樊城之围等事例，最后得出结论："此言攻其所爱则动矣。是以善战者无知名，无勇功，不争白刃之前，不备已失之后，此之谓矣。"⑤赵蕤深入讨论了历史上相关的著名战例，尤其是着重探讨了以"批亢捣虚，形格势禁，则自为解耳"⑥为作战指导思想的围魏救赵战例，生动地诠释了"攻其所爱"的兵学思想。作者采取例证法，对"攻其所必趋""攻其所爱"的兵学观点进行了总结，虽然还不够深入、系统，但也是一次有益的尝试。

---

① 《太白阴经》卷二《人谋下·刑赏篇》。
② 《太白阴经》卷二《人谋下·刑赏篇》。
③ 《太白阴经》卷二《人谋下·刑赏篇》。
④ 《太白阴经》卷二《人谋下·刑赏篇》。
⑤ 赵蕤撰，梁运华整理：《长短经》卷九《兵权·格形》，中华书局，2017年。
⑥ 《史记》卷六十五《孙子吴起列传》。

第四节　注重经世致用的兵学理论

以《孙子兵法》为代表的中国古典兵学理论具有浓郁的"舍事而言理"的兵学风格，注重从哲理内涵探究用兵之道，注重权谋，善用韬略，庙算为先，遂成就了为世人推崇的兵权谋家。随着冷兵器技术的发展和对战争实践活动认识的不断深化，以及用兵学理论指导作战的现实需求，隋唐兵学理论更加注重实用性，不尚空谈，强调可操作性，体现了强烈的经世致用的特征。

第一是聚焦历代用兵得失成败，为统治者和将领提供现实借鉴。杜佑痛感中央权威弱化、军队战斗力弱化、将帅统兵作战指挥能力弱化，导致兵连祸结，唐朝军队屡打败仗，朝廷无力镇压叛乱，而地方藩镇日益坐大。着眼现实需要，杜佑在《通典·兵典》中详细列举了各种战场态势，并相应地提供了解决之道，为唐军将领带兵打仗提供了现实参考。他在《兵典三》中，就如何料敌察敌展开研讨，从"料敌制胜""敌十五形帅十过""察而后动""验虚声知无实""敌降审察"五个方面全面深入探究，列举相关典型事例，提出若干具体明确的行动举措，具有较强的操作性，有助于将领在把握"料敌"要义的基础上，将其运用于战争实践之中。作者在《兵典五》中，就如何治军与做好军队管理展开论述，从"抚士""明赏罚""赏宴不均致败""行赏安众""分赏取敌""行赏招降""示惠招降""军师志坚必胜""军将骄败""敌屡胜骄不备可败""军行自表异致败""师行众悲恐则败""声感人"等方面进行探讨，尤其强调了将士的心理因素的重要性，包括军队的战斗意志、指挥员的心理素质、将士的情感等，为将领提供了正反两面的参考，具有很强的启示意义。在《兵典六》中，杜佑就如何示形进行了深入探讨，从"示弱""示怯""示缓""声言击东其实击西""示形在彼而攻于此""示无备设伏取之""示强"等方面切入，多角度地生动印证了孙子的"兵者诡道"的思想,通过列举不同情况的战例,为将领在战场上如何灵活运用"示形"提供了可供参考的具体处置方法。在《兵典七》中,杜佑围绕如何佯败破敌,列举了"佯败引退取之""伪称败怠敌取之""引退设伏取之""声言退诱敌破之""引退设伏潜兵袭其营""设伏引敌斗袭其营""示退乘懈掩袭""纵敌退于归路设伏取之""掩袭""甘言厚币乘懈袭之"等兵法要则。在《兵典八》中,围绕如何避锐击惰,列举了"坚壁持久候隙破之""坚壁挫锐""不战挫锐""敌饥以持久弊之""因敌饥乘其弊而取之""因敌三鼓气衰败之""致敌力疲夹攻败之""阵久疲致败"等兵法要则。在《兵典十二》中,围绕如何利用地形作战,列举了"按地形知胜负""自战其地则败""据险隘""塞险则胜否则败""死地勿攻"等兵法要则。在《兵典十五》中,围绕如何因势取胜,列举了"敌无固志可取之""大阵动则乱因乘之而败""先设伏乘势逐敌败之""乘胜""乘势先声后实""因敌惧遂取之"等兵法要则。杜佑在每一条兵法要则之后,佐以历代用兵战例,为将领用兵提供了应对战场各种情况的具体对策,在当时具有较强的参考价值。

第二是着眼实战制定行军、战斗队形、扎营、布阵之法,具有很强的实用性。《李靖兵法》认为行军队形可根据道路状况,分为两种情形区别处置,指出"诸道狭不可并行者,即第一战锋队为首,其次右战队次之,其次左战队次之,其次右驻队次之,其次左驻队次之"①。如果道路状况出现了变化,"若道平川阔,可得并行者,宜作统行法。其统法:每统,战锋队居前,两战队并行次之,又两驻队并行次之,余统准此。若更堪齐头行者,每统五队,横列齐行,后统次之。如每统三百人,简取二百五十人,分为五队,第一队为战锋队,第二、第三队为战队,第四、第五队为驻队,每队队头一人,副队头一人;其下等五十人,为辎重队,别着队头一人,副队头一人,拟战日押辎重遥为声援。若兵数更多,皆此类"②。这里对

---

① 《通典》卷一百五十七《兵典十·下营斥候并防捍及分布阵》。
② 《通典》卷一百五十七《兵典十·下营斥候并防捍及分布阵》。

行军队形的变化、行军中各队的编组都做了详细的规定，具有很强的操作性。当在行军过程中与敌军遭遇，行军队形必须立即展开成战斗队形。《李靖兵法》强调指出，"行引之时，须先为方阵"①，并对战锋队与辎重队的编组做了明确规定，目的在于"其方阵立即可成。如此发引，纵使狭路，急缓亦得成阵"②。该书还探讨了扎营之法，指出"诸逢平原广泽，无险可恃，即作方营"③。但是，"如地狭，不得使容一营，中军在中央，六军总管在四畔，象六出花"④，军队驻扎成六出花营。如果宿营地有半面靠着险要地形，"诸地带半险，须作月营"⑤。由此可见，军队扎营是方营还是六出花营，还是半月营，主要是依据宿营地的地形情况而灵活确定。李靖还探讨了各种情况下的布阵之法，包括与敌遭遇之时的布阵阵法、竖阵阵法、横阵阵法以及撤出战场时的阵法。他指出："诸逢贼布阵，须有次第。先右虞候为首，其次右军，其次前军，其次中军，其次后军，其次左军，其次左虞候。其诸军跳荡、奇兵、马军，各随本军以次行。至战所，并于本军战锋队、驻队前布列，待五方旗节度。"⑥ 强调在与敌遭遇时布阵，必须有秩序地行动，切不可自乱阵脚。当敌军凭借险要地形依山布阵时，我军不能展开成横队，应排列成纵长的战斗队形，也就是竖阵。李靖认为竖阵阵法是"弩手、弓手与战锋队相间引前，两驻队两边相翊。布列既定，诸军即听角声，其角声节度一准前"⑦。他还指出："诸方阵既成，逢贼斗战，或打头，或打尾。打头，其阵行行不前进，阵既不进，自然牢密；如其打尾，头行不停，其阵中间多有断绝，须面别各定总管，

---

① 《通典》卷一百五十七《兵典十·下营斥候并防捍及分布阵》。
② 《通典》卷一百五十七《兵典十·下营斥候并防捍及分布阵》。
③ 《通典》卷一百五十七《兵典十·下营斥候并防捍及分布阵》。
④ 《通典》卷一百五十七《兵典十·下营斥候并防捍及分布阵》。
⑤ 《通典》卷一百五十七《兵典十·下营斥候并防捍及分布阵》。
⑥ 《通典》卷一百五十七《兵典十·下营斥候并防捍及分布阵》。
⑦ 《通典》卷一百五十七《兵典十·下营斥候并防捍及分布阵》。

都押勾当，勿令断绝。"① 强调了加强统一指挥协调，以增强阵形的自我保护能力。

第三是注重实战化的训练，强调练为战用。《李靖兵法》《长短经》均体现了训练务求实效、讲究实用的思想。《李靖兵法》阐述了教战练兵之法，涉及跳荡队、战锋队、驻队的演练动作、行进队形、集合与解散等内容，并且详细列举了违反训练纪律的具体行为："应前进而不进，应却退而不退，应坐而不坐，应起而不起，应簇而不簇，应散而不散，应捲而不捲，应卷而不卷，应合队而不合队，应擘而错擘入他队，言语讙哗，不闻鼓声，旌旗分扰，疏密失所。"② 指出对于这些行为不得姑息。显然，李靖所列出的如此详细的违纪行为，对于将士具有很强的警示作用，有助于规范军队训练。《长短经》着重探讨了士兵的战鼓、旌旗训练，指出"大将之所处，左锋右戟，前楯后弩，中央鼓旗，兴动俱起。闻鼓则进，闻金则止，随其指麾，五阵乃理"③，认为经过严格训练的军队将士应该做到"将之所麾，莫不从移。将之所指，莫不前死"④，详细阐述了金鼓旌旗的号令内容："一鼓举青旗则为曲阵，二鼓举赤旗则为锐阵，三鼓举黄旗则为员阵，四鼓举白旗则为方阵，五鼓举黑旗则为直阵。"⑤ 强调只有平时严格按照鼓旗号令训练，战场上才能令行禁止，战胜攻取。

第四是关注相马疗马和医药救护，具体方法和药方可直接运用于实践。在古代战争中，马匹是支撑骑兵作战的重要因素，对于骑兵发挥机动性、突击性的优点具有关键作用。自先秦以来，相马之术就已经产生，并随着战争实践的发展而发展。《太白阴经》继承并发展了前人的相马理论，并首次将其纳入兵学范畴。李筌总结了唐代以前的相马经验，就如何观察马的形体筋骨性状以判断马匹优劣、

---

① 《通典》卷一百五十七《兵典十·下营斥候并防捍及分布阵》。
② 《通典》卷一百四十九《兵典二·法制》。
③ 《长短经》卷九《兵权·教战》。
④ 《长短经》卷九《兵权·教战》。
⑤ 《长短经》卷九《兵权·教战》。

如何通过马匹生理特征以判断其行程耐力进行了详细阐述，最后介绍了马匹的五种常见病情及其简易疗法，指出要针对"筋劳""骨劳""皮劳""气劳""血劳"这五种不同的病状，对马匹采取各不相同的治疗方法。除专设《相马篇》之外，《太白阴经》还设有《治人药方篇》《治马药方篇》，对古代军事医学领域中的药方做了全面的探讨，认为"药者，和草木之性，治人寒热燥湿之病，道达经脉，通理三关九候、五藏六府，扶衰补虚"①，指出药具有治疗人体疾病、疏导经络血脉、扶弱补虚的作用，之后又阐明了"随军备用药与方"的必要性，强调"夫稠人多，厉疫屯久，人气郁蒸，或病瘟、瘅、疟、痢，金疮，堕马。随军备用，药与方所必须也"②，共收录疗时行热病方、疗赤斑子疮方、疗天行病方等20个治人药方，涉及内科常见病以及刀枪创伤等外伤病症的药方，多数都是经过实践检验过的行之有效的药方。李筌还关注战马的护理、调养，指出："马有四百八病，盖在调冷热之宜，适牧放之性，常加休息，不可忽视之也。马之系于军也，至矣重矣。"③ 认为治疗战马疾病对于军队来说具有重要意义，并收录了春夏常灌马方、马热不食水草方、治马漏蹄方等7个治马药方，具有很强的实用性。

---

① 《太白阴经》卷七《祭文捷书药方·治人药方篇》。
② 《太白阴经》卷七《祭文捷书药方·治人药方篇》。
③ 《太白阴经》卷七《祭文捷书药方·治马药方篇》。

第三章　隋唐五代兵学的发展概况

　　隋唐五代始自隋文帝开皇元年（581），终于后周恭帝显德七年（960），历时380年。在这段时期，兵学在起伏中发展，在沉寂后复兴，较好地顺应了现实需求，呈现出自身独有的时代特征。根据各阶段兵学发展大势，隋唐五代兵学可划分为隋代兵学、唐代前期兵学、唐代后期兵学、五代兵学。隋代兵学产生于重建大一统帝国的历史背景。隋代兵学的主体内容表现在两个方面：其一是隋初统一战争所体现出来的"积形""造势"和"称胜"的战略指导思想以及注重协同配合、水陆并进、重点突破的江河作战思想；其二是巩固国防的边疆战争中所体现出来的军政兼施、武力打击与分化瓦解双管齐下的策略思想。唐代处于中国古代冷兵器发展的末期，唐代兵学如实反映了冷兵器时代兵学向冷兵器火器并用时代兵学过渡时期的真实状况。唐代前期兵学侧重于深刻总结唐初统一战争的成功经验，提出了不少有创新价值的兵学观点，在《李靖兵法》和反映该时期兵学状况的《唐太宗李卫公问对》中得到了充分的体现，以唐太宗李世民、李靖、李勣、侯君集、苏定方、刘仁轨、裴行俭、郭元振等为代表的兵家的成功的军事实践，极大地丰富了兵学思想内容。此外，该时期还出现了不同体裁和风格的兵书，既有政论与兵学融为一体的《贞观政要》，还有谈论王霸经权达变之术的《长短经》，以及"兵技巧"类兵书《射经》。唐代后期兵学注重实用功能，期望借助兵学平定叛乱、解决藩镇割据、巩固边防、维护国家安全利益。这一时期的论兵者更趋多元化，既有统兵征战的杰出将领，又有执掌枢机的高级军事幕僚和当权者，还有大量关注时事、热衷兵学的文人群体，从不同角度深入探讨兵学，涌现出了《太白阴经》《通典·兵典》和李筌、杜牧、贾林、陈皞等《孙子》注家，极大地开掘了兵学内涵，进一步充实了该时期的兵学内容，推动了唐代兵学从沉寂走向复兴。五代兵学产生于封建王朝从分裂割据走向统一的过渡时期，频繁激烈的战争实践催生了一大批能征善战的著名将领，在"修道"备战思想、骑兵战术思想、治军精兵思想等方面有所创新。王朴《平边策》，李存勖的攻虚击弱、长途奔袭思想，周德威的以骑制步思想，郭崇韬的速战速决思想，柴荣的全面备战和治军思想代表了该时期的兵学水平。

第一节　重建大一统帝国背景下的隋代兵学

自西晋末年以来，由于统治阶级昏庸腐朽，中央权威日益削弱，各地豪强拥兵割据一方，天下重新陷入分裂局面近 300 年之久，一直持续至隋朝再次实现大一统。在此长期分裂期间，社会阶级、民族关系发生了较大变化，士族门阀势力急剧衰落，而庶族地主的政治地位却不断上升，不看"门第"而重"贤才"的新的选拔用人制度应运而生，进一步摧毁了原先的统治基础。在长期的民族战争与民族交流过程中，各民族进一步相互融合，尤其是进入中原的北方鲜卑、匈奴、氐、羌等少数民族与汉族杂居，极大地加速了民族融合的进程，为后来实现统一创造了有利的历史条件。与此同时，相对南朝而言，北朝在社会生产方面取得了更大发展，并注重加强中央集权，创立了兵员充足、"兵农合一"、指挥体系完备的府兵制，奠定了更加雄厚的经济、政治和军事基础。隋文帝杨坚登基后，顺应历史发展潮流，深谋远虑，高屋建瓴，精心筹划，任贤使能，充分发挥高颎、杨素、贺若弼、韩擒虎等良臣猛将的作用，最终以较小的代价完成了重建大一统帝国的伟业。在这一历史背景下，隋代兵学也展现出独有光彩。虽然因隋朝仅存世 38 年，且受战乱、水患、火灾等影响，这一时期的文献典籍损毁严重，但借助丰富的战争实践活动以及留存至今的史料，后人仍可窥见隋代兵学的发展概貌。

一、着眼长远，隐忍待机，稳慎推进

隋朝建立之后，面临的主要威胁来自北方的突厥和南方的陈朝，而活动于甘肃、青海一带的吐谷浑，因实力较弱，尚不能对隋构成威胁。隋文帝杨坚在面对南、北方两个对手的情况下，运筹帷幄，始终着眼实现"区宇一家，烟火万里，百姓乂安，四夷宾服"① 的统一大业，制定并不断完善战略指导方案，在相持中创造战机，在隐忍中等待战机，最终准确把握战机，赢得全局胜利。

一是审时度势，因敌而变。要想完成统一大业，首先是确定统一战争的战略方针。就实力而言，北方的突厥要强于南方的陈朝。即位之初，"潜有吞陈之志"② 的杨坚决定采取先弱后强、先南后北的战略方针，于开皇元年（581）调兵遣将，任命尚书左仆射高颎、上柱国长孙览、元景山率军讨伐陈朝。次年正月，隋军正准备渡江之时，陈宣帝病亡，高颎以"礼不伐丧"③ 为由，奏请班师而获得杨坚的许可。隋文帝之所以同意取消军事行动，一方面固然是将"礼不伐丧"作为撤军的借口，另一方面则是盘踞漠北的突厥屡屡南下袭扰。由于隋文帝一反前朝惯例，停止向突厥输送金帛、美女，突厥统治者因此怀恨在心，频繁南下掠扰，再加上其强大的突袭能力，对新生的隋朝政权构成了严重威胁，而这种威胁显然远远大于陈朝所构成的威胁。开皇二年（582）五月，"高宝宁引突厥寇隋平州，突厥悉发五可汗控弦之士四十万入长城"④。六月"突厥又寇兰州，凉州总管贺娄子幹败之于可洛峐"⑤。面对急剧变化的形势，尤

① 《隋书》卷二《高祖纪下》。
② 《隋书》卷六十五《吐万绪传》。
③ 《资治通鉴》卷一百七十五《陈纪九》，宣帝太建十四年正月。
④ 《资治通鉴》卷一百七十五《陈纪九》，宣帝太建十四年五月。
⑤ 《资治通鉴》卷一百七十五《陈纪九》，宣帝太建十四年五月。

其是承受着来自北方突厥的越来越大的威胁，杨坚在陈宣帝病亡、突厥大举入侵隋朝边境的态势下果断决策，因敌变而应变，将先南后北的战略方针调整为先北后南，决定先派军北上反击突厥，削除首要威胁，而后出兵南下灭亡陈朝。隋文帝在战略形势发生变化之后，能够迅即做出回应，重新研判态势，及时调整战略方针，为之后平定天下军事行动的顺利推进奠定了基础。

二是关照全局，措置有序。统一大业绝非易事，涉及政治、经济、军事、外交等诸多方面，需要动用巨大的人力、物力，需要做长期艰苦而精心的准备，更需要统治者和军政高层具备坚定的决心和明确的指导思想。由于统一战争的持续时间长、战况复杂多变，战争指导者要特别注意关照战略全局，认真确定好战争各阶段的作战重心，区分轻重缓急，处理好主次关系，确保各阶段军事行动有效衔接。隋朝统治者在筹划统一战争期间，较好地处理了上述问题，措置有序，应对得当，取得了较好效果。在确定"北战南和"的战略方针之后，隋朝集中主要力量组织实施北上反击突厥之战，将打击与降服突厥、消除北方威胁当作第一阶段的主要任务；同时还兼顾了次要方向，"与陈邻好甚笃"①，并在陈宣帝病亡后，"遣使赴吊，书称姓名顿首"②，主动示好陈朝，从而全力保障了主要方向的军事行动。

三是隐忍待机，稳慎推进。杨坚从即位后开始筹划统一战争，到最终实现大一统目标，前后长达九年之久。在此期间，杨坚始终保持很强的战略定力，不因小变故而改变既定统一目标，在未出现有利的战机之时，能够坚毅隐忍，不急于求成，不仓促行动，直到出现合适时机后果断出兵，一举成功。在反击突厥之战中，隋始采取政治分化策略，瓦解、削弱对手力量，继之实施武力反击，最终在其势分力弱的情况下，达成了成功降服的目的。相比之下，灭亡陈朝之战更具代表性。杨坚为南下灭陈之战做了长期大量扎实有效

---

① 《资治通鉴》卷一百七十六《陈纪十》，长城公祯明元年十一月。
② 《资治通鉴》卷一百七十六《陈纪十》，长城公祯明元年十一月。

的准备工作，主要涉及制定战略实施计划、军事部署、选任前线将领、整军备战、调动物资、战前造势等事项。① 这些战备工作多在北击突厥作战取胜之后展开，但是也有例外，比如破坏陈朝江防能力及其物资储备的战略计划，早在开皇二年（582）即已开始实施。杨坚一直在稳慎推进各项战备工作，极力困敝陈朝经济，逐步瓦解对手军心，不断完善灭陈战略计划，直到隋军准备就绪而陈朝陷入"上下相蒙，众叛亲离"② 的危殆局面之时，才认为时机已到，正式做出了出兵灭陈的决定。

　　二、立足"先胜"，注重"称胜"

　　孙子曰："胜兵先胜而后求战，败兵先战而后求胜。"③ 主张不断壮大自身实力，使己方立于不败之地，同时又能抓住有利战机打败敌人。孙子又曰："古之所谓善战者，胜于易胜者也。"④ 能够做到"所措必胜，胜已败者"⑤，强调在我方占据绝对优势的态势下发动进攻，凭借"以镒称铢"的优势赢得胜利。孙子的"先胜"和"称胜"思想深刻地影响了后世兵家。隋文帝杨坚在实施统一战争中成功地践行了孙子的战略思想，堪称用兵典范。

　　在长期备战过程中，隋朝将帅均注重增强军事实力。考虑到灭陈之战须渡江作战，杨坚先后派遣多位将领督造战船，训练水师。他派遣柱国李衍"于襄州道营战船"⑥，又先后派上柱国杨素、仪同三司元寿、徐州总管吐万绪在永安（治今重庆奉节东）等地修造船舰，率军练习水上作战。他还不断调兵遣将，加强一线兵力，先后选派了具有出众军事指挥才能的将领贺若弼、韩擒虎到前线任职，

① 参见张文才：《隋代军事史》，军事科学院主编：《中国军事通史》第九卷，军事科学出版社，1998 年，第 46—50 页。
② 《陈书》卷六《后主纪》。
③ 《十一家注孙子校理》卷上《形篇》。
④ 《十一家注孙子校理》卷上《形篇》。
⑤ 《十一家注孙子校理》卷上《形篇》。
⑥ 《隋书》卷五十四《李衍传》。

分任吴州（治今江苏扬州西北）总管和庐州（治今安徽合肥）总管，并调运了大量物资补充至前方。杨坚虚心垂询文臣武将的意见，高颎、杨素、崔仲方、贺若弼等人都提出了有价值的建议，并被采纳实行。在博采众长的基础上，隋朝统治者经过不断优化，最终形成了一个较为周密的战略计划。在"强己"的过程中，隋朝还全面实施"弱敌"策略，采纳高颎提出的"废其农时"[①] 等建议，使陈朝经济趋于凋敝；派遣间谍潜入敌国后方，"密遣行人，因风纵火"[②]，破坏其储备，扰乱其人心；颁布伐陈诏令，瓦解陈朝民心士气。杨坚通过一系列举措，在不断增强隋朝国力、军力、士气的同时，持续削弱陈朝的国力、军力，动摇其民心士气，由此更加巩固了隋朝的优势地位，为最终取得灭陈之战的胜利奠定了坚实基础。

三、军政兼施，分化瓦解与武力打击双管齐下

杨坚即位之时，游牧于北方的突厥正处于势力上升时期，拥有广阔的疆域和强大的军事力量，史称其"控弦数十万"[③]。突厥趁隋刚刚建立，以"高祖受禅，待之甚薄"[④] 为借口，频繁南犯掠扰。面对突厥大规模的侵扰，隋文帝采取了军政兼施的斗争策略，分化瓦解与武力打击双管齐下。他在军事上采取先防御后反击之策，"敕缘边修保障，峻长城"[⑤]，命将领屯兵数万防备突厥，进一步加强了幽州（治今北京西南）、并州（治今山西太原西南）的防务；在政治上采纳奉车都尉长孙晟的建议，实施"远交而近攻，离强而合弱"[⑥] 之策，利用突厥内部沙钵略可汗、达头可汗、处罗侯、阿波可汗之间的矛盾，用间挑拨其关系，最终达成了分化瓦解的目的，沙钵略可汗陷入孤立状态。在突厥力量削弱、形势有利于隋朝的情

---

① 《隋书》卷四十一《高颎传》。
② 《隋书》卷四十一《高颎传》。
③ 《隋书》卷八十四《突厥传》。
④ 《隋书》卷八十四《突厥传》。
⑤ 《资治通鉴》卷一百七十五《陈纪九》，宣帝太建十三年十二月。
⑥ 《资治通鉴》卷一百七十五《陈纪九》，宣帝太建十三年十二月。

况下，杨坚决定由防御转入全面反击。在隋军的打击下，阿波可汗、达头可汗相继归降隋朝，沙钵略不得不向隋请和。隋朝在较短时间内降服实力强大的突厥，充分证明军政兼施策略取得了巨大成功，使北部边境维持了二十余年的和平局面。

第二节　《孙子》注解的蓬勃发展

自《孙子兵法》（以下简称《孙子》）问世以来，后人对该书的研究、探讨以及运用就未曾中断。这说明该书不仅具有极高的理论价值，而且具有无可比拟的应用价值。于汝波等学者以研究内容为依据，将中国历代兵家关于《孙子》的研究划分为12类，分别是目录类研究、校勘类研究、注释类研究、阐发类研究、应用类研究、翻译类研究、考证类研究、传记类研究、辑佚类研究、关于孙子其人其书的文献性研究、军事理论研究、非军事应用研究，[1] 其中后三类研究是近代以来对古代《孙子》研究内容的拓展。

《孙子》注解发端于汉魏之际，曹操首次注解，至隋唐五代时期得到了极大发展。在《十一家注孙子》中，这一时期就出现了李筌、贾林、杜佑、杜牧、陈皞共五个注家。隋唐五代时期的《孙子》注解达到了高峰，注解的内容和形式均有创新。[2] 据现存史料记载，隋代注解《孙子》者为萧吉。太府少卿萧吉博学多才，尤其精通阴阳、算术，撰写了《金海》《相经要录》《宅经》《葬经》《乐谱》等诸多著作，其中三十卷的《金海》[3] 被《隋书·经籍志》《旧唐书·经籍志》《新唐书·艺文志》归入"兵书"类。萧吉注《孙子》

---

① 参见于汝波主编：《孙子兵法研究史》，军事科学出版社，2001年，第8—10页。

② 参见《孙子兵法研究史》，第95页。

③ 《隋书》作三十卷，《新唐书》《旧唐书》均作四十七卷。今从《隋书》。

首次被明确记载于郑樵《通志·艺文志》,《宋史·艺文志》再次著录"萧吉注《孙子》一卷"。据当代学者谢祥皓推断,萧吉注《孙子》当是《金海》中的一卷,郑樵将其从该书提取出来,单独予以著录。① 20 世纪 40 年代,学者萧天石在撰写《孙子战争理论之体系》时,曾以手抄明刊萧吉《孙子注》为副本校雠。

进入唐代以后,《孙子》注解迎来了一个大发展时期。与唐代兵学发展的轨迹相类似,《孙子》注解也大致经历了兴起、沉寂、再兴起的发展过程。王朝创建之初,唐太宗李世民及其开国功勋李靖、李勣等娴于用兵之道,重视探究兵学,尤其对《孙子》推崇备至。唐太宗曾经说道:"朕观诸兵书,无出孙武。"② 他与李靖深入切磋,就奇正、攻守、虚实等重要兵学范畴进行了别开生面、富有新意的阐发,大致反映了这一阶段人们探讨、运用《孙子》的状况。此后承平日久,兵学遭到一定程度的冷落,谈兵论武者大为减少。安史之乱爆发后,唐王朝濒临崩溃的边缘,数次陷入亡国险境。惨烈的现状迫使当朝统治者认识到唯有整军经武,方能挽救危局,切身懂得了军事问题的重要性。在强烈的时代需求的刺激之下,谈兵者日益增多,接二连三的兵学著作产生,《孙子》注解也进入蓬勃发展时期。留传至今的唐人对《孙子》的注解,均是出现在安史之乱之后,而李筌注《孙子》揭开了唐代《孙子》注解的序幕。在此之前,《孙子》已广泛地传播、普及,仅从流传至今的文献来看,唐代大型类书《北堂书钞》《艺文类聚》都采录了不少《孙子》的文字,《群书治要》也摘录了近千言的《孙子》以及曹操注,由此可以看出《孙子》这部兵经在唐代的地位,也反映了唐代兵家和学者对该书的认同和推崇。唐代前期,《孙子》的广泛流传为其后的注解创造了有利条件。

唐代注解《孙子》的著作,有据可查者包含如下七书:《李筌

---

① 参见谢祥皓:《中国兵学》(汉唐卷),山东人民出版社,1998 年,第 450—451 页。

② 《李卫公问对校注》卷中。

注孙子》《贾林注孙子》《杜佑训解孙子》《杜牧注孙子》《陈皞注孙子》《孙镐注孙子》《纪燮集注孙子》。唐人注解《孙子》可分为注释纠谬类和疏解阐发类两种类型。① 所谓注释纠谬，是指注家对兵书文句进行训诂注解，并对以前注释中的错误予以纠正。这里所说的注释纠谬，只是站在单个注家的立场而言，仅仅代表注家的个人观点。大体而言，贾林注、陈皞注、孙镐注、纪燮集注属于该类型。所谓疏解阐发，是指注家在深刻把握《孙子》兵学思想的基础上，以探求《孙子》本义、挖掘兵法要旨为目的，跳出训诂注释的局限，更加注重阐释自己对兵书观点的理解，表达个人有所创见的兵学主张。李筌注、杜佑注、杜牧注可归入此类型。

在唐代注家中，李筌最早注解《孙子》，对后世产生了较大影响。他在注解《孙子》时，用词较为精练而准确，基本上符合兵法本义；同时开创了列举史例解释兵法的方法，史例文字或详或略，多为史上著名战例。李筌在注解《谋攻篇》中的"不知彼而知己，一胜一负"一句时，列举了淝水之战中惨败的苻坚为典型案例予以说明；在《形篇》的"见胜不过众人之所知，非善之善者也"一句之下，为更准确地理解《孙子》本义，列举了韩信破赵之战一例，在突出韩信高于常人、打破常规的用兵艺术之时，也使二者形成了鲜明对比，即"知出众知"与"知不出众知"、"善之善者"与"非善之善者"之间的对比②，从而使读者能够一目了然地看清韩信与普通将领之间的巨大差距。由此可见，生动、准确的史例具有很强的说服力，有时可以更好地表达个人的思想观点。另外，他还引用《太一遁甲》作注，具有兵阴阳家的特色。李筌兼通儒、道、兵家思想，《孙子》注解也在一定程度上反映了其庞杂的思想成分，形成了自己的独特风格。

贾林，生平不详，注《孙子》一卷。贾林注解《孙子》保留下

---

① 参见王凤翔：《论唐代孙子兵学的渊源与发展》，《滨州学院学报》2011 年第 5 期。
② 参见《十一家注孙子校理》卷上《形篇》李筌注。

来的内容不多，注释简洁，注重辩证地理解原文思想，释文严谨，对若干问题也有独立观点，并能够做出深入而详细的阐述，有自己的独特风格。在注解《谋攻篇》的"是故百战百胜，非善之善者也"时，贾林对于何为"善之善者"进行了思考："兵威远振，全来降伏，斯为上也；诡诈为谋，摧破敌众，残人伤物，然后得之，又其次也。"① 他推崇的"善之善者"是凭借强大的兵威迫使对手主动降服，实质上是建立在绝对优势基础上的威慑战略，深化了孙子"不战而屈人之兵"思想的内涵，有助于后人更好地理解《孙子》全胜思想精髓。在注解《计篇》的"将者，智、信、仁、勇、严也"时，贾林从辩证统一的角度进行了富有创意的解读："专任智则贼，偏施仁则懦，固守信则愚，恃勇力则暴，令过严则残。五者兼备，各适其用，则可为将帅。"② 强调选任将帅务必要全面、综合考量，要求将帅在智、信、仁、勇、严五个方面做到持守有度，恰到好处，避免过犹不及。只有在这五个方面都能做到"各适其用"，才可以胜任将帅之职。贾林对《九变篇》的注解内容相对较多，且有新的见解。比如，他就"治兵不知九变之术，虽知五利，不能得人之用矣"一句，提出"五利、五变，亦在九变之中"③，并且随后详细阐述了"五利"和"五变"的具体内容。在该句的历朝注家中，贾林注是内容最丰富而全面的注解。

　　杜佑没有专门就《孙子》单独作注解，而是在所撰写的《通典·兵典》之中，大量引用《孙子》的词句，以其中蕴含的兵法要则为标题，逐一进行专题探讨，在阐释兵法要义的基础上，列举相应的战例为佐证。后人将该书中涉及《孙子》释解的内容，收入《十一家注孙子》中，杜佑也由此成为十一家中的一个独立注家。杜佑注解《孙子》，善于引经据典，既援引兵家之语，也援引儒家经典文献。如在注解《谋攻篇》的"倍则分之"一句时，杜佑引用了姜

---

① 《十一家注孙子校理》卷上《谋攻篇》贾林注。
② 《十一家注孙子校理》卷上《计篇》贾林注。
③ 《十一家注孙子校理》卷中《九变篇》贾林注。

太公的话语，指出："己二敌一，则一术为正，一术为奇。彼一我二，不足为变，故疑兵分离其军也。故太公曰：'不能分移，不可以语奇。'"① 在注解"识众寡之用者胜"一句时，杜佑引用了《春秋传》的"师克在和，不在众"②；在注解"上下同欲者胜"一句时，他则引用了孟子的"天时不如地利，地利不如人和"③，借用名家名言增强了说服力。杜佑对一些兵学观点能够做出较符合兵法本义的准确阐释。如在《火攻篇》的"火发于内，则早应之于外"一句，曹操简明扼要地注解为"以兵应之也"④，李筌注解为"乘火势而应之也"⑤，二人的注解失之于简单和停留在字面含义，没有揭示其内在的用兵之道。杜佑注解为"使间人纵火于敌营内，当速进以攻其外也"⑥，不仅指明了行动主体、行动内容、行动地点，而且提出了明确的行动要求，由此形成了两条平行推进的行动路线，即一条行动路线是间人在敌营内纵火，另一条行动路线是己方军队在敌营外进攻，并对己方军队的行动提出了"速进"的要求，也就是要及时、充分地利用"纵火"之机乘乱发起攻击，以免贻误宝贵的战机。由此可见，杜佑的注解才真正揭示了这一兵法原则蕴含的用兵要诀。其后的杜牧、梅尧臣、张预均对此表示赞同，所做的阐发没有超出杜佑的见解。

杜牧为杜佑之孙，被公认为曹操之后的第二大注家。杜牧注解《孙子》，不仅数量多，而且质量高。据统计，杜牧注解合计有376条⑦，有的注解洋洋洒洒，长达一千余字，可以视之为一篇小型专题论文。杜牧注解《孙子》具有鲜明的特点。欧阳修称杜牧"其学

---

① 《十一家注孙子校理》卷上《谋攻篇》杜佑注。
② 《十一家注孙子校理》卷上《谋攻篇》杜佑注。
③ 《十一家注孙子校理》卷上《谋攻篇》杜佑注。
④ 《十一家注孙子校理》卷下《火攻篇》曹操注。
⑤ 《十一家注孙子校理》卷下《火攻篇》李筌注。
⑥ 《十一家注孙子校理》卷下《火攻篇》杜佑注。
⑦ 参见于汝波主编：《孙子学文献提要》，军事科学出版社，1994年，第23页。

能道春秋、战国时事，甚博而详"①。当然，杜牧注解《孙子》不仅仅只有"博"和"详"这两个特点，还有其他一些独特风格。他善用史例注解兵学观点，且所用史例当是各注家中最多的。这些史例远至先秦，近至当朝，涉及计谋、战略、战术、治军、用间等内容。此外，杜牧注解《孙子》敢于联系现实，意有所指。如《行军篇》"无约而请和者，谋也"一句，杜牧在注解时列举了当朝史例。唐德宗贞元三年（787），吐蕃用诈，奏请与唐廷盟会，却在盟会现场劫盟，抓捕前来参加盟会的唐朝使者及唐军将士。这说明杜牧很关注现实，在注解时也力图有所指向，而不是空发议论，带有鲜明的个性特征。另外，杜牧深入揣摩《孙子》思想，基本把握了其兵学要旨，指出"武之所论，大约用仁义，使机权也"②，称得上是对《孙子》较为中肯的评论，也反映了杜牧本人深厚的兵学造诣。

陈皞，生平不详，注《孙子》一卷。据统计，《十一家注孙子》存陈皞注共113条③。他在注释《孙子》时，不盲从前人兵学观点，常能提出自己的独立见解，有的还可以纠正前人的片面理解。在注解《谋攻篇》的"五则攻之"一句时，他不赞同曹操所说的"三术为正，二术为奇"④，也不认可杜牧所说的"取己三分为三道，以攻敌之一面；留己之二，候其无备之处，出奇而乘之"⑤，而是提出了自己的看法："兵既五倍于敌，自是我有余力，彼之势分也，岂止分为三道以攻敌？"⑥ 认为应灵活运用兵法，不要拘泥于"三术"与"二术"的区分。在《九地篇》"我可以往，彼可以来者，为交地"一句下，曹操注、杜佑注、杜牧注都仅仅停留在对"交地"的字面解释，而陈皞的注解则更加深入地触及"交地"与用兵之间的关

① 欧阳修著，李逸安点校：《欧阳修全集》卷四十二《孙子后序》，中华书局，2001年。
② 《樊川文集》卷十《注孙子序》。
③ 参见《孙子学文献提要》，第24页。
④ 《十一家注孙子校理》卷上《谋攻篇》曹操注。
⑤ 《十一家注孙子校理》卷上《谋攻篇》杜牧注。
⑥ 《十一家注孙子校理》卷上《谋攻篇》陈皞注。

联，强调"如此之地，则须兵士首尾不绝，切宜备之。故下文云'交地，吾将谨其守'，其义可见也"①。在注解"争地，吾将趋其后"一句时，陈皞敢于大胆否定前人的说法，指出："若敌据地利，我后争之，不亦后据战地而趋战之劳乎？所谓争地必趋其后者，若地利在前，先分精锐以据之，彼若恃众来争，我以大众趋其后，无不克者。赵奢所以破秦军也。"② 提出了自己的新的理解。陈皞注《孙子》还往往能进一步阐发原文尚未言尽之意，从而极大地丰富了兵法的内涵。在注释《九地篇》的"故为兵之事，在于顺详敌之意"一句时，他指出："顺敌之旨，不假多说。但强示之弱，进示之退，使敌心不戒，然后攻而破之必矣。"③ 列出了"顺详敌之意"的实施手段，即"强示之弱，进示之退"，一针见血地点出了其真正意图是"使敌心不戒"，在敌放松戒备之时趁势攻击，必然获胜。

孙镐，事迹不详。《官板书籍解题略》著录《十家注孙子》有孙镐注，置其名于陈皞之后、梅尧臣之前，应为唐人。纪燮，事迹不详。《郡斋读书志》袁本作《纪燮集注孙子》，衢本作《纪燮注孙子》，并言"唐纪燮集唐孟氏、贾林、杜佑三家所解"。④ 今书已佚，内容不可考。

第三节 安史之乱前的唐代兵学

唐代处于中国古代冷兵器发展的末期，唐代兵学如实反映了冷兵器时代兵学向冷兵器火器并用时代兵学过渡时期的真实状况。唐代兵学对唐统一战争的成功经验进行了深刻总结，提出了不少有创

---

① 《十一家注孙子校理》卷下《九地篇》陈皞注。
② 《十一家注孙子校理》卷下《九地篇》陈皞注。
③ 《十一家注孙子校理》卷下《九地篇》陈皞注。
④ 参见《孙子学文献提要》，第25页。

新价值的兵学观点；同时又深受胡汉民族融合、文化交流的影响，吸纳了游牧民族兵法中的精华，反映在军队编成、训练、作战方式等方面。[1] 学者于汝波认为，唐代兵学发展呈现出"兴—衰—兴"马鞍形特点。[2] 安史之乱前的唐代兵学发展大致经历了从兴盛渐趋衰落的过程。贞观年间是这一阶段兵学发展的高峰，以《李靖兵法》和反映该时期兵学状况的《唐太宗李卫公问对》（以下简称《问对》）为代表作；还有政论与兵学融为一体的著作，如《贞观政要》。该阶段还出现了专论一种军事技艺的兵书，属兵技巧者，如《射经》；先后涌现了以唐太宗李世民、李靖、李勣、侯君集、苏定方、刘仁轨、裴行俭、郭元振等为代表的兵家；此外还有文人论兵者，如陈子昂。这些都极大地丰富了这一阶段的兵学内容。

一、隋末唐初战争实践经验的兵学总结

唐代初期的著名兵家唐太宗李世民、李靖、李勣等人身经百战，在波澜壮阔的隋末唐初战争中历练成长，积累了丰富的实践经验。唐王朝统一天下后，迅速采取有效措施发展经济，完善政治制度，任人唯贤，轻徭薄赋，大力整饬内政，加强防务，出现了后人称誉的"贞观之治"。在长期和平安定的环境下，历经战火淬炼的兵家有条件去系统总结战争实践经验，《李靖兵法》和《问对》便被称为这一时期的兵学双峰。

《李靖兵法》反映了隋末唐初战争出现的新变化，轻骑兵重新兴起，并在战场上发挥了至关重要的作用。李世民、李靖都是善于运用轻骑兵作战的高手，李世民在浅水原之战、雀鼠谷之战、洛阳之战、虎牢之战，李靖在突袭颉利之战、西击吐谷浑之战中，均充分利用轻骑兵的快速机动能力，对敌军实施出其不意的袭击，战果辉煌，取得了统一战争和巩固边疆作战的一系列胜利。唐军大胆使用轻骑兵并将之上升为主要军种，在战争实践中创造了具有时代特征

---

① 参见王援朝：《唐代兵法形成新探》，《中国史研究》1996 年第 4 期。
② 参见于汝波：《唐代兵学述要》，《中国军事科学》1991 年第 3 期。

的轻骑兵作战思想。《李靖兵法》在继承孙子"兵贵胜，不贵久"①思想的基础上，深入总结了轻骑兵作战的成功经验，提出了"用兵上神，战贵其速"②的作战指导思想，充分反映了这一时期兵学发展的显著特色。《李靖兵法》还对速决战、持久战进行了探讨，指出"兵之情虽主速，乘人之不及"③，但是如果敌军将领足智多谋，士卒齐心协力，令行禁止，兵器锐利，甲胄坚固，士气昂扬，队伍严整，力量充沛，那么这时就应当"避其锋势，与其持久"④，万万不可贸然进攻。该书明确提出了持久作战思想，既是对先前赵将廉颇持久抵御秦军、魏国司马懿持久抵御诸葛亮等历史经验的总结，更是对隋末唐初战争实践经验的总结。究竟是打速决战还是打持久战，必须因敌制宜，灵活处置。在唐统一战争过程中，李世民率军北征宋金刚部，认为敌"军无蓄积，以虏掠为资，利在速战"⑤，决定采取持久战之策，与对手相持半年之久，最终迫其败退。而后，李世民率军长途追击，在雀鼠谷与宋金刚部展开速决战，歼灭和俘虏敌军数万人。在连续两场作战中，李世民分别采取了持久战和速决战两种不同的作战方法，均取得了胜利，表明其善于根据敌情的变化而随机应变，相机处置，极大地丰富了初唐兵学实践内容。

《李靖兵法》还从实践经验中总结了唐军战斗编成、扎营、教战、行军、警戒、布阵之法，尤其值得称道的是逐次抵抗、交互掩护撤退之法。李世民曾经指出："每观敌陈，则知其强弱，常以吾弱当其强，强当其弱。彼乘吾弱，逐奔不过数十百步，吾乘其弱，必出其陈后反击之，无不溃败。"⑥学者王援朝分析认为，李世民的战法之所以能够奏效，"一方面是由于己方的突击速度快，另一方面就

---

① 《十一家注孙子校理》卷上《作战篇》。
② 《通典》卷一百五十四《兵典七·兵机务速》。
③ 《通典》卷一百五十四《兵典七·兵机务速》。
④ 《通典》卷一百五十四《兵典七·兵机务速》。
⑤ 《资治通鉴》卷一百八十八《唐纪四》，高祖武德二年十二月。
⑥ 《资治通鉴》卷一百九十二《唐纪八》，高祖武德九年九月。

是由于采用了逐次抵抗、交替掩护的退却方法"①。如果这一结论能够成立，那么《李靖兵法》首次提出的这种撤退战术正是对李世民战法的成功总结。

《问对》是另一部总结战争实践经验的经典兵书，广泛而深入地探讨了奇正、虚实、主客、攻守、分合等一系列重要的兵学范畴，并对古代兵制、阵法、兵学源流等问题做了深刻思考，提出了自己的独立见解，其中不少观点是在结合隋末唐初战争实践经验的基础上进行阐述的。《道德经》最早提出"奇正"，但《孙子》首次将其引入兵学范畴，提出"以正合，以奇胜"②。《问对》进一步探讨了"奇正"，指出必须根据敌情灵活运用奇正，在战场上临机决断，从而做到"无不正，无不奇，使敌莫测。故正亦胜，奇亦胜"③。这就是《问对》总结出来的奇正运用之道，强调奇正均可制胜，显然比起自孙子以来的兵家所倡导的"出奇制胜"兵学观点更为高明。《问对》对"奇正"命题的探讨不是单纯的理论阐述，而是结合生动的战例予以佐证，"初步完成古典兵书由单纯'舍事言理'向'事理并重'方向的转变"④。《问对》选取了霍邑之战进行研讨，认为"凡兵以前向为正，后却为奇"⑤，李渊、李建成率军与宋老生部正面交锋后，李建成意外坠马，其所统率的右军向后退却，结果变成了诱敌进攻的奇兵；与此同时，李世民率军从敌军侧后掩击，大获全胜。《问对》指出，李渊、李建成部在此战中本来是正兵，因李建成坠马、右军退却而意外变为奇兵；李世民部本来是奇兵，趁宋老生部贸然进攻而断其后路，结果成为大败敌军的正兵，强调这就是所谓"以奇为正，以正为奇，变化莫测"⑥。

《问对》还谈及李靖平萧铣之战、讨突厥之战，认为李靖反对没

---

①　王援朝：《唐代兵法形成新探》，《中国史研究》1996 年第 4 期。

②　《十一家注孙子校理》卷中《势篇》。

③　《李卫公问对校注》卷上。

④　《中国兵学思想史》，第 265 页。

⑤　《李卫公问对校注》卷上。

⑥　《李卫公问对校注》卷上。

收萧铣部下家财以犒赏士卒是正确举措，肯定其"文能附众，武能威敌"①，强调治军须做到"推赤诚，存至公"②。《问对》还对李靖在治军实践中提出的三阶段训练方法进行了总结，主张训练军队"必先结伍法，伍法既成，授之军校，此一等也；军校之法，以一为十，以十为百，此一等也；授之裨将，裨将乃总诸校之队，聚为阵图，此一等也"③，依次完成伍法训练、军校训练（十伍、百伍训练）、阵法训练，最后由大将军进行大阅。这为后世留存了一些关于唐代军队训练方法的有价值的史料。此外，《问对》还探讨了作战过程中的唐军内部各军兵种的配置问题，即"跳荡，骑兵也；战锋队，步骑相半也；驻队，兼车乘而出也"④，特别指出李靖西讨突厥的军队就是采取了这种配置。《问对》有关总结当时战争实践经验的事例还有不少，兹不赘述。这从一个侧面说明该书谈兵论道并非空泛议论，而是结合鲜活的战争实践深入探析，故能得出独到的见解。

二、儒家国防思想的时代反映

《贞观政要》是一部备受推崇的政论性兵书，集中反映了贞观年间的政治伦理思想、治国思想、民本思想、吏治思想、用人思想、法律思想等，体现了作者吴兢经世致用的创作初衷。该书全方位探讨了"人伦之纪""军国之政"，孜孜求索治国安邦之道，其中也涉及国防思想，皆鲜明地打上了儒家思想的时代烙印。《贞观政要》以儒家倡导的"仁义诚信"作为治国指导思想，着力推行"仁政""礼治"，强调以政治统御军事，进而达成"内圣外王"的终极目标。可以说，儒家思想深刻地渗透并反映在贞观年间的吏治、法治、廉政、礼乐、教化等实践过程之中。在此历史背景下，反映时代风貌的儒家国防思想也应运而生。

一是主张慎战安边。贞观四年（630），面对林邑国"表疏不

---

① 《李卫公问对校注》卷中。
② 《李卫公问对校注》卷中。
③ 《李卫公问对校注》卷中。
④ 《李卫公问对校注》卷上。

顺"的无礼行为，唐太宗回应道："兵者，凶器，不得已而用之。故汉光武云：'每一发兵，不觉头鬓为白。'自古以来，穷兵极武，未有不亡者也。苻坚自恃兵强，欲必吞晋室，兴兵百万，一举而亡。隋主亦欲必取高句丽，频年劳役，人不胜怨，遂死于匹夫之手。至如颉利，往岁数来侵我国家，部落疲于征役，遂至灭亡。"① 他充分汲取了苻坚、隋炀帝因好战而身死国灭的惨痛教训，坚持慎重对待战争，认为不必介意对方行为，否决了臣属提出的出兵征讨林邑国的请求。唐太宗善用和亲政策睦邻友好，以此取代战争手段而成为安定周边的有效策略。贞观十六年（642），原属于铁勒部落的薛延陀崛起于大漠，对唐王朝的北疆安全构成了一定威胁。在廷议中，司空房玄龄提出："兵凶战危，圣人所慎，和亲之策，实天下幸甚。"② 虽然后来薛延陀可汗因聘礼未备好而未能成行，但不能否认唐太宗对和亲政策的认可与成功运用。他曾经先后与吐蕃、西突厥、吐谷浑、回纥等周边民族政权的首领和亲，加强了相互间的友好交往，巩固了边疆的稳定局面。

二是主张"怀之以德"。《贞观政要》极力倡导儒家的"以德服人"思想，强调执政要做到"志在忧人，锐精为政。崇尚节俭，大布恩德"③。地处岭南的高州酋帅冯盎被人上奏企图谋反，唐太宗下诏派兵征讨，秘书监魏徵认为冯盎谋反的证据不足，并且没有必胜的把握，建议派遣使者宣示恩德。唐太宗予以采纳，果然顺利平定叛乱，不由得感慨道，魏徵屡次劝谏我不可以征讨，"但怀之以德，必不讨自来。既从其计，遂得岭表无事，不劳而定，胜于十万之师"④。

三是主张"出师有名"。因高昌侵略焉耆，继而阻止西域朝贡使者入唐，唐太宗决定出兵征讨，以维护朝贡体系的安全。贞观十四

① 《贞观政要集校》卷九《议征伐第三十五》。
② 《贞观政要集校》卷九《议征伐第三十五》。
③ 《贞观政要集校》卷一《政体第二》。
④ 《贞观政要集校》卷九《议征伐第三十五》。

年（640），兵部尚书侯君集率军讨伐高昌，在进军途中得知高昌王麴文泰突然发病而死，全国民众聚集，准备为其举行葬礼。有人建议趁机派轻骑发动突袭，一定能够得手，副将薛万均、姜行本也都表示赞同。侯君集却对此予以反对，认为"天子以高昌骄慢，使吾恭行天诛"[1]，如果趁葬礼之机偷袭，那么就是胜之不武，违背了武德，"此非问罪之师也"[2]。为树立"仁义之师""王者之师"的形象，侯君集按兵不动，一直等到高昌王的葬礼结束之后，才继续进军，最终平定了高昌。

　　四是主张"安不忘危"。《贞观政要》援引唐太宗《帝范》指出："邦境虽安，忘战则人殆。"[3] 主张"农隙讲武，习威仪也；三年治兵，辨等列也"[4]，并且列举了历史上一正一反两个典型事例。越王勾践为报仇雪恨，率兵讨伐吴国，途中见到了一只青蛙蹲坐在地上，怒目而视，威风凛凛。勾践立即命令停车，把手放在车厢前面的横木上，表示对怒蛙的敬意，以此激励全体将士的斗志。后来勾践率军打败了吴国，成就了霸业。西周时期的徐偃王一味仰赖文德，不修武备，放弃国家防务，最终遭到了灭国的厄运。勾践和徐偃王之所以会有截然相反的结果，原因就在于"越习其威，徐忘其备也"[5]，因此得出了"知弧矢之威，以利天下，此用兵之机也"[6]的结论。

三、卫国固疆、拓展利益的兵学实践

　　唐王朝建立之后，经过数十年的苦心经营，国力、军力蒸蒸日上，政治开明，经济繁荣，军事强盛，文化发达，对外交流频繁，声威远播，成为东亚乃至世界的政治、经济、文化中心。但是，在

---

[1]　《贞观政要集校》卷九《议征伐第三十五》。
[2]　《贞观政要集校》卷九《议征伐第三十五》。
[3]　《贞观政要集校》卷九《议征伐第三十五》。
[4]　《贞观政要集校》卷九《议征伐第三十五》。
[5]　《贞观政要集校》卷九《议征伐第三十五》。
[6]　《贞观政要集校》卷九《议征伐第三十五》。

从王朝初建到确立"天下共主"的过程中，唐曾先后面临来自北方、西北、东北的安全威胁，遭遇过不同强度的挑战。唐朝统治者着眼国家安全利益，成功实施了一系列卫国拓边军事行动，取得了显著成效，为唐代军事实践增添了崭新内容。

一是轻骑奔袭，灵活变化。崛起于6世纪的突厥后分裂为东、西突厥，横行大漠，屡屡南下袭扰，对唐北疆安全构成了越来越大的威胁。为解除威胁、巩固北疆安全，唐派遣李靖统率大军北击，最终生擒颉利可汗，东突厥灭亡。之后，薛延陀趁机发展势力，逐渐控制了漠北，企图向南扩张，对唐北疆安全构成了新的威胁。唐太宗派遣李世勣、李道宗等将领率军数次出击，最终灭亡薛延陀汗国，平定了漠北。在北击东突厥、薛延陀的战争中，李靖、李世勣、苏定方、李道宗、薛万彻、执失思力等将领展现了高超的作战指挥艺术，娴熟地运用轻骑兵，采取了长途奔袭的战术，通过快速灵活的机动性，在对手意想不到的情形下，突然对其发起猛烈的攻击，往往能够一击获胜，充分显示出唐军强大的战斗力。此外，唐军将领善于在战场态势突变时相机处置，灵活应变。在诺真水（今内蒙古呼和浩特西北艾不盖河）之战中，薛延陀部在被唐军追击后，变骑战为步战与骑战相结合，先以步战，继之以骑战，结果重挫唐军。唐军指挥员薛万彻见处境不利，立即改变战术，命令士卒下马步战，采取以步制骑的战法，手持长槊发起猛烈冲击，大败对手。

二是长驱直入，穷追猛打。唐朝统治者历来重视西域地区。能否夺控西域对于唐朝南逼吐蕃、北抗西突厥，进而制约其生存空间具有重大意义。为此，唐廷制定了经略西北的战略并顺利实施，先是击败了吐谷浑部，随后征服了高昌、焉耆、龟兹，最后灭亡了西突厥汗国，控制了西域，巩固了西北地区的边防。在经略西北地区的过程中，李靖、侯君集、李道宗、契苾何力、阿史那社尔、郭孝恪、苏定方等将领大胆用兵，果敢进击，克服沙碛、风雪、缺水、缺粮、疲劳等困难，长途行军，连续作战，勇于深入敌境穷追猛打，不给对手喘息之机，除敌务尽，沉重打击了其有生力量；适时利用战胜之威，派遣使者招降，同时重视战后的安抚、治理工作，快速稳定民心，安定社会秩序，对各部落实施羁縻统治，设置州府，进一步巩固了唐廷对西北地区的统治。

三是远交近攻，军政兼施。唐朝初年，朝鲜半岛上的高句丽推行扩张政策，联合百济南攻新罗，西侵辽东，大肆扩张疆土，打破了该地区长期以来形成的力量均衡局面，严重威胁唐朝东北边疆安全。唐太宗、唐高宗相继用兵朝鲜半岛，先后征服百济、高句丽，消除了来自东北方向的威胁，达成了预期战略目标。在收复辽东和对高句丽、百济的战争中，唐王朝注重庙算，预先做了较充分的战争准备；在前期军事行动效果不佳之时，适时调整战略方针，将注重强攻的战略方针调整为持久骚扰的战略方针；同时将战略主攻方向由北攻高句丽调整为南击百济，极大地推动了战争进程。实施远交近攻策略，结盟新罗制衡高句丽、百济，后来又联合新罗南北夹击高句丽，创造了有利的战略态势。唐王朝在指导作战过程中还注重军政兼施，一方面调集精兵良将，采取水陆并进方针，以强大兵力向前推进；另一方面实行了一系列怀柔政策，诸如优待俘虏、抚慰民众、严明军纪等，争取了高句丽民众的同情，瓦解了敌军士气。李世勣、薛仁贵、刘仁轨、契苾何力等前线将领在远离本土的战场用兵时，能够机断处置，攻坚克难，灵活运用了多种战法，或前后夹击，或诱敌深入，或围城打援，或突袭破敌，或分进合击，最终收复了辽东，扫灭了百济、高句丽。

四、兵技巧类的传承之作

中国古代兵书卷帙浩繁，内容丰富，涉及国防思想、战争指导、战略战术、军事训练、军事制度、将帅之道、军事技术、军事后勤、军事地理等诸多方面。随着兵书典籍的数量越来越多，如何更方便地查阅和使用兵书成为迫切需要解决的问题，兵书的整理分类也就显得很有必要。第一次大规模的兵学文献整理活动始于汉高祖时期，张良、韩信奉命"序次兵法"①，汉武帝时期的杨仆进一步整理兵学

---

① 班固：《汉书》卷三十《艺文志》，中华书局，1962年。

文献，汉成帝时期的任宏在兵学文献整理方面取得了巨大成就，"论次兵书为四种"①，将兵学著作划分为兵权谋、兵形势、兵阴阳、兵技巧四类，对后世兵书分类产生了深远影响。就各类兵书的数量而言，兵权谋类蔚为大观，其他三类相形见绌，兵形势、兵技巧尤为稀少。《射经》是唐代唯一现存的兵技巧类兵书，弥足珍贵。

《射经》又称《教射经》，是专门探讨射箭这一项军事技能的兵书。作者王琚，怀州（今河南沁阳）人，主要活动于唐玄宗年间，曾担任户部尚书，后被李林甫弹劾而自杀。该书共设 14 节，依次为总诀、步射总法、步射病色、前后手法、马射总法、持弓审固、举弝按弦、抹羽取箭、当心入筈、铺膊牵弦、钦身开弓、极力遣箭、卷弦入弰、弓有六善。该书着重探讨了射箭的具体操作技巧。作者指出，引弓、发弓的操作要领是"目以注之，手以指之，心以趣之""矢量其弓，弓量其力，无动容，无作色，和其文体，调其气息，一其心志，谓之楷式"②。练习射箭要遵循由易到难、循序渐进的原则，刚开始在一丈处设靶射箭，而后再逐渐增加距离，直到在百步处也能做到百发百中；然后练射活动靶，"或升其的于高山，或致其的于深谷，或曳之，或掷之，使其的纵横前却"③。练习射箭者经过静止靶、活动靶两个阶段的系统训练后，基本上就掌握了射箭技能，大体可以满足军队的需求。

五、唐代初期的文人论兵

唐代初期的兵学呈现兴盛局面，出现了不少兵书，但大多亡佚。具有战争实践经验的兵家是推动该时期兵学发展的主要动力，而文人论兵尚不活跃，还没有形成一个独立的群体，只有少量人参与其中，陈子昂可视为代表。

---

① 《汉书》卷三十《艺文志》。
② 王琚：《射经·总诀》，《中国兵书集成》编委会：《中国兵书集成》第二册，解放军出版社、辽沈书社，1988 年。
③ 《射经·总诀》。

陈子昂（659—700），字伯玉，梓州射洪（今属四川）人，唐代文学家、诗人。他为人慷慨任侠，文明元年（684）举进士，先后任麟台字、右拾遗，直言敢谏。先后两次从军边塞，对边防事务有独到见解。后解职回乡，为县令段简所诬，入狱，忧愤而死。他多着眼国家长治久安而提出自己的兵学主张，涉及慎战息兵、修文德绥四方、富国强兵等内容。

一是慎动干戈，务息兵革。针对当时边患四起、兵疲人劳、民怨沸腾的现状，陈子昂认为其根源就在于"兵甲岁兴，赋役不省"①，由于征战不息，赋税加重，最终导致天下不安。他居安而思危，担心"将相有贪夷狄之利，又说陛下以广地强武为威，谋动甲兵，以事边塞"②，如果听信其一面之词，则必然会出现天下危机。因此，陈子昂强调要以史为鉴，"臣闻自古亡国破家，未尝不由黩兵"③，规劝统治者"不可动甲兵，兴大役，以自生乱"④。

二是修文德绥四方。陈子昂主张治国安邦要从大处着眼，做到"计大而不计小，务德而不务刑，图其安则思其危，谋其利则虑其害"⑤，谋天下大安，得天下大利，切不可因小失大。他提出以仁德安民附敌以固国，治理天下"务在仁，不在广，务在养，不在杀"⑥，建议统治者"修文德，去刑罚，劝农桑，以息天下之人，务与之共安"⑦，广施恩惠于民众，轻徭薄赋，去除严刑酷法，奖励农耕，以宽政治理国家，收揽民心，则天下可以安定。

三是富国强兵。陈子昂从供应"军国资用"、抗御戎狄的角度出发，提出了"富国强兵"的兵学主张。他指出："富国强兵，未尝

---

① 陈子昂：《陈拾遗集》卷八《答制问事·请息兵科》，上海古籍出版社，1992 年。
② 《陈拾遗集》卷八《上军国利害事·人机》。
③ 《旧唐书》卷一百九十中《陈子昂传》。
④ 《旧唐书》卷一百九十中《陈子昂传》。
⑤ 《旧唐书》卷一百九十中《陈子昂传》。
⑥ 《旧唐书》卷一百九十中《陈子昂传》。
⑦ 《陈拾遗集》卷八《上军国利害事·人机》。

不用山泽之利。"① 大力发展矿业，铸造钱币；充分开发水利，利用漕运，发展交通，不仅可以使国家受益，而且可以充实物资储备，免去百姓赋税，保障军队供给，从而达到"制御戎狄，永安黎元，不欲烦挠蒸人"② 的目的。

第四节　安史之乱后的唐代兵学

安史之乱是唐王朝由盛而衰的转折点，此后每况愈下，一发不可收拾。细究唐朝衰落之由，统治者骄奢淫逸、政治腐败、奸佞专权、穷兵黩武、财政枯竭、矛盾激化等均是促成社会动荡与统治危机的重要因素，而长期和平环境下的对兵学的忽略也是一个重要因素。安史之乱后，不少有识之士进行了深刻的反思，兵学问题受到了高度重视，兵学得以再度复兴。一方面，在平定安史之乱和藩镇叛乱的战争中涌现出了郭子仪、李光弼、张巡、李晟、马燧、浑瑊、李愬等一批能征善战、智勇双全的杰出将领，还有"练达兵机"的高级军事幕僚李泌、陆贽；另一方面，李筌、杜佑、杜牧、王真等大量文人本着经世致用的考量，积极谈兵论战，出现了《太白阴经》《阃外春秋》《李筌注孙子》《阴符经疏》《通典·兵典》《杜牧注孙子》《道德经论兵要义述》《贾林注孙子》《陈暤注孙子》等兵学著作。这时的人们更加注重兵学的实用功能，期望借助兵学扭转军事上的颓势，再现盛唐辉煌。

一、兵家思想与儒、道家思想交融的兵学反映

唐朝统治者推行儒、佛、道三教并奖之策，创造了比较自由、开明的思想局面，也为各思想流派和宗教的发展提供了有利条件。

① 《陈拾遗集》卷八《上益国事》。
② 《陈拾遗集》卷八《上益国事》。

安史之乱后，在兵学复兴的背景下，儒家、道家对兵学的发展也产生了很大的影响，兵家思想与儒家、道家思想的渗透融合逐渐形成并走向深入，出现了《太白阴经》《道德经论兵要义述》等代表性兵书。

李筌的《太白阴经》较全面地阐述了道、兵、儒兼取的战争观。他赞成将《道德经》的"以正治国，以奇用兵，以无事取天下"作为治国用兵的指导思想，同时又主张"主有道德"，实行"王道"，达成"内圣外王"的目标；认为"兵者凶器，战者危事"，主张慎战，同时又肯定"诛暴定乱"的军事行动；认为"善用兵者，非信义不立，非阴阳不胜，非奇正不列，非诡谲不战"①，提出将儒家的"信义"、道家的"阴阳"、兵家的"诡谲"统一起来；主张"先文德以怀之"，如果不服再"命上将，练军马，锐甲兵，攻其无备，出其不意"②。

唐代还有一部道、兵、儒家思想融会贯通的代表性兵书。这就是王真撰写的《道德经论兵要义述》。王真，生卒年不详，大约活动于唐德宗至唐宪宗年间，曾担任吏部朝议郎，后出任地方官，担任汉州刺史兼威胜军使，文官兼任武职。他说自己"少习儒业，长无武功"③，出于经世致用的考虑而慨然言兵，认为《道德经》"未尝有一章不属意于兵也"④，因而以道家思想之本的《道德经》为依据，兼采儒家思想观点，融道、兵、儒于一体，全面、深入地阐发了自己的兵学主张，深化了前人的若干兵学认识，并且提出了一些新的兵学观点，在唐代兵学中独树一帜。

王真由道论兵，认为人和万物由"道"所产生，应当遵"道"而行，必须懂得事物发展的"损益之道"，即"物有损之而益，益

---

① 《太白阴经》卷二《人谋下·沉谋篇》。
② 《太白阴经》卷二《人谋下·贵和篇》。
③ 王真：《道德经论兵要义述·叙表》，江苏古籍出版社，1988 年。
④ 《道德经论兵要义述·叙表》。

之而损"①。如果"不知损益之道，但恃众、好兵、暴强、轻敌，必当摧辱、破败、覆军、屠城"②。王真认为人的贪欲是引发战争的根源，指出"爱恶起而相攻，则战争兴矣"③，强调"争者，兵战之源，祸乱之本"④，提出了"去争""遏乱"的战争观，要求统治者戒贪、不奢、绝矜，始终遵奉道家的"无为""不争"的思想，以此达成兵战、安天下的目的。他还将道家和儒家思想融合在一起，提出了道、德、仁、义、礼兼而用之的经国治军思想，强调"道、德、仁、义、礼，王者当兼而用之，亦犹五材相资，阙一不可也"⑤。一方面以道家倡导的"道"为主体，另一方面又加入了儒家思想的内容，主张"人君克己复礼，使天下归仁，既得亿兆欢心，蛮夷稽颡，自然干戈止息"⑥，只要得到了民众的拥护，就能够平息战乱、赢得胜利。王真立足道家立场，认为"天下神器，不可为。不可为者，言不可用干戈而取之也。若以此为之者，必败也"⑦，兴兵征战必然祸及自身，好战必亡。为了避免危亡，作者采用了儒家的"中庸之道"思想，指出"圣人去甚、去奢、去泰，将欲立于中道，守之无怠，戒之至也"⑧，如果做到了"守中"，就能够进退自如，消除危险。

王真主张"修德偃武"，力倡"不争之道"，以道德治天下，以无事取天下，但同时也主张备战不废兵，认为"兵者，战而不用，存而不废之物，唯当备守于内，不可穷黩于外者也"⑨。他将"备战"上升到了关乎国家和军队生死存亡的高度，认为"无备于内，

---

① 《道德经论兵要义述》卷三《道生一章第四十二》。
② 《道德经论兵要义述》卷三《道生一章第四十二》。
③ 《道德经论兵要义述》卷一《天下皆知章第二》。
④ 《道德经论兵要义述·叙表》。
⑤ 《道德经论兵要义述》卷三《上德不德章第三十八》。
⑥ 《道德经论兵要义述》卷一《天长地久章第七》。
⑦ 《道德经论兵要义述》卷二《将欲取天下章第二十九》。
⑧ 《道德经论兵要义述》卷二《将欲取天下章第二十九》。
⑨ 《道德经论兵要义述》卷二《将欲歙之章第三十六》。

必至灭亡"①，给人振聋发聩之感。作者主张以静制动、以弱胜强的用兵指导思想，认为"柔弱者，道之用。言圣人必用柔弱之道，以胜天下强暴之人也"②，告诫统治者深刻汲取秦统一天下而遽亡、项羽称霸而旋灭等历史教训，要始终戒慎，不恃刚强而守柔弱，"故谦卑俭约，即永享其年；骄亢奢淫，即自遗其咎，盖物理之恒也"③。他在进一步阐发老子"柔弱胜刚强"思想的基础上，又从儒家的视角重新诠释了"柔弱胜刚强"的内涵，从而将道、兵、儒家思想融合为一体。

二、执掌枢机者的兵学主张

中国兵学史上有一个普遍的现象，就是论兵者并非皆兵家，许多人未曾统兵作战，也热衷于谈论兵事。唐朝执掌枢机者谈兵，则多是因为职务使然，在其位谋其政尽其责，其中堪称翘楚者有李泌、陆贽、杜佑、李绛、李德裕。他们均为宰相，曾担任同中书门下平章事（简称同平章事）、中书侍郎、门下侍郎等要职，参与朝廷机要，接触和处理了大量的朝廷军国大事。因此，他们谈兵时所阐述的兵学主张，基本上都是结合当时国家和军队所面临的重大现实国防问题有感而发，具有较强的现实针对性。或直接提出对策，解决现实问题；或总结历史经验教训，以资当朝及后人借鉴。

李泌历玄宗、肃宗、代宗、德宗四朝，屡被排挤，又屡被起用，长期在朝廷处理军机要务，也曾短期统兵平乱，谈兵多立足战略高度建言献策。他在安史之乱爆发、安军攻克两京后，向唐肃宗提出了"务万全，图久安"的平叛靖乱战略指导思想，主张"以两军縶其四将"④，再命建宁王李倓与李光弼分别率军从南北夹击范阳，"覆其巢穴。贼退则无所归，留则不获安，然后大军四合而攻之，必

---

① 《道德经论兵要义述》卷四《用兵有言章第六十九》。
② 《道德经论兵要义述》卷三《反者道之动章第四十》。
③ 《道德经论兵要义述》卷二《将欲歙之章第三十六》。
④ 《资治通鉴》卷二百一十九《唐纪三十五》，肃宗至德元载十二月。

成擒矣"①，体现了致人而不致于人、以逸待劳、攻其必救、分进合击的兵学思想，可惜未被统治者采纳。针对唐王朝与吐蕃、回纥、南诏等周边政权错综复杂的关系，李泌从巩固边防的长远战略利益出发，建议唐德宗摒弃与回纥的个人恩怨，联合回纥、南诏以孤立吐蕃，最终消除了来自吐蕃的威胁，巩固了唐朝西部边防。

陆贽在德宗统治时期参与朝廷决策，提出了一些针砭时弊、解危救困的建议，不乏切实有效之策。他着力阐述了安边、守边以御敌的军事思想，认为"晁错论安边之策，要在积谷；充国建破羌之议，先务屯田"②，强调"理兵足食"是安边御敌的关键所在，建议募兵戍边，恩威兼施，注重在治军中施以恩情，融洽将士关系，这样就能"出则足兵，居则足食，守则固，战则强"③。在与周边游牧民族军队交手时要区分彼此的长、短，认为"乘其弊，不战而屈人之兵，此中国之所长也。我之所长，乃戎狄之所短，我之所易，乃戎狄之所难。以长制短，则用力寡而见功多，以易敌难，则财不匮而事速就"④，指出唐军在边防作战中应遵循"以长制短""以易敌难"的指导思想。为巩固边防，有效制敌，陆贽建议要做到"修封疆，守要害，堑蹊隧，垒军营，谨禁防，明斥候，务农以足食，练卒以蓄威，非万全不谋，非百克不斗"⑤。这实质上是一个全方位的周详、严密的边防战略实施方案，涉及国家战略方针、兵力部署、军事工程、军事戒备、军事侦察、物资储备、军事训练、军事谋略等方面，足以反映作者的深谋远虑。

杜佑历仕德宗、顺宗、宪宗三朝，先后在地方、中央任职，位至宰相，精于治国安邦之道，也非常重视武备之事，历时三十余年编撰完成《通典》，其中十五卷的《兵典》反映了其兵学观点，不

---

① 《资治通鉴》卷二百一十九《唐纪三十五》，肃宗至德元载十二月。
② 陆贽著，刘泽民点校：《陆宣公集》卷十八《请减京东水运收脚价于沿边州镇储蓄军粮事宜状》，浙江古籍出版社，1988年。
③ 《陆宣公集》卷十九《论缘边守备事宜状》。
④ 《陆宣公集》卷十九《论缘边守备事宜状》。
⑤ 《陆宣公集》卷十九《论缘边守备事宜状》。

少是就当时唐王朝的现状而提出来的，意有所指。他主张强本弱枝，肯定汉代内重外轻的成功做法，反对内轻外重的兵力部署；在选将用人方面强调要重视将帅素质，先德后才；在用兵方面主张以计谋胜敌，示形欺敌，佯退败敌，适时把握兵机，"坚壁持久候隙破之"，攻其必救，"力少分军必败"，多方以误之，因势取胜，慎择良将，抚绥边防等。杜佑将兵家用兵之法细化为具体的各自独立的军事原则，便于人们学习、掌握和运用。

李绛历仕宪宗、穆宗、敬宗、文宗四朝，直言敢谏，敢于直面唐朝边患不断的现状，热心关注边事，深入剖析问题，提出了自己的兵学见解。他尖锐地指出："今边上空虚，兵非实数，守将贪滥，背公徇私，虚人既多，实兵须少，力既不敌，坐受伤残。"[1] 针对边境守备空虚、指挥不力的问题，主张"今须便据所在境兵马及衣粮器械，割属当道节度，使法令画一，丰约齐同，赴急如发机，前战不旋踵，则兵威必振，贼气自消"[2]。李绛考察了夷狄的寇边问题，强调要始终注意加强边境备战，不能有丝毫松懈，认为"兵无二事，志在杀敌，将无异望，专在诛寇，器用犀利，斥候精明"[3]，将士只有做到履职尽责，悉心备战，奋勇御敌，才能消除边患。

李德裕历仕穆宗、敬宗、文宗、武宗、宣宗五朝，政绩颇佳，出将入相，皆获盛赞。他的兵学思想主要反映在有关备边御敌、削弱藩镇势力的策略方面。李德裕担任西川节度使期间，深入了解边境山川险要及南诏、吐蕃等蛮夷情况，采取了一系列固边举措，诸如整顿军队，简练士卒；增筑城邑，占据险要之处；提前筹划漕运，保障戍卒军需供给，有效地巩固了边防。李德裕坚决反对藩镇割据，主张加强中央集权，削弱藩镇势力。会昌三年（843），昭义节度使刘从谏死，其侄刘稹擅自袭位，并请求朝廷予以任命。李德裕主张

---

① 《全唐文》卷六百四十五《李绛·延英论边事》。
② 《全唐文》卷六百四十五《李绛·延英论边事》。
③ 《全唐文》卷六百四十五《李绛·延英论边事》。

出兵讨伐，在总结了以前削藩失败教训后，提出了"只令收州，勿攻县邑"①的作战指导方针，以此避免征伐迁延日久，师出无功。他亲自部署讨伐昭义刘稹的作战行动计划，分兵五路进击潞州（治今山西长治）、泽州（治今山西晋城）、邢州（治今河北邢台）等州。在讨伐过程中，李德裕大胆革除军队指挥体制中的弊端，"与枢密使杨钦义、刘行深议，约敕监军不得预军政"②，减少朝廷和监军对前线指挥员的干预，保障将领有效行使指挥权，从而使"将帅得以施其谋略，故所向有功"③。在李德裕的主导下，唐军很快就平定了叛乱，其可谓功不可没。

三、平叛战争中的兵家实践

唐代后期的兵家经历了平定安史之乱、平定藩镇割据战争的洗礼，在实践中呈现出有别于唐代前期的兵学特点，更加关注维护国家统一、戡定内乱，更加凸显兵学研究的内向性，进一步充实了唐代兵学思想的内容。

唐玄宗统治后期，唐廷在军事上出现了一系列失策，诸如在兵力部署上内轻外重；节度使集军、政、财大权于一身，出现尾大不掉之势等。在唐廷陷入危难之际，以郭子仪、李光弼为代表的兵家挺身而出，殚精竭虑，向死而生，拯救了江山社稷，维护了国家统一。这些兵家为实现平定内乱、维护统一的目标而东征西讨，在军事实践活动中展现出了丰富多彩的兵学思想。

第一，以大局为重，注重从战略高度处理军事与政治的关系，具有较强的全局观念和战略意识。安史之乱爆发后，郭子仪从平叛大局出发，率军东出河北，牵制安军南下西进的行动。在安军夺占洛阳、直逼潼关时，哥舒翰主张据险坚守、待机而动，郭子仪、李光弼支持哥舒翰的意见，并且上奏提出"引兵北取范阳，覆其巢

---

① 《旧唐书》卷一百七十四《李德裕传》。

② 《资治通鉴》卷二百四十八《唐纪六十四》，武宗会昌四年八月。

③ 《资治通鉴》卷二百四十八《唐纪六十四》，武宗会昌四年八月。

穴"① 的建议，体现了深远的战略眼光，可惜这一战略谋划未被唐玄宗采纳。

第二，持重用兵，谋略制敌。平叛战争关乎社稷安危，手握重兵的将领稍有不慎，就有可能前功尽弃。唐军将领在稳慎用兵的基础上，注重运用谋略，因而取得了良好的效果。仆固怀恩突然发动叛乱后，郭子仪没有丝毫慌乱，而是深刻地分析了其"素失士心"的致命弱点，指出其手下将士都是自己的老部下，可以为己所用，在深入分析的基础上制定出了"坚壁待之"而不急于速战的作战指导思想，持重用兵，最终迫使对手不战而退，一些叛军士卒重新归顺唐军。马燧善于运用谋略制敌，被史书称誉为"沉勇多算"②。在平定藩镇割据之战中，他率军与魏博节度使田悦夹洹水（今河南北境安阳河）对峙，采取攻其必救之策，命令军队乘夜直奔魏州（今河北大名东），引诱田悦尾追，而后以逸待劳，在魏州城西大败田悦军，斩获二万余人，赢得一次大捷。

第三，因情而变，勇于创新战法。唐军将领在指导作战过程中能够依据敌情、战场态势的变化而通权达变，尤其是注重创新战法，常能出奇制胜。在太原之战中，李光弼创新了地道战的战法，巧妙经由地道发起反击或突然袭击，屡屡派军以此袭扰对手，给敌人以出其不意的打击，在实战中增强了地道战的进攻功能，极大地丰富了地道战的作战手段。他还创新了守城战法，反对片面防御，强调攻守兼备、以攻固防，将守城和野战两种战法有机结合起来灵活运用，在守城过程中抓住有利时机实施野战，趁围城之敌的援军远道而来、立足未稳的时候，果断派兵出城发起突然袭击，在野战中全歼敌人援军，有效地支持了守城作战。李晟是唐代宗、德宗年间的著名将领，在战法运用方面也是独具匠心。当时成德节度使李惟岳、魏博节度使田悦、淄青节度使李正己联合叛唐，李晟率军平叛。不料泾原兵因为未得到犒赏而突然发生兵变，占据了长安，唐德宗诏

① 《资治通鉴》卷二百一十八《唐纪三十四》，肃宗至德元载六月。
② 《新唐书》卷一百五十五《马燧传》。

令李晟回军勤王。在收复长安之战中，李晟召集将领商讨攻城之策，诸将领都主张先攻取外城，占据坊市，最后攻夺宫城。这实质上就是兵家所谓的攻城常法。李晟听后并未盲从，而是提出了自己的主张："坊市狭隘，贼若伏兵格斗，居人惊乱，非官军之利也。今贼重兵皆聚苑中，不若自苑北攻之，溃其腹心，贼必奔亡。如此，则宫阙不残，坊市无扰，策之上者也。"[①] 他没有因循常法从正面逐次攻城，而是反其道而行之，率军冲敌腹心，快速而突然地打击对手要害，从北面直接攻打敌人重兵聚集的皇城，直捣宫阙，"夺其所爱"，果然一举获胜。这说明李晟创新攻城战法在实践中获得了成功。此外，他运用伏击战法也颇有创新。唐德宗贞元二年（786），吐蕃军深入内地。李晟派牙将王佖率军设伏，并授予其伏击战法："虏过城下，勿击其首；首虽败，彼全军而至，汝弗能当也。不若俟前军已过，见五方旗，虎豹衣，乃其中军也，出其不意击之，必大捷。"[②] 王佖采用了这一战法，果然大胜吐蕃军。李晟提出的伏击战法的核心是攻击敌人中军，彻底摧垮其指挥中心，由此赢得作战的胜利。

　　第四，注重激心励气，善用心战。郭子仪长于料敌，非常注意在战前分析对手的作战心理，并据此制定对策。他在仆固怀恩叛乱后引兵内侵之时，分析了其本人及其部下的心理，认为应采取相持敝敌之策，使对手在持久对峙中发生内部分化，军心瓦解。后来的事态发展印证了郭子仪的作战策略是正确的。仆固怀恩暴病身亡后，被其裹挟而来的吐蕃和回纥之间产生了矛盾。郭子仪准确把握住了回纥进退两难的矛盾心理，利用自己在回纥将士心目中的威望，赤手空拳、单枪匹马来到了回纥大营，成功说服回纥与唐朝重归于好。吐蕃听说回纥与唐结盟，连夜仓促撤军。李光弼也是善于运用心战的高手。一次，他在平叛过程中故意驻扎在野外，预判敌军必定会在夜间前来劫营。李光弼分析了敌方将领心理，将计就计，只留少量人马守营，自己提前离开了大营。结果史军将领李日越因为没有

① 《资治通鉴》卷二百三十一《唐纪四十七》，德宗兴元元年五月。
② 《资治通鉴》卷二百三十二《唐纪四十八》，德宗贞元二年九月。

抓住李光弼而无法返回复命，不得不投降了唐军。另一位史军将领高庭晖听说李日越投降后受到厚待，也主动归降了唐军。有人问起他为何如此轻易地降服了敌军两位将领，李光弼答道："此人情耳。思明常恨不得野战，闻我在外，以为必可取。日越不获我，势不敢归。庭晖才勇过于日越，闻日越被宠任，必思夺之矣。"[1] 李光弼在太原之战中还善于激励民心士气，在坚守防御过程中多谋善战，通过积极主动地打击对手，逐次有效地杀伤了敌军有生力量，极大地激励了守城军民的战斗意志，形成了同仇敌忾之势。

　　李晟也很擅长对敌攻心作战。他在驻防边境时，注意安抚人心，将自家钱财赏赐给投降者，较好地安抚了降者之心。吐蕃将领浪息曩投降后，李晟上奏朝廷授其以王号。每当接待吐蕃使者时，李晟有意安排浪息曩出席，并让他穿上华丽的官袍，佩挂金带，还不停地夸赞浪息曩。李晟的做法让使者产生了羡慕之心，也对吐蕃君臣产生了不小的影响。李晟之子李愬也是一位善用心战策略的将领。他在指导袭取蔡州（治今河南汝南）之战前，特别重视争取投诚、被俘将士之心，每次必定要亲自询问，妥善安置。唐军俘获敌将丁士良后，将士们都请求将其处死泄愤，李愬却不计前嫌，以诚相待，并予以重用。丁士良感激万分，向李愬提供了有价值的军事情报。敌将吴秀琳率军投降后，李愬任命他为牙将，仍然统领本部人马，并且将其部下家属迁至唐州（治今河南泌阳）安置，较好地稳定了投降将士的军心。此后，从敌军中逃跑过来投降唐军的士卒越来越多，而唐军将士的士气则越来越高昂，为后来获得奇袭蔡州之战的胜利奠定了基础。

　　第五，治军严明。乱世须用重典，乱世治军也是同理。至德二载（757），李光弼奉命率兵守太原，但是太原御史崔众不按令及时交兵。李光弼立即命令将其捆绑起来，恰好朝廷派使者带来升迁崔众的诏书，李光弼不为所动，坚持按军法将崔众斩首，威震三军将士。李光弼注重赏罚分明，重赏英勇杀敌者，对战场上不战而退者

---

① 《资治通鉴》卷二百二十一《唐纪三十七》，肃宗乾元二年十月。

则当场斩首，通过信赏明罚来激励将士冲锋陷阵，奋勇立功。李晟也素以治军严明而闻名。他率兵在进军途中严格执行军纪，不侵犯民众利益，对违法者严惩不贷。收复长安后，唐军大将高明曜掠取妓女，尚可孤所统领部队的军士擅自取走敌军战马，李晟依照军法，将他们斩首示众，将士无不畏服，长安城内"公私安堵，秋毫无犯，远坊有经宿乃知官军入城者"①。由此可见唐军纪律之严明。正是因为治军有方，李晟统率的军队始终保持高昂的士气和较强的战斗力，其在平定藩镇之乱、维护唐朝统一过程中屡立战功，成为与郭子仪、李光弼齐名的中兴名将。

　　第六，忠勇慷慨，武德感召。一名杰出的将领除了具有高超的作战指挥才能、治军本领、选将用人之才外，还应该具有高尚的武德。以忠烈留名青史的张巡在长期陷于孤城被围的不利处境下，始终忠于朝廷，并以忠义激励将士奋勇作战，凡有反叛者、劝降者，立斩之。他在作战中总是亲临战场指挥作战，勉励大家拼死力战，不允许将士后退，不杀败敌人不罢休。史载："每战，将士或退散，巡立于战所，谓将士曰：'我不离此，汝为我还决之。'将士莫敢不还，死战，卒破敌。"② 他还"与众共甘苦寒暑，故下争致死力"③。张巡率兵在外无援军、内无粮草的情况下，固守睢阳（今河南商丘市睢阳区），抗击安军达十月之久，城破后被俘不屈而死，以身殉国，体现了高尚的武德人格和忠烈气节。被称为"再造王室，勋高一代"④ 的中兴名将郭子仪具有忠贞爱国、不矜功伐的武德。他时时处处以江山社稷为重，忠心耿耿，心无旁骛，胸怀坦荡，光明磊落，胜不居功，败不诿过；无论平时还是战时都能够率先垂范，严于律己；无论对部下还是对友军、敌军都拥有很高的威望。这些可贵的将帅品德及个人修养为郭子仪成就不世功业发挥了至关重要的

① 《资治通鉴》卷二百三十一《唐纪四十七》，德宗兴元元年五月。
② 《资治通鉴》卷二百二十《唐纪三十六》，肃宗至德二载十月。
③ 《资治通鉴》卷二百二十《唐纪三十六》，肃宗至德二载十月。
④ 《旧唐书》卷一百二十《郭子仪传》。

作用。李光弼也极具大将风度，尤其在身处险境时能够做到临危不惧，具有超出常人的胆魄与视死如归的精神。在河阳之战中，他将短刀藏于靴中，向将士表达拼死一战的决心。在作战、治军过程中，李光弼能够以身作则，在太原之战中亲率士卒挖土掘壕，巩固城防工事；昼夜坚守一线，与将士们同甘共苦，将生死置之度外，对守城军民产生了很大的感召力。李晟常以解救国难、死而后已的精神激励自己和将士，尽管所统率的军队人数不多，且经常面临危险局面，但总能够向死而生、转危为安。这与李晟经常以忠义教育部属，并能够在作战中身先士卒是分不开的。史书称赞他"徒以忠义感激将士，故其众虽单弱而锐气不衰"①。这一评价还是比较公允的。

四、唐代后期的文人论兵

安史之乱后，唐王朝的内忧外患益发严重。一些有抱负的文人孜孜探求破解困局之策，发现兵学对止暴遏乱、抵御外侮具有强烈的现实意义，尤以杜牧最具代表性。杜牧认为，在内有藩镇割据、宦官专权，外有四夷侵扰、边防不稳的形势下，军事问题成为关乎国家安危存亡的大事，"国之存亡，人之死生，皆由于兵，故须审察也"②。他主张儒者应当做到知兵、制兵、治兵，只有这样，才能在藩镇拥兵自重乃至叛乱时扶危定倾，制止暴乱；指出"大圣兼该，文武并用"③，强调文与武相辅相成，不能顾此失彼；重新阐释了"上兵伐谋"的内涵，认为"伐谋"包含了两种情况，一是"敌人将谋伐我，我先伐其谋，故敌人不得而伐我"④，二是"我将谋伐敌，敌人有谋拒我，乃伐其谋，敌人不得与我战"⑤，强调"敌欲谋我，伐其未形之谋；我若伐敌，败其已成之计，固非止于一也"⑥。

---

① 《资治通鉴》卷二百三十《唐纪四十六》，德宗兴元元年二月。
② 《十一家注孙子校理》卷上《计篇》杜牧注。
③ 《樊川文集》卷十《注孙子序》。
④ 《十一家注孙子校理》卷上《谋攻篇》杜牧注。
⑤ 《十一家注孙子校理》卷上《谋攻篇》杜牧注。
⑥ 《十一家注孙子校理》卷上《谋攻篇》杜牧注。

杜牧论兵注重联系当时平定藩镇的现实情况，提出有参考价值的建议。他主张根治军队中存在的"五败"现象，即"不蒐练""不责实料食""赏厚""轻罚""不专任责成"①；反对姑息藩镇割据，认为这是"提区区之有而塞无涯之争"②，主张在平藩战争中夺取战略主动权。

除杜牧之外，其他几位比较突出的文人论兵者是贾林、陈皞、皮日休。贾林、陈皞注解《孙子》的情况在本章第二节已有专题阐述，此处不赘述。皮日休，字袭美，又字逸少，约生于唐开成三年（838），卒于中和三年（883）。他长期生活在底层，了解社会的黑暗与人民的痛苦，能够比较深刻地认识战争的本质，并逐渐形成了自己的战争观。一方面，他肯定武力平乱的作用，指出"兵者，圣王不能免其征，仁帝不能无其伐，是以逆者必杀，顺者必生，所以示天下不私也"③。皮日休对于上古时代的黄帝与蚩尤表达了不同的态度，认为蚩尤作乱且为人残暴，所以黄帝采用军事手段征讨并灭亡蚩尤是完全正确的。另一方面，他又崇尚仁义道德，指出"轩辕五帝之首，能以武定乱，以德被后。今之师祭，宜以轩辕为主，炎帝配之，于义为允"④，认为武与德要相辅相成，仅有武力是不够的，需要以仁义道德收揽民心、安定天下。皮日休指出："古之取天下也以民心，今之取天下也以民命。唐虞尚仁，天下之民从而帝之，不曰取天下以民心者乎。"⑤ 称赞"唐虞尚仁"的做法，主张以民心取天下，反对以民命取天下，认为以仁义道德得民心而得天下远远胜于以战争得天下，也就是仁义道德优于武力征伐。这正是皮日休战争观的核心内容。

① 《樊川文集》卷五《战论》。
② 《樊川文集》卷五《守论》。
③ 《全唐文》卷七百九十六《皮日休·白门表》。
④ 《全唐文》卷七百九十八《皮日休·十原系述·原祭》。
⑤ 《全唐文》卷七百九十九《皮日休·读司马法》。

五、唐末农民战争体现的兵学思想

唐朝末年，朝政日趋腐败，封建剥削残酷，大量农民破产逃亡，社会经济遭到严重破坏，阶级矛盾空前激化，再加上频繁的战争和连年不断的灾荒，整个社会陷入危机一触即发的状态。正是在这样的历史背景下，浙东裘甫起义，桂林庞勋起义，王仙芝、黄巢大起义相继爆发。以黄巢为代表的农民军领袖在唐末农民战争实践中展现出了一些富有特色的战略指导和作战思想，丰富了唐代兵学思想的内容。

首先是大规模流动作战思想。唐末农民战争区别于之前的农民战争之处，就在于其流动作战的指导思想更加明确、流动作战的地域更加广阔、流动作战的成效更加显著。王仙芝、黄巢领导农民起义军采取大规模流动作战方式，具有深刻的主客观因素。就主观因素而言，义军中有不少流民、盐贩、戍卒，熟悉山川地形及道路，习惯流动性的生活。义军领袖王仙芝和黄巢也都出身盐贩，常年贩盐往来四方，了解各地情况，在领导义军作战时注重机动，尤其在寡不敌众、以劣抗优的态势下，被迫采取大范围流动作战方式，乘虚蹈隙，向唐军力量薄弱的江南挺进，由此迅速发展壮大起来。就客观因素而言，起义军初起之时规模较小，力量较弱，与唐军相比处于劣势，转战北方多地屡屡受挫，王仙芝战败被杀。黄巢率领余部在唐军的围追堵截之下疲于奔命，争取生存、徐图发展成为当务之急。唐廷调集各路重兵聚集洛阳，在敌优己劣的态势下，义军不得不放弃攻打洛阳，转而向唐军防备空虚之处进军。王仙芝余部正好在江淮地区攻城夺地，进展顺利，而这一带也是唐军力量薄弱地区。黄巢决定率军南下江淮，"大掠淮南，其锋甚锐"①，揭开了大规模流动作战的序幕。义军在大规模流动作战中不固守一城一地，避实击虚，纵横南北，一举摆脱了被动局面，掌握了战争主动权，使唐军陷入被动应付的局面。

---

① 《旧唐书》卷十九下《僖宗纪》。

其次是战略决战思想。黄巢率义军南下江淮取得胜利之后，在唐军调兵围攻之下，又率军从浙江进军闽、粤。随着义军力量不断发展壮大，黄巢在"众劝请北归，以图大利"①的形势下，率军北伐。在北伐过程中，义军初期遭遇失利，之后取得信州（治今江西上饶市西北）之战的胜利，士气高涨，乘胜渡过长江、淮河，兵锋直指两京（洛阳、长安）。这时的义军力量得到了极大的发展壮大，在不到一年时间内，由"众至二十万"②发展到"六十余万"③。义军的发展壮大不仅体现在将士数量上，更体现在整支队伍的高昂的战斗意志和在残酷战争中磨炼出来的敢打硬仗的战斗作风上。在夺取两京之前，唐军兵力分散，士气低落，且统治集团内部矛盾日益激化，一些节度使和唐军将领对义军行动持观望或姑息态度。在此有利的战略态势下，黄巢及时把握了有利时机，果断发起战略决战，率领义军挟连战连胜之威，摧枯拉朽，顺利夺取了两京，建立了政权。义军的战略决战思想在战争实践中获得了成功。

最后是孤立和打击敌人的斗争策略。自起义始，义军在发展过程中长期遭到唐军的围追堵截。也正是在残酷的斗争实践中，黄巢逐渐认识到"藩镇不一，未足制己"④，认为可以利用对手内部矛盾，有效地分化、削弱其力量，而后再予以针对性的打击。唐朝末年，唐廷丧失中央权威，各藩镇拥兵自重，极力维护一己之私利。山南东道节度使刘巨容在荆门设伏，大败义军，乘胜追击至江陵，黄巢率残部渡江，向东退却。唐军诸将想继续追击义军，刘巨容却出面制止道："国家喜负人，有急则抚存将士，不爱官赏，事宁则弃之，或更得罪，不若留贼以为富贵之资。"⑤因此，当义军进军中原准备夺取两京之际，黄巢牒告唐诸军："各宜守垒，勿犯吾锋！吾将

---

① 《旧唐书》卷二百下《黄巢传》。
② 《资治通鉴》卷二百五十三《唐纪六十九》，僖宗乾符六年十一月。
③ 《资治通鉴》卷二百五十三《唐纪六十九》，僖宗广明元年七月。
④ 《新唐书》卷二百二十五下《黄巢传》。
⑤ 《资治通鉴》卷二百五十三《唐纪六十九》，僖宗乾符六年十一月。

入东都，即至京邑，自欲问罪，无预众人。"① 义军的文书在一定程度上孤立了唐廷，分化了敌人，为义军顺利进军关中发挥了积极作用。

第五节　五代十国时期的兵学

五代十国上承唐代，下启宋代，处于从分裂走向统一的过渡阶段。虽然历时仅54年，但该时期战争频繁激烈，呈现在战争实践中的兵学思想丰富多彩，反映在突然袭击、长途奔袭、迅猛追击的骑战思想，出奇制胜、避强击弱、以逸待劳的用兵原则，围城打援、暗袭破城、困敌迫降等多种攻城手段，利用风向实施火攻的水战战术等方面；涌现出了李克用、李存勖、周德威、郭崇韬、李嗣源、刘䶮、郭威、柴荣等著名将帅，王朴《平边策》体现了较高的战略谋划水平。这些都极大地丰富了五代兵学的内容。

一、王朴《平边策》的兵略主张

周世宗柴荣即位之后，励精图治，积极进取，亲自统军，取得高平之战的胜利，但随后在太原之战遭到失利。他重新反思统一大业，命令臣僚出谋划策，比部郎中王朴献上了一篇策文《平边策》，提出了颇有参考价值的兵略主张，深为柴荣赏识。

《平边策》先谈政道，后谈攻取之道。王朴首先指出，中原王朝丧失吴、蜀、幽、并的原因"皆由失道。今必先观所以失之之原，然后知所以取之之术"②，并从选贤用人、取信于民、注重赏罚、充实财富、减赋敛、收民心等方面提出了具体措施，认为"彼之人观我有必取之势，则知其情状者愿为间谍，知其山川者愿为乡导，民

---

① 《资治通鉴》卷二百五十四《唐纪七十》，僖宗广明元年十一月。
② 《资治通鉴》卷二百九十二《后周纪三》，世宗显德二年四月。

心既归，天意必从矣"①，再一次强调了民心的重要性。之后，王朴详细地阐述了攻取之道，从战略高度提出了如何攻取南唐、岭南、巴蜀、燕地等周边地区。这里有必要简单介绍一下当时的天下形势。后周建都大梁（今河南开封），势力范围以中原为中心，北与辽、北汉接壤，南与南唐、荆南（即南平）、后蜀交界，至于吴越、闽、楚、南汉等国则远在江南、岭南。就实力而言，后周经过军政改革之后，实力大增，明显要强于周边国家。在邻国之中，南诏的实力还是比北汉、后蜀、荆南稍胜一筹。在后周被列国包围的态势下，如何制定统一天下的战略指导方案殊为重要。

王朴就此提出了自己的见解："凡攻取之道，必先其易者。"②这也是《平边策》的总体指导思想，后面所采取的一系列举措都是围绕先攻取"易者"即南唐而展开的。他认为"唐与吾接境几二千里，其势易扰也。扰之当以无备之处为始，备东则扰西，备西则扰东，彼必奔走而救之。奔走之间，可以知其虚实强弱，然后避实击虚，避强击弱"③，实施轻兵骚扰之策，通过有组织、有计划的小规模侦察行动来探测其虚实强弱，也就是孙子所说的"角之而知有余不足之处"④。后周在此基础上料敌而动，乘虚袭取南唐，"江北诸州将悉为我有。既得江北，则用彼之民，行我之法，江南亦易取也"⑤。应该说，王朴的攻取之道的总体思路是正确的，即"必先其易者"，但在具体举措及操作步骤上则未必都合理，对于攻取江北、江南的困难估计不足。从后来柴荣三征南唐之战的情况来看，后周攻取南唐江北十四州，共耗时两年四个月，尽管实现了预定战略目标，但也付出了不小代价，如在楚州之战中出现较大伤亡。至于王朴所说的"得江南则岭南、巴蜀可传檄而定。南方既定，则燕地必

---

① 《资治通鉴》卷二百九十二《后周纪三》，世宗显德二年四月。

② 《资治通鉴》卷二百九十二《后周纪三》，世宗显德二年四月。

③ 《资治通鉴》卷二百九十二《后周纪三》，世宗显德二年四月。

④ 《十一家注孙子校理》卷中《虚实篇》。

⑤ 《资治通鉴》卷二百九十二《后周纪三》，世宗显德二年四月。

望风内附"①，显然也将战略态势设想得过于简单。如果根据其战略方案实施行动，周军长驱南下，能否在短期内迅速平定江南；如果在征伐江南之际，北方契丹、北汉乘机南下中原袭取大梁，后周该怎么应对；即使平定了南方，燕地是否会"望风内附"，《平边策》对此没有涉及或者尚未给出有说服力的回答。柴荣在实践中吸纳了其合理成分，同时又有所创新。他在夺取南唐江北十四州之后及时收手，停战罢兵；之后率军北伐，收复燕南失地。无论是南征还是北伐，柴荣都是采取了有限度的军事行动，在其国力、军力可承受的范围之内，一旦达成预期战略目标就立即收兵，以免陷入旷日持久的战争泥潭。因此，这种有节度的用兵是比较明智的。就此而言，柴荣创造性地采用了王朴《平边策》的兵略主张，并使其在战争实践中发挥出了最大功效。

二、进一步发展的骑战思想

五代时期，后唐建立者李存勗、后晋建立者石敬瑭、后汉建立者刘知远均是起自太原的沙陀族人，从小娴于弓马骑射，组建了一支作战力很强的骑兵队伍，善于在交战中充分发挥其骑兵优势，在战争实践中推动了骑战思想的发展。就总体实力而言，李存勗的军队远远不如后梁军队，但骑兵力量却强于梁军。李存勗率军与梁军作战时，注意扬长避短，以己之长击敌之短，屡屡在与对手交战时充分发挥骑兵机动性强的特点，以骑兵发动突然袭击，打击对手，出奇制胜。在潞州（治今山西长治）之战中，梁军在城外筑城挖堑，严密封锁潞州城，准备等到城内粮尽兵疲之时实施攻城行动。晋王李克用派遣周德威率军前往救援，双方战事陷入僵持状态。开平二年（908）正月，李克用病死，李存勗袭承王位，周德威率援军撤退，梁军认为潞州城孤立无援，破城指日可待，于是放松了戒备。李存勗即位后，与诸将领谋划解除潞州之围的对策，认为"朱温所惮者独先王耳，闻吾新立，以为童子未闲军旅，必有骄怠之心。若

---

① 《资治通鉴》卷二百九十二《后周纪三》，世宗显德二年四月。

简精兵倍道趣之，出其不意，破之必矣"①，决定利用对手轻视自己的心理，出奇兵袭击疏于防务的梁军。河东监军张承业对此表示赞同。李存勖率骑兵立即出发，直奔潞州。抵达之后，他命令周德威、李嗣源率军分两路从西北、东北方向攻击夹寨。毫无防备的梁军被突如其来的袭击弄得惊恐万状，四处逃窜。在后唐灭梁之战中，李存勖再次采取骑兵长途奔袭的战法，派遣李嗣源率一千骑兵实施奔袭，不到五天时间就兵临大梁城下，在后梁主力远在前线、无法及时回救的情况下，成功迫降守城者，是骑战突袭思想的又一次成功运用。在五代时期的将帅中，李存勖、周德威、李嗣源、李存审、王彦章、李嗣昭、柴荣等皆擅长运用骑兵作战，在柏乡之战、胡柳陂之战、高平之战等战役中都充分发挥了骑兵的突击作用。尤其是在胡柳陂之战中，李存勖以骑兵冲击梁军的步兵，更是取得了显著成效。就这一时期的作战策略而言，能否成功运用骑兵对任何一方获取最终胜利均具有举足轻重的影响。

三、有所创新的攻守城作战思想

野战是五代时期常见的作战样式，攻守城作战则是另外一种屡见不鲜的作战样式。这一时期比较著名的攻守城之战有潞州之战、幽州之战、奇袭大梁、河中之战、寿州之战等，运用了分割包围、重点围困、围城打援、偷袭破城等战法，极大地丰富了五代兵学内容。

一是攻城中的围攻与解围之战。当一方围攻城池时，另一方往往会派出军队前往解围，双方会在城池外围展开激战。战事的胜局属谁主要取决于哪一方的作战策略更为高明。在潞州之战中，梁太祖朱全忠派遣康怀贞率领八万大军进攻潞州，在毫无进展之后，筑城挖堑，实施长期围困。晋王李克用派遣周德威率五万人马前往解围。康怀贞派军攻打晋军，结果被击败。朱全忠改派李思安率兵围攻潞州。李思安加固了城外工事，既阻止城内守军外逃，又阻止晋

---

① 《资治通鉴》卷二百六十六《后梁纪一》，太祖开平二年四月。

军解围。周德威没有正面与梁军交锋，而是采取了各种有效行动以骚扰、消耗梁军。当梁军"调山东民馈军粮，德威日以轻骑抄之"①；当对方从"夹寨中出刍牧者，德威辄抄之，于是梁兵闭壁不出"②。此外，为了破坏梁军的围城行动，"德威与诸将互往攻之，排墙填堑，一昼夜间数十发，梁兵疲于奔命"③。周德威通过拦截对手军粮、阻止其放牧、填平其沟堑等行动，极大地破坏了梁军的攻城行动，并使其"疲于奔命"，梁军前线指挥员李思安被削职为民，晋军的解围行动显现了成效。

二是分割围歼、围城打援战法的成功运用。后汉在平定关西三叛之战中，面对李守贞在河中（治今山西永济西南蒲州镇）、赵思绾在长安（治今陕西西安）、王景崇在凤翔（治今陕西凤翔）三地兴兵作乱，采取了分割围歼的战法，集中重兵主攻河中，同时又派兵包围长安、凤翔，切断三地联系；在围城过程中，坚决打击南唐、后蜀等国派来的援军，使河中、长安、凤翔陷入孤立无援的困境，"守贞将士降者相继"④，最终顺利平定了关西三叛之乱。在寿州之战中，柴荣将寿州作为攻取南唐江北地区的突破口，调集重兵围攻寿州，同时特意"命唐降卒教北人水战"⑤，组建了一支强大的后周水军，从水、陆两路多次击退南唐派来的援军，最终迫使南唐放弃了援救寿州的军事行动，寿州守城者在绝望中向周军投降。尽管寿州城池坚固，但是柴荣实施长期围困之策，同时坚决打击南唐援军，使寿州守城者始终得不到城外粮食、兵力的补给，逐渐陷入困境而无法自拔，走投无路只好投降。柴荣采取的围城打援策略在实战中奏效，表明围城打援仍然是一种有效的攻城战法。

三是因敌制宜，偷袭攻破城池。后梁将领刘郭善于料敌，而后

① 《资治通鉴》卷二百六十六《后梁纪一》，太祖开平元年八月。
② 《资治通鉴》卷二百六十六《后梁纪一》，太祖开平元年八月。
③ 《资治通鉴》卷二百六十六《后梁纪一》，太祖开平元年八月。
④ 《资治通鉴》卷二百八十八《后汉纪三》，隐帝乾祐二年五月。
⑤ 《资治通鉴》卷二百九十三《后周纪四》，世宗显德四年二月。

乘隙而入，抓住对手城防中的漏洞，采取偷袭手段破城，事半而功倍。在攻取兖州前，他派出间谍乔装打扮入城，打探到了可由水窦秘密入城的重要情报。于是，刘鄩立即率军在夜里从水窦进入兖州城，兵不血刃地夺取了城池。在袭取潼关前，刘鄩将抓获的俘虏置于队伍前面，通过俘虏骗开了城门，随后率军趁机一拥而入，一举攻克了潼关。由此可见，攻城之法不可预设，也没有固定的套路，全在于作战指导者因敌制宜，根据当时的战场态势随机应变，及时、准确地抓住对手弱点乘隙而击，往往可以偷袭得手。这就是孙子所说的"故善战者，立于不败之地，而不失敌之败也"①。

四、革弊图强的军事改革

五代十国时期，地方藩镇割据混战，将骄兵惰的恶习有增不减，军纪败坏，严重影响军队的战斗力。针对这一现状，力图有所作为的李克用、李存勖、郭威、柴荣等人先后进行了卓有成效的军事改革，革除了旧弊，重新整顿了军队，面貌焕然一新。

一是严明军纪，令行禁止。当时军队最大的问题就是将士藐视军纪，为所欲为，稍有不满便企图拥兵作乱。这是自唐末以来形成的骄兵集团的恶习。李克用父子为增强实力，摆脱对朱全忠作战的被动局面，大力整肃军纪，严格执行赏功罚罪的纪律，经过整顿后的军队"进退有序，步骑严整，寂然无声"②。在高平之战中，后周军先遭挫折，樊爱能、何徽所统领的右军刚与后汉军交战就溃败，樊爱能、何徽率领骑兵抢先逃跑。柴荣在危急时刻亲自督战，张永德、赵匡胤等将士奋勇冲杀，转败为胜。战后，张永德向柴荣进言："苟军法不立，虽有熊罴之士，百万之众，安得而用之!"③ 柴荣决心严肃军纪，斩杀了樊爱能、何徽等七十余名败军将吏，"自是骄将

① 《十一家注孙子校理》卷上《形篇》。
② 薛居正等：《旧五代史》卷二十七《唐庄宗纪一》，中华书局，1976年。
③ 《资治通鉴》卷二百九十一《后周纪二》，太祖显德元年三月。

惰卒始知所惧，不行姑息之政矣"①。与此同时，柴荣又分别奖赏了作战勇敢的将士，提拔任用了李重进、向训、张永德、史彦超、赵匡胤等数十名将领以及士卒，信赏必罚，极大地振奋了军心士气。在此后的三征南唐之战、北伐契丹之战中，柴荣坚持严格执行军纪，还特别申明军队不得进入民居、践踏民田，对违令者坚决按军法处置，维护了军令的权威。

二是精兵锐卒，整编禁军。五代时期的军队多实行募兵制，士卒终身服役，因此军队中经常是老弱混杂，既有新招募的兵员，也有长期服役的老兵。参差不齐的兵员素质势必影响军队的战斗力。柴荣深知其弊，指出"凡兵务精不务多，今以农夫百未能养甲士一，奈何浚民之膏泽，养此无用之物乎！且健懦不分，众何所劝"②，命令精简禁军人员，汰弱留强，将精兵强卒选入禁军，淘汰老弱者；又从全国招募勇士，从中挑选精锐者组建殿前军，分为骑军、步军，成为禁军的中坚力量。中央禁军经过整顿之后，"士卒精强，近代无比，征伐四方，所向皆捷，选练之力也"③。

三是选拔和任用有才能的将领。孙子曰："将者，国之辅也，辅周则国必强，辅隙则国必弱。"④ 将帅对于国家和军队的重要性，无论如何强调也是不为过的。李克用在培植、发展势力时，注意选拔骁勇善战者充当军队将领，还将其中一部分人收为养子，诸如李嗣昭、李嗣源、李存孝等人。这些将领在作战过程中披坚执锐，攻城拔寨，发挥了极其重要的作用。李存勖即位后，也能大胆用将，尤其注重听取部将的合理建议，在柏乡之战中采纳了周德威的建议，在胡柳陂之战中采纳了阎宝、李嗣昭、王建及的正确主张，在奇袭大梁之战中听取了郭崇韬、康延孝、李嗣源的建议，集思广益，较好地发挥了将领的主观能动作用，加速了灭梁战争的进程。郭威即位后，提拔并重用了郭崇韬、李重进、向训等一批卓有才能的将领。

---

① 《资治通鉴》卷二百九十一《后周纪二》，太祖显德元年三月。
② 《资治通鉴》卷二百九十二《后周纪三》，太祖显德元年十月。
③ 《资治通鉴》卷二百九十二《后周纪三》，太祖显德元年十月。
④ 《十一家注孙子校理》卷上《谋攻篇》。

柴荣不仅提拔了一大批在战场上建功的将领，诸如李重进、张永德、史彦超、赵匡胤、马全义等，而且大胆任用郭廷谓等一批有才能的降将，做到了人尽其才、才尽其用，为取得三征南唐、北伐契丹和北汉等作战的胜利奠定了坚实基础。

第四章 《唐太宗李卫公问对》的兵学思想及其地位

《唐太宗李卫公问对》（以下简称《问对》），是中国古代著名兵书，北宋神宗元丰年间（1078—1085）被列为《武经七书》之一。全书分上、中、下三卷，共98个问答，以唐太宗李世民和卫国公李靖关于军事问题的问答形式编成，总结和评述了历代战争的得失，对许多古代兵法做了深入探讨与详细阐述，既有他们两人对诸多战争问题的见解以及对兵法的独特诠释，又有两人关于作战指挥实践的心得体会以及对兵学理论的系统总结。《问对》继承前代兵学发展之余脉，开启后世以史论兵之风尚，论述精辟，见解独到，融鲜明的创新性和强烈的实用性于一体，其理论价值独特，在中国兵学史上学术地位重要，影响重大，特设专章论述。

第一节 《问对》的作者与成书问题

在探讨《问对》的作者及成书年代问题之前，有必要了解该书正式颁行的历史背景。北宋建朝以来，开国君主宋太祖汲取晚唐以来的教训，提倡重文轻武，崇文抑武，采取了削弱将帅兵权的措施，从而把兵权完全集中在自己一人手中。北宋统治者强调"将从中御"，将统兵权、调兵权、指挥权分散，以此保证中央绝对掌控军队。但由于临时任命将领指挥作战，同时过分强调"将从中御"，完全剥夺了将领的机断指挥权，由此导致宋朝军队出现将不知兵、兵不知战的状况，宋军战斗力每况愈下，在与辽军、西夏军的交战中屡战屡败，边患丛生。为扭转这一被动局面，宋朝统治者开始对军事给予重视，着手组织人员研究和总结兵法理论，以振军势，提高军队战斗力。

正是在这样的历史背景下，为了培养选拔军事人才，宋仁宗时期开始建立武学、设武举。到宋神宗时，武学和武举制进一步确立。这是我国历史上最早的正规军事教育体制，并为明清两朝所继承，不断得到健全、完善。为了适应教学和军事训练的需要，宋神宗元丰年间，朝廷诏命枢密院和国子监编选校定一套武学教材。受命负责承办此事的枢密院检详官王震、国子监司业朱服和武学博士何去非等一批人，尽职尽责，兢兢业业，从当时流传的 347 部、1956 卷各种兵书中反复筛选，最后确定了《孙子》《吴子》《六韬》《司马法》《三略》《尉缭子》《问对》这七部兵书为武学经典，统称《武经七书》，作为选考武举和教学统一教材。由此可知，《武经七书》是宋代官方校刊颁行的兵法丛书，也是中国古代第一部军事学教科书。《问对》最早就是以《武经七书》之一的形式行世的。

自《问对》一书行世以来，关于该书的作者与成书年代问题就成了世人争论的焦点。历代学者就此各抒己见，莫衷一是。

关于该书的作者与成书年代，目前可见的主要学术观点有以下几种：

一是相传为唐初军事家李靖所著。不过，《旧唐书·经籍志》《新唐书·艺文志》都仅著录有《李靖六军镜》三卷，并没有《问对》。《宋史·艺文志》著录有李靖兵书多种，包括《阴符机》一卷、《韬钤秘术》一卷、《韬钤总要》一卷、《弓诀》一卷、《六军镜》三卷、《卫国公手记》一卷、《兵钤新书》一卷，都没有提到《问对》。这些兵书后来大多都散佚，到宋神宗时已经没有完整的全书了。至于清代汪宗沂所辑录的《卫公兵法辑本》一书，仅仅是从《通典》《十一家注孙子》等书中辑录的仅存的《李靖兵法》部分内容，与单独而完整的《问对》一书没有太大联系。

二是北宋陈师道等人认为是宋人阮逸伪托之作。陈师道最早提出这一观点，认为此书是北宋仁宗时期（1023—1063）阮逸的伪托之作。陈师道在《后山谈丛》中指出："世传王氏《元经》薛氏《传》、关子明《易传》、《李卫公问对》，皆阮逸所著，逸以草示苏明允（苏洵），而子瞻（苏轼）言之。"① 由此可见，陈师道关于阮逸草撰《问对》的观点源自苏轼所言，得之于传闻。何薳的《春渚纪闻》、邵博的《邵氏闻见后录》和陈振孙的《直斋书录解题》均持此观点。当代学者吴如嵩、王显臣先生对阮逸伪托之说做了有力的驳斥。陈师道与何薳都说明是苏洵见过阮逸的伪作草稿，而由苏轼把这一情况透露给陈师道的。吴如嵩、王显臣为此查阅了朱服、阮逸、苏洵、何去非、苏轼等人的有关资料和著作，均没有发现证明伪作的文字记载。更为重要的是，从《春渚纪闻》所载阮逸伪作的时间来看，要比《武经七书》的正式颁行晚十年左右的时间。

三是元代马端临指出是宋神宗熙宁年间（1068—1077）王震等人校正之作。熙宁初年，宋神宗看到当时流传下来的《李靖兵法》存在许多错讹之处，其中涉及的许多称谓与当时很不一样，大多数将佐都不能完全通晓这部兵书的深刻内涵，非常不便于在部队中普及推广。鉴于这种情形，宋神宗诏令枢密院兵房检详官与检正中书刑房王震提举修撰，王白、郭逢原等人校正《李靖兵法》。到了元丰三年（1080）四月，宋神宗再次诏命枢密院检详官王震和国子监司业朱服及武学博士何去非等人"校定《孙子》《吴子》《六韬》《司马法》《三略》《尉缭子》《李靖问对》等书，镂版行之"②。先是王震等人受命提举修撰、校正、分类解释《李靖兵法》；在数年之后，王震等人又受命校定《孙子》《吴子》《六韬》《司马法》《三略》《尉缭子》《李靖问对》等书，也就是后来行之于世的《武经七书》。目前尚未出现充足的证据可以证明王震等人先前所校正的《李靖兵

---

① 陈师道撰，李伟国校点：《后山谈丛》卷二《阮逸作伪书》，上海古籍出版社，1989年。

② 李焘：《续资治通鉴长编》卷三百〇三，元丰三年四月乙未，中华书局，1990年。

法》就是后来校定的《武经七书》中的《李靖问对》。宋神宗的两次诏令只能说明王震等人先后两次受领不同的任务，其间是否存有某种内在联系，尚待进一步考证。

四是当代学者于汝波认为是宋朝官方组织人力集体"提举修撰"之作，但同时也提出了《问对》的初始作者问题。他指出，《问对》是由宋神宗下诏、官方组织人力集体"提举修撰"散见的《李靖兵法》而成的一部反映唐太宗与李靖军事思想的兵书，大约问世于熙宁后期，经王震、朱服等人修撰校正，于元丰三年正式颁行。但在此之前，是否在民间有了更早成书的另一版本的《问对》？针对这种可能性，于汝波指出："《问对》有无更早的初始作者，初始作者为谁，有待进一步考证。如果有的话，可能是唐末宋初好事者，搜集唐太宗和李靖有关的事迹、谈话资料、传闻等整理编撰而成。书成后未显于世，后来流入阮逸家中，阮逸对之进行修补的可能性亦不能排除。神宗下诏修撰《李靖兵法》时，阮逸或其后人遂从家中献出。"① 这部由阮逸家献出的兵书和其他杂见的《李靖兵法》经王震等人"提举修撰"并校订后，最后作为武学教科书由朝廷颁行于世。

五是胡应麟和当代学者黄朴民等人推断是唐末无名氏所作。胡应麟认为该书既非李靖所著，亦非阮逸伪托，当是唐末宋初俚儒村学缀拾贞观君臣遗事编写而成。黄朴民认同此观点，但对胡应麟所提出的"其词旨浅陋猥俗"的论据不以为然，指出该书"当是无名氏所作，其成书年代大致应在唐代晚期以至五代时期。当时战乱频仍，有识之士有感于此，于是潜心于探讨军事学术问题，以期满足于战争实践的需要"②，最终成书。宋神宗元丰年间，朝廷根据"兵法七书"已收录《问对》的固有情况，仍将《问对》收入《武经七书》之中，列为将校必读的武学经典之一。

六是当代学者吴如嵩、王显臣认为是唐太宗与李卫公君臣之间

---

① 于汝波：《关于〈李靖问对〉的成书时间及主要理论建树》，《军事历史研究》1998 年第 3 期。
② 黄朴民注译：《白话唐太宗李卫公问对》，岳麓书社，1997 年，第 5 页。

讨论军事问题的言论辑录①。持此论者认为，该书比较集中地反映了唐太宗李世民与卫国公李靖的军事思想，时间从贞观十八年（644）唐军第一次进攻高句丽前夕至贞观二十三年（649）李靖病逝之前。由于该书涉及当时不少高层机密，因此在唐代未能公之于世，也不见于公私著录。后晋石敬瑭下诏修撰《旧唐书》，北宋仁宗时诏令宋祁、欧阳修等人修撰《新唐书》，都没有著录该书。宋神宗熙宁、元丰年间，朝廷下诏校定《李靖兵法》，《问对》终于被辗转发现，并由官方刊刻流布，成为武学经典之一。但是，这里有一个不能回避的问题，即《问对》中所反映的部分内容与史实有矛盾之处，与史实不相吻合，明显不符合贞观时期史实的有：一是称李世民为"太宗"。"太宗"是李世民庙号，而只有当帝王去世之后才有庙号。显然，在世之时的李世民是不会有庙号的，自然也不会被称为"太宗"。二是称李世勣为"李勣"。李世勣本名徐世勣，原来是瓦岗军的将领，后来归顺唐，并被赐姓李。李世民登基后，就姓名避讳问题诏告天下，称"不连言者勿避"。贞观二十三年（649）五月，李世民去世后，李世勣才开始改名李勣。三是《问对》出现"安北都护"一词，而安北都护府的名称最早在总章二年（669）才出现，这时李世民与李靖都早已去世了，又怎么会在他们之间的谈话中出现"安北都护"呢？其实，安北都护府的前身是贞观二十一年（647）所置的燕然都护府，后曾改名为瀚海都护府。如果要符合史实的话，则唐太宗与李靖论兵之时，应该称其为"燕然都护府"而不是"安北都护府"。诸如此类的不合史实的地方还有一些。当然，其中不排除有后人整理的可能性，甚至在民间辗转流传过程中有后人加工、掺杂、窜改的成分在里面。能否对这一问题做出令人信服的解释，是这一观点能否为大家所接受的关键。

　　凡上所举的说法，都有一定的道理。在目前没有更为确凿证据的情形下，任何一种说法只要能够自圆其说，均可以暂且成立。至于哪一种观点更加令人信服，却是需要有多方的佐证。就目前之研

---

① 参见《李卫公问对校注》，第2页。

究现状而言,《问对》的作者与成书年代之谜,尚没有真正解开。

综合以上几种观点,笔者着重从该书所反映的内容、写作的条件以及作者的背景全面考量,推测《问对》一书当是出于唐廷中感于时势而喜谈兵的官宦之家,成书年代大致在唐中期至晚期。首先,从反映的内容看,书中出现不符合贞观时期史实的细节,如果是在唐中期至晚期而不是贞观时期撰写该书,那么这一切就可以得到合理的解释。其次,从写作的条件看,唐中期至晚期尚保存有一定的史料典籍,我国第一部系统反映古代典章制度的通史——杜佑的《通典》二百卷便成于这一时期,其中有关军事部分引用了李靖的不少言论。更重要的是,此时距离唐太宗与李靖活动的年代尚不久远,卫国公李靖的大多数著述还没有亡佚。史料有载的李靖的兵书有:《六军镜》三卷、《玉帐经》一卷(见《旧唐书·经籍志》);《彭门玉帐》、《李靖行述》一卷、《韬钤秘录》五卷(见《崇文总目》);《阴符机》一卷、《韬钤秘术》一卷、《韬钤总要》一卷、《弓诀》一卷、《卫国公手记》一卷、《兵钤新书》一卷(见《宋史·艺文志》);《兵家心术》一卷、《六壬用兵太一心机要诀》一卷、《明将秘要》三卷(见《通志·艺文略》);《集太公兵法》(见《遂初堂书目》);《李卫公兵机》《李卫公四门经史》《李卫公武略》《李卫公元戎必胜录》(见《文渊阁书目》)等。尽管这些书真伪难辨,鱼龙混杂,水平参差不齐,但是相较于后来,当时保存有较多的史料典籍却是不争的事实。最后,从该书作者的背景来看,出于官宦之家可以使其有更多的有利条件,既可以多方利用公私收藏的史料典籍作为创作该书的素材,也更有可能打听和了解到唐太宗与李靖时代的军事与政治机密,并将此写入书中。

第二节　《问对》的兵学思想

《问对》联系唐以前战例及唐太宗、李靖的亲身经历,参照历代兵家言论，着力围绕夺取战争主动权，对"致人而不致于人"以及奇正、虚实、主客、攻守等兵学范畴进行深入讨论，涉及军制、阵法、训练、边防诸问题，在继承的基础上极大地发展了先秦以来的兵学思想。

一、"致人而不致于人"的用兵指导思想

"致人而不致于人"是《孙子兵法》关于争夺战争主动权的思想观点，原文是"故善战者，致人而不致于人"①，意即善于用兵打仗的人，能够调动敌人而不受敌人的摆布。这里虽然没有明确争夺战争主动权的概念，但实质上谈的是争取主动问题。放眼观之，大凡中国古代兵学思想的重要命题，诸如知彼知己、因势定策、伐谋伐交、兵不厌诈、出奇制胜等，几乎都是围绕着"致人而不致于人"，即夺取战争主动权这一根本宗旨而提出和展开的。

中国古代兵家向来重视"致人而不致于人"，也就是在战争中要争取主动，避免被动。"致人"贵在争取先机之利。《左传》指出"宁我薄人，无人薄我。……《军志》曰'先人有夺人之心'，薄之也"②，认为宁可让我先进攻敌人，不要让敌人先进攻我，先发制人可以打击敌人的军心士气。孙子指出"凡先处战地而待敌者佚，后处战地而趋战者劳"③，即前者居于主动地位，而后者居于被动地位。在古往今来的战争中，胜者与败者的最大不同就在于主动权的得与失。孙子考察了"先""后"这对矛盾在战争中的变化规律以及对战争胜负的影响，把先发制人、争取先机之利作为争取战争主动权的重要原则，并且专门论述了战争中争取先机之利的原则和方法。孙子指出"军争之难者，以迂为直，以患为利。故迂其途，而诱之以利，后人发，先人至"④，认为敌对双方在战略、战役展开或

---

① 《十一家注孙子校理》卷中《虚实篇》。
② 杨伯峻编著：《春秋左传注》（修订本），宣公十二年，中华书局，1990 年。
③ 《十一家注孙子校理》卷中《虚实篇》。
④ 《十一家注孙子校理》卷中《军争篇》。

进入战斗时，要注意争取先机之利，先敌占领战场要地，先敌展开部队，先向敌人弱点进攻，从而夺取主动权，把敌人置于被动地位。《尉缭子》提出"善用兵者，能夺人而不夺于人。夺者，心之机也"①，强调夺取主动权是用兵者的基本指导思想。《问对》认为兵法"千章万句，不出乎'致人而不致于人'而已"②，将争取战争主动权的重要性提到了前所未有的高度，强调让敌人受制于己方，而不让己方受制于敌方。李靖在书中提出的奇正、虚实、攻守等，都是为了实现"致人而不致于人"的目的。也可以说，李靖的整套战略战术都是围绕这一中心来设计的。

在如何争取战争主动权的问题上，中国古代兵家强调要善于变被动为主动，充分发挥人的能动作用，迷敌，诱敌，疲敌，骄敌，挠敌，诳敌，怒敌，使敌在兵力部署、作战准备、战场选择和心理士气等方面出现一系列失误，变实为虚，变强为弱，最终使战争主动权转换到自己手中。此外，有的兵家还主张通过"诡道""伐谋""夺将帅之心"或采取先发制人之策来夺取战争主动权。

《问对》在总结前人兵学思想的基础上提出了独到的见解，指出"奇正相变""变易主客"，运用"攻守之法""激心励气"均是实现"致人而不致于人"的重要策略，以此夺取战争主动权。《问对》强调运用"奇正相变"实现致敌虚实，也是着眼于改变敌人的虚实状态，消长敌我实力对比，以实击虚，如果不识虚实，"盖不能致人，而反为敌所致"③。《问对》阐述了"变易主客"的思想，主张在战争中采取"因粮于敌""饱能饥之""逸能劳之"等方法，陷敌于不利境地，使自己"变客为主"，变我方的不利态势为有利态势，使敌人"变主为客"，变敌方的有利态势为不利态势，从而完成主客转换，最终夺取战争的主动权。《问对》深刻剖析了攻守的辩证关系，

①　《尉缭子》卷一《战威》，《中国兵书集成》编委会：《中国兵书集成》第一册，解放军出版社、辽沈书社，1987年。
②　《李卫公问对校注》卷中。
③　《李卫公问对校注》卷中。

提出了"攻是守之机，守是攻之策"的著名论断，指出攻和守本是"一法，敌与我分为二事"①，我调动了敌人，我就居于主动，敌人被动；我若被敌人调动，我就居于被动，而敌人居于主动。因此，《问对》认为掌握攻守要领，处理并运用好"攻守之法"，乃是夺取战争主动权的关键。《问对》还主张通过激励将士的军心士气来夺取心战主动权。《问对》指出"用兵之法，必先察吾士众，激吾胜气，乃可以击敌焉"②，强调在用兵之前要先考察将士，大力激励其求胜的军心士气，这样就在战前使官兵取得对敌心理上的优势，以此夺取战争主动权。

二、奇正、虚实、攻守、主客的兵学思想

奇正、虚实、攻守、主客是中国古代重要的兵学范畴。《老子》最早提出"奇正"一词，之后孙子在兵学领域提出了奇正、虚实、攻守、主客等几对重要的兵学范畴，构建了一个完整、系统的兵学体系。《问对》在继承前人兵学思想的基础上，对以上兵学范畴做了新的诠释，对奇正思想做了总结，全面而又深刻地论述了奇与正、虚与实、攻与守、主与客的辩证关系，进一步发展了《孙子》关于奇正、虚实、攻守、主客的思想，体现了值得称道的创新精神。

（一）奇正的兵学思想

奇正是中国古代兵学的一对重要范畴，也是古代兵学术语。《问对》系统、深入地探讨了奇正问题，对奇正相互转化的辩证关系做了深刻的阐述，发展了《孙子兵法》有关"奇正相生"的思想，对奇正的兵学思想做了一次极其深刻而系统的全面总结。奇正一词始自《老子》，主张"以正治国，以奇用兵"③，意指治国用正道，打仗用诡道。此后，古人将合于法度或者常理的人和事称为"正"，变幻莫测的东西称为"奇"。

---

① 《李卫公问对校注》卷下。
② 《李卫公问对校注》卷下。
③ 《老子道德经注校释》下篇《五十七章》。

《孙子兵法》首次把奇正这个概念引入兵学，将其作为兵学术语进行系统阐发，明确指出："三军之众，可使必受敌而无败者，奇正是也""凡战者，以正合，以奇胜""战势不过奇正，奇正之变，不可胜穷也。奇正相生，如循环之无端，孰能穷之？"①孙子在兵学领域深刻阐释了"奇正"概念，奠定了奇正兵学思想的基础。后世兵家和兵学家对奇正又做了更深入的探讨，指出"刑（形）以应刑（形），正也；无刑（形）而裴（制）刑（形），奇也"②，用常规战法对付常规战法为正，用变通战法对付常规战法为奇。《尉缭子》主张"正兵贵先，奇兵贵后"③。曹操注《孙子》提出"先出合战为正，后出为奇""正者当敌，奇兵从傍击不备也"④，认为先投入战斗的是正兵，后投入战斗的是奇兵；正面作战的是正兵，从侧翼发动攻击的是奇兵。这些都是从某一角度对奇正的理解和阐述。

《问对》从解说《握奇文》入手，深入探讨了奇正的起源问题。《握奇文》是一部古代兵书，传说是黄帝臣风后所撰，后人将汉代公孙弘的解释、晋马隆的述赞与《握奇文》合刻，通称《握奇经》。唐李二人首先谈到的是"奇"和"机"的异同。李靖认为，"奇"的读音为"机"，所以人们也将"奇"流传为"机"，它们的意思是一样的。李靖看到的《握奇文》说："四为正，四为奇，余奇为握机。"比较当时的《握奇文》版本，传世本多了几个字，即在"四为正"之前还有"天地风云龙虎鸟蛇"，李靖认为这是古代兵家的玄虚诡诈之道，"诡设物象"，令"传之者误也"。李靖指出，"数起于五，而终于八，则非设象"⑤，认为奇正起源于古代方阵本身的队形变换，是在五军阵向八阵演变过程中产生的。李靖对以上结论做出了自己的解释："臣按黄帝始立丘井之法，因以制兵。故井分四

① 《十一家注孙子校理》卷中《势篇》。
② 张震泽：《孙膑兵法校理》下编《奇正》，中华书局，1984 年。
③ 《尉缭子》卷四《勒卒令》。
④ 《十一家注孙子校理》卷中《势篇》曹操注。
⑤ 《李卫公问对校注》卷上。

道，八家处之，其形井字，开方九焉。五为阵法，四为闲地，此所谓数起于五也；虚其中，大将居之，环其四面，诸部连绕，此所谓终于八也。"① 大意是说，五军阵摆出的阵形像"井"字，居中为将领指挥位置及由其控制的机动部队（即余奇之兵）所在地。前、后、左、右四个正面为战斗部队位置，称为"阵地"或"实地"，拱卫中军；"阵地"或"实地"的间隙地带称为"闲地"或"虚地"。位于"实地"的兵力为正兵，位于"虚地"的兵力为奇兵。正兵可在中军将领指挥下，按兵力使用或战术变换的需要向四块"虚地"机动成为"奇兵"。这就是所谓"数起于五""终于八也"。

综观《问对》关于"奇正"的阐述，可从以下几方面理解其内涵：首先是从政略的角度看，《问对》指出，"自黄帝以来，先正而后奇，先仁义而后权谲"②。就是说，对敌人进行政治声讨是"正"，进行军事打击是"奇"；吊民伐罪的正义战争是"正"，战场上运用权谋计策破敌是"奇"；"夫正兵受之于君，奇兵将所自出"③，执行君主战略意图之兵为正，根据战场情况灵活运用之兵为奇。其次是从战法的角度看，常规作战为正，特殊作战为奇。《问对》指出，"凡兵，以前向为正，后却为奇"④，用兵打仗通常以前进攻击为正兵，以向后退却为奇兵；与敌人从正面交战，主导战争全局的部队为正兵，采取迂回包抄策略，从侧面出击夺取战争胜利的部队是奇兵。《问对》主张远距离的战略作战要用"正兵"，并列举了诸葛亮三路大军进攻南中，对孟获"七擒七纵"，取得稳定的战略后方的战例；列举了西晋马隆稳扎稳打、长驱推进，平定凉州的战例。至于特殊作战则要用奇兵作战，列举了李靖平突厥之战采用奇兵制胜的战例。再次是从作战指挥的角度看，一般而言，主攻方向或主要防御方向是正兵，助攻方向或次要防御方向是奇兵。《问对》认为，按

---

① 《李卫公问对校注》卷上。
② 《李卫公问对校注》卷上。
③ 《李卫公问对校注》卷上。
④ 《李卫公问对校注》卷上。

照《曹公新书》的说法，"己五而敌一，则三术为正，二术为奇"①，如果五倍兵力于敌，可以用三成兵力做正兵，两成兵力做奇兵，这当然只是大概的说法。最后是从作战兵力运用的角度看，《问对》认为"大众所合为正，将所自出为奇"②，主力同敌人交战就是正兵，将帅使用机动部队出击就是奇兵。《问对》指出"兵散，则以合为奇；合，则以散为奇"③，兵力分散使用时就以集中为奇，兵力集中使用时就以分散为奇。当代学者许保林从兵力部署和战法运用方面概括了"奇正"的内涵："在兵力部署上，担任警戒、守备的部队为正，集中机动的主力为奇；担任钳制的为正，担任突击的为奇。在作战方式上，正面攻击为正，迂回侧击为奇；明攻为正，暗袭为奇。按一般作战原则作战为正，根据具体情况，采取特殊的方法作战为奇，等等。但这只是指一般的原则，而不是刻板的规定。"④ 这有助于今人更好地理解"奇正"的丰富内涵。

奇正兵学思想的精髓是"奇正之变"，即根据具体情况而随机应变。早在先秦时期，孙子已经论述到了奇正之间的相互转化。《问对》进一步探讨了这一问题，认为"奇正素分""以奇为奇，以正为正"，把奇正看成是相互分裂的两个方面是十分错误的，是不懂得"奇正相变，循环无穷"的道理。因此，对将领而言，"正而无奇，则守将也；奇而无正，则斗将也；奇正皆得，国之辅也"⑤。仅有奇或仅有正都有偏颇，只有将二者结合起来灵活运用，才称得上是辅佐国家的良将。《问对》关于奇正的这一观点超越了前人的认识，不再拘泥于作战过程中对奇正的识辨以及对奇正孰先孰后的把握，而把奇正作为相互联系不可分割的整体对待，在同归于胜这一点上获得统一。《问对》指出"吾之正，使敌视以为奇；吾之奇，使敌视

---

① 《李卫公问对校注》卷上。
② 《李卫公问对校注》卷上。
③ 《李卫公问对校注》卷中。
④ 许保林：《奇正》，中国人民解放军事科学院战略研究部：《中国军事百科全书·中国历代军事思想分册》，军事科学出版社，1993 年，第 230 页。
⑤ 《李卫公问对校注》卷上。

以为正……以奇为正，以正为奇，变化莫测"①，认为奇正既是不可分割的，同时在一定条件下又是可以互相转换的。在作战中到底是用正还是用奇，完全根据战场实际情况而定。《问对》在此切中奇正运用上的通病，点出了奇正理论的精髓，把精通"奇正相变"之术提到相当的高度。

《问对》在阐述运用奇正相变的问题时，强调在兵力使用上既不能过于分散，也不能绝对集中，要"有分有聚，各贵适宜"，当合则合，当散则散，同时还要及时把握战机，适时实行奇正转变。《问对》以霍邑之战等为例证，对奇正的变化做了具体的说明。李建成战斗不利，坠马，阵势稍微退却，宋老生趁机挥军进却，暴露了自己的侧翼。李世民抓住这个战机，及时率精锐骑兵连续突击宋老生阵后。李建成见状，回军厮杀，把宋老生杀个大败。扭转霍邑之战态势的关键在于李世民的骑兵突击，以奇为正，而李建成回军厮杀则是以正为奇，由此实现了"奇正相变"。

在此基础上，《问对》提出了"正亦胜，奇亦胜"的思想，极大地发展了《孙子兵法》关于"凡战者，以正合，以奇胜"的思想。《问对》指出"善用兵者，无不正，无不奇，使敌莫测。故正亦胜，奇亦胜"②，认为善于用兵的人，无处不是正，无处不是奇。奇正的运用，将帅必须根据敌情和地形，"临时制变"，慧心独用，只要运用得巧妙，用正兵也能胜，用奇兵也能胜。也就是说，《问对》认为获取战争的胜利不局限于"以奇胜"，而是奇正皆可胜，创新了孙子主张的"以正合，以奇胜"的思想。《问对》还指出，运用奇正不能停留在表面形式上，必须在具体作战中审时度势，细微观察，灵活变通，并且强调"故善用兵者，奇正在人"③，认为"奇正相变"的主导因素是人，善于统兵作战的将领能够根据敌情的变化，灵活运用奇正之术，临机处置，克敌制胜。

———————

① 《李卫公问对校注》卷上。
② 《李卫公问对校注》卷上。
③ 《李卫公问对校注》卷上。

由上可知，《问对》总结出的"奇正相变"的用兵法则，既是在继承前人思想基础上的对奇正思想的创造性发展，又是建立在考察大量战例的基础上得出的正确论断。

在深入探讨奇正兵学思想的过程中，务必正确把握奇正与示形、奇正与分合的辩证关系。

"示形"一词最早出自《孙子兵法》，是中国古代重要的兵学术语。所谓"示形"，就是将真实的企图和行动隐蔽起来，示敌以假象，最终达到欺骗敌人的目的。孙子指出"故善动敌者，形之，敌必从之；予之，敌必取之"①，达成"形人而我无形"②的终极目标。其后，不少兵家对"示形"有所阐发。《六韬》认为"夫先胜者，先见弱于敌，而后战者也，故事半而功倍焉"③，若想求得事半功倍之效，就应先示弱于敌误导对手，然后再去进攻。《管子》认为"无象胜之本"④，指出行动不露形迹是获胜之根本。《淮南子》指出"兵贵谋之不测也，形之隐匿也，出于不意，不可以设备也。谋见则穷，形见则制。故善用兵者，上隐之天，下隐之地，中隐之人。隐之天者，无不制也"⑤，认为隐蔽企图是作战重要法则，一旦暴露部署就将为敌所制。

在继承以孙子为代表的兵学家的"示形"思想的基础上，《问对》对其做了进一步的发展，主要体现在如下几方面：一是明确指出"示形"的最高境界是"形人而我无形"。《问对》认为"吾之正，使敌视以为奇；吾之奇，使敌视以为正，斯所谓'形人者'欤？以奇为正，以正为奇，变化莫测，斯所谓'无形者'欤"⑥，深入探讨了"形人""无形"与奇正的辩证关系。李世民引用孙子原话进

---

① 《十一家注孙子校理》卷中《势篇》。
② 《十一家注孙子校理》卷中《虚实篇》。
③ 《六韬》卷三《龙韬·军势》，黄朴民译：《白话五经七书》，岳麓书社，1997年。
④ 黎翔凤撰，梁运华整理：《管子校注》卷三《幼官》，中华书局，2004年。
⑤ 张双棣：《淮南子校释》卷十五《兵略训》，北京大学出版社，1997年。
⑥ 《李卫公问对校注》卷上。

行阐述："形兵之极，至于无形""因形而措胜于众，众不能知"①。因此，李靖认为"孙武所谓'形人而我无形'，此乃奇正之极致"②。二是首次揭示了示形与奇正的内在联系。《问对》指出"故形之者，以奇示敌，非吾正也；胜之者，以正击敌，非吾奇也。此谓奇正相变"③，认为示形是用奇兵而不是用正兵迷惑敌人，而战胜敌人的是我的正兵而不是奇兵。也就是说，把奇兵变正兵使用时，敌人还以为我是奇兵，而我却以正兵打击它；把正兵变为奇兵使用时，敌人还以为我是正兵，而我却以奇兵打击它。《问对》认为，奇兵和正兵相互变化、交替运用就是示形胜敌的实质，并举例指出，蕃汉易服就是利用"示形"达成"奇正相变""出奇击之"的一种手段，更多的示形方法则不可胜计。三是指出"使敌从之"是示形得以成功的关键。《问对》认为，示形之成功在于能否做到"先形之，使敌从之"，诱使敌人落入圈套才能掌握主动，夺取胜利。

此外，奇正与分合的辩证关系也同样值得关注。"分合"是指兵力的分散和集中使用，孙子称之为专分。孙子指出，"故形人而我无形，则我专而敌分。我专为一，敌分为十，是以十攻其一也"④，意为通过示形诱使敌人暴露真相，而自己则不露形迹，这样我就可以集中兵力而迫使敌人分散兵力；在兵力相当的情况下，我集中于一处而敌人分散在十处，那么我就具备了以十攻其一的优势。善用兵者应做到使我常专，使敌常分。《问对》全面地把握了分合的辩证关系，并把变化奇正与兵力的分合结合起来阐述，表明"奇正相变"的运用在于分合的适宜。大到战略上的兵力使用，小到战术上的阵法及其变化，都得讲究分合适宜。《问对》认为，兵力使用上既不能过分分散，也不能绝对集中，要"有分有聚，各贵适宜"。《问对》强调"兵散，则以合为奇；合，则以散为奇"⑤，兵力分散的时候，

① 《李卫公问对校注》卷上。
② 《李卫公问对校注》卷上。
③ 《李卫公问对校注》卷中。
④ 《十一家注孙子校理》卷中《虚实篇》。
⑤ 《李卫公问对校注》卷中。

就以兵力集中为奇；兵力集中的时候，就以分散为奇。善战者应做到把分合和奇正相变的道理与战法融会贯通，当分则分，当合则合，灵活运用，并列举"淝水之战"与"吴汉讨公孙述之战"两个战例进行论证。《问对》指出苻坚败于淝水在于兵力过分集中，"此兵能合不能分之所致也"①，有正而无奇，"分不分，为縻军"②，当分未分成为縻军，进退两难，最终战败；指出后者则是用兵分合适宜的成功战例，认为吴汉能够依据战场情况变化奇正，合理分配兵力，"此兵分而能合之所致也"③，当分则分，当合则合，分合适宜，最终获胜。《问对》深入探讨了奇正相变与兵力分合的关系，并结合战例进行深入分析，得出的结论具有较强的说服力。

通观李世民、李靖的军事实践，可谓把奇正变化运用得出神入化。元代史家胡三省曾评价道："太宗之定天下，多以出奇取胜。"④南宋学者陈亮感叹道："昔者李靖盖天下之奇才也。平突厥以奇兵，而太宗问何以讨高句丽，则欲用正兵，此其意晓然可见矣。颉利之敌，脆敌也，奇兵以临之，使之不及拒。苏文之敌，坚敌也，正兵以临之，则彼无所用其能矣。"⑤

（二）虚实的兵学思想

虚实是中国古代兵法中的一个重要命题，也是中国古代兵学术语。虚实一词始见于《孙子兵法》："兵之所加，如以碫投卵者，虚实是也。"⑥《吴子》指出"用兵必须审敌虚实而趋其危"⑦。唐太宗对孙子的"虚实"之论大加赞赏："朕观诸兵书，无出孙武。孙武

---

①　《李卫公问对校注》卷下。

②　《李卫公问对校注》卷下。

③　《李卫公问对校注》卷下。

④　《资治通鉴》卷一百九十八《唐纪十四》，太宗贞观十九年九月。

⑤　陈亮著，邓广铭点校：《陈亮集》（增订本）卷八《李靖》，中华书局，1987年。

⑥　《十一家注孙子校理》卷中《势篇》。

⑦　《吴子》卷上《料敌》。

十三篇，无出虚实。夫用兵，识虚实之势，则无不胜焉。"① 足见这一思想的重要。所谓虚实，一般是指兵力的坚实与薄弱。若从其广义来理解，被动、弱小、混乱、饥饿、疲敝、胆怯、无备等为虚，而主动、强大、严整、饱食、精锐、勇敢、有备等为实。

　　《问对》认为虚实不是静止不变的，而是可以转化的。由于措置失当等原因，占据强大优势地位的一方可以逐步转化为劣势地位。原来处于虚弱地位的一方如果能充分准备，乘敌之隙，打敌虚弱，也能转化为优势地位。李靖敏锐地发现了奇正与虚实的内在联系，指出"奇正者，所以致敌之虚实也"②，认为奇正相变是实现虚实转化的有效途径。运用奇正相变之法致敌虚实须把握以下三个要点：首先是运用奇正察敌虚实。唐太宗引用《孙子》原话并加以阐发："'策之而知得失之计，作之而知动静之理，形之而知死生之地，角之而知有余不足之处。'此则奇正在我，虚实在敌欤？"③ 李靖对此做了肯定的回答。"策之""作之""形之""角之"是我方的奇正运用，而"得失之计""动静之理""死生之地""有余不足之处"是敌人的虚实强弱。其次是运用奇正转化虚实。虚实的态势并不是固定不变的，《孙子》提出"乱生于治，怯生于勇，弱生于强"④ "敌佚能劳之，饱能饥之，安能动之"⑤，认为通过主观能动作用，可以转化原有的态势。当战争形势不利于我方时，就应当运用奇正手段逐步转化原有的虚实态势，变我虚敌实为我实敌虚。《问对》主张"以奇为正，以正为奇"，强调通过奇正相变达到"使敌势常虚，我势常实"的目的。最后是奇正相变致敌虚实。《问对》指出"敌实，则我必以正；敌虚，则我必为奇"⑥，主张用正兵对抗敌军的坚实之处，出奇兵攻击敌军的虚弱之处。敌军以为我是正兵，我就出奇兵

---

① 《李卫公问对校注》卷中。
② 《李卫公问对校注》卷中。
③ 《李卫公问对校注》卷中。
④ 《十一家注孙子校理》卷中《势篇》。
⑤ 《十一家注孙子校理》卷中《虚实篇》。
⑥ 《李卫公问对校注》卷中。

攻击它；反之，就用正兵攻击它。这样，就可以掌握主动，攻虚击弱，战而胜之。

（三）攻守、主客的兵学思想

攻守是中国古代兵学术语。一般地说，攻是积极主动的战法，守是消极被动的战法。《孙子》最早提出"不可胜者，守也；可胜者，攻也。守则不足，攻则有余"①的兵法原则，认为不被敌人战胜在于严密防守，而战胜敌人在于正确进攻。曹操在给《孙子》作注时，把"守则不足，攻则有余"这一思想解释为"吾所以守者，力不足也；所以攻者，力有余也"②。这主要是从己方力量的"不足"和"有余"来说明攻和守的。《问对》认为："前代似此相攻相守者多矣，皆曰'守则不足，攻则有余'。便谓不足为弱，有余为强，盖不悟攻守之法也。臣按《孙子》云：'不可胜者，守也；可胜者，攻也。'谓敌未可胜，则我且自守；待敌可胜，则攻之尔。非以强弱为辞也。"③《问对》对《孙子》所说的"守则不足，攻则有余"提出了自己的解释，认为"不足"不是指弱，"有余"也不指强，而是指是否具备胜算或胜利的条件。"守则不足，攻则有余"指的是当战胜敌人的条件不足时，我就防守；当取胜的条件有余时，我就进攻。这一富有新意的阐释揭示了攻守与"敌未可胜""敌可胜"的关系，指出攻守与否并不取决于己方力量的强弱，而取决于战胜敌人的条件是否充足。也就是说，当"敌未可胜"时，即使我力量有余，也不应盲目进攻，而要防守；相反，如"敌可胜"，即使我方力量不足，也要进攻而不应防守。

《问对》提出了"攻守一法""同归乎胜"的思想，主要包含以下三个要点：一是强调攻守一法，攻守是存在于战争统一体中的对应行动。《问对》认为"攻守一法，敌与我分为二事""攻守者，一

---

① 《十一家注孙子校理》卷上《形篇》。
② 《十一家注孙子校理》卷上《形篇》曹操注。
③ 《李卫公问对校注》卷下。

而已矣，得一者百战百胜"①，指出敌我双方总是分为攻守两个方面，往往是一方处于守势，另一方处于攻势。这一方如果正确地运用攻防原则，另一方就会失败。此外，攻守一法还指攻与守是克敌制胜方法的统一，两者都是为了争取战争的胜利。如果"攻不知守，守不知攻"，是不能夺取战争胜利的。二是攻守相互转换，交替使用。《问对》认为，攻守的运用是根据客观形势的需要而做出的抉择，"攻是守之机，守是攻之策，同归乎胜而已矣"②，认为进攻是防御的转机，防御是进攻的手段，两者相互依存，相互转换，交替使用。在战争中，敌对双方总是交替运用进攻和防守这两种手段，具体采用何种手段必须根据敌情、己情等具体条件而定。三是总结了攻守之法的要领。《问对》认为"守之法，要在示敌以不足；攻之法，要在示敌以有余也。示敌以不足，则敌必来攻，此是敌不知其所攻者也；示敌以有余，则敌必自守，此是敌不知其所守者也"③。也就是说，防守的要领在于显示我方力量不足的假象以蒙蔽敌人，进攻的要领在于显示我方有余的军威力量以威慑敌人。采用这一策略的原因在于：佯装兵力不足，敌人一定来进攻，使得敌人不知其不当进攻；显示兵力有余，敌人一定会防守，使得敌人不知其不当防守。

　　《问对》还提出了"变易主客"的兵学思想。在探讨"变易主客"思想之前，先要明确"主客"与"攻守"的关系问题。"主客"是指军队所处的地位，"攻守"则是指作战的基本形式，二者有着明显的区别。但与此同时，军队所处的"主客"地位正是由所采取的攻守形式来区分的，二者又有着必然的联系。因此，二者既有区别也有联系。

　　"变易主客"的兵学思想主要包含如下内容：

　　一是"兵贵为主，不贵为客"的思想。"主客"是中国古代兵

---

① 《李卫公问对校注》卷下。
② 《李卫公问对校注》卷下。
③ 《李卫公问对校注》卷下。

学术语，最早见于《孙子兵法·九地篇》："凡为客之道，深入则专，主人不克。"此处的"主"是指在本土作战的军队，"客"是指进入敌境作战的军队。《孙子》认为作战中主客双方有各自的优势：一般地说，主方有以逸待劳之利，客方有深入敌境全力拼死作战的优势，指导作战要善于把握这些特点，以便因势利导，发挥优势而夺取胜利。根据中国古代兵家对主客内涵的阐释可知，"主"一般指在战争中处于主动、进攻、有利地位的一方，"客"一般指在战争中处于被动、防御、不利态势的一方。当代学者邱心田概括道："一般说来，我为主，敌为客；防御者为主，进攻者为客；实为主，虚为客；逸为主，劳为客；饱为主，饥为客；险为主，易为客；专为主，分为客；静为主，动为客；等等。"①《问对》在继承前人的"主客"思想的基础上，主张用兵作战要争取主动地位、有利态势，摆脱被动地位、不利态势，最终得出了"兵贵为主，不贵为客"的正确结论。

二是"变易主客"之术。战争双方互为主客体，并在一定条件下相互转化。战争一方如果能够充分发挥优势，掌握战争主动权，则可由客转化为主，反之则可由主转化为客。《问对》指出"较量主客之势，则有变客为主、变主为客之术"②，比如深入敌境作战的客军，有运输线长、补给困难等诸多不利因素，应当尽力摆脱"客"军的不利地位，逐步转变为"主"军的有利地位。为了变被动为主动，《问对》提出了具体的"变易主客"之术，认为"'因粮于敌'，是变客为主也；'饱能饥之，佚能劳之'，是变主为客也"③，主张采取"因粮于敌"或"饱能饥之，佚能劳之"等战法，以使主客之势发生根本性变化。《问对》列举吴越笠泽之战和石勒破姬澹之战两个战例予以佐证。在吴越笠泽之战中，越军为客，但在作战中充分地

---

① 邱心田：《主客》，中国人民解放军军事科学院战略研究部：《中国军事百科全书·中国历代军事思想分册》，军事科学出版社，1993 年，第 232 页。
② 《李卫公问对校注》卷中。
③ 《李卫公问对校注》卷中。

调动了吴军，取得了有利的态势，完成了变客为主的转变，最终获胜。在石勒破姬澹之战中，姬澹率军远道而来，石勒派孔苌为前锋迎击。孔苌佯装退却，引诱姬澹来追。石勒变劳为逸，以伏兵夹击澹军，大获全胜。

三是"兵不拘主客"的思想。《问对》指出"兵不拘主客迟速，唯发必中节，所以为宜"①，认为用兵作战不在于在战场上处于何种地位，关键在于如何处理并转化主客地位，夺取战争主动权。主客无定势，将帅指挥得法，可以反客为主，指挥不当也可以失主为客。因此，"兵不拘主客迟速"，战争指导者必须善于因利制权，抓住作战指挥的关键环节，扼住敌人要害，使自己的行动恰到好处。

三、先爱后威、"教得其道"的治军思想

《问对》对部队管理教育和军事训练问题做了有益的探讨，蕴含着丰富的治军思想。该书认为治军的核心问题是要加强军队内部的团结，搞好官兵关系，并提出了"爱设于先，威设于后，不可反是也"②的治军原则和"教得其道"的军事训练指导思想，注重提高部队的军事素质，认为"节制之兵"事关重大，主张采用"三等之教"即分为三个阶段的训练方法，强调训练应该根据部队的不同特点，区别对待，扬长避短。《问对》关于治军问题所做的论述发人深省，其中一些带有规律性的结论至今仍具有现实借鉴意义。

（一）"爱威兼施"、先爱后威的治军原则

中国古代兵家历来重视治军，强调要恩威并施，赏罚严明，并在治军实践中贯彻施行。孙子提出"令之以文，齐之以武"的治军指导思想，强调在军队管理中要文武并用，恩威兼施。这里的"文"包含爱卒、厚赏、教育等内容，"武"包含严格管理、严惩重罚、法规约束等内容。此后的兵家均继承了这一治军思想，在治军理论与实践中坚持文武兼用，恩威并施。赏罚严明是治军的重要内容，也

---

① 《李卫公问对校注》卷中。
② 《李卫公问对校注》卷中。

是激励将士奋勇杀敌的有效手段。夏启讨伐有扈氏的甘之战中已有关于赏罚的记载，孙子将"赏罚孰明"列入"七计"。《六韬》认为"赏所以存劝，罚所以示惩""赏信罚必，于耳目之所闻见，则所不闻见者莫不阴化矣"①，主张遵从"杀一人而三军震者，杀之；赏一人而万人说者，赏之"②的原则，坚持做到赏不避仇，刑不避亲。《管子》指出："赏罚明则人不幸，人不幸则勇士劝之。"③《韩非子》指出"信赏必罚，其足以战"④，认为打胜仗的秘诀就在于做到该赏的必定赏，该罚的必定罚。《将苑》主张"小善必录，小功必赏，则士无不劝矣"⑤，强调功、善不论大小要做到一概褒奖，罪、恶不论巨细要做到一律罚贬，这是激励三军舍生忘死、勇敢杀敌的主要方法。

《问对》对古代兵家倡导的恩威并施、赏罚并用的治军原则提出了自己的见解。唐太宗提出了"严刑峻法，使人畏我而不畏敌"的问题，李靖援引了《孙子》的"卒未亲附而罚之，则不服；已亲附而罚不行，则不可用"这一段话，认为"此言凡将先有爱结于士，然后可以严刑也。若爱未加而独用峻法，鲜克济矣"⑥，主张治军要做到"爱设于先，威设于后"⑦，强调先爱抚士兵，然后才可以执行严厉的刑法。只有将士同心，士卒亲附，然后才能立威，才能明罚。《问对》进一步指出，若对士兵还未实施爱抚、给予恩惠就先使用严刑峻法，那么会出现"威加于前，爱救于后，无益于事矣"的结果。《问对》提出的这一治军思想，是在继承孙子治军思想的基础上的创新式发展，明确了治军过程中的爱与威的先后关系，具有较强的可

---

① 《六韬》卷一《文韬·赏罚》。
② 《六韬》卷三《龙韬·将威》。
③ 《管子校注》卷二《七法》。
④ 陈奇猷校注：《韩非子集释》卷十三《外储说右上》，上海人民出版社，1974年。
⑤ 诸葛亮：《诸葛亮集·文集》卷四《将苑·厉士》，中华书局，1960年。
⑥ 《李卫公问对校注》卷中。
⑦ 《李卫公问对校注》卷中。

操作性。

（二）"教得其道"的军事训练思想

《问对》十分重视部队的军事训练，提出了"教得其道"的训练指导思想。《问对》指出"教得其道，则士乐为用；教不得法，虽朝督暮责，无益于事矣"①，并提出了"三等之教"训练方法，即将士卒"分为三等：必先结伍法，伍法既成，授之军校，此一等也；军校之法，以一为十，以十为百，此一等也；授之裨将，裨将乃总诸校之队，聚为阵图，此一等也。大将军察此三等之教，于是大阅，稽考制度，分别奇正，誓众行罚"②。由此可见，"三等之教"是一个可分为伍法训练、军校训练、阵法训练三个阶段的训练方法，强调由浅入深，先简后繁，循序渐进。李靖推而广之，认为学习兵法也"必先由下以及中，由中以及上，则渐而深矣。不然，则垂空言，徒记诵，无足取也"③。这是一条成功的经验，今天仍不失其进步的意义。

综合《问对》所述，现将"三等之教"简介如下：

伍法训练是指五人为伍，分别装备五种兵器，通常是弓矢、殳、矛、戈、戟，前三者为长兵，后二者为短兵，相互协助，取长补短，以发挥整体的战斗力。到了唐代，伍的组成发生了一些变化，"自五人而变为二十五人，自二十五人而变为七十五人。此则步卒七十二人，甲士三人之制也。舍车用骑，则二十五人当八马，此则五兵五当之制也"④。虽然伍法训练并不复杂，但它是各种综合性训练的基础。因此，《问对》指出，教战"必先结伍法""诸家兵法，唯伍法为要"⑤。

军校训练是建立在伍法训练基础上的更大编组且较高一级的军

---

① 《李卫公问对校注》卷上。
② 《李卫公问对校注》卷中。
③ 《李卫公问对校注》卷下。
④ 《李卫公问对校注》卷中。
⑤ 《李卫公问对校注》卷中。

事训练。"军校之法，以一为十，以十为百"。军校训练的方法是从小到大，从低级到高级，把五十人编为一队，五百人编为十队来教练，并以此进行推演训练。军校训练是伍法训练向阵法训练过渡的一个阶段，也是军事训练中不可或缺的一个环节。

阵法训练是按照阵图之法进行的训练，通过严格队列阵形，使全军上下动作协调一致，适应敌情变化，充分发挥军队的战斗力。《问对》中唐太宗李世民与李靖所述的阵与阵图包括八阵图、太公阵、偏伍之阵、六花阵、五行阵、鱼丽之阵、四兽之阵等。《问对》中的阵法训练主要依循六花阵，而六花阵源于八阵法，其阵法为："大阵包小阵，大营包小营，隅落钩连，曲折相对……外画之方，内环之圆，是成六花。"① 六花阵组合严密，阵形变化多端。《问对》强调阵法训练应该注重基本步伐和动作的训练，尤其要重视训练将士识别和使用旗帜、金鼓等指挥信号，反复进行集中和分散的演练，并提出了识别和使用旗帜、鼓音的方法。《问对》还强调要注重对方、圆、曲、直、锐等阵形转换的演练，指出只有在平时的分列训练中熟练掌握阵形变换的要旨，才能在大规模的检阅时灵活运用，发挥其阵势的最大威力。

此外，《问对》还提出了军事训练要区别对象分别对待的观点。该书注意到蕃兵与汉兵的不同特点，即"蕃长于马，马利乎速斗；汉长于弩，弩利乎缓战"②，蕃汉士兵各有所长。针对这一情况，《问对》主张"汉戍宜自为一法，蕃落宜自为一法，教习各异，勿使混同"③，认为在训练时应根据部队各自的具体情况，采取不同的训练方法，区别对待，扬长避短，以收到最佳的训练效果。《问对》提出的"教得其道"的军事训练思想，对于提高军队战斗力具有重要的指导意义。

---

① 《李卫公问对校注》卷中。
② 《李卫公问对校注》卷上。
③ 《李卫公问对校注》卷上。

（三）德才兼备、首重将德的选将用将思想

古代军事家十分重视将领的选拔任用。《孙子兵法》提出了"智、信、仁、勇、严"五个方面的选将标准。《六韬》指出"故兵者，国之大事，存亡之道，命在于将。将者，国之辅，先王之所重也，故置将不可不察也"①，强调任用将帅要认真考察。非德才兼备、智勇双全的将领不能任用，否则只会败军辱国。《淮南子》提出将帅必须具备"三隧""四义""五行""十守"，对将帅在"德"与"才"方面提出全面、具体的要求。所谓三隧，就是"上知天道，下习地形，中察人情"②。所谓四义，就是"便国不负兵，为主不顾身，见难不畏死，决疑不辟罪"③，即将帅要忠于国家、忠于君主，为国为君不顾个人安危。所谓五行，是指"柔而不可卷也，刚而不可折也，仁而不可犯也，信而不可欺也，勇而不可凌也"④，主张将领要做到柔和、刚强、仁慈、守信、勇敢。所谓十守，是指"神清而不可浊也，谋远而不可慕也，操固而不可迁也，知明而不可蔽也，不贪于货，不淫于物，不嗫于辩，不推于方，不可喜也，不可怒也"⑤，对将领提出了具体的十条行为准则。在将帅德与才的关系上，中国古代兵家多倾向于"将德"高于"将才"。孙膑提出将领必须具备"忠""信""敢"，把"忠"放到首位。不少兵家都主张把将德置于将才之前，认为徒有将才而没有将德是不称职的将领，强调将德乃是为将之根本。

《问对》对将帅问题的论述有独到见解，充分肯定将帅的重要作用，论述了将帅应具备的品格修养，尤其强调了将德的重要性，主张选将用将应首重将德。《问对》指出，将帅侍奉君主应"当朝正色，忠以尽节，信以竭诚"⑥，做到忠心耿耿，竭尽赤诚，选将用人

---

① 《六韬》卷三《龙韬·论将》。
② 《淮南子校释》卷十五《兵略训》。
③ 《淮南子校释》卷十五《兵略训》。
④ 《淮南子校释》卷十五《兵略训》。
⑤ 《淮南子校释》卷十五《兵略训》。
⑥ 《李卫公问对校注》卷中。

当推举"忠义之臣",反对任用"外貌下士,内实嫉贤"① 者。当
然,《问对》也主张领兵将帅必须具备必要的将才,指出"故善用
兵者,奇正在人",善战者能够因敌制变,临机处置;"奇正皆得,
国之辅也",充分肯定了善于用兵的将帅在一国之中所处的重要地
位。《问对》还特别强调了将领必须具备卓越的指挥作战才能,做到
"善战者,立于不败之地,而不失敌之败也"②,继承并发展了孙子
的思想,强调将领要善于伐谋取胜,"不战而屈人之兵者上也,百战
百胜者中也,深沟高垒以自守者下也"③。

四、攻心守气、"用众在乎心一" 的心战思想

《问对》含有丰富的心战思想,第一次同时提出了"攻心"与
"守气"的命题,并揭示了其内在联系,初步构建了攻心与守气的心
战体系,进一步发展了孙子提出的"夺气之法",提出了"用众在
乎心一"④ 的心战思想,强调指挥军队作战的关键在于统一意志,
而统一意志的关键又在于破除迷信,消除将士尤其是统帅的疑虑。

(一)"攻其心,守吾气",坚持攻心与守气的统一

中国古代心战思想源远流长,早在先秦时期就已产生并形成了
较为成熟的思想体系。"攻心"一词的出现最早可以追溯到战国时
期,《通典》载齐国军师孙膑向齐威王献策:"凡伐国之道,攻心为
上,务先服其心。"⑤ 史载马谡向诸葛亮提出建议:"夫用兵之道,
攻心为上,攻城为下,心战为上,兵战为下。"⑥ "守气"一词出自
《左传》昭公十一年,杨伯峻注:"守气谓保守身体之气。"后来兵
家将其借用到心战领域,孙子提出了"治气""治心"的兵学术语,

---

① 《李卫公问对校注》卷下。
② 《十一家注孙子校理》卷上《形篇》。
③ 《李卫公问对校注》卷下。
④ 《李卫公问对校注》卷下。
⑤ 《通典》卷一百六十一《兵典十四·先攻其心》。
⑥ 陈寿:《三国志》卷三十九《蜀书·马谡传》注引《襄阳记》,中华书局,
1959 年。

孙膑主张"激气""利气""厉气""延气"，后世兵家在此基础上又做了进一步的探讨，但是将攻心与守气作为一个完整的心战体系予以深入考察、系统阐述者却是《问对》。

《问对》主张"攻其心"与"守吾气"相辅相成，不可分割。《问对》敏锐地注意到心战的攻防关系，强调一方面要攻心，另一方面要守气，在心战中做到攻心与守气紧密结合，攻守兼备。《问对》指出"夫攻者，不止攻其城击其阵而已，必有攻其心之术焉；守者，不止完其壁坚其阵而已，必也守吾气而有待焉"①，指出进攻不仅仅是攻占敌人的城池与军阵，还必须有瓦解敌人军心的方法；防守不只是巩固阵营壁垒的防御，还必须保持旺盛的士气以待机破敌。《问对》在此明确指出了攻心与守气是完整而不可分割的心战体系，强调了在作战过程中必须坚持二者的统一，极大地发展了前人的心战思想。

《问对》揭示了攻心守气与知彼知己的内在联系，即攻其心者为知彼，守吾气者为知己。《问对》认为"夫攻其心者，所谓知彼者也；守吾气者，所谓知己者也"②，明确了攻心与守气的本质；随后又就如何知彼与知己提出了自己的观点，指出"先料敌之心与己之心孰审，然后彼可得而知焉；察敌之气与己之气孰治，然后我可得而知焉。是以知彼知己，兵家大要"③，认为作战前要先分析敌人的作战企图与我方的作战意图谁更审慎周密，然后敌人作战企图是否高明就可以知道了；察明敌人的士气与我军的士气谁更旺盛，然后我方能不能夺取胜利就可以知道了。所以说知彼知己是兵家必须掌握的重要原则。这是《问对》在心战思想方面对孙子提出的"知彼知己"观点的创造性发挥与阐释。不论其合理与否，毕竟是在当时历史条件下对前人兵学观点的重新认识与补充，自成一家之言。

《问对》在继承孙子思想的基础上，极大地充实、丰富了"夺

---

① 《李卫公问对校注》卷下。
② 《李卫公问对校注》卷下。
③ 《李卫公问对校注》卷下。

气之法"的内涵。《问对》充分肯定了《孙子》提出的"三军夺气之法",并对其进一步阐述,指出"所谓朝气锐者,非限时刻而言也,举一日始末为喻也。凡三鼓而敌不衰不竭,则安能必使之惰归哉"①,认为"朝气锐"并不是专指一日之中某个特定的时间,而是以一天的开始和结束作比喻。已经经过前后三鼓的激战,而敌人的士气仍然是不衰不竭,又怎能一定会使敌人懈怠思归呢?《问对》强调将领必须根据战场实际情况灵活施用兵法,切不可拘泥于书本,徒诵空文而已。只有领悟兵法所蕴含的道理,领兵作战方能战胜攻取。

（二）"用众在乎心一"的心战思想

中国古代兵家与政治家历来十分重视将士同心的重要性,深刻意识到重视己方内部团结、上下一心、众志成城对于赢得战争胜利具有非同寻常的意义。孙子认为"上下同欲者胜"②,指出只有将帅与士兵的目标一致,才能形成万众一心、奋勇杀敌的高昂士气。他还认为,克敌制胜的首要条件是"道",指出"道者,令民与上同意也"③,即要做到举国上下意志统一。《司马法》指出"凡胜,三军一人,胜"④,认为只有做到三军上下团结得像一个人那样,才能获取战争的胜利。《吕氏春秋》指出"三军一心,则令可使无敌矣。令能无敌者,其兵之于天下也,亦无敌矣"⑤,认为如果全军将士的思想和意志能够做到高度统一,那么贯彻执行军令就会所向无敌,其军队也会在天下所向无敌。《淮南子》指出"群臣亲附,百姓和辑,上下一心,君臣同力,诸侯服其威,而四方怀其德,修政庙堂

---

① 《李卫公问对校注》卷下。

② 《十一家注孙子校理》卷上《谋攻篇》。

③ 《十一家注孙子校理》卷上《计篇》。

④ 《司马法》卷下《严位》,《中国兵书集成》编委会:《中国兵书集成》第一册,解放军出版社、辽沈书社,1987年。

⑤ 吕不韦辑,毕沅辑校:《吕氏春秋》卷八《仲秋纪·论威》,中华书局,1991年。

之上而折冲千里之外，拱揖指㧑而天下响应，此用兵之上也"①，强调君臣同心协力，上下一心对于治国理军极其重要。在继承前人思想的基础上，《问对》提出"用众在乎心一"②，认为用兵作战的关键在于将士意志统一，强调全军上下只有同心同德，内部团结，军心稳定，方能同仇敌忾，英勇杀敌。

（三）"禁祥去疑"，破除迷信

"禁祥去疑"一语出自《孙子兵法·九地篇》，意思是指在军中严禁妖祥之言，废除迷信活动，消除将士疑虑。在中国历史上，迷信心理与军事斗争常常是联系在一起的，从传说中的黄帝、蚩尤时期到陈胜、吴广起义，再到绿林、赤眉起义，以及近代的太平天国与义和团运动，将迷信心理运用于军事的战例不胜枚举。必须指出的是，将帅利用迷信手段激发士气、鼓舞斗志是在特定历史条件下的行为，具有相当大的局限性，并非制胜的长久之术，一旦掌控不当，反而会造成军队混乱、人心离散。正因如此，中国古代兵家强调要做到禁妖祥而稳定军心。孙子指出"禁祥去疑，至死无所之"③，梅尧臣注曰："妖祥之事不作，疑惑之言不入，则军必不乱，死而后已。"④《司马法·定爵》指出军中必须"灭厉祥"，也就是要消灭妖魔鬼怪之类妖言。《六韬》强调："伪方异技，巫蛊左道，不祥之言，幻惑良民，王者必止之。"⑤《黄石公三略》明确规定："禁巫祝，不得为吏士卜问军之吉凶。"⑥《问对》继承了前人反对迷信巫术的思想，指出"心一在乎禁祥去疑。倘主将有所疑忌，则群情摇；群情摇，则敌乘衅而至矣"⑦，认为上下同心、三军同力的关键在于"禁祥去疑"，禁止迷信，反对阴阳，消除主将疑虑，防止军心

---

① 《淮南子校释》卷十五《兵略训》。
② 《李卫公问对校注》卷下。
③ 《十一家注孙子校理》卷下《九地篇》。
④ 《十一家注孙子校理》卷下《九地篇》梅尧臣注。
⑤ 《六韬》卷一《文韬·上贤》。
⑥ 《黄石公三略·中略》，黄朴民译：《白话武经七书》，岳麓书社，1997 年。
⑦ 《李卫公问对校注》卷下。

动摇，不给敌人乘虚而入的机会。《问对》还对将领提出了忠告，指出"今后诸将有以阴阳拘忌失于事宜者，卿当丁宁诫之"①，认为今后如有将领拘泥于阴阳术数而贻误战机的，应再三劝诫他们。

总之，《问对》继承并发展了先秦以来的兵学思想，深入探讨了古代军制、阵法及其演练、军事训练、兵学源流等一系列问题，尤其是对《孙子》提出的奇正、虚实、攻守、主客等兵学范畴，以及夺取战争主动权的问题进行了富有新意的阐发，丰富和发展了中国古代兵学思想，称得上是一部颇有价值的兵书。自问世以来，《问对》备受世人重视。北宋神宗元丰年间，该书作为武学科举教材被收入《武经七书》之中。毋庸置疑，《问对》也存在一些不足之处，但丝毫不影响其独有的兵学理论价值和学术地位。

第三节　《问对》的兵学价值及影响

《问对》涉及面广，论述精辟，不仅探讨了《孙子兵法》提出的"奇正""攻守"等兵学范畴，试图总结若干作战指导规律，而且能发前人之所未发，对阵法的源起、兵制的演变、教阅原则及其与实战的关系等诸多问题提出了独到的见解。此外，《问对》还系统梳理了兵学发展源流，在汉代兵学研究的基础上，别出心裁地将兵学划分为以张良和韩信为代表的两大流派，对于推进军事学术的发展发挥了积极作用，在中国兵学史上理应占有一席之地。

一、创造性地诠释兵学范畴，推陈出新，深化了兵学理论研究

《问对》用语通俗，但所阐述的问题却几乎都是兵学重要话题，所体现出来的思想也比较深刻，且常能在前人论述的基础上生发新的观点，不落窠臼，颇有新意，尤以对"奇正""攻守""主客"等

---

① 《李卫公问对校注》卷下。

兵学范畴的诠释为成功典范。

《问对》强调"奇正"可以互相转化，军事指挥员要善于主动积极地掌控奇正的转化，通过巧妙地转化奇正，使敌出现误判，从而达到示形惑敌直至误敌的目的。"主客"原指在本土作战的一方和进入敌境作战的一方，后世兵家把战争中的敌对双方及其所处态势分别称为主和客。《问对》在深入探讨"主客"范畴的基础上，独具匠心地提出变客为主、变主为客之术。《问对》重新解读了《孙子兵法》所提出的"因粮于敌"思想，将其作为进攻一方的"变客为主之术"，同时将围城打援、长围久困等方法作为对付防守一方的"变主为客之术"。《问对》还探讨了"攻守"范畴，对《孙子兵法》提出的"守则不足，攻则有余"做出了新的阐释，认为"不足""有余"是指胜算的条件不充足或者足够，"守则不足，攻则有余"是指当战胜对手的条件不足时，我就防守；当取胜的条件充足时，我就进攻。在此基础上，《问对》进一步论述了攻守的辩证统一关系，有创意地提出了"攻是守之机，守是攻之策，同归乎胜而已矣"①的新观点，强调进攻是防守的转机，防守是进攻的手段，攻与守都是克敌制胜的必不可少的有效手段。高明的指挥员可根据战场态势、敌情我情、地形、对方指挥员的心理特征以及双方军心士气等状况，综合考量，因情制宜，临机选择进攻或防守，也可以在战争进程中由攻转守或由守转攻。《问对》还将"攻守"与心战联系起来，指出进攻必须攻敌之心，防守必须保持己军士气，敏锐地察觉士气在"攻守"中所发挥的不可低估的影响力，从而极大地丰富了"攻守"的兵学内涵。

二、考镜源流，务求本义，深入探寻兵法原旨

自《孙子兵法》在兵学领域阐述"奇正"，《孙膑兵法》提出"八阵""十阵"后，"奇正""阵法"便成为后世兵家反复研讨的重要兵学命题。但由于史料亡佚、道兵家的演义附会以及一些不实之

---

① 《李卫公问对校注》卷下。

论以讹传讹，致使"奇正""阵法"的本义变得扑朔迷离，令后人无从把握，也影响其在军事实践中的运用。

《问对》深入探讨了"奇正"的起源，认为奇正起源于八阵的队形变换。也就是说，"奇正"与"阵法"之间存在密切的关联。《问对》指出，八阵乃是古制，源于丘井之法。古时分田采用井田制，形似井字，八家同井，四井为邑，四邑为丘，故称丘井之法。古人在配置阵法时借用了此法，即"五为阵法，四为闲地"，中央的空地留给大将居中指挥，围绕中央的外围八个部分就是后人所谓的东、南、西、北、东南、西南、西北、东北八阵。根据《握奇经》记载，天地风云四阵为正，龙虎鸟蛇四阵为奇，由四正四奇组成八阵，中央机动兵力为中军。依照如上所述，"奇正"最早缘于丘井之法，后由此衍变为五阵，再由五阵衍变为八阵，由八阵分出四正四奇，"奇正"就此产生。姑且不论《问对》这番推论是否成立，至少其所论及的上述内容给后人提供了一条思路，有助于继续深化对"奇正"范畴的研讨。

《问对》还对兵学源流的若干问题进行了深入讨论。李靖在书中认为兵学"大体不出三门四种而已"，其中的"四种"正是对《汉书·艺文志》中的相关内容的呼应。《汉书》曰："权谋者，以正守国，以奇用兵，先计而后战，兼形势，包阴阳，用技巧者也。""形势者，雷动风举，后发而先至，离合背乡，变化无常，以轻疾制敌者也。""阴阳者，顺时而发，推刑德，随斗击，因五胜，假鬼神而为助者也。""技巧者，习手足，便器械，积机关，以立攻守之胜者也。"① 但是，《问对》并没有停留于此，而是进一步指出"权谋、形势、阴阳、技巧四种，皆出《司马法》也"②。《问对》尝试以张良和韩信为切入点，指出这两位兵家的兵学传承相异，即"张良所学，太公《六韬》《三略》是也；韩信所学，穰苴、孙武是也"③，

---

① 《汉书》卷三十《艺文志》。
② 《李卫公问对校注》卷上。
③ 《李卫公问对校注》卷上。

张良、韩信各为两大兵学流派的代表人物。显然,《六韬》《三略》与《司马法》《孙子兵法》的兵学主旨是很不一样的。《六韬》集先秦兵家和诸子论兵之精华,对经国治军、战争观、战略战术等问题进行了广泛而深入的探讨,在总结性的阐述中也有所创新,反映在《王翼》《教战》《文伐》等篇目之中。《三略》深受黄老学派的影响,重在为君主提供治国统军、御将御众之略,政略为主,兵略为辅。显然,张良从此二书中更侧重于学习战略层次的整军经武之道,旨在为君主谋划战争、庙算胜敌提供有价值的建议。《司马法》杂糅兵、法、儒家思想于一体,尤以"尚法"为主的治军思想为后世称道。《孙子兵法》历来被尊为兵经、兵学圣典,构建了博大精深的思想体系,深刻揭示了军事领域中一些带有普遍性的规律,是中国兵学思想的奠基石。尽管其内容富赡、议题广泛、高度思辨、辞约义丰,但谋求克敌制胜之道乃是贯穿《孙子兵法》始终的主旨。无论是"不战而屈人之兵"的全胜战略思想、因敌制胜的作战指导思想,还是具体的示形惑敌、实施诡道、任势用权等用兵之道,《孙子兵法》的着眼点与落脚点都是使敌屈服或投降,战胜敌人,赢得战争的胜利。显然,从此二书尤其是《孙子兵法》中,韩信更侧重于学习战术层次的作战指导之道和以法治军之道,旨在带兵独当一面,战胜攻取。《问对》以这两个代表性的兵家为切入点,促使兵学两大流派就此分野,尽管略显粗疏,但毕竟对后世兵学具有启发意义,有助于后人在此基础上继续深化对这一问题的研究。

三、紧贴实际,注重治军实践,具有鲜明的实用主义色彩

唐太宗、李靖都是身经百战、戎马一生的将帅,拥有丰富的实战经验和超出常人的远见卓识。正由于他们的特殊战争经历和军事才华,《问对》一书处处可见唐、李二人对话中闪现出的兵学智慧火花,对兵学问题的真知灼见颇具学术价值。尽管《问对》也涉及对兵学范畴、阵法、兵制等兵学理论的讨论,但无疑其关注的焦点乃是当时军队的现实问题,尤其是治军实践中遇到的问题。唐、李二人在书中着重对部队管理和军事训练问题进行了深入的探讨。首先

提出了"爱威兼施"、先爱后威的治军原则，强调先爱抚士卒，然后才能立威明罚，明确了治军过程中的爱与威的先后关系，具有较强的可操作性。其次提出了"教得其道"的军事训练指导思想和"三等之教"的训练方法，强调由浅入深、先简后繁、循序渐进，区别训练对象，分别对待。这对于提高当时部队的军事训练水平具有很强的指导意义。《问对》所着力探讨的均是密切关联治军现实的重大问题，比如管理、训练是否得当直接影响军队战斗力，所提出的具体主张大多注重实效，符合实际情形，体现了不尚虚名、不图虚功的实用主义特色。

　　四、注重史论结合，生动解析战例，引领研习兵学新风潮

　　在《武经七书》中，《问对》不仅在所着力探讨的兵学主题上迥异他书，而且在语言、文风方面也独树一帜。胡应麟讥笑"其词旨浅陋猥俗，兵家最亡足采者"①，恰好从反面印证了该书的与众不同之处，语言虽简易，意旨却深远。尤为后人称道的是，《问对》大量运用史论结合方法深入探讨兵学理论，遂使其书价值远远高于同时代其他兵书。

　　《问对》继承了《孙子兵法》的史论结合方法，只不过《孙子兵法》仅是偶尔运用，而《问对》则发扬光大之，成功地将这一方法大量运用于全书。《问对》之所以如此重视史论结合方法，不仅因为此法能够准确抓住事物的本质，通过评点兵家、战史、战例，生动揭示蕴含其中的兵法原则，将抽象的兵学理论具体化，使读者产生直观形象的效果；而且也因为这一方法非常契合《问对》谈天说地、纵横议论的问答体裁，在双方引经据典、一问一答的过程中，将战例的解析、人事的得失、阵法的演变、兵学的源流娓娓道来。《问对》成功实践了史论结合研究兵学之路，叙事与言理相统一，对后世兵学产生了深远的影响。宋代以后详举战例研习兵学蔚然成风，兵略类兵书层出不穷，这正是对《问对》论兵风格的传承与发展。

―――――――――――

① 胡应麟：《少室山房笔丛》卷十五《四部正讹（中）》，中华书局，1958 年。

　　总之,《问对》是一部颇有价值的兵书,提出了一些创见,对前人的一些思想做了进一步的发展。毋庸置疑,该书也存在一些错误和不足之处,但丝毫不影响其独有的理论价值和学术地位。

第五章　隋唐五代兵学的学术建树

隋唐五代的兵学著作散佚严重①，留存至今者屈指可数，但丝毫不能因此而抹杀这一时期的兵学贡献。后人通过《李靖兵法》等兵书，以及该时期文臣武将的奏疏、策论、注解等，还有类书、别集等著作中的论兵之作，大致可以了解其兵学概貌。隋唐五代兵学的学术建树主要反映在以下几方面：以《唐太宗李卫公问对》（前已专章论述）《李靖兵法》《太白阴经》为代表的兵书中的富有创新价值的兵学思想，在探讨"奇正""虚实"等兵学范畴、拓展兵学内涵、增强兵学实用性等方面取得了较大成就；执掌枢机者的奏疏、策论中的兵学主张，多是针对现实问题而提出的具体对策、建议，其中有不少被最高统治者采纳并付诸实施，收到实效；文人论兵的兵学见解，既有对兵经《孙子兵法》的注解，又有对兵书内容的辑录、分类，还有个人对若干兵学问题发表的有创见的观点。隋唐五代兵学取得了多方面的学术建树，对后世兵学产生了不容忽视的影响。

---

① 据许保林《中国兵书知见录》统计，隋唐五代存目兵书共著录 166 部，776 卷，现均已亡佚。

第一节　高颎"取陈之策"的"多方
以误之"兵学思想

　　隋朝虽然存世不长，却涌现出了一大批彪炳史册的文臣武将。在这些熠熠生辉的群星之中，高颎无疑是最闪亮者。他既是一位出色的政治家，又是一位满腹韬略的军事家。若深入探究其军事业绩及用兵特点，更准确地说，高颎应被称为军事谋略家。《隋书》评论他"有文武大略，明达世务"①是比较公允的。高颎通晓兵事并非在位高权重之后，早在北周时，担任左大丞相的杨坚就已经"素知颎强明，又习兵事，多计略"②。由此可见，高颎在显达之前就以过人的军事才华而名重一时，进而被杨坚瞩目，并任其为相府司录。从此，高颎成为杨坚心腹，深受重用，在隋朝巩固政权、平定天下的过程中，充分施展了自身的军事才干，发挥了他人不可替代的作用。

　　隋灭陈之前，自西晋灭亡以后呈现的南北对峙局面已经维持了二百余年。经过长期的民族融合，民族矛盾逐渐缓和，饱受战乱之苦的民众渴望结束战争，恢复统一的局面，享受和平稳定的生活。隋文帝杨坚即位后，励精图治，大刀阔斧推行政治、经济改革，整顿吏治，发展经济，国力蒸蒸日上，国家面貌焕然一新。在此历史背景下，隋文帝顺时而为，着手实现统一天下的大业。尽管隋朝国力、军力远胜于陈朝，完全掌握了战略主动权，但是杨坚依然秉持慎战的态度。他广泛地征询群臣意见，集思广益，以便形成一个会聚众人之智的最优化的统一方略。深受隋文帝赏识的高颎早在杨坚初定统一战略蓝图之时，便呈献了深思熟虑的"取陈之策"：

---

① 《隋书》卷四十一《高颎传》。
② 《隋书》卷四十一《高颎传》。

江北地寒，田收差晚，江南土热，水田早熟。量彼收获之际，微征士马，声言掩袭。彼必屯兵御守，足得废其农时。彼既聚兵，我便解甲，再三若此，贼以为常。后更集兵，彼必不信，犹豫之顷，我乃济师，登陆而战，兵气益倍。又江南土薄，舍多竹茅，所有储积，皆非地窖。密遣行人，因风纵火，待彼修立，复更烧之。不出数年，自可财力俱尽。①

文韬武略的高颎筹划和指导统一战争带有鲜明的个人色彩，善于从全局谋划，充分考虑经济、心理等因素对战争的影响，克服了纯军事观点的局限性，能够以宽广的战略视野思考如何推进统一大业，收到了用功小而收效大的效果。

高颎所献"取陈之策"，着重从摧毁对手的作战能力、战争潜力、作战意志和弱化其战备观念入手，全面削弱陈朝军队的有形力量和无形力量，破坏软实力和硬实力双管齐下，为最终采取军事行动一举灭陈创造了有利条件。从兵学角度而言，"取陈之策"体现了孙子"谋攻"思想的要义，不求百战百胜，但求先弱敌而后取之，也就是孙子所说的"胜兵先胜而后求战，败兵先战而后求胜"②。联系兵学史上的相关论述与事例，高颎"取陈之策"更深刻地体现了"多方以误之"的兵学思想。《唐太宗李卫公问对》指出："此所谓'多方以误之'之术也。……善用兵者，先为不可测，则敌乖其所之也。"③《问对》所提及的"多方以误之"，是对历史上成功的用兵法则的高度概括，其核心思想就是诡道用兵，先谋后战，以高超的谋略误导对手，获取最佳的战争效益。

早在先秦时期，"多方以误之"就已经被运用于战争实践。春秋后期，晋悼公在三驾之役中深刻洞察了楚国的战略意图，成功实施

① 《隋书》卷四十一《高颎传》。
② 《十一家注孙子校理》卷上《形篇》。
③ 《李卫公问对校注》卷上。

了三分四军、轮番击楚疲楚的战争指导思想，通过轮流派军攻伐郑国，以此引诱、调动楚军，最终达到了疲惫楚军的目的。① 这一疲敌思想对后世兵家产生了较大影响，伍子胥深受启发并对该思想做了创造性运用。自春秋中期以后，随着社会生产力的发展，远离中原争战之扰的吴国迅速崛起，后与西邻楚国产生尖锐矛盾。晋国出于争霸中原的考虑，定下联吴制楚之策，主动与吴国结盟，从军事上挟持吴国，怂恿其相机从侧后打击楚国。此后数十年间，吴楚之间争战不已。吴王阖闾即位以后，垂询伍子胥关于伐楚的意见。伍子胥深入分析了楚国的态势，并提出了自己的主张："楚执政众而乖，莫适任患。若为三师以肄焉，一师至，彼必皆出。彼出则归，彼归则出，楚必道敝。亟肄以罢之，多方以误之。既罢而后以三军继之，必大克之。"② 吴王采纳了伍子胥所提出的"轮番袭扰以误敌"的破楚之策，"多方以误之"遂成为吴国伐楚的战略指导思想，其核心要义在于派遣吴军轮番袭扰各路楚军，使楚军疲于奔命，应接不暇，在反复袭扰过程中消磨楚军斗志，并造成其错觉，使其放松警惕。该策略在实施数年后收到了奇效，使得楚军疲于奔命，逐渐丧失斗志。显然，高颎的"取陈之策"与伍子胥的"多方以误之"之计有异曲同工之妙。

高颎所献"取陈之策"，亦是着眼于削弱陈国的国力、军力，打击陈军的士气，涣散其军心，从而为下一阶段的灭陈统一战争奠定基础。在实施策略过程中，高颎主张不以歼敌和攻城为目的，而以袭扰疲敌为指针；不与对手发生正面激烈冲突，而是虚晃一枪，多方调动对手，使其深陷疲惫状态。具体而言，"取陈之策"的内容要点如下：首先是"废其农时"③，破坏陈朝的农业生产。高颎建议趁敌国收获之际，我方调集少量兵力虚张声势，有意对外散布偷袭对

① 参见黄朴民：《春秋军事史》，军事科学院主编：《中国军事通史》第二卷，军事科学出版社，1998年，第265—270页。
② 《春秋左传注》（修订本），昭公三十年。
③ 《隋书》卷四十一《高颎传》。

方的消息，迫使其不得不抽调军队全面防守，以防备我方袭击。这样就会打断其正常的农业生产，长此下去就会使其粮食欠收，经济凋敝。其次是佯动误敌，隐真示假，欺骗对手。利用常人见多不怪的心理，再三重复同一件事情，即"彼既聚兵，我便解甲"①，以此令其放松警惕，逐渐解除戒备。高颎此举意在为之后隋军发起突袭行动创造条件。最后是焚毁其储积，耗尽其财力。高颎熟知陈朝内情，根据江南不同于北方的储藏物资方式，抓住"舍多竹茅"和"所有储积，皆非地窖"的致命弱点，建议采取火攻之法烧毁其军需给养。他提出的上述三条举措分别着眼于破坏对手粮食生产、解除其战备心理、耗尽其财力，强调通盘运筹和综合实施，体现了深远的战略目光和高超的系统思维。杨坚完全采纳其策并付诸实践，促使陈朝在数年间便呈现出经济困乏、江防虚弱、士气衰落的景象。开皇八年（588），隋朝在大好形势之下，分兵七路，势如破竹，顺利灭陈。隋朝之所以能够很快就取得统一战争的胜利，高颎功不可没。

首创于先秦时期并为高颎沿用的"多方以误之"的兵学思想，立足于深入研判战略态势的基础之上，从有效袭扰敌国入手，以麻痹对手、使其将士懈怠为落脚点，最终为下一阶段的军事行动创造有利态势。若从作战手段来探讨这一思想，成功之处就在于将袭扰战与心战巧妙地统一起来，通过一系列的袭扰战，达成了误敌的心战目的，也就是促使对方指挥员对己方战略意图、作战方针以及军事行动产生误判，并由此做出错误的决策。

第二节　长孙晟"攻突厥之策"的伐交思想

隋朝初立，面临北有突厥、南有陈朝并立的局面。如何运筹隋

---

① 《隋书》卷四十一《高颎传》。

与突厥、陈朝的关系并进而为统一战争营造有利态势，是对隋朝统治者的巨大考验。当隋文帝确立"北战南和""先北后南"的方略后，尽快消除突厥威胁便成为隋朝当务之急。当时，曾经出使突厥的长孙晟向隋文帝提出了颇有远见、切中要害的对策，帮助隋朝在不动声色之中成功地分化瓦解了突厥，使其力分而势孤，为最终制服突厥奠定了基础。

突厥是活跃于我国北方地区的一个游牧民族，曾长期附属于柔然①，后于西魏废帝元年（552）推翻柔然贵族统治，建立突厥政权。突厥拥有较强的军事力量，常乘中原各政权争战不休之机，不断向南扩张和袭扰掠夺，致使"中国惮之，周、齐争结姻好，倾府藏以事之"②。

隋文帝开皇三年（583），突厥汗国分裂为东、西两部，即东突厥汗国与西突厥汗国。地处漠北的东突厥汗国首领号为可汗，妻号可贺敦。各级官吏都世代相袭，父兄死后由子弟继承。西突厥的主要组成部分是突厥十姓部落，史载："可汗分其国为十部，部以一人统之，人授一箭，号十设，亦曰十箭。……其下称一箭曰一部落，号十姓部落云。"③ 至7世纪中叶，十姓部落已发展至"胜兵"（具备作战能力者）数十万人，其官制大致与东突厥相同。西突厥统叶护可汗即位后，开始进行拓地战争，首先把兵力指向西北边境，"北并铁勒，西拒波斯，南接罽宾，悉归之，控弦数十万，霸有西域，据旧乌孙之地"④，武功达于极盛。

长孙晟早年曾护送北周千金公主与突厥和亲，在突厥停留了一年左右。在此期间，他广泛地接触突厥各部落，深入了解突厥统治阶层内部的权力纠葛与利害冲突，熟知各可汗的性格以及为人处事的特点，尤其是掌握了其各自的致命弱点。正因深知突厥内情，长

---

① 古族名，史书又称其为"蠕蠕""芮芮""茹茹"等。
② 《隋书》卷八十四《突厥传》。
③ 《新唐书》卷二百一十五下《突厥传下》。
④ 《旧唐书》卷一百九十四下《突厥传下》。

孙晟在所上奏议中提出的"远交而近攻，离强而合弱"①的伐交谋略，便显得极具针对性与可操作性，既务实又高瞻远瞩，体现了孙子的伐交思想的精髓。孙子主张"上兵伐谋，其次伐交，其次伐兵，其下攻城"②，认为"不知诸侯之谋者，不能预交"③，强调"威加于敌，则其交不得合"④，伐交的本旨在于陷敌于孤立的境地，直至迫使敌人屈服。长孙晟充分汲取了兵家、纵横家等流派的思想精华，提出了适宜的伐交谋略。

当然，"远交近攻"并非始自长孙晟，早在春秋战国时期就已出现，并被成功运用于实践。首次明确提出"远交近攻"策略者是战国时期的范雎。当时，范雎担任秦国的客卿，向秦昭王深刻分析了秦国所面临的天下大势，批评了其错误的战略行动。范雎指出，秦军越过韩、魏两国去攻打齐国是一大失策，"少出师则不足以伤齐，多出师则害于秦"⑤，建议秦王"不如远交而近攻，得寸则王之寸也，得尺亦王之尺也。今释此而远攻，不亦缪乎"⑥。范雎辅助秦王明确了统一天下的战略指导思想，扭转了错误的军事外交方针，冷静而务实地从地缘角度剖析列国利害关系，军事与政治手段兼施，由近及远，逐步蚕食邻国，在武力攻伐邻近之国时，通过外交手段结交盟国，为武力推行统一战争营造有利态势。"远交而近攻"的军事外交策略为秦国顺利完成统一大业奠定了坚实基础。

长孙晟亦是着眼于隋朝统一大业并针对突厥可汗的内部矛盾而提出了伐交谋略，坚持分化瓦解与军事打击相结合，先离间突厥各可汗关系，使其互相争斗不已，在逐渐削弱其力量的基础上，再相机一举扫平，彻底解除北疆威胁。他主张隋朝应采取适宜的举措才能收到实效，否则得不偿失，甚至还会反受其累，认为制服突厥

① 《隋书》卷五十一《长孙晟传》。
② 《十一家注孙子校理》卷上《谋攻篇》。
③ 《十一家注孙子校理》卷下《九地篇》。
④ 《十一家注孙子校理》卷下《九地篇》。
⑤ 《史记》卷七十九《范雎蔡泽列传》。
⑥ 《史记》卷七十九《范雎蔡泽列传》。

"难以力征，易可离间"①，提出了自己的通盘考虑。

> 今诸夏虽安，戎虏尚梗，兴师致讨，未是其时，弃于度外，又相侵扰，故宜密运筹策，有以攘之。玷厥之于摄图，兵强而位下，外名相属，内隙已彰；鼓动其情，必将自战。又，处罗侯者，摄图之弟，奸多势弱，曲取众心，国人爱之，因为摄图所忌，其心殊不自安，迹示弥缝，实怀疑惧。又，阿波首鼠，介在其间，颇畏摄图，受其牵率，唯强是与，未有定心。今宜远交而近攻，离强而合弱。通使玷厥，说合阿波，则摄图回兵，自防右地。又引处罗，遣连奚、霫，则摄图分众，还备左方。首尾猜嫌，腹心离阻，十数年后，乘衅讨之，必可一举而空其国矣。②

长孙晟全面而深入地分析了当时突厥各可汗之间的真实状况，指出突厥内部的摄图、玷厥、处罗侯、阿波四位可汗表面上团结友好，实际上各怀猜忌，相互防备。摄图被立为突厥大可汗，称为沙钵略可汗，地位高于其他可汗，但并没有建立巩固的政权；摄图之叔玷厥称为达头可汗，势力强大，却受制于摄图，地位处于摄图之下，心怀不满；摄图之弟处罗侯称为突利可汗，虽然势力不强，但为人诡计多端，善于收揽人心，因深受百姓喜爱而遭到摄图的猜忌，于是内心惶恐不安；摄图从兄弟大逻便称为阿波可汗，力量弱小，奉行灵活的策略，惯于见风使舵，往往依附强者。在做了这一番鞭辟入里的分析后，长孙晟将深思熟虑的谋略和盘托出："今宜远交而近攻，离强而合弱。通使玷厥，说合阿波，则摄图回兵，自防右地。又引处罗，遣连奚、霫，则摄图分众，还备左方。"③ 由此使其内部相互猜嫌，腹心离阻，而后再等待时机，乘隙出击，就必定可以扫

---

① 《隋书》卷五十一《长孙晟传》。
② 《资治通鉴》卷一百七十五《陈纪九》，宣帝太建十三年十二月。
③ 《隋书》卷五十一《长孙晟传》。

灭突厥。

隋文帝立即采纳了长孙晟的建议，随后派遣太仆元晖经伊吾（治今新疆哈密市伊州区）出使突厥玷厥，"赐以狼头纛，谬为钦敬，礼数甚优"①；玷厥使者到隋时，隋有意将其引居摄图使者之上，以此挑拨双方关系，"反间既行，果相猜贰"②。隋文帝又派长孙晟为车骑将军，出黄龙道，携带大量钱财赏赐奚、霫、契丹等部，"遣为向导，得至处罗侯所，深布心腹，诱令内附"③，对处罗侯说以利害，诱之附隋。事情的发展正如长孙晟所料，突厥内部互相猜疑，矛盾激化，互相攻伐不已，很快衰落下去。开皇三年（583），突厥分裂，实力大削。同年四月，隋文帝颁布《伐突厥诏》，深刻总结了周、齐两朝对突厥采取"倾府库之财""资而为贼"之策的教训，申明要改变策略，对突厥实施战略反击。隋军分兵八路，大败突厥，最终迫使摄图可汗上书表示永为臣附。此后，文帝又立突利为启民可汗，将宗室女嫁给其为妻，并在朔州筑大利城，屯兵防御达头。在3年左右的时间里，隋廷采用"远交而近攻，离强而合弱"的战略，以较小的代价和适度的反击，基本实现了对突厥势力的分化和控制，解除了来自突厥的安全威胁。

长孙晟在继承前人思想的基础上，灵活结合隋初突厥的实际情况，有针对性地提出了"离强合弱"的伐交策略，以分化瓦解突厥各部为核心，充分利用突厥内部的矛盾，对其采取多方离间、分化瓦解的手段，使各可汗之间互相猜忌、自相残杀，不断削弱其力量。等到突厥势力衰弱、元气大伤之际，隋文帝趁机给以坚决有力的军事打击，一举击垮突厥，收到了事半功倍的效果，堪为中国古代历史上实施伐交的成功范例。

---

① 《隋书》卷五十一《长孙晟传》。
② 《隋书》卷五十一《长孙晟传》。
③ 《隋书》卷五十一《长孙晟传》。

第三节　李靖《李靖兵法》的兵学创新

隋唐之际，战争样式有了新的变化，尤其是轻骑兵代替重甲骑兵对战争组织协同、战术运用等产生了深远影响，也相应地反映在该时期的兵书上。优秀的将帅会自觉地适应时代的发展需求，及时更新战争理念与战术战法，采取更合理的兵种协同战术、武器配置原则和作战训练原则，总结用兵、治军之道。李靖是初唐杰出的军事家，《李靖兵法》是反映这一时期兵学思想成就的代表作，在诸多方面对前代兵学有所突破，结合初唐战争实践的变化，提出了新的兵学主张。

《李靖兵法》亦称《大唐卫公李靖兵法》《卫公兵法》。《通典·兵典》保存了该书的部分内容。清代学者汪宗沂根据《通典》《十一家注孙子》《太平御览》《武经总要》等书所载相关佚文，辑成《卫公兵法辑本》，分为上、中、下三卷。

一、颇有创新的用兵思想

李靖身处战术变革的时代，轻骑兵盛行一时，作战思想也面临着新旧交替。生逢乱世的李靖投身于大唐平定天下的统一战争和巩固边疆的战争之中，顺应了当时军事思想发展的潮流，在战争实践中体现了出敌不意，长驱直入，快速突袭，穷追猛打的用兵特点。纵观其一生，李靖参与的主要战役先后有平定萧铣之战、平定辅公祏之战、击灭东突厥之战、西征吐谷浑之战等。在这些战役中，李靖无论是在水战还是在陆战中，均注重抓住有利战机，趁敌不备或疏忽之时，通过快速行动，对敌实施出其不意的攻击；在初战得手之后，往往会一鼓作气实施连续打击，不给对手喘息之机，即使敌人侥幸逃遁，他也会不辞辛苦，穷追猛打，直至彻底歼敌。如在西征吐谷浑之战中，李靖以主帅身份率军征讨，长驱疾进，在击败吐谷浑部众后，克服兵马疲惫、缺粮断水的困难，深入沙碛，实施追歼行动，突袭吐谷浑主力部队，重创对手，充分反映了其果敢进击、穷追猛打、歼敌务尽的用兵思想。

（一）料敌制胜，注重权变

李靖身经百战，具有丰富的作战经验。久经沙场的他格外强调以谋取胜，而非力战搏胜。李靖指出："夫将之上务，在于明察而众和，谋深而虑远，审于天时，稽乎人理。"[1] 尽管这是针对将帅职责而说的，但观其军事实践，"谋胜"是贯穿李靖用兵指导思想始终的一条主线。他推崇"谋胜"并非无所凭依，而是建立在"料敌"基础之上。李靖花费大量篇幅谈论如何料敌，这也是一名优秀将领应具备的军事素养。

李靖的"料敌"言论约略包含如下几方面内容。

一是侦察敌情。获取敌情有多种途径，侦察就是其中比较直接而重要的一种方式。"侦察"一词虽然出自《后汉书》"为汉侦察匈奴动静"[2]，但早在先秦时期就已广泛运用于战争实践。《孙子兵法》主张通过战场侦察并做精确分析，准确地把握敌方的真实意图，并对春秋时期以前的侦察手段进行了理论总结，将其归纳为后人所谓的"相敌三十二法"。

> 敌近而静者，恃其险也；远而挑战者，欲人之进也。其所居易者，利也。众树动者，来也；众草多障者，疑也。鸟起者，伏也；兽骇者，覆也。尘高而锐者，车来也；卑而广者，徒来也；散而条达者，樵采也；少而往来者，营军也。辞卑而益备者，进也；辞强而进驱者，退也。轻车先出，居其侧者，陈也。无约而请和者，谋也。奔走而陈兵车者，期也；半进半退者，诱也。杖而立者，饥也；汲而先饮者，渴也；见利而不进者，劳也。鸟集者，虚也；夜呼者，恐也。军扰者，将不重也；旌

---

① 《十一家注孙子校理》卷上《形篇》杜牧注引李靖语。
② 范晔：《后汉书》卷九十《乌桓传》，中华书局，1973 年。

旗动者，乱也；吏怒者，倦也。粟马肉食，军无悬缶，不返其
舍者，穷寇也。谆谆翕翕，徐与人言者，失众也。数赏者，窘
也；数罚者，困也；先暴而后畏其众者，不精之至也；来委谢
者，欲休息也。兵怒而相迎，久而不合，又不相去，必谨
察之。①

李靖并未如孙子那样详述侦察之法，而是着重阐述如何开展侦
察活动。他指出：

凡是贼徒，好相掩袭。须择勇敢之夫，选明察之士，兼使
乡导，潜历山原，密其声，晦其迹，或刻为兽足，而却履于中
途；或上冠微禽，而幽伏于丛薄。然后倾耳以遥听，竦目而深
视，专智以度事机，注心而候气色，见水痕则可以测敌济之早
晚，观树动则可以辨来寇之驱驰也。②

李靖不仅提出了侦察人选的问题，更重要的是探讨了为达成侦
察目的而必须遵循的行动要领。这些侦察要领是久经戎阵的将帅历
经长期战争实践锤炼之后总结出来的。李靖所说的侦察主要是指派
出专人到远离驻地的特定地方侦探敌情，古人常将此类侦察人员称
为"探候""斥候"，多用于行军或作战之前。李靖对"探候"的行
动要领做了明确阐述，指出：

诸军马既逼贼庭，探候事须明审。诸营住及营行，前后及
左右厢肋上，五里着马两骑，十里更加两骑。十五里更加两骑，
至三十里，一道用人马十二骑。若兵多，发引稍长，肋上即更
量加一两道，使令相见。其乘马人，每令遥相见，常接高行，
各执一方面异旗，无贼此旗常卷，见贼即须速展。军营见旗展，

①　《十一家注孙子校理》卷中《行军篇》。
②　《通典》卷一百五十七《兵典十·乡导》。

即知贼至，须觅稳处。①

　　正由于深刻意识到事先掌握敌情攸关己方战略筹划与作战指导，李靖强调指出："敌之动静，而我必有其备；彼之去就，而我岂不得保其全哉。"② 将侦察提升到保全己方的高度，足见李靖对侦察的非同寻常的重视。

　　二是用间。最早系统深入地阐述用间理论者，莫过于《孙子兵法》。孙子提出了"五间"，区分了五种间谍："故用间有五：有因间，有内间，有反间，有死间，有生间。五间俱起，莫知其道，是谓神纪，人君之宝也。因间者，因其乡人而用之。内间者，因其官人而用之。反间者，因其敌间而用之。死间者，为诳事于外，令吾间知之，而传于敌间也。生间者，反报也。"③ 虽然孙子可谓"用间"理论之鼻祖，但是不少观点并未完全展开阐述，有些言辞过于简略。李靖在用间理论上没有更多创新，但对孙子的一些论点做了进一步的阐述，极大地丰富了相关内容，尤其对如何区分对象实施富有针对性的用间进行了探讨。他首先列举了用间对象，包括敌国的君主及其亲信、近臣、贤人、能人、外交人士以及敌国的支援国、友好邻国。从中可能看出，李靖主张用间主要是围绕敌国的君主以及能够影响敌国生存与发展的特定人群、国家而展开。其次归纳了五种用间方法："有因其邑人，使潜伺察，而致词焉；有因其仕子，故泄虚假，令告示焉；有因敌之使，矫其事而返之焉；有审择贤能，使觇彼向背虚实，而归说之焉；有佯缓罪戾，微漏我伪情浮计，使亡报之焉。"④ 并且叮嘱道："凡此五间，皆须隐秘，重之以赏，密之又密，始可行焉。"⑤ 最后详细地探讨了怎样实施反间计。他认为

---

① 《通典》卷一百五十七《兵典十·下营斥候并防捍及分布阵》。
② 《通典》卷一百五十七《兵典十·乡导》。
③ 《十一家注孙子校理》卷下《用间篇》。
④ 《通典》卷一百五十一《兵典四·间谍》。
⑤ 《通典》卷一百五十一《兵典四·间谍》。

实施反间计必须做到"理须独察于心，参会于事"①，这样才不会上当受骗。李靖强调"即我之所须，为彼之所失者，因其有间而反间之"②，在识别了对手派来刺探情报的间谍后，要佯装不知，将计就计，故意把假情报泄露给他，"彼若将我虚而以为实，我即乘其弊而得其志矣"③，从而在有效地误导敌人之后实施打击，用力小而收效大。李靖所提出的用间之法具有较强的可操作性，是对孙子用间理论的有益补充。

三是判断敌情，通权达变。高明的将帅不仅重视多方收集情报，而且注重依据已探明的敌情做出正确的判断。孙子指出，"将不能料敌，以少合众，以弱击强，兵无选锋，曰北""料敌制胜，计险厄、远近，上将之道也"④。孙子所谓的"料敌"是根据敌我兵力的多少和军队战斗力的强弱以及作战的地形、距离所做出的判断。李靖对"料敌"在作战中所占据的地位给予了充分的肯定，指出"统戎行师，攻城野战，当须料敌，然后纵兵"⑤，将其视为攻伐行动的前提。李靖对"料敌"做出了自己的理解，就其所包含的内容进行了详细的阐述："料其彼我之形，定乎得失之计，始可兵出而决于胜负矣。当料彼将吏孰与己和，主客孰与己逸，排甲孰与己坚，器械孰与己利，教练孰与己明，地势孰与己险，城池孰与己固，骑畜孰与己多，粮储孰与己广，工巧孰与己能，秣饲孰与己丰，资货孰与己富。"⑥认为如果能够就上述因素做出正确的判断，没有不会成功的。显然，这一阐述极大地丰富了孙子的"料敌"思想。为达成此目的，李靖对指挥员提出了要求，即"军无小听，听必审也；战无小利，利必大也"⑦，指出将领统率军队必须做到明察秋毫而不偏听

① 《通典》卷一百五十一《兵典四·间谍》。
② 《通典》卷一百五十一《兵典四·间谍》。
③ 《通典》卷一百五十一《兵典四·间谍》。
④ 《十一家注孙子校理》卷下《地形篇》。
⑤ 《通典》卷一百五十《兵典三·料敌制胜》。
⑥ 《通典》卷一百五十《兵典三·料敌制胜》。
⑦ 《通典》卷一百五十《兵典三·料敌制胜》。

偏信，争取大利而不贪图小利。他认为，在不明真相的情况下，将帅应将掌握的各种信息相互参证、核实，在经过严格验证、反复推敲后再予以采用。

当然，仅此还是不足以确保正确"料敌"，李靖强调将帅必须因情制宜，精通权变之道，并就如何灵活处置"小寇"与"大敌"进行对比阐述。

> 若遇小寇而有不可击者，为其将智而谋深，士勇而军整，锋甲坚锐而地险，骑畜肥逸而令行：如此则士蓄必死之心，将怀擒敌之计，此当固而待之，未得轻而犯也。如逢大敌而必可斗也者，彼将愚昧而政令不行，士马虽多而众心不一，锋甲虽广而兵刃不坚，居地无固而粮运不继，卒无攻战之志，旁无军马之援：此可袭而取之。①

李靖通过两种截然不同的处置之道，深刻地阐明了自己的观点，不论是攻城还是野战都要事先"料敌"，绝不能被对手的表象迷惑，必须透过表象全面而准确地分析其将领、士卒、治军、战场地形、后勤补给以及军心士气等诸多状况，由此方能对敌情做出正确的判断。

为进一步引起战争指导者和各级指挥员的关注，李靖将"料敌"上升到了关乎"决胜"的战略高度进行阐述："夫决胜之策者，在乎察将之材能，审敌之强弱，断地之形势，观时之宜利，先胜而后战，守地而不失，是谓必胜之道也。"② 随后，他详细地列举了在战场上可能出现的若干敌情，并给出了正确的应对之策。

> 若上骄下怨，可离而间；营久卒疲，可掩而袭；昧去迷就，士众猜嫌，可振而走；重进轻退，遇逢险阻，可邀而取。若敌

---

① 《通典》卷一百五十《兵典三·料敌制胜》。
② 《通典》卷一百五十《兵典三·料敌制胜》。

人旌旗屡动，士马数顾，其卒或纵或横，其吏或行或止，追北恐不利，见利恐不获，涉长途而未息，入险地而不疑，劲风剧寒，刳冰济水，烈景炎热，倍道兼行，阵而未定，合而未毕，若此之势，乘而击之。①

从其一系列论述中可以看出，李靖主张用兵尚权，在判断敌情过程中表现得尤其显著。他强调："夫将之上务，在于明察而众和，谋深而虑远，审于天时，稽乎人理。若不料其能，不达权变，及临机对敌，方始趑趄，左顾右盼，计无所出，信任过说，一彼一此，进退狐疑，部伍狼藉，何异趣苍生而赴汤火，驱牛羊而啖狼虎者乎？"②

联系李靖所指挥的一系列战役，亦可看出他的"临机果，料敌明"③ 的用兵特点，在勇擒颉利可汗、平灭东突厥之战中体现得淋漓尽致。贞观三年（629），东突厥发生内乱，李靖奉命出征。次年正月，李靖率军出敌不意地进军至恶阳岭（今内蒙古和林格尔南），夜袭颉利可汗盘踞的定襄城（今内蒙古和林格尔西北），很快攻破了城池。李靖的进军行动完全出乎颉利的意料，导致其惊恐万状，迅即携牙帐向北逃遁，随后又在白道（今内蒙古呼和浩特西北）被唐军击败。屡战屡败的颉利可汗在不利处境下为保全自己，遣使入朝谢罪，唐太宗下诏允许其投降。当唐朝使者唐俭前往抚慰颉利可汗之时，李靖深入分析了敌情，认为"颉利虽败，其众犹盛，若走度碛北，保依九姓，道阻且远，追之难及"④，决定根据当时唐朝"诏使至彼，虏必自宽"⑤ 的情形，趁其放松戒备之时，临机应变，果断出击。于是，他率军连夜出击，对突厥牙帐实施奇袭。而这时颉

---

① 《通典》卷一百五十《兵典三·料敌制胜》。
② 《十一家注孙子校理》卷上《形篇》杜牧注引李靖语。
③ 《新唐书》卷九十三《李靖传》。
④ 《资治通鉴》卷一百九十三《唐纪九》，太宗贞观四年二月。
⑤ 《资治通鉴》卷一百九十三《唐纪九》，太宗贞观四年二月。

利可汗刚见过唐朝使者，完全解除了对唐军的戒备。唐军一举得手，大获全胜。李靖在此战中善于料敌，准确地把握了颉利"外为卑辞，内实犹豫"的狡诈心态，认为其居心叵测，企图借表面归降唐廷，为自己谋取东山再起的时间。在正确料敌的基础上，李靖着眼大局，通权达变，舍小而取大，置此时身在突厥大营的唐俭而不顾，果断把握稍纵即逝的战机，"勒兵夜发"①，奔袭颉利可汗，收到了攻其无备、出其不意的效果。

（二）速决战与持久战须因敌制宜

《孙子兵法》在总结前人作战理论和实践经验的基础上，提出了"兵贵胜，不贵久"的速决战理论。在春秋时期之前的战争实践中，虽然也出现过持久作战的情形，但受到当时的武器装备、后勤保障、战争动员、军事工程以及作战指导理论等一系列时代因素的制约，速决战思想仍然居于主导地位。孙子深入地阐述了这一思想，主张"攻其无备，出其不意"②，在敌人意想不到的情况下，对其进行措手不及的突然攻击，从而达成速胜的目的。要达成速胜目的，孙子强调所采取的军事行动必须做到快速性、突然性、隐蔽性。其中突然性居于主导地位，必须做到"兵之情主速"③，而快速性、隐蔽性的最终目的均是为了达成对敌军事行动的突然性。孙子还主张"避实而击虚"④，避开强大之敌而打击弱小之敌，或避开敌人强点而打击其弱点，核心要义是以优势对劣势，以集中对分散，以众击寡，造成一种"以碫投卵"⑤的态势；强调要"夺其所爱"⑥，即夺占敌人要害之处。这些论述极大地丰富了速胜思想的内容，但囿于时代因素，孙子未曾论及持久作战。

在李靖之前，世人论及久速大多止于持久作战对己之害，未见

---

① 《资治通鉴》卷一百九十三《唐纪九》，太宗贞观四年二月。
② 《十一家注孙子校理》卷上《计篇》。
③ 《十一家注孙子校理》卷下《九地篇》。
④ 《十一家注孙子校理》卷中《虚实篇》。
⑤ 《十一家注孙子校理》卷中《势篇》。
⑥ 《十一家注孙子校理》卷下《九地篇》。

持久作战对敌之害,更未分析当形势逆转,对敌之害远远大于对己之害时,持久作战对己之利和意义。李靖对前人大量的战争案例做了深入扎实的研究,同时总结了自己的战争实践经验,对久速这对军事范畴进行了辩证而务实的阐述。基于军事斗争的普遍情形,他承认"用兵上神,战贵其速"①,并转引《吕氏春秋》云:"凡兵者,欲急捷,所以一决取胜,不可久而用之矣。"② 然而,究竟选择速决战还是持久战绝不是单纯由己方所决定的,务必考察彼己双方的态势,甚至可以说应该更多地考察对手的实际情形,举凡敌将指挥能力、军队斗志及战斗力、武器装备、战争准备、军纪、辎重、作战地形等状况,都必须全面准确地掌握并予以深入分析。一旦遭遇劲敌,持久战不失为更明智的选择。如果对方"敌将多谋,戎卒辑睦,令行禁止,兵利甲坚,气锐而严,力全而劲"③,那么己方依然采取速决战就是冒险之举,绝非上策。李靖主张"当卷迹藏声,蓄盈待竭,避其锋势,与其持久,安可犯之哉! 廉颇之拒白起,守而不战;宣王之抗武侯,抑而不进是也"④。由此可见,他提出在适合的条件下采用持久作战方针,是在借鉴历史经验的基础上提出来的,即以往廉颇在长平以持久战成功抗拒白起、司马懿在五丈原以持久战成功抗拒诸葛亮的作战经验。无论是速决战还是持久战,成功的秘诀皆在于"因敌制胜"。

(三)用兵须善用气势、地势、因势

作为兵学范畴上的"势",最早出自《孙子兵法》。孙子指出,"激水之疾,至于漂石者,势也""故善战者,求之于势,不责于人,故能择人而任势"⑤,认为战胜攻取不单纯依靠军事实力,还必须营造有利的作战态势,从而能够有效地发挥己方军事实力的优势。

---

① 《通典》卷一百五十四《兵典七·兵机务速》。
② 《通典》卷一百五十四《兵典七·兵机务速》。
③ 《通典》卷一百五十四《兵典七·兵机务速》。
④ 《通典》卷一百五十四《兵典七·兵机务速》。
⑤ 《十一家注孙子校理》卷中《势篇》。

"勇怯，势也"①，态势对于军队战斗力和将卒士气具有直接影响。态势有利，怯者可以变为勇者；态势不利，勇者则会变为怯者。怯者与勇者的转换是由作战态势所决定的，足见"势"在用兵过程中占有举足轻重的地位。正由于"势"对于军队战斗力的强弱具有不可低估的影响，后世兵家均不断深化对"势"的探讨。孙膑指出"凡兵之道四：曰陈（阵），曰埶（势），曰变，曰权。察此四者，所以破强適（敌），取孟将也"②，将"势"视为用兵之道的一个部分，并对"势"的内涵发表了个人看法："何以知弓奴（弩）之为埶（势）也？发于肩应（膺）之间，杀人百步之外，不识其所道至，故曰弓弩埶（势）也。"③《吕氏春秋》将孙膑的用兵特点总结为"孙膑贵势"④ 是颇有道理的。后世兵家又不断丰富"势"的内涵，形成了颇具中国兵学特色的"乘势"思想。《淮南子·兵略训》提出"胜在得威，败在失气"，杜预指出"今兵威已振，譬如破竹，数节之后，皆迎刃而解，无复着手处也"⑤，均强调适时利用高涨的军威士气乘势破敌。李靖传承了该思想，认为"凡事有形同而势异者，亦有势同而形别者。若顺其可，则一举而功济；如从未可，则暂动而必败"⑥，将帅指挥作战能够乘势而为，则必能一举成功，反之就会失败。在此基础上，李靖提出：

> 兵有三势，一曰气势，二曰地势，三曰因势。若将勇轻敌，士卒乐战，三军之众，志厉青云，气等飘风，声如雷霆，此所谓气势也。若关山狭路，大阜深涧，龙蛇盘阴，羊肠狗门，一夫守险，千人不过，此所谓地势也。若因敌怠慢，劳役饥渴，风波惊扰，将吏纵横，前营未舍，后军半济，此所谓因势也。

① 《十一家注孙子校理》卷中《势篇》。
② 《孙膑兵法校理》上编《势备》。
③ 《孙膑兵法校理》上编《势备》。
④ 《吕氏春秋》卷十七《审分览·不二》。
⑤ 房玄龄等：《晋书》卷三十四《杜预传》，中华书局，1974 年。
⑥ 《通典》卷一百五十八《兵典十一·审敌势破之》。

若遇此势，当潜我形，出其不意，用奇设伏，乘势取之矣。①

这里的"气势"注重激发将士旺盛的斗志和昂扬的士气；"地势"注重抢占有决定性意义的重要关隘、通道、路口等，类似于孙子所说的地形中的"隘形""圮地""围地"；"因势"注重抓住敌军的虚弱之处和破绽，诸如官兵意志懈怠、劳累、饥渴、惊扰、行军半济等状况，趁机予以打击，也就是兵法所谓的"乘敌之隙"。显然，"因势"来源于孙膑所说的"善战者因其势而利导之"② 之语。李靖提出的"三势"对后世产生了深远影响，北宋兵学家许洞认为"势之任者有五：一曰乘势，二曰气势，三曰假势，四曰随势，五曰地势"③，其中的"气势""地势"即源于《李靖兵法》。

二、明赏罚、重将帅的治军思想

李靖在治军方面卓有成效，构建了一套治军思想体系，突出体现在以法治军、严格训练、重视将帅选拔三个方面，其中以法治军是其治军思想的核心。自《周易·师》提出"师出以律"的主张，先秦以来的兵家不断探究、研讨以法治军思想，其中秦晋兵学代表了先秦法家学派的主流思想。他们注重建立和完善军队法规制度；明法审令，强化将士法纪观念；在治军中厉行赏罚，执法如山；倡导令文齐武，恩威兼施。在李靖之前，兵家们已经逐渐形成了系统的以法治军思想，具有十分丰富的内涵。

首先，治军必先立法定制。建立健全完善的军事法律制度对于提高指战员的素质和军队的战斗力，对于军队形成协调、统一、迅速的军事行动具有重要作用。孙子提出"凡治众如治寡，分数是也；

---

① 《通典》卷一百五十八《兵典十一·审敌势破之》。
② 《史记》卷六十五《孙子吴起列传》。
③ 许洞：《虎铃经》卷三《任势》，《中国兵书集成》编委会：《中国兵书集成》第六册，解放军出版社、辽沈书社，1992年。

斗众如斗寡，形名是也"①，《六韬》提出"凡领三军，有金鼓之节"②，《商君书》指出"凡用兵，胜有三等。若兵未起则错法，错法而俗成，［俗成］而用具。此三者行于境内，而后兵可出也"③，认为"错法"乃是用兵制胜的基础。《尉缭子》深入阐述了"制必先定"的思想，强调"凡兵，制必先定。制先定则士不乱，士不乱则刑乃明"④。诸葛亮总结蜀军治军的经验教训，指出"有制之兵，无能之将，不可以败；无制之兵，有能之将，不可以胜"⑤，深刻认识到军法制度建设比将领才能更加重要，建立健全军法制度关乎军队成败。

其次，明法审令，教戒为先，牢固树立军法观念。中国古代以法治军思想主张申明军法，务使将士明确了解军法内容，烂熟于胸，牢固树立军规法纪观念。据《史记》记载，孙武在吴宫教战时，首先申明训练法规，法规申明完毕，"乃设铁钺，即三令五申之"⑥。当有人违反训练法规时，孙武没有急于实施处罚，而是"复三令五申"⑦，始终将申明军法作为严格执法的前提，并且身体力行，付诸实践。《六韬》认为，"将必先明告吏士，申之以三令，以教操兵起居，旌旗指麾之变法"⑧，强调必须将军事法令颁布于全军，使战士都明白军事法令的规定，才能够使全军上下行动一致。

再次，执法如山，信赏必罚，不徇私情，重在严格执法。中国古代兵家历来强调严格执法，将其视为军队出师征战的必备条件。孙子将"法令孰行"作为庙算的重要依据之一，以此使"勇者不得独进，怯者不得独退"⑨。司马穰苴率军出征前，在辕门立表计时，

① 《十一家注孙子校理》卷中《势篇》。
② 《六韬》卷六《犬韬·教战》。
③ 蒋礼鸿：《商君书锥指》卷三《立本第十一》，中华书局，2018 年。
④ 《尉缭子》卷一《制谈》。
⑤ 《诸葛亮集·文集》卷二《兵要》。
⑥ 《史记》卷六十五《孙子吴起列传》。
⑦ 《史记》卷六十五《孙子吴起列传》。
⑧ 《六韬》卷六《犬韬·教战》。
⑨ 《十一家注孙子校理》卷中《军争篇》。

不畏国君权威，按照军法斩杀了未按时到达军营的监军庄贾，被赞誉为严格执法的典范。西汉周亚夫治军有方，令行禁止，军容整肃，堪称中国古代治军之楷模。中国古代兵家认为，严格执法的关键在于如何实施赏罚，能否做到赏罚公正，从而达到扬善抑恶、激励士气的目的。因此，有功必赏，有罪必罚，历来被兵家视为"军中要柄"。《六韬》指出："凡用赏者贵信，用罚者贵必。"① 只有"赏信罚必"②，才能使军士心悦诚服，为其所用。在执行赏罚时，以法治军思想强调务必执行统一的赏罚标准，做到赏不私亲，罚不私怨，不论贵贱、亲疏、恩仇、爱憎，凡有功者一律按法行赏，凡有罪者一概按律论罪。赏罚有节有度，在实行赏罚时讲究时效，不失时机，做到及时有信，从速从快地赏功罚罪，从而达到整肃军纪的目的。

最后，将帅带头守法，率先垂范，坚决维护军法的至上权威。将帅在国家和军队建设中占有重要地位，"治军先治将"是中国古代军事家的共识。古代以法治军思想高度重视将帅在治军过程中的示范作用，以此作为推进军队法治建设的抓手。蜀国丞相诸葛亮指出"教令之政，谓上为下教""故人君先正其身，然后乃行其令"③，强调将帅要注意在治军理政中的示范效应，并且躬身实践，率先垂范。在北伐魏国之战中，诸葛亮误用马谡，导致街亭失守，要求依法处分自己，自贬三等，带头严格执法。据《三国志·魏书·武帝纪》记载，东汉末年，曹操率军征战四方，在一次行军时坐骑不慎踩坏了庄稼，按照军法应当处死，他主动割发代首，对自己施以重罚④，带头守法，维护了军法的威严，对于在军队坚决贯彻军法起到了积极的促进作用。李靖汲取了先秦以来兵家思想的精粹，提出了一系列以法治军的主张，对后世产生了一定的影响。

（一）严明赏罚，严格管理

---

① 《六韬》卷一《文韬·赏罚》。
② 《六韬》卷一《文韬·赏罚》。
③ 《诸葛亮集·文集》卷三《便宜十六策·教令》。
④ 割发被中国古人视为大逆不道的不孝行为，在古代是一种较重的处罚。

　　身经百战的李靖之所以能够统兵作战无坚不摧，正是依靠严明的军纪，由此锻造出一支强大军队。他在实战过程中形成的以赏罚为核心的军队管理思想，体现了明显的实用主义色彩，所提出的法令、条规、原则具有较强的可操作性。

　　《李靖兵法》所涉及的军队法规的内容非常丰富，涵盖军队管理、军队纪律、军队编制、作战条令、训练条令、行军条令等诸多方面。李靖主张在军队建立并维持一个规范的内部秩序，各级将士在其位、尽其责，任何人不享有特权，不可恣意妄为，强调"诸将士不得倚作主帅及恃己力强，欺傲火人，全无长幼，兼笞挞懦弱，减削粮食、衣资，并军器、火具恣意令擎，劳逸不等"①，指居要职的将士不得做出违反军队管理条例的行为；对器械的领取、日常保养、验收都做出了明确规定，强调军器"常须磨砺修补，亦不得毁弃"②；严禁军营内部传播谣言、偷盗、赌博等行为，规定"无首从同罪"；对部队行军扎营所用旗帜、牧马、乘马等的管理做了详细规定。此外，李靖还特别探讨了军中的立功奖赏和处死情形，指出奖赏适用于战场受伤人员，检举揭发人员，战场上夺敌旗、杀敌将、破敌阵、挫敌锋者，从战场上救回受伤旗头者等；死刑则适用于泄露军情者、弃军逃亡者、延误时间迟到者、私通敌人者等。

　　《李靖兵法》所列举的军队条令、法规的各项规定十分具体、明确和广泛，涉及军队各项活动，为规范内部秩序提供了依据。但同时也须指出，其中的不少规定非常严厉，固然体现了以法治军的特色，但有时过于严苛，不免出现滥罚、用刑过重的情形。比如，李靖规定部队严格管理牲畜，"擅取者及借不送，并剪破印及毛尾者，斩""行列不齐，旌旗不正，金革不鸣，斩之"③，队伍行列不整齐，举挂旌旗偏斜，兵器铠甲未擦亮的，处以死刑。由此可见，李靖所制定的军法虽然对于整肃军纪不无裨益，但终究还是存在量刑过重

———————————

①　《通典》卷一百四十九《兵典二·杂教令》。

②　《通典》卷一百四十九《兵典二·杂教令》。

③　《通典》卷一百四十九《兵典二·杂教令》。

的情形。

严明赏罚是李靖以法治军的核心思想，以此激励士气、严肃军纪，使受奖赏者更加昂扬奋进，使受处罚者心悦诚服。《李靖兵法》指出"持军之急务，莫大于赏罚"①，代表了李靖对待赏罚的基本观点，并从多方面论证了该观点。首先，李靖主张"善无微而不赞，恶无纤而不贬：斯乃励众劝功之要术"②，要求善于治军的将帅能够做到"尽忠益时、轻生重节者，虽仇必赏；犯法怠惰、败事贪财者，虽亲必罚；服罪输情、质直敦素者，虽重必舍；游辞巧饰、虚伪狡诈者，虽轻必戮"③，使做好事者没有不受到称赞的，做坏事者没有不受到谴责的。其次，李靖列举诸葛亮斩马谡、吕蒙斩乡人、曹操割发代首、黄盖斩县吏四例，得出了"赏罚不在重，在必行；不在数，在必当"④ 的结论。最后，李靖强调治军者要做到"赏罚不欺，明于察听"⑤，指出赏罚不能只限于眼前的人和事，而要对全军将士一视同仁，做到"上无疑令，则下不二听；动无疑事，则众不二志"⑥，由此形成上下同欲、将士齐心协力的局面。

（二）注重实战化训练

《李靖兵法》阐述的训练内容很丰富，涉及作战训练、教战练兵、旗号指挥训练、布阵训练等，训练指导思想明确，标准高，要求严格，步骤清楚，体现出强烈的实战化倾向。李靖指出："下临平野，使士卒目见旌旗，耳闻鼓角，心存号令。乃命诸将分为左右，皆去兵刃，精新甲胄。幡帜分为左右厢，各以兵马使长班布其次。阵间容阵，队间容队，曲间容曲，以长参短，以短参长，回军转阵，以后为前，以前为后，进无奔进，退无趋走，以正合，以奇胜，听

---

① 《通典》卷一百四十九《兵典二·杂教令》。
② 《通典》卷一百四十九《兵典二·杂教令》。
③ 《通典》卷一百四十九《兵典二·杂教令》。
④ 《通典》卷一百四十九《兵典二·杂教令》。
⑤ 《通典》卷一百四十九《兵典二·杂教令》。
⑥ 《通典》卷一百四十九《兵典二·杂教令》。

音睹麾，乍合乍离。"① 要求平时注重训练部队听从旗号指挥，熟悉旗令，能够按照指挥员的号令有序完成训练动作。此处提出的若干具体要求，诸如各种兵器要长短配合，彼此掩护，相互辅助；用正兵与敌接触，用奇兵取得胜利等，均是按照实战要求开展的训练。模拟实战的夺旗训练也颇具特色，应该是唐代军队的重要训练科目之一，具体实施步骤如下："大将出五彩旗十二口，各树于左右厢阵前，每旗命壮勇士五十人守旗，选壮勇士五十人夺旗，左厢夺右厢，右厢夺左厢，鼓音动而夺，角音动而止。得旗者胜，失旗者负，胜赏而负罚。离合之势，聚散之形，胜负之理，赏罚之信，因是而教之。"② 在这一训练活动中，训练组织者先选定守旗士卒和夺旗士卒，然后命令左厢和右厢互相夺旗，夺得旗帜的为胜利方，失去旗帜的为失败方，胜者受赏，败者受罚，从而使参训人员通过这一训练科目体验实战化氛围，有助于提升军队战斗力。李靖提出了严格的训练要求，必须按步骤严格实施，以此保证部队训练达到标准。《李靖兵法》提出"其应前进而不进，应却退而不退，应坐而不坐，应起而不起，应簇而不簇，应散而不散，应捺而不捺，应卷而不卷，应合队而不合队，应擘而错擘入他队，言语谨哗，不闻鼓声，旌旗分扰，疏密失所，并节级科罚"③，"不如法者，吏士之罪，从军令"④，强调不听从命令行动者必须按律治罪，充分体现了从严训练的指导思想。

（三）高度重视将帅作用

中国古代兵家高度重视将帅在战争指导、建军治军中的作用，指出将帅在军队中履行指挥中枢的职能，直接关系到军队能否在作战中克敌制胜，直接关系到全军将士乃至国家的生死存亡。孙子明确指出"将者，国之辅也"⑤，强调将帅是辅助国家的重要栋梁。他

① 《通典》卷一百四十九《兵典二·法制》。
② 《通典》卷一百四十九《兵典二·法制》。
③ 《通典》卷一百四十九《兵典二·法制》。
④ 《通典》卷一百四十九《兵典二·法制》。
⑤ 《十一家注孙子校理》卷上《谋攻篇》。

从战争是关系国家生死存亡的大事这一观点出发，指出"知兵之将，生民之司命，国家安危之主也"①，"善战者，致人而不致于人""故能为敌之司命"②，"故进不求名，退不避罪，唯人是保，而利合于主，国之宝也"③。《司马法》认为"上同无获，上专多死，上生多疑，上死不胜"④，指出将帅是否德才兼备、智勇双全，将直接关系战争的胜负。《墨子·尚贤》中把将帅视为社稷之福、国家之宝，得之"则谋不困，体不劳；名立而功成，美章而恶不生"。这些论述都从治国安民的高度，客观地分析了将帅在治国中的作用。尉缭指出："夫将提鼓挥枹，临难决战，接兵角刃，鼓之而当，则赏功立名；鼓之而不当，则身死国亡。是存亡安危，在于枹端，奈何无重将也。"⑤ 他从战场指挥正确与否决定战争胜负的角度肯定了将帅的作用。秦汉以后，兵家与兵学家越来越意识到将帅的作用。汉高祖刘邦从战争实践中得出结论说："置将不善，壹败涂地。"⑥《黄石公三略》认为"夫将者，国之命也。将能制胜，则国家安定""夫统军持势者，将也；制胜破敌者，众也"⑦，指出统率军队指挥打仗的是将帅，而真正冲锋陷阵消灭敌人的是广大士卒。军队不能没有统帅，而统帅离开军队也是不能破敌陷阵的。这就辩证地看待了将帅与士卒的作用，认为二者不可偏废。《将苑》从军队、战争同国家政治的关系角度指出："国以军为辅，君以臣为佐，辅强则国安，辅弱则国危，在于所任之将也。"⑧"夫将者，人命之所县也，成败之所系也，祸福之所倚也。"⑨ 曹操在用兵关中战后讲评道"军无适主，一举可

---

① 《十一家注孙子校理》卷上《作战篇》。
② 《十一家注孙子校理》卷中《虚实篇》。
③ 《十一家注孙子校理》卷下《地形篇》。
④ 《司马法》卷下《严位》。
⑤ 《尉缭子》卷二《武议》。
⑥ 《史记》卷八《高祖本纪》。
⑦ 《黄石公三略·上略》。
⑧ 《诸葛亮集·文集》卷三《便宜十六策·治军》。
⑨ 《诸葛亮集·文集》卷四《将苑·假权》。

灭"①，强调是否拥有称职的主帅关系到军队的生死存亡。这些言论对李靖兵学思想产生了不同程度的影响。

李靖关于将帅的论述散见于《李靖兵法》，涵盖将帅职责、素养、品德等诸方面。他认为"夫将之上务，在于明察而众和，谋深而虑远，审于天时，稽乎人理"②，指出准确地了解各方情况、团结士卒、深谋远虑、通晓天时、把握人心向背都是将帅至关重要的职责。将帅对于军队的作用无论如何强调都不过分，其言行举止无不关乎军队的进退成败。李靖总结了因将领过失而导致的几种败因，即"军有贤智而不能用者，败；上下不相亲而各述己长者，败；赏罚不当而众多怨言者，败；知而不敢击，不知而击者，败；地利不得而卒多战厄者，败；劳逸无别，不晓车骑之用者，败；觇候不审而轻敌懈怠者，败；行于险道而不知深沟绝涧者，败；阵无选锋而奇正不分者，败"③，充分说明了将帅对于战争失败负有不可推卸的责任。既然担负如此重大的责任，那么将帅理应具备全面的素养。李靖要求将帅在率军作战过程中"必须料敌制胜，诚于小利，然后可立大功"④，"能识此之机变，知彼之物情，亦何虑功不逮、斗不胜哉"⑤，认为将帅必须具备正确判断敌情、不贪图小利、善于通权达变的优秀素质，同时在提高自身素质时要避免"十过"，即"勇而轻死，贪而好利，仁而不忍，知而心怯，信而喜信人，廉洁而爱人，慢而心缓，刚毅自用，懦志多疑，急而心速"⑥，需要不断加强品德修养，尤其要重视名节，并举白起、严颜为例进行阐述："白起对秦王曰：'明王爱其国，忠臣爱其名。臣宁伏其重诛，而不忍为辱军之将。'又严颜谓张飞曰：'卿等无状，侵夺我州，有断头将军，无降将军也。'故二将咸重其名节，就死而不求生者，盖知败衄之

---

① 《三国志》卷一《魏书·武帝纪》。
② 《十一家注孙子校理》卷上《形篇》杜牧注引李靖语。
③ 《通典》卷一百五十《兵典三·料敌制胜》。
④ 《通典》卷一百五十《兵典三·料敌制胜》。
⑤ 《通典》卷一百五十《兵典三·料敌制胜》。
⑥ 《通典》卷一百五十《兵典三·敌十五形帅十过》。

耻，斯诚甚矣"①，有力地说明了名节乃是将帅必须具备的重要品德。

三、切合实战的战术原则

《李靖兵法》高度关注战术问题，不仅深入探讨了各种地形条件下的战术手段，而且以较多篇幅讨论了各种阵法的作战原则，提出了一些有创见的战术原则。在李靖之前，《孙子兵法》开创性地全面阐述了地缘战术思想，主要包括处军原则、战场作战原则和战场侦察原则，这里仅就前二者作一概述。处军原则是孙子针对不同地缘环境的特征，就军队驻扎、行军而提出的基本原则，分别是平地处军原则、山地处军原则、江河处军原则、斥泽处军原则。孙子主张要掌握"九地之变"，根据不同的战场环境采取相应的军事行动，而相应的指导思想就是要利用"人情之理"，即依据官兵战场心理的变化灵活处置，引导其转向积极勇敢作战的一面，充分发挥士卒的战斗力。孙子提出了针对"九地"的处置原则，即"散地则无战，轻地则无止，争地则无攻，交地则无绝，衢地则合交，重地则掠，圮地则行，围地则谋，死地则战"②，主张在散地不宜作战，在轻地不宜停留，在争地不宜强攻，在交地不要断绝联络，在衢地宜结交诸侯，在重地要掠取粮秣，在圮地要迅速通过，在围地要巧用谋略脱险，在死地要奋勇作战。

李靖在探讨地缘战术原则时，没有像孙子那样明确区分"九地""六形"或概略区分平原作战、山地作战、江河作战等类型，而是针对可能出现的各种地形，提出了与之相适宜的兵种、武器、作战方法、阵法的具体实施细节。《李靖兵法》指出："彼此俱利之地，则让而设伏，趋其所爱而傍袭之；彼此不利之地，则引而佯去，待其半出而邀击之"③，提出了对敌我双方都有利和不利的地形的处置之

---

① 《通典》卷一百五十《兵典三·料敌制胜》。

② 《十一家注孙子校理》卷下《九地篇》。

③ 《通典》卷一百五十九《兵典十二·总论地形》。

道，随后针对"平易之所""险隘之处"等具体地形提出了应对之法。

> 平易之所，则率骑而与阵；险隘之处，则励步以及徒。往易归难，左险右阻，沮洳幽秽，垣坎沟渎，此车之害地也。有入无出，长驰回驱，大阜深谷，洿泥堑泽，此骑之败地也。候视相及，限壑分川，斯可以纵弓弩；声尘既接，深林盛薄，斯可以奋矛铤。芦苇深草，则必用风火；蒋潢翳荟，则必索其伏。平坦则方布，污斜则圆形，左右俱高则张翼，后高前下则锐冲。①

在此基础上，李靖总结出了一条作战原则："凡战之道，以地形为主，虚实为佐，变化为辅，不可专守险以求胜也。仍须节之以金鼓，变之以权宜，用逸待劳，掩迟为疾。不明地利，其败不旋踵矣。"② 他强调合理利用地形、明察地利乃是千古不易的一般用兵原则，同时还要配合虚实、变化之道，必须做到指挥有节、权宜之变、以逸待劳、以慢为快。他着重探讨了"死地"的作战原则，基本上袭用孙子提出的"疾战则存，不疾战则亡""死地则战"③"穷寇勿迫"④ 等原则，但同时又提出了个人创见，主张在面对已处于"死地"的"穷寇"时，"当精骑分塞要道，轻兵进而诱之，阵而勿战"⑤，认为这是打败"死地"之敌的方法。

李靖还深入探讨了六花阵法、行引方阵法、撤退阵法、教战阵法、旗法等，其中最具独创性者当推为后世兵家所称道的撤退战术。他指出：

---

① 《通典》卷一百五十九《兵典十二·总论地形》。
② 《通典》卷一百五十九《兵典十二·总论地形》。
③ 《十一家注孙子校理》卷下《九地篇》。
④ 《十一家注孙子校理》卷中《军争篇》。
⑤ 《通典》卷一百五十九《兵典十二·死地勿攻》。

诸兵马被贼围绕，抽拔须设方计。一时齐拔，贼即逐背挥戈，因此必败。其兵共贼相持，事须抽拔者，即须隔一队，抽一队。所抽之队，去旧队百步以下，遂便立队，令持戈枪刀棒并弓弩等，张施待贼。张施了，即抽前队。如贼来逼，所张弓弩等人，便即放箭奋击。如其贼止不来，其所抽队，便过向前百步以下，遂便准前立队，张施弓弩等待贼。既张施讫，准前抽前队，隔次立阵，即免被贼奔蹙。其被抽之队，不得急走，须徐缓而行。如贼相逼，即须回拒战。其队头、押官押后，副队头引前。如有走者，仰押官、队头便斩；违失节度者，斩全队。①

李靖在这里提出了逐次抵抗、交互掩护撤退战术，被敌包围的军队要撤退时应隔一队撤出一队，撤出的队在阵后百步摆开队形，做好战斗准备，之后前队再后撤。如此循环往复，直至军队全部撤退完毕。李靖提出的这种边战边退、交互掩护撤退的战术被后世兵家普遍运用于战争实践，极大地促进了中国古代战术的发展。

第四节　赵蕤《长短经》的兵学探讨

《长短经》又名《长短要术》《反经》，是一本谈论王霸经权达变之术的杂书，被古人视为纵横术之书。《四库全书总目》指出："此书辨析事势，其源盖出于纵横家，故以长短为名。"②《长短经》成书于唐玄宗开元四年（716），作者为赵蕤，字太宾，梓州盐亭（今四川盐亭）人，博学多才，长于经世。全书共十卷，《四库全书》抄本存九卷，缺第十卷《阴谋》。《兵权》为该书第九卷，集中

---

① 《通典》卷一百五十六《兵典九·抽军》。
② 《四库全书总目》卷一百一十七《子部·杂家类·长短经》。

谈论一系列兵学问题，涉及战争观、战争和作战指导、治军等内容，充分反映了赵蕤的兵学思想。作者曾谈及撰写《兵权》之由来："自古兵书，殆将千计，若不知合变，虽多，亦奚以为？故曰：'少则得，多则惑。'所以举体要而作《兵权》云。"① 也就是说他有感于兵书浩瀚，体系庞杂，不利于研习者把握要旨，因此对传统兵学做了一番删繁就简的工作，以期令人一目了然。当然，《长短经》虽然也提出了一些独特的兵学主张，对某些兵学问题发表了自己的看法，但就总体而言，创新思想不多，不少观点采自前人及先前兵书，尤其采用《孙子兵法》的内容最多，由此亦可看出孙子思想在唐代的广泛影响。

一、举义兵者胜的战争观

赵蕤的战争观深受先秦兵家思想的影响，尤其受到《吴子》的深刻影响。《吴子》鲜明地提出了以"五兵"为核心的战争观，指出："禁暴救乱曰义，恃众以伐曰强，因怒兴师曰刚，弃礼贪利曰暴，国乱人疲、举事动众曰逆。"② 在《吴子》所提出的"五兵"之中，"义兵"是正义战争，其余的都是非正义战争。赵蕤也提出了"五兵"说。

救乱诛暴，谓之义兵。兵义者王。敌加于己，不得已而用之，谓之应兵。应兵者胜。争恨小故，不胜愤怒者，谓之忿兵。兵忿者败。利人土地宝货者，谓之贪兵。兵贪者破。恃国之大，矜人之众，欲见威于敌者，谓之骄兵。兵骄者灭。③

在这五种战争之中，"义兵""应兵"可划入正义战争，其余的属于非正义战争。两相比较，《吴子》的"五兵说"与《长短经》

---

① 《长短经》卷九《兵权》序。
② 《吴子》卷上《图国》。
③ 《长短经》卷九《兵权·出军》。

的"五兵说"既有相同或相似之处，又有相异之处，其中完全相同者是"义兵"，意思相似者是《吴子》的"强兵"与《长短经》的"应兵"、《吴子》的"刚兵"与《长短经》的"忿兵"、《吴子》的"暴兵"与《长短经》的"贪兵"，完全不同者是《吴子》的"逆兵"与《长短经》的"骄兵"。

《长短经》在对前人兵学思想兼收并蓄之时，也提出了自己的兵学主张。"应兵"就是《长短经》提出的"义兵"之外的第二种正义战争，实质上指的是一国在遭到敌国入侵时，被迫组织起来的反侵略战争。在"五兵说"的基础上，赵蕤表明了其对待正义战争与非正义战争的基本态度："圣人之用兵也，非好乐之，将以诛暴讨乱。夫以义而诛不义，若决江河而溉萤火，临不测之渊而欲堕之，其克之必也。所以必优游恬泊者何？重伤人物。故曰：'远人不服，则修文德以来之。'不以德来，然后命将出师矣。"① 他认为举义兵者胜，正义战争是为了"救乱诛暴"，因而能够得到民众的拥护，必定可以战胜不得民心的非正义战争。

二、注重争取主动权的战争和作战指导思想

《长短经》纵横议论，涉及"先胜""变通""利害""料敌""五间""攻心""伐交""奇正"等内容，蕴含了丰富的战争和作战指导思想。尽管这些思想中的绝大部分内容来自之前的兵书或兵家，但赵蕤将其分类综合，分别予以专题性阐述，既突出了每节的主题，又进一步深化了研讨内容，也使兵学理论更加条理化，便于后人更好地把握兵学理论要义。

一是反对墨守成规的权变思想。《长短经》考察了世间事物发展变化的规律，提出了"随时变通，不可执一"② 的观点。在此基础上，作者赵蕤继续深入研讨用兵规律，并结合战例分析，得出了

---

① 《长短经》卷九《兵权·出军》。
② 《长短经》卷七《权议·时宜》。

"兵法变通，不可执一"① 的结论。这其实是对孙子思想的传承和发展。早在先秦时期，孙子提出了"因敌而制胜"② 思想，其要义就是因敌变化而用权取胜，"践墨随敌，以决战事"③。孙子强调要根据不同敌人的特点及其变化，灵活机动用兵，临机制敌，不墨守成规，多推陈出新，做到"战胜不复，而应形于无穷"④。孙子"因敌而制胜"思想蕴含了用兵的权变法则，在战场上要做到通权达变，因敌因情因势因天因地而制宜，采取当时最适宜的处置方式，这才有取胜的可能。与之相反，另有一些兵家不懂权变，在用兵过程中只知按照通常的兵法之道行事，一味固守常法，在对手和战场态势未发生变化时也就罢了，一旦生变，就会陷入危险的境地。赵蕤高度重视用兵的权变思想，在《时宜》《蛇势》《变通》等篇目反复阐述，从不同角度探讨"因敌变而变"的用兵指导思想，深刻说明了兵法变通者胜、用兵执一者败的道理。在《时宜》中，赵蕤列举了韩信背水列阵而取胜、刘邦在睢水列阵而大败的一正一反两个战例，指出"权不可预设，变不可先图，与时迁移，应物变化，计策之机也"⑤，强调在"事同而情异"的态势下，仍然僵化地套用兵法是会遭到失败的，只有随机应变，才能克敌制胜。

二是注重战场心理的心战思想。《长短经》对心战思想给予了特别的关注，在《势略》《攻心》《利害》等篇目中，从不同角度研讨了心战思想，尤其注重探究将士的战场心理，并就此提出了自己的兵学主张。孙子最早提出了"投之亡地然后存，陷之死地然后生"⑥的心战思想。准确地说，这是将士置于死地这一特殊战场上的心理。孙子已经注意到了死地对将士会产生强烈的应激心理，引导得当，则会激发其异乎寻常的战斗力。但是，孙子并未就此展开阐述。赵

---

① 《长短经》卷九《兵权·变通》。

② 《十一家注孙子校理》卷中《虚实篇》。

③ 《十一家注孙子校理》卷下《九地篇》。

④ 《十一家注孙子校理》卷中《虚实篇》。

⑤ 《长短经》卷七《权议·时宜》。

⑥ 《十一家注孙子校理》卷下《九地篇》。

蕤则在此基础上深入一步，对"陷之死地然后生"的适用范围、实现条件进行了有益的探讨，从而深化了该兵学观点的思想内涵。他指出："夫处死地者，谓力均势敌，以死地取胜可也。若以至弱当至强，投弱兵于死地，自贻陷矣。故孙膑曰：'兵恐不可救。'又《经》曰：'大众陷于害，然后能为胜败。'是知死地之机，必用大众矣。"[①] 赵蕤认为，只有在双方势均力敌的情况下，"陷之死地然后生"才能获得成功。如果敌我实力悬殊，以弱兵投入死地去对抗比自己强大得多的对手，那就是自寻死路。由此可见，《长短经》既强调要充分合理地运用战场心理，特别要激发将士"死地"求生的心理，以此激发强大的斗志；同时又认为不能过于夸大心理因素的作用，在双方实力悬殊的态势下，任何战场心理作用都无济于事。应该说，这是对待战场心理的理性态度。《长短经》还对作战过程中的"气势"作了一定程度的探讨。孙子提出："勇怯，势也；强弱，形也。"[②] 认识到了将士的勇敢与怯懦并非天生，而是受外在环境的影响，尤其受到"势"的深刻影响，在战场上表现为气吞如虎、一往无前的气势。赵蕤列举曹操征讨吕布、谢石在淝水之战击败苻坚、项羽乌江自刎、田横拔剑自尽等事例，指出能否合理运用气势，关乎作战成败，"人气伤，虽有百万之众，无益于用也"[③]，强调凡是用兵者一定要创造和维持有利于己方的气势。

　　三是知天知地，水火佐攻。《长短经》认识到作战行动深受外界因素的干扰、影响，在《天时》《地形》《水火》等篇中探讨了如何利用天时、地形、水攻、火攻，以此辅助作战。虽然这些内容在《孙子兵法》中都已涉及，《长短经》阐述这些兵学观点时并没有太多新意，但能够将其独立成篇，按照"天时""地形""水火"三个专题集中论述，表明了作者对这三个兵学命题的高度关注，也便于后人更完整地理解兵学理论体系。

----

① 《长短经》卷九《兵权·利害》。
② 《十一家注孙子校理》卷中《势篇》。
③ 《长短经》卷九《兵权·势略》。

其一，善用"天时"。赵蕤指出用兵作战要先观测气象，包括日、月、星辰、云气、风、雷、雨、雾、雪、霾等，针对不同的天气状况做出军事行动的安排。这里面自然有涉及占卜一类的内容，带有迷信色彩，这是当时历史条件下的军事活动的真实反映，不必以此苛责古人。《长短经》主张将帅要以天象作为自己行动的准则，"若下轻其将，妖怪并作，众口相惑，当修德审令，缮砺锋甲，勤诚誓士，以避天怒"①，将帅的一系列自觉行动皆是为了避免上天的震怒。与此同时，赵蕤也充分强调"人事"的任用，甚至认为"任贤使能则不占而事利，令明法审则不筮而计成，封功赏劳则不祷而福从，共苦同甘则犯逆而功就"②。也就是说，只要能够做到重用贤能之士、军令严明、及时封赏、将士同甘共苦，那么不用卜筮、不用祈祷，身处逆境，也都能够获取成功、达成目的。这就完全摒除了唯心主义观点，具有鲜明的人定胜天的唯物主义色彩。作者还提出在战场决战之际，要灵活运用"五助"，即"一曰助谋，二曰助势，三曰助怯，四曰助疑，五曰助地"③，认为成功的谋略、有利的战场态势、旺盛的士气、巧妙迷惑敌人、有利的地形条件，都是有助于夺取胜利的手段。这进一步表明了《长短经》的唯物主义立场。

其二，善用"地形"。《长短经》阐述地形的基本要领及其分类皆来源于《孙子兵法》，有所谓"六形""九地"。孙子对"六形""九地"做了深入的阐述。按照当代军事学术的定义，"六形"应属于军事地形学的范畴，"九地"应属于军事地理学的范畴。④ 孙子指出："地形：有通者，有挂者，有支者，有隘者，有险者，有远者。"⑤ 随后对六种地形逐个论述，既对各地形作了简明扼要的阐释，又提出了富有针对性的处置原则。孙子所谓的战场环境主要是

① 《长短经》卷九《兵权·天时》。
② 《长短经》卷九《兵权·天时》。
③ 《长短经》卷九《兵权·天时》。
④ 参见陶汉章：《孙子兵法概论》，解放军出版社，2009年，第59页。
⑤ 《十一家注孙子校理》卷下《地形篇》。

就"九地"而言，即"用兵之法：有散地，有轻地，有争地，有交地，有衢地，有重地，有圮地，有围地，有死地"①。根据其阐述，大致可将战场环境分为三类：一是本国境内的战场环境，即散地；二是位于两国或多国之间的战场环境，包括争地、交地、衢地；三是敌国境内的战场环境，包括轻地、重地、圮地、围地、死地。赵蕤在完整继承孙子的地缘思想的基础上，探讨了在不同地形条件下的兵种和武器的使用问题，指出有适于步兵作战之地，"丈五之沟，渐车之水，山林、石径、泾川、丘阜，草木所在"②；有适于车骑作战之地，"丘陵漫衍相属，平原广野"③；有适于弓弩作战之地，"平原相远，仰高临下"④；有适于长戟作战之地，"两阵相近，平地浅草，可前可后"⑤；有适于矛铤作战之地，"蘿苇竹萧，草木蒙笼，枝叶茂接"⑥；有适于剑盾作战之地，"曲道相伏，险阨相薄"⑦，从而将地形与作战紧密联系起来了。深化对地形的认识，目的在于为作战服务，为指挥员排兵布阵、部署兵力与武器装备提供参考。赵蕤由此引出了最终的结论："地形者，兵之助……用兵之道，地利为宝。"⑧

其三，善用"水火"。赵蕤引用孙子之语"以水佐攻者强，以火佐攻者明"作为《水火》篇的中心论点，分开阐述水攻之法、火攻之法，并列举了韩信、李陵、曹操、黄盖等将领成功运用水攻、火攻的战例予以佐证。需要注意的是，《长短经》在此详细探讨了一个反用兵法之道的水攻战例。韩信率军击齐，齐王田广与前来援救的楚将龙且合兵一处，共同抵抗韩信。韩信命令士卒用盛沙的布囊

---

① 《十一家注孙子校理》卷下《九地篇》。
② 《长短经》卷九《兵权·地形》。
③ 《长短经》卷九《兵权·地形》。
④ 《长短经》卷九《兵权·地形》。
⑤ 《长短经》卷九《兵权·地形》。
⑥ 《长短经》卷九《兵权·地形》。
⑦ 《长短经》卷九《兵权·地形》。
⑧ 《长短经》卷九《兵权·地形》。

堵塞了潍水的上游，而后领兵半渡出击龙且，假装败退，引诱对方渡水追击自己。等到龙且渡水以后，韩信下令士卒将堵塞潍水的布囊移走，上游的水流奔腾而下，楚军将士还有一大半未能渡过潍水，韩信趁机率军发起攻击，杀死了龙且，获得了作战的胜利。这是所谓的"反半渡之势"。赵蕤对此做了详细的解说，提出了自己在此兵学问题上的理解："吾闻兵法：'绝水必远水，令敌半渡而击之，利。'韩信半渡，军佯入害地，令龙且击之，然后决壅水。此所谓'杂于利而务可神，杂于害而患可解'也，皆反兵而用兵法。"① 这与韩信背水列阵、反用兵法如出一辙。因此，赵蕤得出结论："故知水火之变可以制胜"②，在利用水、火辅助进攻时，一定要因势利导，善于灵活变化，这样才可以出奇制胜。

三、强调"任长""教战"的治军思想

《长短经》所探讨的有关军队建设内容非常丰富，包含将帅素质、将帅任用、军队管理、军事训练、赏罚等方面，表明作者对治军问题极端重视，尤其对将帅问题做了较多的阐述、研讨，并提出了自己的兵学主张，其中有一些观点具有创新成分。

一是重视将帅素质，强调"任长"、知将。历代兵家均很重视将帅的地位、作用，对于统领军队的指挥员所应具备的素质提出了严苛而详细的标准。后世兵家关于为将标准的论述，基本上不超出先秦孙武、《司马法》、吴起、孙膑、《六韬》《尉缭子》等兵家和兵书所涉及的为将之论的范围。赵蕤传承了前人的将帅素质观，但在具体论述时提出了自己的见解："勇则不可犯，智则不可乱，仁则爱人，信则不欺人，必则无二心。"③ 与孙子的主张相比较，赵蕤的将帅"五才说"还是有一些新意。首先是将"勇"置于首位，强调了将帅的勇敢的特质，显然更加注重指挥员的战斗精神。其次是将

---

①　《长短经》卷九《兵权·水火》。

②　《长短经》卷九《兵权·水火》。

③　《长短经》卷九《兵权·将体》。

"仁"的位置前移，反映了将帅的武德在战争中具有不容忽视的感召作用，仁爱不仅能发挥收揽军心、团结部属的作用，而且在一定程度上也可以收到感化对手、招降纳叛的效果。最后是以"必"替代了"严"，更加强调"忠诚"的作用。

《长短经》还很注重知兵、择将，指出："'将不知兵，以其主与敌也。君不择将，以其国与敌也。'将既知兵，主既择将，天子居正殿而召之，曰：'社稷安危，一在将军。'"① 将国家的安危都寄托在将军身上，足见其对将领的重视程度。赵蕤用了大量的篇幅讨论任用将领的问题。为了合理地任用将领，他主张要"任长"，认为汉高祖刘邦评论功臣时，认为连萧何、张良、韩信这三杰都各有缺点，一般人怎么可能完美无缺呢？用人关键在于用其所长，"各有所宜而人性齐矣"②。赵蕤还举例说明，"使韩信下帷，仲舒当戎，于公驰说，陆贾听讼，必无曩时之勋而显今日之名也"③，认为假若让韩信去当谋士，让董仲舒带兵打仗，让于公做游说之士，让陆贾去断案，则必然不会创立先前的不朽功勋，最终的结论是"任长之道，不可不察"④。反之，如果"非其人而使之，安得不殆乎？"⑤ 因此，任用将领的根本还是在于深入了解将领的才能，做到知人而善任。《长短经》认为，只有全面、周详地知晓将领的长短优劣，才能有针对性地用其所长、避其所短，达到"知人识智，则众材得其序而庶绩之业兴矣"⑥ 的效果。

二是注重"练士"和"教战"。先秦兵家十分重视训练之法，包括各种阵法的演练，对后世产生了深远的影响。《长短经》也对此表示了特别的关注，指出"知卒不服习起居，不精前击后解，与金

① 《长短经》卷九《兵权·出军》。
② 《长短经》卷一《文上·任长》。
③ 《长短经》卷一《文上·任长》。
④ 《长短经》卷一《文上·任长》。
⑤ 《长短经》卷一《文上·量才》。
⑥ 《长短经》卷一《文上·知人》。

鼓之指相失，百不当一，此弃之者也”①，强调不教会士兵打仗就让他上战场，就等于是让他去送死，充分表明了训练的特殊作用。赵蕤主张在平时训练时，应着重教会士卒掌握实战之法，“必有金鼓约令，所以整齐士卒也。教令操兵、起居、旌旗指麾之变”②，由教会一个人影响十个人，教会十个人影响一百人，逐渐扩展到三军将士都掌握了实战技能。《长短经》还认为，掌握战法的关键在于知晓布阵，全体将士要“闻鼓则进，闻金则止，随其指麾，五阵乃理”③，完全听从战鼓、旌旗的指挥而统一行动。在此基础上，《长短经》强调要合理地使用士卒，依据各自特长组成特种部队，以完成特定任务，由此可以最大限度地发挥其作战潜能。赵蕤共列举了十二类特别部队，依次是“冒刃之士”“陷阵之士”“锐骑之士”“勇力之士”“冠兵之士”“死斗之士”“死愤之士”“必死之士”“厉顿之士”“间谍飞言弱敌之士”“幸用之士”“待令之士”，主张把勇敢不怕死的士兵聚成一队，把能冲锋陷阵的聚成一队，把熟悉兵法、长剑、箭法和队列整齐的聚成一队，把善于跳跃、善用挠钩攻击的聚成一队，把能够爬高涉远、善于急行军的聚成一队，把失去权势、想重新建功立业的聚成一队，把想报仇雪恨的聚成一队，把贫穷愤怒、想实现个人志向的聚成一队，把曾经入赘的女婿、被掳去当人质的聚成一队，把擅长辩论、善于诋毁他人的聚成一队，把免罪囚犯和想要洗刷耻辱的聚成一队，把能背负重物行走数百里的聚成一队。赵蕤认为要用人所长，将各有所长的士卒分类，从而组建能够执行不同任务的特种部队，由此可以极大地提升军队整体战斗力。

　　三是恩威并施、赏罚分明的军队管理之道。军队管理是治军的重要内容，历来为兵家所重视。孙子最早深入探讨了这个问题，提出了“令之以文，齐之以武”的兵学主张，对后世产生了深远影响。《长短经》传承了孙子思想，在探讨军队管理之道时，着重讨论了如

① 《长短经》卷九《兵权·教战》。
② 《长短经》卷九《兵权·教战》。
③ 《长短经》卷九《兵权·教战》。

何正确处理恩与威、赏与罚关系，并就此提出了自己的观点。赵蕤一方面强调"畜恩"，将帅要率先垂范，与士卒同甘共苦，并且要关心、爱护士卒，知其冷暖疾苦，"是以含蓼问疾，越王霸于诸侯；吮疽恤士，吴起凌于敌国"①，从无数成功事例中得出结论，即"畜恩不倦，以一取万""积恩不已，天下可使"②。另一方面，作者也强调要防止由恩生怨，一旦"积恩"处置不当，"戚而不见异，亲而不见殊，孰能无怨"③，越是关系亲密者，越有可能因为做错事情而招致对方的怨恨。由此观之，"恩也者怨之所生也，不可不察"④。为有效治军，《长短经》提倡信赏必罚，指出"兵以赏为表，以罚为里"⑤，详细探讨了诸葛亮在治军时颁布的七条禁令："一曰轻，二曰慢，三曰盗，四曰欺，五曰背，六曰乱，七曰误"⑥，主张对于违反禁令、出现"轻军""慢军""盗军""欺军""背军""乱军""误军"行为者，一律斩首，"斩断之后，万事乃理"⑦，必须做到"刑上极，赏下通"⑧，以此确保军令得到正确执行。

第五节　李筌《太白阴经》的兵学思想

李筌，道号达观子，生平事迹不详，约生活在唐玄宗至唐代宗年间（712—779），为唐代后期著名兵学家。他早年隐居河南嵩山少室山，曾出仕荆南节度副使、仙州刺史，后不知所终。他撰有《太

---

① 《长短经》卷九《兵权·道德》。
② 《长短经》卷九《兵权·道德》。
③ 《长短经》卷八《杂说·恩生怨》。
④ 《长短经》卷八《杂说·恩生怨》。
⑤ 《长短经》卷九《兵权·禁令》。
⑥ 《长短经》卷九《兵权·禁令》。
⑦ 《长短经》卷九《兵权·禁令》。
⑧ 《长短经》卷九《兵权·禁令》。

白阴经》《阃外春秋》《李筌注孙子》《阴符经疏》等多部兵学著作。

《太白阴经》又称《神机制敌太白阴经》。全书分为十卷，共九十九篇。各卷依次为：卷一《人谋上》十篇，卷二《人谋下》十四篇，卷三《杂仪》十篇，卷四《战具》八篇，卷五《预备》二十篇，卷六《阵图》十篇，卷七《祭文　捷书　药方》九篇，卷八《杂占》十一篇，卷九《遁甲》一篇，卷十《杂式》六篇。该书融合道、兵、儒诸家思想于一体，从哲学思辨的角度探讨经国治军之道，具有较浓厚的唯物辩证法思想。正因如此，任继愈认为"李筌是一位长期被忽略了的唐代唯物主义哲学家"①。此外，该书颇具创新价值，首次将"药方""杂占""遁甲""杂式"等有关医药、方术内容列入兵书范围，开创了古代兵学"以医入兵""以方术入兵"的先例，对后世兵学产生了较大影响，唐代的《通典》、宋代的《武经总要》、明代的《登坛必究》《武备志》等书都录用了《太白阴经》的部分内容②，从一个侧面反映了该书特有的不容忽视的学术价值。

一、重视人谋、长于辩证的军事哲学思想

《太白阴经》蕴含丰富的军事哲学思想，善于从哲学的角度深入探讨兵学问题，分析了人与战争胜负、国家强弱、地形险易、军队法制之间的关系，强调要充分发挥人的主观能动作用，提出了"人定胜天"的唯物主义思想；长于辩证思考，能够从正反两面去分析一个问题，从而得出较合理的结论，比如从"形"和"神"两个方面去考察战争、军队，进而揭示其本质。

（一）"人定胜天"的朴素唯物主义思想

在古代科技水平落后、封建皇权思想和迷信思想占据统治地位

---

① 任继愈：《李筌的唯物主义观点和军事辩证法思想》，《北京大学学报》（人文科学）1963 年第 6 期。

② 参见张文才：《论〈太白阴经〉的军事思想及其主要特色》，《军事历史研究》2004 年第 3 期。

的历史背景下，人们在艰难无助之时，往往求救于天神或寄希望于占卜、巫术。这是受限于时代条件的人们的思想认识状况的真实反映。但是，李筌在探讨"人谋"这一兵学问题时，却难能可贵地跳出了当时的思想束缚，充分肯定人事的重要性，强调要全面发挥人的主观能动作用。有学者认为："李筌军事哲学思想最可贵、最精彩的部分则是有关人的主观能动性的论述。"① 这一论断是有道理的。兹从三个方面逐一予以探析。

首先，李筌分析了战争胜负与天、人的关系。在分析了天地万物属性后，《太白阴经》指出"阴阳不能胜败存亡、吉凶善恶明矣"②，进而强调"阴阳寒暑为人谋所变，人谋成败，岂阴阳所变之哉"③，由此可以得出结论：天之阴阳寒暑不能决定战争胜负，而人的谋略计策才是决定性因素。在肯定了人的主观能动作用对作战胜负的重要影响之后，李筌还强调要破除作战过程中的占卜祭祀、求神拜鬼等迷信活动，诸如"无厚德而占日月之数，不识敌之强弱而幸于天时，无智无虑而候于风云，小勇小力而望于天福，怯不能击而恃龟筮，士卒不勇而恃鬼神，设伏不巧而任向背"④ 之类的迷信行为，认为"凡天道鬼神，视之不见，听之不闻，索之不得，指虚无之状，不可以决胜负，不可以制生死"⑤，揭示了崇信天道鬼神对用兵作战的危害性，最后借用孙子之语提出了解决方案："明王圣主，贤臣良将，所以动而胜人，成功出于众者，先知也。先知不可取于鬼神，不可求象于事，不可验之于度，必求于人。"⑥ 用兵打仗、出奇制胜还是要靠"先知"，借助人的力量来实现，舍此别无他途。

其次，李筌分析了战争胜负与地、人的关系。他指出"地利者，

---

① 姚振文：《论李筌对孙子学发展的贡献》，《孙子研究》2018 年第 1 期。
② 《太白阴经》卷一《人谋上·天无阴阳篇》。
③ 《太白阴经》卷一《人谋上·天无阴阳篇》。
④ 《太白阴经》卷一《人谋上·天无阴阳篇》。
⑤ 《太白阴经》卷一《人谋上·天无阴阳篇》。
⑥ 《太白阴经》卷一《人谋上·天无阴阳篇》。

兵之助，犹天时不可恃也"①，认为地形条件固然重要，但是不能确保作战就必定胜利，随后列举了三苗氏、夏桀、商纣王、秦朝，三国时期的吴、蜀，两晋南北朝时期的后秦、成汉、南朝陈因为一味倚赖有利地形而不治理朝政，最终导致败军亡国的反面案例，由此得出了"天时不能祐无道之主，地利不能济乱亡之国"②的结论。在此基础上，李筌探讨了人在其中的作用，认为地形的险易因人而变，即"地之险易，因人而险，因人而易；无险无不险，无易无不易"③，地形本身并没有绝对的险要与平易之区分，地形只能对战争起辅助性作用，"惟圣主智将能守之，地奚有险易哉"④，唯有充分发挥"圣主智将"的主观能动作用，才能利用"地利"战胜敌人，客观地看待地形的作用而不片面夸大，反映了作者冷静、务实的唯物主义思想。

最后，李筌分析了勇怯与天性、法制的关系。作者援引了先前经典观点"勇怯有性，强弱有地"⑤，勇敢和怯懦是由人的天性决定的，刚强和柔弱是由地域决定的，不同地域的人具有不同的特征，诸如"秦人劲，晋人刚，吴人怯，蜀人懦，楚人轻，齐人多诈，越人浇薄，海岱之人壮，崆峒之人武，燕赵之人锐，凉陇之人勇，韩魏之人厚"⑥。但是，历史上却出现了大量与此相反的事例，比如项羽率军击败秦军，威震海内，诸侯臣服，这怎么能说楚人轻狂而不足道呢？田横自杀身亡，受其感召而忠心追随的五百壮士也步其后尘，自刎而死，这怎么能说齐人狡诈不实呢？在列举了诸多反例后，李筌得出了结论："勇怯在乎法，成败在乎智。怯人使之以刑则勇，勇人使之以赏则死。能移人之性，变人之心者，在刑赏之间。"⑦认

---

① 《太白阴经》卷一《人谋上·地无险阻篇》。
② 《太白阴经》卷一《人谋上·地无险阻篇》。
③ 《太白阴经》卷一《人谋上·地无险阻篇》。
④ 《太白阴经》卷一《人谋上·地无险阻篇》。
⑤ 《太白阴经》卷一《人谋上·人无勇怯篇》。
⑥ 《太白阴经》卷一《人谋上·人无勇怯篇》。
⑦ 《太白阴经》卷一《人谋上·人无勇怯篇》。

为人的勇怯并非由人的天性、地理环境决定的，而是受到将帅的智谋、军队实施的刑赏制度、战争形势等因素的深刻影响，从而在人性勇怯形成问题上否定了"地势所生，人气所受"的唯心的先天决定论，得出了"勇怯在乎法，成败在乎智"的唯物主义观点，具有兵学理论与实践的进步意义。

（二）有所创见的辩证法思想

《太白阴经》考察了诸多相反相成的兵学范畴，涉及阴与阳、勇与怯、形与神、长与短、攻与守、刑与赏、制人与制于人等，蕴含了丰富的辩证法思想，提出了一些有创见的兵学观点，尤其以关于形与神的论述最具代表性。"形神"是中国古代哲学的一对重要范畴，最早由春秋战国时期的荀子所提出"形具而神生，好恶、喜怒、哀乐臧焉"[1]，认为先有形体后有精神。司马迁、王充、范缜等人进一步探讨了形与神的关系，指出形体是精神所以从属的物质实体，精神不能离开形体而独立存在。李筌在继承前人思想的基础上，首次将该范畴引入兵学领域，创造性地从哲学高度研究战争领域的形与神的关系。李筌认为"兵之兴也，有形有神"[2]，并对战争过程中的形与神进行了描述，"旗帜金革依于形，智谋计事依于神"[3]，指出"形"是以武器装备为代表的具体可见的客观物质因素，"神"是将帅施用计谋之类的无形不可见的主观精神因素，形与神在战争中紧密结合，共同作用，缺一不可。作者还进一步探讨了二者的朴素关系问题，指出"战胜攻取，形之事，而用在神；虚实变化，神之功，而用在形"[4]，彼此互依互存、互为作用，"形"要发挥效用离不开"神"，而"神"要达到目的又要借助"形"，深刻地揭示了二者的辩证关系。李筌列举了一系列采取"示形"之法迷惑对手的

---

① 王先谦：《荀子集解》卷十一《天论篇》，中华书局，1988 年。
② 《太白阴经》卷二《人谋下·兵形篇》。
③ 《太白阴经》卷二《人谋下·兵形篇》。
④ 《太白阴经》卷二《人谋下·兵形篇》。

具体手段，认为在具体实施过程中，"形诳而惑事其外，神密而圆事其内"①，示形惑敌只是一种外在的表现方式，实质上是将帅的智谋在幕后发挥作用。作者在最后进一步探讨了形与神的辩证关系，"形不因神，不能为变化；神不因敌，不能为智谋"②，认为"形"不依赖军事谋略的运用，就不能产生灵活多变的战法；"神"不依赖敌情的变化，就不能成为克敌制胜的有效谋略。李筌正确地辨析了形与神的互动关系，将军事谋略上升到主观的精神因素，即"神"的高度，深刻阐述了"形"与"神"、军事实力与军事谋略之间相互作用的辩证关系，极大地丰富了这一对哲学范畴的兵学内涵。③

二、注重"道德仁义"、慎战不尚战的战争观

《太白阴经》深入地探讨了战争的性质、目的，表明了对战争的鲜明态度，体现了道、兵、儒兼取的战争观的特色。有学者认为，将道德仁义观念应用于战争领域，是中国兵学文化的一个重要特色。④ 李筌以"道德仁义"来区分战争性质，认为"兵非道德仁义者，虽伯有天下，君子不取"⑤，指出"齐之技击不可遇魏之武卒，魏之武卒不可敌秦之锐士，秦之锐士不可当桓、文之节制，桓、文之节制不可当汤、武之仁义"⑥，只有仁义之师才可以无敌于天下。他并非反对一切战争，只是反对背离"道德仁义"的不义之战，认为"阴谋逆德，好用凶器，非道德忠信，不能以兵定天下之灾，除兆民之害也"⑦，不讲"道德仁义"者是不能消除祸害、造福黎民百姓的；反之，仁义之师能够"存亡继绝，救乱除害"⑧，在战场上可

① 《太白阴经》卷二《人谋下·兵形篇》。
② 《太白阴经》卷二《人谋下·兵形篇》。
③ 参见张文才：《太白阴经解说》，线装书局，2017 年，第 155—161 页。
④ 参见姚振文：《论李筌对孙子学发展的贡献》，《孙子研究》2018 年第 1 期。
⑤ 《太白阴经》卷二《人谋下·善师篇》。
⑥ 《太白阴经》卷二《人谋下·善师篇》。
⑦ 《太白阴经》卷二《人谋下·善师篇》。
⑧ 《太白阴经》卷二《人谋下·善师篇》。

以做到"善师者不阵，善阵者不战，善战者不败，善败者不亡"①。他主张"诛暴救弱，以义征不义，以有道伐无道，以直取曲，以智攻愚"②，鲜明地表达了支持正义战争的态度，认为正义战争必定能够获胜。

李筌的战争观突出地体现了重德的特征。《四库全书总目》对《太白阴经》有一番精辟的评论："兵家者流大抵以权谋相尚，儒家者流又往往持论迂阔，讳言军旅，盖两失之。筌此书先言主有道德，后言国有富强，内外兼修，可谓持平之论。"③ 李筌认为，决定战争胜负的主要因素在于君主是否有"道德"，只有以"道德"为治国用兵之根本，才能战胜攻服。他将取胜途径分为四个层次："以道胜者，帝；以德胜者，王；以谋胜者，伯；以力胜者，强。"④ 赢得胜利的途径不同，军队的最终结局也不一样，"强兵灭，伯兵绝，帝王之兵前无敌"⑤，用势力和谋略取胜的军队终归要被消灭，唯有用道和德取胜的军队能够所向无敌。李筌主张在用兵之时，先以德义感服对手，"先文德以怀之，怀之不服，饰玉帛以啖之；啖之不来，然后命上将练军马、锐甲兵，攻其无备，出其不意。所谓叛而必讨，服而必柔。既怀既柔，可以示德"⑥，认为用德义感化对手是优先考虑的怀柔手段。至于用兵的目的，《太白阴经》明确地做出了回答："凡兵，所以存亡继绝，救乱除害。"⑦ 制止祸乱、消除患害就是用兵的目标所在，旨在重建社会秩序，为百姓造福。当然，这绝非一蹴而就的事情。由于战争具有极大的破坏性，甚至会带来毁灭性的严重后果，李筌秉持了"慎战"的态度，指出"兵者，凶器；战

---

① 《太白阴经》卷二《人谋下·善师篇》。
② 《太白阴经》卷八《杂占·杂占总序》。
③ 《四库全书总目》卷九十九《子部·兵家类·太白阴经》。
④ 《太白阴经》卷一《人谋上·主有道德篇》。
⑤ 《太白阴经》卷一《人谋上·主有道德篇》。
⑥ 《太白阴经》卷二《人谋下·贵和篇》。
⑦ 《太白阴经》卷二《人谋下·善师篇》。

者，危事"①，自古以来明智之士都将战争视为"不祥之器，不得已而用之"②，轻易不诉诸战争，极力倡导"贵和重人，不尚战也"③，只有在没有退路、迫不得已之时才会使用战争手段，充分表明了自身谨慎对待战争的基本立场。

三、"法天""法地""法人"的富国强兵思想

中国古代的富国强兵思想由来已久，先秦时期的商鞅最早明确提出这一思想："故治国者，其抟力也以富国强兵也。"④ 这是古人关于治国安邦的重要思想，对后世产生了深远的影响。李筌对该思想给予了高度重视，并阐述了自己的见解，不乏真知灼见。他首先对实现富国强兵的途径进行了深入探讨，指出"国之所以富强者，审权以操柄，审数以御人。课农者，术之事，而富在粟。谋战者，权之事，而强在兵"⑤，主张采取"课农"与"谋战"并举的方针，将提倡农耕与谋划战争作为实现富国强兵的两条基本措施，并对其进行了详细的解释，认为"兴兵而伐叛，则武爵任，武爵任则兵强；按兵而劝农桑，农桑劝则国富"⑥，选拔任用适宜的人担当武官，授以爵位，只有这样，军队才能强盛；大力发展农业生产，只有这样，国家才能富庶。在贯彻富国强兵思想时，《太白阴经》提出要遵循"法天""法地""法人"的根本原则。所谓法天，就是要做到"乘天之时"，即"春植谷，秋植麦，夏长成，冬备藏"⑦；所谓法地，就是要做到"因地之利"，即"国有沃野之饶""国有山海之利"⑧；所谓法人，就是要做到"用人之力"，即"通四方之珍异，以有易

---

① 《太白阴经》卷二《人谋下·善师篇》。
② 《太白阴经》卷二《人谋下·贵和篇》。
③ 《太白阴经》卷二《人谋下·贵和篇》。
④ 《商君书锥指》卷三《壹言第八》。
⑤ 《太白阴经》卷一《人谋上·国有富强篇》。
⑥ 《太白阴经》卷一《人谋上·国有富强篇》。
⑦ 《太白阴经》卷一《人谋上·国有富强篇》。
⑧ 《太白阴经》卷一《人谋上·国有富强篇》。

无""饬力以长地之财，用资军实""理丝麻以成衣服"①，发挥商人、农夫、织女的作用，从而推动商业、农业、手工业的发展。李筌还富有创意地提出了富国强兵的两种不同的发展模式，即"强于内而富于外"和"富于内而强于外"，其原因在于前者"用智"，后者"用力"，并分别列举了汉武帝、秦始皇的事例予以说明，最终得出了"伯王之业，非智不战，非农不赡"②的结论。若想实现富国强兵，就必须巧妙地以智谋用兵和大力发展农业生产。这是无数历史经验和教训的深刻总结，李筌对此做了可贵的探索，至今仍不失其借鉴意义。

四、重谋胜，"道贵制人"的战争指导思想

《太白阴经》广泛、深入地探讨了战争指导的相关问题，涉及庙胜、谋略、激励士气、作战样式、用间、将帅职能等内容，独创性地提出了"道贵制人""阴倾之术""探心之术""心迹""法天""则地""和人"等兵学观点，极大地丰富了唐代兵学思想，进一步发展了以《孙子兵法》为代表的古典兵学理论。

（一）庙算为先，以谋胜敌

李筌传承了孙子的"先胜"思想，仍然强调要做到"未战而先胜"，反对"先战而后胜"，主张要充分做好战前筹划和各项准备工作，施计用谋，不仅要多方运用谋略，更要巧妙用谋，"所谓未战以阴谋倾之"③，从而取得以最小的代价战胜敌人的效果。

一是"庙胜"。李筌所说的"庙胜"源自孙子之语"夫未战而庙算胜者，得算多也"④，意在强调战前庙算的重要性，通过研判战争形势，分析敌我双方的"五事""七计"，探讨利害得失，由此预判战争胜负。他袭用了孙子的"庙算"思想，但对其着力分析的对象进行了调整，将"五事""七计"简化为"天道""地道""人

---

① 《太白阴经》卷一《人谋上·国有富强篇》。
② 《太白阴经》卷一《人谋上·国有富强篇》。
③ 《太白阴经》卷一《人谋上·术有阴谋篇》。
④ 《十一家注孙子校理》卷上《计篇》。

事”三个方面。李筌将正确选择战略时机视为“庙胜”优先考虑的因素，主张“天道无灾，不可先来；地道无殃，不可先倡；人事无失，不可先伐”①，在“天道”“地道”“人事”没有出现对我方有利的战略形势之时，万万不可贸然发起讨伐行动，只有到了“上见天灾，下睹地殃，傍观人失”② 的时候，才能称得上出现了有利的战略时机，这时出兵才有取胜的把握。在进行战略决策过程中，作者主张要注意做到“法天”“则地”“和人”，“兵不法天不可动，师不则地不可行，征伐不和于人不可成”③，努力创造和促成“天赞其时，地资其财，人定其谋”④ 的有利条件。李筌还提出了分析判断敌情的有效方法，即“静见其阳，动察其阴，先观其迹，后知其心”⑤，强调先观察对手的行动踪迹，然后再以此揣测、摸清其军事企图。他在这里有创意地提出了“心迹”的兵学术语，主张兵家要根据敌方透露在外表的行动迹象进行综合分析和研判，以此抓住其行动的实质，摸清敌方的真正意图。在《沉谋篇》中，他进一步做了阐述：“谋藏于心，事见于迹，心与迹同者败，心与迹异者胜。”⑥强调为了不让对手摸清己方的真实意图，必须做到内心的谋略与外在的行动迹象不一致，这是隐蔽自身谋略企图的关键。总之，李筌所提出的“心迹”术语蕴含了深刻的辩证唯物主义思想，极大地丰富了中国古代兵学范畴。

二是“非诡谲不战”。李筌在书中反复阐述谋略的重要作用，指出“善用兵者，非信义不立，非阴阳不胜，非奇正不列，非诡谲不战”⑦，充分肯定了以“诡谲”为基本特色的谋略在战争中的独特作

---

① 《太白阴经》卷二《人谋下·庙胜篇》。
② 《太白阴经》卷二《人谋下·庙胜篇》。
③ 《太白阴经》卷二《人谋下·庙胜篇》。
④ 《太白阴经》卷二《人谋下·庙胜篇》。
⑤ 《太白阴经》卷二《人谋下·庙胜篇》。
⑥ 《太白阴经》卷二《人谋下·沉谋篇》。
⑦ 《太白阴经》卷二《人谋下·沉谋篇》。

用①。他认为能够"竭三军气，夺一将心，疲万人力，断千里粮"②，不取决于将军布阵之势，而取决于"智士权算之中"③。如果能做到智谋周全，那么万物变化都不会受到危害，"曲成万物而不遗，顺天信人，察始知终"④。李筌从多个角度对谋略做了深入探讨。

其一，谋略要有欺骗性、迷惑性，以收到误敌惑敌的效果。作者指出："心谋大，迹示小；心谋取，迹示与。惑其真，疑其诈，真诈不决，则强弱不分。"⑤ 千方百计隐真示假，以假乱真，以此迷惑、误导对手。

其二，谋略要高度保密，不能随意泄露。李筌认为，善于指挥作战的将领"其谋也策不足验，其胜也形不足观"⑥，指出那些"能言而不能行者"⑦ 是国家的祸害，而只有那些"能行而不能言者"才是对国家有用的人才，所以"至谋不说"，最好的谋略是不能随意说出来的，需要隐秘不外露。

其三，实施谋略要因敌制宜。李筌认为针对不同的敌人，要采取相应的适宜谋略以制之，"贪者利之，使其难厌；强者卑之，使其骄矜；亲者离之，使其携贰"⑧。这样做的好处很明显，受到利益引诱的敌人会越来越难以满足贪欲，由此就会使其缺少公正廉明；受到谦卑之辞麻痹的强敌会越来越骄傲自满，由此就会放松戒备；受到离间的敌人内部会产生矛盾，离心离德，由此就会迫使谋臣出逃。因此，只有因敌制宜实施谋略，才能取得成效。

其四，谋略是实现"全胜"的有效手段。李筌指出"善兵者，攻其爱，敌必从；捣其虚，敌必随；多其方，敌必分；疑其事，敌

① 参见《太白阴经解说》，第116—121页。
② 《太白阴经》卷二《人谋下·沉谋篇》。
③ 《太白阴经》卷二《人谋下·沉谋篇》。
④ 《太白阴经》卷二《人谋下·沉谋篇》。
⑤ 《太白阴经》卷二《人谋下·沉谋篇》。
⑥ 《太白阴经》卷二《人谋下·沉谋篇》。
⑦ 《太白阴经》卷二《人谋下·沉谋篇》。
⑧ 《太白阴经》卷二《人谋下·沉谋篇》。

必备"①，之所以采取如此的谋略手段，就是要使敌人分兵把守、被动防备、疲于应付，从而出现"我佚而敌劳，敌寡而我众"② 的作战态势。在创造出如此有利的态势后，"能以众击寡，以佚击劳，吾所以得全胜矣"③。

三是"以阴谋倾之"与"以兵从之"相结合。李筌继承并发展了孙子的"上兵伐谋"思想，首次提出了"阴倾之术"，主张以"荧惑敌国之主"为目标，采取多种行之有效的阴谋之术。

> 阴移谄臣，以事佐之；惑以巫觋，使其尊鬼事神；重其彩色文绣，使贱其菽粟，令空其仓庾；遗之美好，使荧其志；遗之巧匠，使起宫室高台，以竭其财，役其力，易其性，使化改淫俗，奢暴骄恣，贤臣结舌，莫肯匡助；滥赏淫刑，任其喜怒，政令不行，信卜祠鬼，逆忠进谄，请谒公行，而无圣人之政；爱而与官，无功而爵，未劳而赏，喜则赦罪，怒则肆杀，法居而自顺，令出而不行；信著龟卜筮、鬼神祷祠，谗佞奇技乱行于门户，其所谓是者皆非，非者皆是，离君臣之际，塞忠谠之路。④

李筌主张通过腐蚀敌国君主的思想、干扰其统治、搞乱其制度、误导其决策、破坏其内部关系、激化其各种矛盾，然后再"淫之以色，攻之以利，娱之以乐，养之以味"⑤，由此促使敌国出现"以信为欺，以欺为信；以忠为叛，以叛为忠，忠谏者死，谄佞者赏；令君子在野、小人在位，急令暴刑，人不堪命"⑥ 的混乱动荡的局面，

---

① 《太白阴经》卷二《人谋下·沉谋篇》。
② 《太白阴经》卷二《人谋下·沉谋篇》。
③ 《太白阴经》卷二《人谋下·沉谋篇》。
④ 《太白阴经》卷一《人谋上·术有阴谋篇》。
⑤ 《太白阴经》卷一《人谋上·术有阴谋篇》。
⑥ 《太白阴经》卷一《人谋上·术有阴谋篇》。

从而达成"未战以阴谋倾之，其国已破"① 的目的。显然，李筌主张针对敌国君主实施暗中颠覆，通过采取各种手段，收到"荧其志""淫其俗""乱其政""竭其财"等效果，最终造成"其国已破"的局面。在此基础上，李筌提出要"以兵从之"，也就是文武结合，"先以阴谋倾之"，而后再"以兵从之"，由此可以实现"其君可虏，其国可隳，其城可拔，其众可溃"② 的战略目标。显然，这一思想脱胎于孙子的"上兵伐谋，其次伐交，其次伐兵，其下攻城"③ 的思想，将"全胜"与"战胜"融为一体，但李筌所提出的"阴倾之术"又进一步丰富了孙子的"伐谋"思想内涵，形成了一个目标明确、手段多样、效果显著的相对独立的操作体系，具有较强的学术创新价值，在一定程度上推动和发展了古代兵学理论。

（二）注重料敌，提出"探心之术"

孙子最早提出了"料敌制胜"的兵学观点，对后世兵家产生了深远的影响。李筌也格外关注战争指导过程中的"料敌"问题，并做了深入思考，提出了自己的兵学主张。他指出"重莫难于周知，揣莫难于悉举，事莫难于必成"④，充分肯定了"周知""悉举"的重要性，将周密了解敌情、全面掌握敌情变化作为战胜敌人的前提条件。他还指出在了解敌情时应遵循"先观其迹，后知其心"⑤ 的指导原则，主张通过表象摸清敌人的真实意图。在如何料敌的问题上，李筌的最大兵学贡献在于提出了"探心之术"，也就是探察敌人内心企图的方法。作者阐述了"探心之术"的历史渊源，从淳朴封闭的社会状态发展到相互交往、相互竞争的社会状态，而《鬼谷子》的应运而生，标志着"探心之术"正式产生并四处流传开来。

李筌全面研讨了探心者探察敌情的技巧方法。

其一，摸清被探察者的真实心理状况。作者主张"以道德、仁

① 《太白阴经》卷一《人谋上·术有阴谋篇》。
② 《太白阴经》卷一《人谋上·术有阴谋篇》。
③ 《十一家注孙子校理》卷上《谋攻篇》。
④ 《太白阴经》卷一《人谋上·术有阴谋篇》。
⑤ 《太白阴经》卷二《人谋下·庙胜篇》。

义、礼乐、忠信、诗书、经传、子史、谋略、成败"① 混杂在一起说教，以此观察被探者喜爱什么、厌恶什么、远离什么、接近什么，然后顺应其欲望来攻取他。

其二，判断被探者的外在表象与内心所想是否相合。李筌主张根据一般人"阴虑阳发"的行为准则，以虚言假语探问对方，对方却用真心实意来回答，这样便可以"因其心察其容，听其声考其辞，言不合者，反而求之，其应必出"②，判断其容颜表情、语言表达与内在心理是否相合，通过反复求索，最终摸清其真实企图。

其三，探心之法要因人而异。李筌认为要依据不同的被探者，采取各不相同的、有针对性的探心方法。他指出"探仁人之心，必以信，勿以财；探勇士之心，必以义，勿以惧；探智士之心，必以忠，勿以欺；探愚人之心，必以蔽，勿以明；探不肖之心，必以惧，勿以常；探好财之心，必以贿，勿以廉"③，列出了针对仁人、勇士、智士、愚人、不肖者、好财者六类人所采取的六种探心法。李筌还提出，如果被探者是智者、博者、贵者、富者、贫者、贱者、勇者、愚者八类人，那么就应该采取相对应的交谈方法。比如，与智者交谈要"依于博"，与博者交谈要"依于辨"，与贵者交谈要"依于势"，与富者交谈要"依于物"，与贫者交谈要"依于利"，与贱者交谈要"依于谦"，与勇者交谈要"依于敢"，与愚者交谈要"依于锐"。

其四，"以所见而观其所隐"。李筌认为"情变于内者，形变于外"④，内心情感发生了变化，外在表象也将会随之变化，因此可以根据这个人的外形变化来观察其所隐藏的内心企图，这就是"所谓测隐探心之术也"⑤。他曾经在《庙胜篇》也表达过类似思想，提出"先观其迹，后知其心"，均强调透过人的表象探察其内在本质、摸

---

① 《太白阴经》卷一《人谋上·数有探心篇》。
② 《太白阴经》卷一《人谋上·数有探心篇》。
③ 《太白阴经》卷一《人谋上·数有探心篇》。
④ 《太白阴经》卷一《人谋上·数有探心篇》。
⑤ 《太白阴经》卷一《人谋上·数有探心篇》。

清其真实意图。这是值得肯定的"探心之术"。

(三)"道贵制人",争取主动

历代兵家一贯重视争取和掌握战争主动权。孙子提出"致人而不致于人"的兵学观点,对后人产生了巨大影响。《鬼谷子》也提出了自己的论点:"事贵制人,而不贵见制于人。"① 因其属于纵横家言论,这里提及的主动权多指外交场合以及人际交往等社会活动中的主动权。李筌略微改动了《鬼谷子》的文字,并将其引入兵学范畴,尤其是将争取主动权上升到"道"即战争规律的高度,极大地提升了这一观点的哲学内涵。他指出"道贵制人,不贵制于人。制人者,握权;制于人者,遵命也"②,提出了"道贵制人"的战争指导原则。在对掌握战争主动权问题的论述方面,有学者认为,李筌"道贵制人"的兵学观点,要比孙子"致人而不致于人"的表述更加鲜明、更具新意,并且他还就如何把握战争主动权提出了五条指导原则③,从制人之术、调动敌人、捕捉战机等多个角度探讨了战争主动权的实现方式。

其一,妥善处理彼己双方的长处和短处。李筌指出"制人之术,避人之长,攻人之短;见己之所长,蔽己之所短"④,提出了争取、掌握战争主动权的重要途径,一方面是对敌人长、短的正确处理,另一方面是对自己长、短的处理。

其二,有效调动敌人。李筌主张在对敌行动中要掌握主导权,灵活调动对手,指出"善兵者,攻其爱,敌必从;捣其虚,敌必随;多其方,敌必分;疑其事,敌必备"⑤,通过攻打敌人要害、空虚之处,同时从多个方向展开攻势,示形迷惑敌人,以此造成我军安逸而敌人疲劳、敌军兵少且分散而我军兵多且集中,从而夺取战争主

① 石向秦译注:《鬼谷子·谋篇第十》,黄山书社,2002 年。
② 《太白阴经》卷一《人谋上·数有探心篇》。
③ 参见张文才:《论〈太白阴经〉的军事思想及其主要特色》,《军事历史研究》2004 年第 3 期。
④ 《太白阴经》卷一《人谋上·数有探心篇》。
⑤ 《太白阴经》卷二《人谋下·沉谋篇》。

动权。

其三，"见利乘时"的作战指导原则。李筌主张指挥员要做到"见利而起，无利则止"①，原因在于"未见利而战，虽众必败；见利而战，虽寡必胜"②，强调只有出现有利条件时才能与敌交战，这时即使兵力少也必定获胜。为了夺取作战中的主动权，他还特别重视及时把握战机，认为"时之至，间不容息，先之则太过，后之则不及"③，捕捉战机早了不行，晚了也不行，必须做到"见利不失，遭时不疑"④，在有利时机到来时果断把握，决不迟疑，否则反而会遭受祸害。

五、"文武兼施"的治军思想

《太白阴经》蕴含丰富的治军思想，涉及军队的治理、将士的选拔任用、军队的训练、将帅的作风、军法军令的实施等内容，其中有一些兵学观点是前人未尝提出的，进一步创新和发展了唐代治军思想。

（一）重视军队和睦，主张将帅带兵"如慈父育爱子"

中国古代兵家历来重视军队内部关系，主张"兵贵其和"⑤。从兵学的角度来说，这里的"和"是指将士和睦，上下齐心，精诚团结。春秋时楚国鬬廉指出"师克在和，不在众"⑥，认为军队的胜利在于万众一心，上下团结，而不在于人数的众多。吴起从国家战略的高度指出"有道之主，将用其民，先和而造大事"⑦，把"和"即

---

① 《太白阴经》卷二《人谋下·作战篇》。
② 《太白阴经》卷二《人谋下·作战篇》。
③ 《太白阴经》卷二《人谋下·作战篇》。
④ 《太白阴经》卷二《人谋下·作战篇》。
⑤ 吴惟训、吴鸣球、吴若礼：《兵镜》卷四《将职·将职条略》，《中国兵书集成》编委会：《中国兵书集成》第三十八册，解放军出版社、辽沈书社，1994 年。
⑥ 《春秋左传注》（修订本），桓公十一年。
⑦ 《吴子》卷上《图国》。

团结人民作为"图国"的首要任务，认为"不和于国，不可以出军；不和于军，不可以出陈；不和于陈，不可以进战；不和于战，不可以决胜"①，指出国内不团结统一不可以出师，军内不团结统一不可以临阵，战阵不协调一致不可以进战，作战行动不协调不能够取胜。《孟子》认为"天时不如地利，地利不如人和"②，指出人和在战争中的作用超过了天时与地利。孙膑指出"天时、地利、人和，三者不得，虽胜有央"③，指出如果不具备天时、地利、人和这三个条件，即使打了胜仗也会有严重的后果。《尉缭子》提出："天时不如地利，地利不如人和。圣人所贵，人事而已。"④《管子》强调"上下不和，虽安必危"⑤，指出上下不团结是引发危险的因素。《六韬》认为"用兵者，顺天之道未必吉，逆之不必凶，若失人事，则三军败亡"⑥，指出作战之时如果内部不合作，军队就一定会打败仗。《将苑》主张："夫用兵之道，在于人和，人和则不劝而自战矣。"⑦由此可见，古代兵家特别强调将士和睦团结对战胜攻取的重要性。

李筌着重从将帅带兵的角度探讨"和军"问题，目的在于锻造一个拥有强大战斗力的军队。他认为："古之善率人者，未有不得其心而得其力者也。"⑧为了赢得士卒的忠心和支持，"国必有礼信亲爱之义，然后人以饥易饱；国必有孝慈廉耻之俗，然后人以死易生。人所以守战，至死不衰者，上之所施者厚也"⑨，统治者给予他们丰厚的利益，人们所回报他的也就很丰厚。对于将帅来说，平时就要

---

① 《吴子》卷上《图国》。
② 焦循撰，沈文倬点校：《孟子正义》卷八《公孙丑下》，中华书局，2017 年。
③ 《孙膑兵法校理》上编《月战》。
④ 《尉缭子》卷一《战威》。
⑤ 《管子校注》卷一《形势》。
⑥ 《通典》卷一百六十二《兵典十五·推人事破灾异》。
⑦ 《诸葛亮集·文集》卷四《将苑·和人》。
⑧ 《太白阴经》卷二《人谋下·子卒篇》。
⑨ 《太白阴经》卷二《人谋下·子卒篇》。

"以恩信养之，礼恕导之，小惠渐之，如慈父育爱子也"①。随后，他列举了一系列有关"慈父育爱子"的具体行为："救其阽危，拯其涂炭；卑身下士，齐勉甘苦，亲临疾病；寒不衣裘，暑不操扇，登不乘马，雨不张盖；军幕未办，将不言坐；军井未通，将不言渴；妻子补绽于行间，身自分功于役作；箪醪之馈，必投于河；挟纩之言，必巡于军。"② 这里不仅是"慈父育爱子"之所为，而且是对将帅修养的具体要求，劝将帅做到与士卒同甘共苦，率先垂范，以此凝聚军心，激励士卒奋勇作战，"思欲致命而报之于将也"③。"视卒如婴儿""视卒如爱子"固然重要，李筌还是认为要恩威并施，贯彻"令之以文，齐之以武"的治军原则，这样才能打造一支攻必取、战必胜的强大军队。作者最后引用俗语"夫妻谐可以攻齐，小夫怒可以攻鲁"④，再次强调了军队内部和谐团结、同仇敌忾的重要性，以此激发将士高昂的斗志、旺盛的士气，取胜也就成为水到渠成的事情。

（二）主张"鉴才""选士"，量才用人

中国历代兵家向来重视人才，"得人才者得天下"的思想成为共识，尤其在死生一瞬间的战场上更加显出名将猛士的重要性。李筌对军队建设中的人才问题做了深入的探讨，提出了若干有创见的观点。当然，李筌的"鉴才""选士"和量才任人的观点并非都是个人首创，很明显地与先前兵家、道家、杂家等诸多思想流派的识人用人观有渊源关系，尤其深受《六韬》《淮南子》《将苑》《人物志》等的影响。《孟子》指出"国人皆曰贤，然后察之；见贤焉，然后用之"⑤，主张用贤必先考察贤能之士。《荀子》提出"贤能不待次而举，罢不能不待须而废"⑥，强调要打破等级门第观念大胆选贤，

---

① 《太白阴经》卷二《人谋下·子卒篇》。
② 《太白阴经》卷二《人谋下·子卒篇》。
③ 《太白阴经》卷二《人谋下·子卒篇》。
④ 《太白阴经》卷二《人谋下·子卒篇》。
⑤ 《孟子正义》卷五《梁惠王下》。
⑥ 《荀子集解》卷五《王制篇》。

唯才是举。《六韬》主张崇尚贤能,强调"上贤,下不肖;取诚信,去诈伪"①,坚决罢斥"六贼七害"的奸邪谗佞之人,选拔为国家和君主恪尽职守之人;选贤任能的关键在于名实相符,做到"将相分职,而各以官名举人,按名督实,选才考能,令实当其名,名当其实,则得举贤之道"②。这里所提出的"按名督实,选才考能""实当其名,名当其实"的选用人才原则也为后世袭用。《六韬》认为能否正确选将直接关系用兵成败和国家安危,提出"五材十过"的选将标准,指出在选将时要注意十五种外表和内情不一致的情况,以外貌、长相推断人的品质是不可靠的,主张在实践中识别将才,通过所谓的"八征"来观察一个人的表现,即"问之以言以观其辞""穷之以辞以观其变""与之间谋以观其诚""明白显问以观其德""使之以财以观其廉""试之以色以观其贞""告之以难以观其勇""醉之以酒以观其态"③,以此鉴别其是否为贤才。《淮南子》主张因人致用,随材器使,认为"贤主之用人也,犹巧工之制木也",强调"无大小修短,各得其所宜;规矩方圆,各有所施",④体现了量才施用的思想。《将苑》指出"知人之性,莫难察焉",探讨并总结了"知人之道",即"间之以是非而观其志""穷之以辞辩而观其变""咨之以计谋而观其识""告之以祸难而观其勇""醉之以酒而观其性""临之以利而观其廉""期之以事而观其信"⑤,主张通过这七种方式来鉴别将领;认为"将之器,其用大小不同"⑥,主张根据将领才能的大小而各尽其才。《人物志》提出了"八观""七谬"等人才品鉴方法,强调从性情、心理等方面观察和选择人才,注意避免在鉴别人才时容易产生的七种偏差;主张设官分职应做到量能授官,"宽弘之人宜为郡国,使下得施其功,而总成其事。急小之人宜

① 《六韬》卷一《文韬·上贤》。
② 《六韬》卷一《文韬·举贤》。
③ 《六韬》卷三《龙韬·选将》。
④ 《淮南子校释》卷九《主术训》。
⑤ 《诸葛亮集·文集》卷四《将苑·知人性》。
⑥ 《诸葛亮集·文集》卷四《将苑·将器》。

理百里，使事办于己"①，君主只有知人善用，才能使天下大治。李筌借鉴了前人的鉴才选才用人的合理成分，在深入思考的基础上推陈出新，最终形成了自己关于"鉴才""选士"和量才用人的理论。

首先是"鉴才"论。李筌从多个角度、多个层次阐述了鉴别人才的原则和具体方法。他认为要从外在和内在、言和行等方面进行全方位的考察，"阅其才通而周，鉴其貌厚而贵，察其心贞而明"②，要审察其才智、鉴别其容貌、考察其思想品格；与此同时，更重要的是考察其言行，"审其贤愚以言辞，择其智勇以任事"③，通过访谈来判断这个人是贤良还是愚钝，通过办事来考察这个人是否具有智谋和勇气。当然，这只是很笼统的考察，对于各类不同层次的具体人才，李筌提出要采用更有针对性的考察方法。他指出"择圣以道，择贤以德，择智以谋，择勇以力，择贪以利，择奸以隙，择愚以危"④，强调"事或同而观其道，或异而观其德，或权变而观其谋，或攻取而观其勇，或货财而观其利，或捭阖而观其间，或恐惧而观其安危"⑤，提出了考察一个人的道义、德行、谋略、勇敢、利益观、用间术、安危处置能力所采取的一系列方法，具有一定的可操作性。

其次是"选士"观。李筌针对选拔军队特殊人才问题进行了探讨，继承了《孙子兵法·地形篇》提出的"兵无选锋曰北"、《吴子》提出的"练锐"、《尉缭子·战威篇》提出的"武士不选，则众不强"、《六韬》提出的"练士"等众多兵家的思想观点，进一步扩大了"选士"的范围，详细列举了十类需要选拔的人才，包含"智能之士""辩说之士""间谍之士""乡导之士""技巧之士""猛毅之士""蹻捷之士""疾足之士""巨力之士""技术之士"，分别做

① 李崇智校笺：《〈人物志〉校笺》卷中《材能第五》，巴蜀书社，2001 年。
② 《太白阴经》卷二《人谋下·鉴才篇》。
③ 《太白阴经》卷二《人谋下·鉴才篇》。
④ 《太白阴经》卷二《人谋下·鉴才篇》。
⑤ 《太白阴经》卷二《人谋下·鉴才篇》。

了具体阐述。李筌指出，"智能之士"是指那些"有深沉谋虑出人之表者"①，"辩说之士"是指那些"有辞纵理横、飞钳捭阖，能移人之性、夺人之心者"②，"间谍之士"是指那些"有得敌国君臣问间请谒之情性者"③，"乡导之士"是指那些"有知山川、水草、次舍、道路迂直者"④，"技巧之士"是指那些"有制造五兵攻守利器，奇变诡谲者"⑤，"猛毅之士"是指那些"有引五石之弓矢贯重札，戈矛剑戟便于利用，陆搏犀兕，水攫鼋鼍，佻身捕虏，搴旗撼鼓者"⑥，"蹻捷之士"是指那些"有立乘奔马左右超忽，逾越城堡出入庐舍而亡形迹者"⑦，"疾足之士"是指那些"有往返三百里不及夕者"⑧，"巨力之士"是指那些"有力负六百三十斤行五十步者……或二百四十斤者"⑨，"技术之士"是指那些"有步五行，运三式，多言天道、阴阳、诡谲者"⑩。以上十类具有特殊才能的人才均被列入"选士"范围，意图对外公开收揽军队所需要的不同岗位的各类专业人才。

最后是任贤使能，量才用人。李筌在《选士篇》《鉴才篇》《励士篇》《刑赏篇》等篇中反复强调用人问题，并且提出了用人原则和用人方法。他先后提出了三条用人原则。其一是"先察后任"原则。他指出"先察而任者昌，先任而察者亡"⑪，主张"欲求其来，先察其往；欲求其古，先察其今"⑫，强调要先考察其过往的作为与

---

① 《太白阴经》卷二《人谋下·选士篇》。
② 《太白阴经》卷二《人谋下·选士篇》。
③ 《太白阴经》卷二《人谋下·选士篇》。
④ 《太白阴经》卷二《人谋下·选士篇》。
⑤ 《太白阴经》卷二《人谋下·选士篇》。
⑥ 《太白阴经》卷二《人谋下·选士篇》。
⑦ 《太白阴经》卷二《人谋下·选士篇》。
⑧ 《太白阴经》卷二《人谋下·选士篇》。
⑨ 《太白阴经》卷二《人谋下·选士篇》。
⑩ 《太白阴经》卷二《人谋下·选士篇》。
⑪ 《太白阴经》卷二《人谋下·鉴才篇》。
⑫ 《太白阴经》卷二《人谋下·鉴才篇》。

现今的表现，考察清楚之后再予以任用。其二是用长不用短的原则。他列举了五种人才进行分析，指出他们分别具有"柔顺安恕""强悍刚猛""贞良畏慎""清介廉洁""韬晦沉静"的长处，同时又存在"失于断决""失于猜忌""失于狐疑""失于局执""失于迟回"的短处，主张用其所长而避其所短。其三是"尽其才，任其道"的用人原则。李筌主张针对不同的敌情，任用不同特长的人才执行不同的任务，以此充分发挥各类人才各自不可替代的作用。具体而言，进行庙算筹划之时，要使用"智能之士"；开展外交谈判游说之时，要使用"辩说之士"；离间敌人之时，要使用"间谍之士"；深入敌境作战之时，要使用"乡导之士"；制造兵器之时，要使用"技巧之士"；挫败敌人的先锋、捕获敌人、防守危险地方、进攻强敌之时，要使用"猛毅之士"；乘人不备而袭击掠夺敌人之时，要使用"蹻捷之士"；约期传递情报之时，要使用"疾足之士"；攻坚作战之时，要使用"巨力之士"；诳骗、愚弄、迷惑敌人之时，要使用"技术之士"。作者最后总结道："兴亡之道，不在人主聪明文思，在乎选能之当其才也。"① 认为国家的兴盛与衰亡，就在于能否做到人当其才、才尽其用。李筌在阐述用人原则之时，也列举了一些具体的用人方法，如前所述的针对十种特殊人才所采用的十种用士之法就是一例，从一个侧面说明了这些用人原则和用人方法在实践中是融为一体的。

（三）"刑禁赏劝"是经国治军之法

中国古代兵家重视信赏必罚，主张通过赏罚来激励士气。夏启在甘之战的誓师大会上对全体将士说道："用命，赏于祖。弗用命，戮于社。予则孥戮汝。"② 大意是说，在战争中肯听命用力的，就在祖先的牌位前面给予奖赏；不肯听命效力的，就在社神的牌位面前处死。我要把你们这些不肯听命效力的人作为奴隶或者干脆处死。商汤伐桀时也发表了类似的言论："尔尚辅予一人，致天之罚。予其

---

① 《太白阴经》卷二《人谋下·选士篇》。
② 曾运乾注，黄曙辉校点：《尚书》卷二《甘誓》，上海古籍出版社，2015年。

大赉汝，尔无不信，朕不食言。尔不从誓言，予则孥戮汝，罔有攸赦。"① 大意是说：你们还是要帮助我，来实施上天对桀的惩罚，我要大大地赏赐你们。如果你们不遵从这个誓约，我就要使你们成为奴隶，甚至杀掉你们，一个也不宽恕。孙膑提出"赏者，所以喜众，令士忘死也；罚者，所以正乱，令民畏上也"②，认为行赏的作用是勉励士卒用命；行罚的作用是立威驭众。如果统御军队不实行赏罚，就会"善恶相混""能否莫殊"，就不可能达到"励众劝功"的目的。只有以赏服人，以罚立威，二者兼行，才能使军队明白善恶荣辱，保证法规制度的贯彻执行。《司马法》强调赏罚要及时，"赏不逾时，欲民速得为善之利也。罚不迁列，欲民速睹为不善之害也"③。李靖认为"赏罚不在重，在必行；不在数，在必当"④，如果当罚不罚，当赏不赏，罪重轻罚，罪轻重罚，就会败坏军纪，从而涣散军心，瓦解军队战斗力。

李筌继承了前人关于赏罚的兵学思想，充分肯定了刑赏在经国治军中的重要作用，指出"赏，文也；刑，武也。文武者，军之法，国之柄"⑤，主张将奖赏与刑罚两种手段结合使用，以此成为治军的法规、治国的根基。英明的君主"执法而操柄，据罪则制刑，按功而设赏"⑥，这才是高明的经国治军之法。李筌认为，"治乱之道，在于刑赏，不在于人君"⑦，能否正确推行刑赏制度直接关系到国家的治与乱。这是着眼国家战略高度的富有远见的卓越认识，反映了李筌对这一问题思考的深度远远超越了前代和同时代的兵家。他还认为，刑赏制度运用得好与不好会产生多种结果，"能生而能杀，国

---

① 《尚书》卷三《汤誓》。
② 《孙膑兵法校理》上编《威王问》。
③ 《司马法》卷上《天子之义》。
④ 《通典》卷一百四十九《兵典二·杂教令》。
⑤ 《太白阴经》卷二《人谋下·刑赏篇》。
⑥ 《太白阴经》卷二《人谋下·刑赏篇》。
⑦ 《太白阴经》卷二《人谋下·刑赏篇》。

必强；能生而不能杀，国必亡"①，但实施刑赏最好的结果是"能生死而能赦杀者"②，也就是能够做到让垂死之人活下去，让即将被杀之人得到赦免。这是作者所认可的贯彻刑赏的理想境界。

除了阐述刑赏制度的重要作用之外，李筌还论及实施刑赏应注意把握的几个要点。其一，奖赏要做到"五不赏"，不能"赏其常"。作者认为，"莅众以仁，权谋以智，事君以忠，制物以能，临敌以勇"③ 都是将士本该做到的事情，主张"不赏仁""不赏智""不赏忠""不赏能""不赏勇"，否则就会导致争名夺利，进而导致政治混乱，"政乱则非刑不治"④。其二，刑赏要智谋而不能过度。李筌认为实施刑赏要适可而止，"刑多而赏少，则无刑；赏多而刑少，则无赏"⑤，刑罚多了而奖赏少了，刑罚就失去作用了；反之，奖赏多了而刑罚少了，奖赏也失去作用了，由此就会带来"刑过则无善，赏过则多奸"⑥ 的严重后果。其三，执行刑赏要做到大公无私。《太白阴经》指出"刑赏之术，无私常公于世以为道"⑦，在实践操作过程中要做到"赏无私功，刑无私罪"⑧，认为只有遵循秉公去私的原则，才能收到实效，"用得之而天下治，用失之而天下乱"⑨，天下的大治与大乱都系于能否公正实行刑赏。虽然言过其实，但也不无道理。

---

① 《太白阴经》卷二《人谋下·刑赏篇》。
② 《太白阴经》卷二《人谋下·刑赏篇》。
③ 《太白阴经》卷二《人谋下·刑赏篇》。
④ 《太白阴经》卷二《人谋下·刑赏篇》。
⑤ 《太白阴经》卷二《人谋下·刑赏篇》。
⑥ 《太白阴经》卷二《人谋下·刑赏篇》。
⑦ 《太白阴经》卷二《人谋下·刑赏篇》。
⑧ 《太白阴经》卷二《人谋下·刑赏篇》。
⑨ 《太白阴经》卷二《人谋下·刑赏篇》。

第六节　李泌、陆贽的战略策略

李泌、陆贽是唐代中期的两位卓有建树的战略家。他们长期处于唐廷统治中枢，直接参与重大战略决策，从国家战略层面提出了诸多切实可行的建议。李泌、陆贽积极筹划平定叛乱、应对边境侵扰、消除国防威胁，协助最高统治者制定了一系列有效对策，为维护国家安全、巩固国家统一做出了杰出贡献。

一、李泌的战略策略

李泌（722—789），字长源，京兆（今陕西西安）人，唐代后期著名战略家。少年成名，博学多才，精通神道之术，长于战略筹划，为人处世多智略。他先后历玄宗、肃宗、代宗、德宗四朝，曾任中书侍郎、同中书门下平章事等职，封邺县侯。史称"其谋事近忠，其轻去近高，其自全近智，卒而建上宰，近立功立名者"[①]，为巩固李唐政权做出了突出贡献。李泌长期直接侍奉皇帝，为最高统治者出谋划策。正由于所处位置的特殊性，因此他善于从战略高度思考军国大事，从国家利益出发进行战争筹划。他为平定叛乱设计的战略方案、为遏制吐蕃而提出的地缘制衡战略，突出体现了其深远的战略眼光和务实进取的精神。

（一）持久敝敌、覆其巢穴、四合攻之的平叛战略

安史之乱爆发后，唐肃宗面对安禄山、史思明军队的强大攻势，深以为忧，尤其在安军攻克两京后，更是惶恐不安，于是问计于李泌，而李泌则趁机提出了深思熟虑的一套战略方案。首先，李泌深入料敌，指出："贼掠金帛子女，悉送范阳，有苟得心，渠能定中国邪？华人为之用者，独周挚、高尚等数人，余皆胁制偷合，至天下

---

① 《新唐书》卷一百三十九《李泌传》。

大计，非所知也。"① 对敌情的分析可谓入木三分，洞若观火。在此
分析的基础上，他得出了"不出二年，无寇矣，陛下无欲速"的结
论，其中"无欲速"是对肃宗的忠告，但后者却在日后急于收复两
京，未能听从此忠告，致使平叛战争迁延日久。其次，李泌提出了
平叛战争的战略指导思想："夫王者之师，当务万全，图久安，使无
后害。"② 此思想紧承"无欲速"之后，意即平叛战争不可急于求
成，在时机尚未成熟之时要从长计议，着眼全局，周密筹划，务求
彻底消除后患。最后，李泌全盘托出其缜密的战略方案：

　　　　贼之骁将，不过史思明、安守忠、田乾真、张忠志、阿史
那承庆等数人而已。今若令李光弼自太原出井陉，郭子仪自冯
翊入河东，则思明、忠志不敢离范阳、常山，守忠、乾真不敢
离长安，是以两军縶其四将也，从禄山者，独承庆耳。愿敕子
仪勿取华阴，使两京之道常通，陛下以所征之兵军于扶风，与
子仪、光弼互出击之，彼救首则击其尾，救尾则击其首，使贼
往来数千里，疲于奔命，我常以逸待劳，贼至则避其锋，去则
乘其弊，不攻城，不遏路。来春复命建宁为范阳节度大使，并
塞北出，与光弼南北掎角以取范阳，覆其巢穴。贼退则无所归，
留则不获安，然后大军四合而攻之，必成擒矣。③

　　在此方案中，李泌提出了环环相扣的实施步骤。一是"以两军
縶其四将"，有效牵制对手，创造有利战略态势，全力夺取战争主动
权。二是主动出击，使敌"疲于奔命"，达到敝敌的目的。"我常以
逸待劳"，养精蓄锐，为进一步实施反攻准备条件。三是南北夹击，
建宁王李倓与李光弼共取范阳，覆其巢穴，断敌退路。四是唐军发
起战略反攻，合而攻之，一举获胜。

———————————

① 《新唐书》卷一百三十九《李泌传》。
② 《新唐书》卷一百三十九《李泌传》。
③ 《资治通鉴》卷二百一十九《唐纪三十五》，肃宗至德元载十二月。

　　细究之，李泌所提方案的核心思想可概括为八个字：先疲后打，釜底抽薪。"使贼往来数千里，疲于奔命""贼至则避其锋，去则乘其弊"就是"先疲后打"的具体反映，"南北掎角以取范阳，覆其巢穴""贼退则无所归，留则不获安"则是"釜底抽薪"的巧妙运用，由此亦体现了李泌战略思想深谋远虑的特性，即不争一时之小利，而着眼长远之大利；不争一城一地之得失，而全力夺取最终胜利。目光短视的唐德宗急于收复两京，既没有打持久战的准备，也没有着力歼灭对手有生力量，而是集中唐王朝主力部队克复两京，付出重大代价之后才最终得手。由于唐廷未能有效打击对手、歼灭其有生力量，由此导致平叛战争拖延数年之久，亦从反面说明李泌方案之高明。

　　（二）从北、南、西三面围困吐蕃的地缘联盟战略

　　所谓地缘联盟战略，是指针对国家安全的主要威胁，充分利用并处理好周边地缘关系，灵活采取联近抗远、远交近攻、扶弱抑强的策略，最终达成从地缘上合众力以对付主要对手的战略目标。

　　安史之乱以来，唐王朝的周边地缘态势错综复杂，一些原本内附或藩属之国、部落纷纷独立，有的甚至趁乱内侵唐王朝边境。唐德宗在位期间，周边民族建立的政权主要有南面的南诏，西南的吐蕃，西北的回纥、党项等，其中吐蕃的实力最为强大，对唐廷的威胁也最大。据统计，从唐肃宗至德元载（756）到唐德宗贞元二十一年（805）的 50 年间，唐蕃之间发生的大小战争达 69 次，其中德宗时期（780—805）见于明确记载的战争有 33 次①，由此可见双方战争之频繁。况且吐蕃反复无常，即使与唐廷结盟和好，但为掠夺财物，肆意毁约背盟，屡屡侵扰唐边境乃至深入河西、陇右，对唐的国家安全构成重大威胁。在这一不利的态势下，李泌欲重新构建唐廷的地缘关系，以地缘联盟战略为指导，联众弱制一强，向德宗提

_____

① 参见刘海霞：《困蕃之策：中唐名臣李泌的边疆战略》，《文山学院学报》2011 年第 5 期。

出了"北和回纥，南通云南，西结大食、天竺，如此，则吐蕃自困"①　之策。

在李泌的地缘制衡战略之中，第一步是"北和回纥"，这是至关重要的一环。回纥地处西北，拥有骑兵力量，曾经帮助唐军收复两京，在平定安史之乱中发挥了独特作用。因其地处唐与吐蕃的接壤部，回纥的态度对唐蕃战争具有显著影响，争取回纥的支持直接关系地缘制衡战略之成败。由于德宗早年曾经受过回纥可汗的侮辱，因此德宗起先断然拒绝与回纥结好，不许与其和亲。李泌数次进谏，反复从战略大局陈说利害，终使德宗接受了李泌的建议，答应了回纥的和亲请求，双方正式重归于好。

李泌战略的第二步是"南通云南"，即与南诏和好。这亦是制衡吐蕃的关键一招，可收"断吐蕃之右臂"②　的效果。实施这一步骤具有良好的基础，因为"云南自汉以来臣属中国，杨国忠无故扰之使叛，臣于吐蕃，苦于吐蕃赋役重，未尝一日不思复为唐臣也"③。当然，其间经历了曲折，南诏惧怕吐蕃报复，迟迟未下定决心，剑南西川节度使韦皋设计予以离间，促使吐蕃与南诏相互猜疑，最终促使南唐决心弃蕃投唐。

第三步是"西结大食、天竺"。李泌指出："大食在西域为最强，自葱岭尽西海，地几半天下，与天竺皆慕中国，代与吐蕃为仇，臣故知其可招也。"④

李泌通过上述三个相关联的举措，构成一个针对吐蕃的环形包围态势，最终实现促使"吐蕃自困"的战略目标。在其后贯彻该战略的实践过程中，西北战场与西南战场形成联动态势。起先是韦皋在西南联合南诏数次击败吐蕃军，收复多处失地；唐军在西北方向联兵回纥，与吐蕃展开较量，同时令韦皋派军从西南方向出兵吐蕃，牵制吐蕃兵力。唐军联兵回纥、南诏反击吐蕃，扭转了先前的被动

①　《资治通鉴》卷二百三十三《唐纪四十九》，德宗贞元三年九月。
②　《资治通鉴》卷二百三十三《唐纪四十九》，德宗贞元三年九月。
③　《资治通鉴》卷二百三十三《唐纪四十九》，德宗贞元三年九月。
④　《资治通鉴》卷二百三十三《唐纪四十九》，德宗贞元三年九月。

局面，接连取得了对吐蕃作战的胜利，迫使吐蕃改弦更张，主动派使者向唐廷朝贡，双方暂时结束了敌对状态。

李泌的"联众弱制一强"的地缘联盟战略，指导唐军改变了孤军奋战、处处受制于对手的不利处境，联合多方力量形成了对吐蕃的有利态势，陷其于北、南两面作战的被动状况，达成了预期的战略目标，迫使吐蕃在连遭重创之下改变国策，唐蕃再次和好。尽管李泌之战略仅是权宜之计，并不能从根本上解决唐廷边防安全问题，其后唐文宗至懿宗时期南诏、回鹘（回纥后改名回鹘）接连侵扰边地，但毕竟使唐廷暂时扭转了被动态势，取得了短暂的胜利，为稳定时局发挥了一定的积极作用。

（三）妥善处理内部关系，安国定军的策略

非常时期必须有非常策略。李泌善察军政大势，能够针对国家和军队的不同形势，制定相适宜的策略。安史之乱给唐王朝带来巨大震荡，朝野上下原先掩盖的矛盾暴露无遗。肃宗在困境下即位，次子建宁王李倓在此期间展现了英勇果敢的气派，为其父顺利登基出力不少。肃宗对建宁王寄予很高的期许，想让其担任天下兵马元帅，率军出征。李泌敏锐洞察了其中的利害，及时制止了肃宗这一不妥当的行为。他指出："建宁诚元帅才，然广平，兄也。若建宁功成，岂可使广平为吴太伯乎！""若建宁大功既成，陛下虽欲不以为储副，同立功者其肯已乎！太宗、上皇，即其事也。"① 李泌着眼长远考虑，认为天下兵马元帅之职对未来皇位继承具有直接影响，建议从稳定江山社稷的战略角度出发，任命长子广平王李俶担任天下兵马元帅，以此避免重现类似当年"玄武门之变"的宫廷之乱。肃宗采纳了该建议，从而进一步稳固了广平王李俶的皇位继承人地位。

皇权与将权的关系，向来是封建社会内部不易处理的敏感问题。最高统治者为稳固政权，需要借助手下得力将领或四处征伐，开疆拓土；或镇守要地，保疆固圉；或平定叛乱，治安天下。但是，统治者在重用战将之时，也对其抱有警戒之心，总疑心将帅功高盖主，

---

① 《资治通鉴》卷二百一十八《唐纪三十四》，肃宗至德元载九月。

终究要篡夺自身皇位。在担忧自己随时可能被取而代之的顾虑下，历代皇帝几乎都会无端猜疑乃至冤杀立下显赫战功的大将。李泌对此问题有着清醒的认识，数次巧妙借机提醒皇帝，也成功保护了一批功臣名将。一次，他与李晟、马燧一起入见德宗时，直接表明道：

> 愿陛下勿害功臣。臣受陛下厚恩，固无形迹。李晟、马燧有大功于国，闻有谗之者，虽陛下必不听，然臣今日对二人言之，欲其不自疑耳。陛下万一害之，则宿卫之士，方镇之臣，无不愤惋而反仄，恐中外之变不日复生也！人臣苟蒙人主爱信则幸矣，官于何有！臣在灵武之日，未尝有官，而将相皆受臣指画；陛下以李怀光为太尉而怀光愈惧，遂至于叛。此皆陛下所亲见也。今晟、燧富贵已足，苟陛下坦然待之，使其自保无虞，国家有事则出从征伐；无事则入奉朝请，何乐如之！故臣愿陛下勿以二臣功大而忌之，二臣勿以位高而自疑，则天下永无事矣。①

李泌希望德宗不要加害功臣，不要对立下大功的李晟、马燧有所猜忌，同时也要李晟、马燧二人不以位高而自疑，应始终忠于朝廷、信任朝廷，即双方应坦诚相待，无所疑虑。德宗终被这一席话触动，有感而发道："朕始闻卿言，耸然不知所谓。及听卿剖析，乃知社稷之至计也！朕谨当书绅，二大臣亦当共保之。"② 在场的李、马二人不由得感激涕零。李泌通过这一进言，去除了彼此尚存的猜疑心理，极大地密切了君臣关系，也在一定程度上保护了李、马等功臣。

兴元元年（784），有人在朝议时提出，润州刺史韩滉"聚兵修石头城，阴蓄异志"③。德宗听后产生了疑心，询问李泌。李泌对韩

---

① 《资治通鉴》卷二百三十二《唐纪四十八》，德宗贞元三年六月。
② 《资治通鉴》卷二百三十二《唐纪四十八》，德宗贞元三年六月。
③ 《资治通鉴》卷二百三十一《唐纪四十七》，德宗兴元元年十一月。

滉的为人比较了解，也能够明了其修石头城的真正用意。因此，李泌在回答德宗提问时，反复申明韩滉的品德情操："滉公忠清俭""滉性刚严，不附权贵，故多谤毁"①。并对其修石头城的真实用意做了解释，即"滉见中原板荡，谓陛下将有永嘉之行，为迎扈之备耳"②，认为"此乃人臣忠笃之虑，奈何更以为罪乎"③，最后希望"陛下察之，臣敢保其无他"④。李泌的这份自信显然出于他对韩滉的深入了解，随后又上了一道奏章，以全家百口性命保韩滉，彻底打消德宗的疑虑。本性多疑的德宗对李泌的言行感到不理解，认为他保韩滉是私心作祟。李泌再次表明心迹："臣岂肯私于亲旧以负陛下！顾滉实无异心，臣之上章，以为朝廷，非为身也。"⑤ 提出了让韩滉之子韩皋回家省亲之策，以此消除君臣间的猜疑。果然，韩滉"感悦流涕，即日，自临水滨发米百万斛"⑥，以此向朝廷表明效忠之心，也及时缓解了唐廷粮食供给的紧张局面。

正由于李泌善于从大局着眼，从维护长远利益思考并解决问题，因此他才具有常人所没有的远见卓识，才能够提出最适宜的应对之策，较好地处理了最高统治者与将帅、朝廷与地方的关系，在其力所能及的范围内达成了安国定军的目的。

（四）准确把握对手心理，不战而降服的心战策略

众所周知，心战策略是中国古代兵家惯常使用的特殊作战样式，针对作战对象的心理弱点予以精准的心理攻击，以此影响和改变对手的心理状态，使其全部或部分丧失战斗力。心战策略注重以最小的代价获取最大的战争效益，用力小而收效大乃是其着力追求的目标。

李泌善于揣摩人的心理，对同一人在不同处境的心理、同一处

---

① 《资治通鉴》卷二百三十一《唐纪四十七》，德宗兴元元年十一月。
② 《资治通鉴》卷二百三十一《唐纪四十七》，德宗兴元元年十一月。
③ 《资治通鉴》卷二百三十一《唐纪四十七》，德宗兴元元年十一月。
④ 《资治通鉴》卷二百三十一《唐纪四十七》，德宗兴元元年十一月。
⑤ 《资治通鉴》卷二百三十一《唐纪四十七》，德宗兴元元年十一月。
⑥ 《资治通鉴》卷二百三十一《唐纪四十七》，德宗兴元元年十一月。

境下不同人的心理均能做准确的分析，因势因时因地定策，故能切中要害，抓住问题的关键，深得心战之精髓。贞元元年（785），图谋不轨的陕虢都知兵马使达奚抱晖毒杀了节度使张劝，自行代理总军务，并要求朝廷授予自己旌节。陕州、虢州靠近京畿要地，控扼东西交通，"抱晖据陕，则水陆之运皆绝矣"①。事态紧急，德宗立即任命李泌为陕虢都防御水陆运使，前往解决此事。在君臣问对过程中，李泌提出了自己的制敌之策。他首先分析了作战地形，指出"陕城三面悬绝，攻之未可以岁月下也"②，认为不宜强攻，而应该智取。随后，他分析了陕人的心理以及自己的主张，"陕城之人，不贯逆命，此特抱晖为恶耳。若以大兵临之，彼闭壁定矣。臣今单骑抵其近郊，彼举大兵则非敌，若遣小校来杀臣，未必不更为臣用也。且今河东全军屯安邑，马燧入朝，愿敕燧与臣同辞皆行，使陕人欲加害于臣，则畏河东移军讨之，此亦一势也"③，认为"今事变之初，众心未定，故可出其不意，夺其奸谋"④，强调要抓住良机，迅速实施有效策略。在得到德宗许可后，李泌针对陕虢士卒和达奚抱晖的不同心理状态，即"士卒思米，抱晖思节"⑤，成功地实施了心战。他召见陕州进奏官及将吏在长安者，语之曰："主上以陕、虢饥，故不授泌节而领运使，欲令督江、淮米以赈之耳。陕州行营在夏县，若抱晖可用，当使将之；有功，则赐旌节矣。"⑥有意让这些人将此信息向外传播。抱晖派来打探消息的人马上回去转告所获取的消息，抱晖紧张的心顿时放松下来了。李泌到达陕州后，对抱晖一众人实施安抚策略，以稳定军心。他口中称许抱晖有"摄事保完

---

① 《资治通鉴》卷二百三十一《唐纪四十七》，德宗贞元元年七月。
② 《资治通鉴》卷二百三十一《唐纪四十七》，德宗贞元元年七月。
③ 《资治通鉴》卷二百三十一《唐纪四十七》，德宗贞元元年七月。
④ 《资治通鉴》卷二百三十一《唐纪四十七》，德宗贞元元年七月。
⑤ 《资治通鉴》卷二百三十一《唐纪四十七》，德宗贞元元年七月。
⑥ 《资治通鉴》卷二百三十一《唐纪四十七》，德宗贞元元年七月。

城隍之功"①，安抚道："军中烦言，不足介意。公等职事皆按堵如故。"② 李泌入城就职办公，不少人前来秘密举报，结果遭到拒绝，"易帅之际，军中烦言，乃其常理，泌到，自妥帖矣，不愿闻也"③，一席话安定了陕人之心，"由是反仄者皆自安"④。一切处置妥当后，李泌召见抱晖，表示可以不追究其鸩杀节度使之罪，让他带家室潜逃，可以保全性命。抱晖知道大势已去，赶紧逃生去了。

李泌通过精准的心理分析，针对不同人的心理状态采取相应举措，完全掌控了对手的心理，使抱晖及其部下处处受制于李泌，而整个事态也基本上按照李泌预定的计划向前发展，最终兵不血刃平息了事端。李泌能够顺利实现目标，与其娴熟运用心战手段是密不可分的，由此也印证了心战具有不同于兵战的不可小觑的威力。

二、陆贽的战略策略

陆贽（754—805），字敬舆，苏州嘉兴（今属浙江）人，唐代后期杰出的政论家。唐德宗即位后，陆贽先后担任翰林学士、中书侍郎、同平章事，参与朝廷决策，批陈弊政，矫正君过，在御敌备边、治军理政、削藩平叛等方面提出了有价值的建言，发挥了积极作用。他所撰写的制诰和奏议有不少涉及军政问题，多从战略层面论述御敌制胜之法，借用儒家思想探讨兵事，充分吸纳历代治国理政、治军备边思想之精华，提出了妥善处理时局的军政主张，蕴含了独具特色的战略思想和策略思想，对后世产生了较大的影响。

（一）"文武并兴，农战兼务"的国防经济战略

陆贽提出"文武并兴，农战兼务"⑤ 的国防经济战略主张，乃是对先秦兵学思想的传承和发展。"农战"一语最早出自法家："国

---

① 《资治通鉴》卷二百三十一《唐纪四十七》，德宗贞元元年七月。
② 《资治通鉴》卷二百三十一《唐纪四十七》，德宗贞元元年七月。
③ 《资治通鉴》卷二百三十一《唐纪四十七》，德宗贞元元年七月。
④ 《资治通鉴》卷二百三十一《唐纪四十七》，德宗贞元元年七月。
⑤ 《陆宣公集》卷六《策问识洞韬略堪任将帅科》。

之所以兴者，农战也。"① 提出国家要兴盛，就必须发展生产和鼓励作战。法家强调农战相辅相成，发展农业生产可以使国家宝贵，为军队作战提供物质保障；提倡军功，奖励勇敢作战者，可以去除安逸怠惰的弊病，使国家走向强盛。"农战"思想对中国古代兵家产生了深远的影响。

陆贽生逢乱世，无论是国力还是军力都无法与盛唐相比。为扭转颓势，他借鉴前人"农战"思想，结合当时形势，提出了自己的国防经济战略主张，具有鲜明的现实指向，即着力解决唐廷边防虚弱乃至无力捍卫疆土的问题。陆贽认为"备边御戎，国家之重事；理兵足食，备御之大经。兵不理则无可用之师，食不足则无可固之地。理兵在制置得所，足食在敛导有方"②，将理兵和足食作为巩固边防的两个关键要素。在这二者之中，他更加强调足食的重要性，并就此提出了具体举措：

　　　　先务积谷，人无加赋，官不费财，坐致边储，数逾百万。诸镇收籴，今已向终，分贮军城，用防艰急，纵有寇戎之患，必无乏绝之忧。守此成规，以为永制，恒收冗费，益赡边农，则更经二年，可积十万人三岁之粮矣。③

陆贽主张通过鼓励边防农民发展农业生产，减轻赋税，不断增加边境州镇的军粮储备，为备边提供充足的物资保障。陆贽强调增加粮食储备的关键在于屯田，赞同赵充国所提出的"破羌之议，先务屯田"④。与此同时，陆贽也非常重视理兵，"安边之本，所切在兵"，主张"修封疆，守要害，堑蹊隧，垒军营，谨禁防，明斥候，务农以足食，练卒以蓄威，非万全不谋，非百克不斗"⑤，边防由此

① 《商君书锥指》卷一《农战第三》。
② 《陆宣公集》卷十九《论缘边守备事宜状》。
③ 《陆宣公集》卷十九《论缘边守备事宜状》。
④ 《陆宣公集》卷十八《请减京东水运收脚价于沿边州镇储蓄军粮事宜状》。
⑤ 《陆宣公集》卷十九《论缘边守备事宜状》。

才能做到"守则固，战则强"①。

陆贽的国防经济战略主张传承了儒家"足食足兵"思想，认为"足食足兵"是国防建设的必备条件，也是影响战争胜负的两个重要因素；同时又将其与当时的边防状况紧密结合，提出了"备边御戎"之策。他的这些边防备御主张是儒家思想和兵家思想相互融合之后的产物，也是唐代中期兵儒合流的具体反映。

（二）"居重驭轻"的国家安全战略

如何配置中央部队与边防部队直接关系国家安危，为历代统治者所重视，也是历代兵家关注的问题。他们从历史上的成功经验与失败教训中不断总结和思考，逐渐找到了国防力量配置的合理方式。一般而言，朝廷在京师附近部署主力精锐部队，在地方和边防部署一定兵力，中央在兵力上与地方相比占据绝对优势，以此保障中央政权的巩固。这就是"居重驭轻"的国家安全战略。

陆贽亲身经历了安史之乱。痛定思痛，他深刻探讨国家治乱安危之道，认为安史之乱的根源就在于破坏了合理的国防布局，摒弃了"居重驭轻"的安全战略，最终导致地方势力尾大不掉，进而威胁中央政权。陆贽首先总结了历代治国之道，指出："国家之立也，本大而末小，是以能固。……王畿者，四方之本也；京邑者，又王畿之本也。其势当令京邑如身，王畿如臂，四方如指，故用即不悖，处则不危。斯乃居重驭轻，天子之大权也。"②　其次，陆贽回顾了初唐时期的军事力量布局，指出："太宗文皇帝既定大业，万方底义，犹务戎备，不忘虑危，列置府兵，分隶禁卫，大凡诸府八百余所，而在关中者殆五百焉。举天下不敌关中，则居重驭轻之意明矣。"③唐太宗在全国各地设置折冲府，派遣军队驻防京畿以及各战略要地。折冲府的分布很有深意，大部分集中在京城所在的关中一带，形成了"内重外轻""居重驭轻"之势，从而有力地保障了唐王朝的安

---

① 《陆宣公集》卷十九《论缘边守备事宜状》。
② 《陆宣公集》卷十一《论关中事宜状》。
③ 《陆宣公集》卷十一《论关中事宜状》。

全和政权的稳固。在这一态势下，中央政府拥有绝对的权威，令行禁止，从而确保国家机器有序运转，军民各处其所，社会和谐发展。最后，他指出唐玄宗后期武备废弛，"失居重驭轻之权，忘深根固柢之虑"[1]，导致安禄山"窃倒持之柄，乘外重之资，一举滔天，两京不守"[2]，酿成了祸患无穷的安史之乱。当时唐王朝各边镇节度使拥兵 49 万，其中身兼范阳节度使、平卢节度使、河东节度使的安禄山所掌握的兵力达到 18 万余人，而朝廷直接统辖的中央禁卫军即骑兵仅有 12 万人，严重破坏了原有的以内制外的态势，形成了内轻外重的局面。拥兵自重的安禄山看到内地兵力空虚、武备废弛，认为有机可趁，遂在一切准备就绪之后突然发动叛乱。陆贽的一番议论，归根结底就是强调要坚决贯彻"居重驭轻"战略，稳固京畿之根本，置重兵于统治中枢之所在，极力避免内外兵力配置失当，以此巩固王朝政权，维护国家安全。

（三）"驭将理兵"的治军方略

陆贽执掌中央大权，参与高层决策，深知军队建设诸多利弊得失，故能够提出切实可行的治军方略。究其要点，其治军方略主要集中在驭将、军法、赏罚三个方面。

一是驭将。陆贽高度重视将帅的选拔、任用，尤其对如何处理君主与将帅的关系做了深入探讨，对君主提出了忠告，显然是别有深意。他认为"克敌之要，在乎将得其人；驭将之方，在乎操得其柄。将非其人者，兵虽众不足恃；操失其柄者，将虽材不为用。兵不足恃，与无兵同；将不为用，与无将同"[3]，充分肯定了善于统御将帅的重要性。首先是"求才者贵广，考课者贵精"[4]。陆贽主张放开选拔的范围，多方搜罗包括将帅在内的各种人才，在此基础上对拟选任的将帅按照如下要求进行认真考核：

---

[1]　《陆宣公集》卷十一《论关中事宜状》。

[2]　《陆宣公集》卷十一《论关中事宜状》。

[3]　《陆宣公集》卷十一《论两河及淮西利害状》。

[4]　《新唐书》卷一百五十七《陆贽传》。

必先考察行能，然后指以所授之方，语以所委之事，令其自揣可否，自陈规模。须某色甲兵，借某人参佐，要若干士马，用若干资粮，某处置营，某时成绩，始终要领，悉俾经纶，于是观其计谋，校其声实。若谓材无足取，言不可行，则当退之于初，不宜贻虑于其后也；若谓志气足任，方略可施，则当要之于终，不应掣肘于其间也。①

陆贽主张通过将帅的言行和处事能力进行综合考察，对于有才能者就要放手使用，充分施展其才干。其次是以诚信相待。陆贽认为"匹夫不诚，无复有事，况王者赖人之诚以自固，而可不诚于人乎"②，要求君主做到"疑者不使，使者不疑，劳神于选才，端拱于委任"③，对部下信而不疑，绝不无端猜疑。最后是给予将帅适度的机断处置权。陆贽传承了先秦兵家关于将帅机断指挥的思想，指出："古之遣将帅者，君亲推毂而命之曰：'自阃以外，将军裁之。'又赐铁钺，示令专断。故军容不入国，国容不入军，将在军，君命有所不受。诚谓机宜不可以远决，号令不可以两从，未有委任不专，而望其克敌成功者也。"④ 他还比较了吐蕃与唐王朝在处置此问题上的不同做法，认为二者攻守易位，出现了彼攻我守的局面，原因就在于"彼之号令由将，而我之节制在朝；彼之兵众合并，而我之部分离析"⑤，始终受制于朝廷的唐朝将领无法便宜从事、相机处置，无法充分发挥主观能动性，由此导致其在战场上屡屡丧失战机，处处陷于被动，取胜也就成为奢望。因此，陆贽反对将从中御，主张君主务必将机断指挥权授予将帅，使其能够在瞬息万变的战场上随机应变，灵活处置，争取最佳的作战效益。

---

① 《陆宣公集》卷十九《论缘边守备事宜状》。
② 《陆宣公集》卷十三《奉天请数对群臣兼许令论事状》。
③ 《陆宣公集》卷十九《论缘边守备事宜状》。
④ 《陆宣公集》卷十九《论缘边守备事宜状》。
⑤ 《陆宣公集》卷十八《请减京东水运收脚价于沿边州镇储蓄军粮事宜状》。

　　二是严明军法。陆贽主张以法治军，认为吐蕃军虽然人马少、兵器钝，但与唐军交战却胜多败少，原因就在于其军法严明、治军有方，即"中国之节制多门，蕃丑之统帅专一故也"①。他指出："节制多门，则人心不一；人心不一，则号令不行；号令不行，则进退难必；进退难必，则疾徐失宜；疾徐失宜，则机会不及；机会不及，则气势自衰。斯乃勇废为尪，众散为弱，逗挠离析，兆乎战阵之前；是犹一国三公，十羊九牧，欲令齐肃，其可得乎？"② 军法不行、号令不一必将严重扰乱将士的思想，极大影响军队执行力，进而丧失战机、自乱阵脚。因此，陆贽强调"理戎之要，最在均齐，故军法无贵贱之差，军实无多少之异，是将所以同其志，而尽其力也"③，认为只有以军法严明治军，不分贵贱，一视同仁，使将士各守其分，尽其职竭其力，才可以达成治军目标。

　　三是合理赏罚。陆贽高度重视在治军中合理运用赏罚手段，以激励军心士气，以惩戒违法行为，形成守纪尚法之风气。他认为："赏以存劝，罚以示惩，劝以懋有庸，惩以威不恪。故赏罚之于驭众也，犹绳墨之于曲直，权衡之于重轻，辀轫之所以行车，衔勒之所以服马也。驭众而不用赏罚，则善恶相混而能否莫殊。"④ 陆贽强调在实施赏罚时要注意做到有功必赏，有罪必罚，切忌"罪以隐忍而不彰，功以嫌疑而不赏"⑤；罚近而赏远，即"行罚先贵近而后卑远""行赏先卑远而后贵近"⑥，这样更有利于在将士中树立赏罚的威信，从而更好地推进赏罚在治军过程中的贯彻落实。

---

① 《陆宣公集》卷十九《论缘边守备事宜状》。
② 《陆宣公集》卷十九《论缘边守备事宜状》。
③ 《陆宣公集》卷十九《论缘边守备事宜状》。
④ 《陆宣公集》卷十九《论缘边守备事宜状》。
⑤ 《陆宣公集》卷十九《论缘边守备事宜状》。
⑥ 《陆宣公集》卷十四《奉天论拟与翰林学士改转状》。

第七节　杜佑、杜牧的兵学思想

　　杜佑和杜牧是唐代后期的两位著名兵学家，均留下了富有价值的论兵之作。杜佑注重围绕《孙子》的重要兵学观点进行兵学理论的阐发，并援引战例予以佐证，意在为当朝用兵有所借鉴，足见其用意之深。杜佑论兵多着眼经国治军之大计，立意高远，颇有战略眼光，如主张强本弱枝、先德后才的将帅选拔标准，广修文德，以治求胜，因情用兵等，充分体现了长期执掌枢机者研讨兵学的独特风格。

　　杜牧论兵多着眼现实问题，针对治军弊端、边防祸患或藩镇割据而提出应对之策，如主张要根除当时军队"五败"现象；采取避实击虚、出其不意之策进攻回纥，以解决边患；实施扼险、"捣虚""速擒"方针，充分把握战略主动权，直接"覆其巢穴"，速战速决平定藩镇叛乱等。此外，杜牧在《孙子》注解领域取得了很大成就，提出了不少有创意的兵学见解，进一步拓展了孙子兵学内涵，被称为曹操之后的第二大注家。

一、杜佑的兵学思想

　　杜佑（735—812），字君卿，京兆万年（今陕西西安）人，出身于望族，历仕德宗、顺宗、宪宗三朝，先后担任淮南节度使、度支盐铁使、同平章事等职，封岐国公。《通典·兵典》是其兵学代表作。后人将《兵典》里的杜佑对孙子兵学观点的训释收入《十一家注孙子》，杜佑也由此成为《孙子》的一个注家。

　　杜佑的兵学思想主要体现在如下四个方面。

　　（一）主张居重驭轻，强干弱枝，维护和巩固国家安全

　　杜佑从总结历朝兵力部署的得失入手，尤其注重联系本朝历史，从正反两面深入剖析，得出了"制置得其适宜"的结论。他首先回

顾了战争兴起的历史，充分肯定了汉代为巩固统治而采取的部署兵力的合理举措："重兵悉在京师，四边但设亭障；又移天下豪族，辇居三辅陵邑，以为强干弱枝之势也。"① 一旦爆发战争，"或有四夷侵轶，则从中命将，发五营骑士，六郡良家。贰师、楼船，伏波、下濑，咸因事立称，毕事则省。虽卫、霍之勋高绩重，身奉朝请，兵皆散归。斯诚得其宜也"②。汉廷临时任命将帅领兵征战，战事结束之后，征战将帅交回兵权，解散临时组建的军队，士兵返回原部队。这就是古代统治者为巩固统治、维护国家安全而采取的将权临任制，将军队统兵权、调兵权与指挥权分割开来，以约束将权，防止将领因专权擅权而出现拥兵自重的情况。杜佑认为，照此执行就可以使国家安定，否则会使国家陷入动乱，比如东汉的董卓、袁绍，东晋的王敦、桓玄，南北朝时期的王敬则、侯景、尔朱荣、高欢等，都是权高位重、手握重兵，最终因图谋不轨而导致天下大乱。

　　杜佑不仅考察了前朝历史，更重要的是深入探讨了本朝太宗与玄宗两种截然不同的做法，从正反对比中得出了最终结论。他指出："李靖平突厥，李勣灭高丽，侯君集覆高昌，苏定方夷百济，李敬玄、王孝杰、娄师德、刘审礼皆是卿相，率兵御戎，戎平师还，并无久镇。其在边境，唯明烽燧，审斥候，立障塞，备不虞而已。实安边之良算，为国家之永图。"③ 显然，这仍然是将权临任制，将帅领兵完成"御戎"任务后，立即率军返回，不得"久镇"边陲。而自唐玄宗统治中期以后，最高统治者夸耀武力，肆意开边，而边将投其所好，"邀功之将，务恢封略，以甘上心，将欲荡灭奚、契丹，翦除蛮、吐蕃，丧师者失万而言一，胜敌者获一而言万，宠锡云极，骄矜遂增"④，由此导致"骁将锐士、善马精金，空于京师，萃于二

────────────

① 《通典》卷一百四十八《兵典一·兵序》。
② 《通典》卷一百四十八《兵典一·兵序》。
③ 《通典》卷一百四十八《兵典一·兵序》。
④ 《通典》卷一百四十八《兵典一·兵序》。

统。边陲势强既如此，朝庭势弱又如彼"①，最终爆发安史之乱。杜佑引用了贾谊的原话告诫统治者："治天下者，令海内之势，如身之使臂，臂之使指，莫不制从。若惮而不能改作，末大本小，终为祸乱。"② 汉代的七国之乱、唐代的安史之乱都是违背"强干弱枝""居重驭轻"原则而招致的惨痛教训。杜佑撰写《兵典》、潜心于历代用兵之得失的真正用意，正在于为当代统治者和将帅提供有益的资鉴，以求江山社稷的长治久安。

（二）用兵须"人和"与"权诈"并重

杜佑孜孜探求用兵之道，特别强调"人和"的作用，主张要多方争取军民之心。他深入地探讨了"道"的内涵，认为"道者，令民与上同意也"就是所谓的"导之以政令，齐之以礼教也。危者，疑也。上有仁施，下能致命也。故与处存亡之难，不畏倾危之败"③。杜佑认为，要想使三军将士乐意为君主、统帅效命，关键在于"上有仁施"，君主、统帅的所作所为决定了将士们的行动。如果能够做到"上下同欲"，在危难关头使将士没有叛心、疑心，众志成城，就不会有"倾危之败"。正因为看到"人和"的力量，杜佑在注解"识众寡之用者胜"时，指出"言兵之形，有众而不可击寡，或可以弱制强，而能变之者胜也，故《春秋传》曰'师克在和，不在众'是也"④；在阐述对"上下同欲者胜"的理解时，重述了前面的观点，并引用《孟子》的原话予以佐证："言君臣和同，勇而战者胜。故孟子曰：'天时不如地利，地利不如人和。'"⑤ 杜佑一方面强调用兵要注重"人和"，另一方面又强调"兵贵于权诈"，将帅在统兵作战时必须善于通权达变。他还深刻地指出了治国与治军的相异之处："夫治国尚礼义，兵贵于权诈，形势各异，教化不同，而君不知其变，军国一政，以用治民，则军士疑惑，不知所措。故《兵

---

① 《通典》卷一百四十八《兵典一·兵序》。
② 《通典》卷一百四十八《兵典一·兵序》。
③ 《十一家注孙子校理》卷上《计篇》杜佑注。
④ 《十一家注孙子校理》卷上《谋攻篇》杜佑注。
⑤ 《十一家注孙子校理》卷上《谋攻篇》杜佑注。

经》曰'在国以信，在军以诈'也。"① 主张将"知权变"作为任将的一条重要标准，强调"君之任将，当精择焉。将若不知权变，不可付以势位。苟授非其人，则举措失所，军覆败也"②，并用赵国任用"不知权变"的成安君陈余为统帅而不任用"知权变"的广武君李左车为统帅，结果导致失败的战例予以佐证。

杜佑主张将领"知权变"，突出体现在对战机的准确把握上。他认为善用兵者应该做到"先咨之庙堂，虑其危难，然后高垒深沟，使兵士练习，以此守备之固，待敌之阙，则可胜之。言守备之固，制敌在外。守备之固自修理，以俟敌之虚懈；已见敌有阙漏之形，然后可胜"③，也就是先做到"不可胜在己"，而后再寻找制胜的良机，等到敌人出现破绽再乘隙而入，一举获胜。杜佑还对孙子提出的"归师勿遏"的兵学主张发表了自己的见解："若穷寇远还，依险而行，人人怀归，敢能死战，徐观其变，而勿远遏截之。"④ 主张先暂不截击归师，在观察到敌方出现了异常变化之后，通权达变，临机制敌，就能击败对手。杜佑在此强调的也是对兵法原则的灵活运用，其关键在于及时、正确地"料敌"，尤其要深入分析敌情的变化，并做适宜处置，"能因敌变化而取胜者，谓之神"⑤。

（三）怀柔抚绥安边，慎择良将守边

杜佑秉承了儒家的"远人不服，则修文德以来之"的理念，主张以怀柔之策抚绥周边，由此使"中国遂宁，外夷亦静"⑥；同时坚决反对"武臣邀功"⑦，并列举了汉代萧望之谏阻边将争逐发兵和唐玄宗时期宰相宋璟不支持边将开边的事例，认为要以此为镜鉴，慎重处理边防事宜，其中边将的选任是关键，特别强调要"慎择良将，

---

① 《十一家注孙子校理》卷上《谋攻篇》杜佑注。
② 《十一家注孙子校理》卷上《谋攻篇》杜佑注。
③ 《十一家注孙子校理》卷上《形篇》杜佑注。
④ 《十一家注孙子校理》卷中《军争篇》杜佑注。
⑤ 《十一家注孙子校理》卷中《虚实篇》。
⑥ 《旧唐书》卷一百四十七《杜佑传》。
⑦ 《旧唐书》卷一百四十七《杜佑传》。

诚之完葺，使保诚信，绝其求取，用示怀柔。来则惩御，去则谨备，自然彼怀，革其奸谋，何必遽图兴师，坐致劳费"①。他立足于国家边防安全的角度来选择良将，对其提出了以"诚信""怀柔"为核心的守边之策，并且主张对"边将非廉，亟有侵刻，或利其善马，或取其子女，便赂方物，征发役徒"② 的恶行要严加惩戒。杜佑在《通典》中再一次涉及了选将标准问题，强调从"将者，人之司命，国家安危之主"的战略高度选任将领，主张"先之以中和，后之以材器"③，以德为先，以才相佐，德才兼备，可作为选任将帅的通则，尤其适用于边将，因为上述选将标准正是杜佑对唐廷在安史之乱及藩镇割据时期的用人教训进行深刻总结所形成的理性认识。

总之，杜佑在边防问题上力主抚绥，反对肆意开边，尽力保持边境的和睦局面。一旦外夷挑衅侵扰，则采取"来则惩御，去则谨备"的对策。他之所以主张对战事持慎重、克制的态度，一方面是不满于当时"武臣邀功"的现状，希图矫正这一风气；另一方面则是从国家、军队物资损耗的角度予以考虑，认为兴师动众、大动干戈会"坐致劳费"，劳民伤财。由于杜佑本人历任德宗、顺宗、宪宗三朝宰相，多年掌管政府财政，因而深知战争对国家财政所带来的负面影响。由此可见，他思考边防问题以及其他诸多问题，多从国家战略高度进行分析，并就此提出应对之策。这与其长期位处朝廷中枢有着密切的关系。

（四）注解《孙子》富有新意，能触及用兵要旨

孙子既推崇"不战而屈人之兵"的"全胜"思想，也理性地肯定了"伐兵"的作用，深入地探讨了用兵之法。应该说，杜佑对《孙子》的注解基本上切合原书本旨，有时还能做富有创意的阐述。在注解《谋攻篇》的"故用兵之法，十则围之"一句时，杜佑赞同曹操的见解，并在此基础上进行了阐发，提出了在兵力十倍于敌的

---

① 《旧唐书》卷一百四十七《杜佑传》。
② 《旧唐书》卷一百四十七《杜佑传》。
③ 《通典》卷一百四十八《兵典一·兵序》。

情况下的两种截然不同的处置方法："若敌坚垒固守，依附险阻，彼一我十，乃可围也。敌虽盛，所据不便，未必十倍然后围之。"① 从杜佑的详细注解中，可以很自然地联想起孙子反复强调的"因敌而制胜"的用兵法则，依据敌情的变化灵活应对乃是用兵制胜的要诀。在注解"五则攻之"一句时，杜佑仍然将其区分为可能出现的两种情况予以探讨。"若敌并兵自守，不与我战，彼一我五，乃可攻战也。或与敌人内外之应，未必五倍然后攻"②，也就是采取常法与变法灵活制敌。在"将智勇等而兵利钝均"③ 的通常情况下，可用常法；在"无敌人内外之应"的情况下，可用变法，不必僵化地执行"五则攻之"法则。在条件许可的情况下，即使没有五倍于敌的兵力也可以实施进攻。由此可见，杜佑注重灵活运用兵法，结合战场上敌我态势的变化而相应采取适宜的应对之策。这也正是孙子"践墨随敌"的深刻含义。

　　除了对用兵之法的富有创意的阐释外，杜佑的注解还常能准确把握孙子的用兵要旨。在注解《谋攻篇》的"不若则能避之"一句时，杜佑比其他注家更为高明，不仅指出要"引兵备之"，而且强调在引军避战之后的军事行动原则是"待利而动"，从而触及孙子"合于利而动"④ 的用兵要旨。他没有将避战视作消极行为，而是将其与而后要采取的军事行动连贯起来，使之成为一个密不可分的整体战争行动。所有这些行动其实都是遵循"因利而制权"的原则，依据是否有利来指导自己的用兵行动。杜佑的注解更切合孙子本意，对将帅用兵更具有现实指导意义。在注解《九变篇》的"圮地无舍"一句时，杜佑没有拘泥于其他注家对"圮地"的阐释，而是跳出训诂模式，从宏观角度对"九地之变"提出了贯穿始终的用兵指

---

① 《十一家注孙子校理》卷上《谋攻篇》杜佑注。
② 《十一家注孙子校理》卷上《谋攻篇》杜佑注。
③ 《十一家注孙子校理》卷上《谋攻篇》曹操注。
④ 《十一家注孙子校理》卷下《火攻篇》。

导原则："择地顿兵，当趋利而避害也。"① 杜佑的注解深刻揭示了孙子借助地形料敌制胜的根本就是"趋利而避害"，无论是在圮地，还是在衢地、绝地、围地、死地作战，都不能违背"趋利而避害"的指导原则，应依据敌我作战态势，选择有利的地形部署兵力，使地形为我所用而不是我为地形所困，努力践行孙子所说的"夫地形者，兵之助也"② 的用兵法则。

二、杜牧的兵学思想

杜牧（803—853），字牧之，京兆万年（今陕西西安）人，杜佑之孙，历任监察御史、宣州团练判官、中书舍人等职。杜牧富有才气，诗文造诣精深，同时还特别留意兵学，"慨然最喜论兵"③，屡屡上书权臣，对当朝军事问题发表个人见解，不少主张颇有见地，尤以所献平定刘稹之策、防御回纥扰边之策最为著名。其论兵之作主要有《注孙子》《原十六卫》《战论》《守论》《上李司徒相公论用兵书》《上李太尉论北边事启》《上周相公书》等。

杜牧的兵学思想主要体现在如下三个方面。

（一）主张"知兵"，揭示"用仁义，使机权"的兵学本质

孙子曰："兵者，国之大事，死生之地，存亡之道，不可不察也。"杜牧高度认同孙子这一观点，在不同文篇里反复申论："国之存亡，人之死生，皆由于兵，故须审察也。"④ 他曾谈及自己对"兵"的认识历程："及年二十，始读《尚书》《毛诗》《左传》《国语》、十三代史书，见其树立其国，灭亡其国，未始不由兵也。……为国家者，兵最为大。"⑤ 无数历史经验教训深刻地说明了战争可以立国，也可以亡国。杜牧在诵读经史子集的过程中，领悟了经国治

---

① 《十一家注孙子校理》卷中《九变篇》杜佑注。
② 《十一家注孙子校理》卷下《地形篇》。
③ 晁公武撰，孙猛校证：《郡斋读书志校证》卷十四《兵家类》，上海古籍出版社，2005 年。
④ 《十一家注孙子校理》卷上《计篇》杜牧注。
⑤ 《樊川文集》卷十《注孙子序》。

军的道理，提出了"知兵"的兵学主张。他在不同场合都谈到了
"知兵"，首先认为圣人知兵，周公"有淮夷叛则出征之"，孔子则
提出"有文事者，必有武备，叱辱齐侯，服不敢动"①。其次认为良
将知兵，列举了自西周至隋唐的诸如姜太公、王翦、韩信、赵充国、
司马懿、诸葛亮、杨素、李靖、李勣、裴行俭等良将，指出他们深
谙文韬武略，先计而后战，"其所出计画，皆考古校今，奇秘长远，
策先定于内，功后成于外"②。最后主张卿大夫、儒者应当知兵，
"非贤卿大夫，不可堪任其事，苟有败灭，真卿大夫之辱"③，认为
身居高位的儒者没有"不知兵""不制兵"而能够做到制止暴乱、
拯救百姓、安定国家的。当国家发生暴乱、外敌入侵之时，儒者还
能以"不知兵"为借口进行逃避吗？杜牧尖锐地指出了当时的社会
现状，认为唐朝儒者知兵者少，大胆针砭时弊，反映了杜牧过人的
胆量和密切关注现实的务实精神。

　　杜牧主张为政者不仅要知兵，还要做到"文武并用"④。他批评
了本朝开元末年的错误朝政，儒者上奏建议"罢府兵"，武者上奏主
张对外征战，文臣武将各执一词，统治者认为均有道理，"于是府兵
内铲，边兵外作，戎臣兵伍，湍奔矢往，内无一人矣"⑤。杜牧认为
这就是未能正确处理文与武的关系，治国理政不可偏执一端，罢兵
为祸，纵兵为患，稍有不慎，都必将危及社稷。因此，杜牧主张
"外齐武事，内治文教"⑥，认为只有文武兼治才是圣贤之道。

　　杜牧还从深入探讨孙子兵学要义的角度出发，指出《孙子》所
蕴含的治军用兵之道就是"用仁义，使机权"⑦，由此进一步拓展了
"兵"的内涵，揭示了仁诈辩证统一的"兵"的本质，实际上是

①　《樊川文集》卷十《注孙子序》。
②　《樊川文集》卷十《注孙子序》。
③　《樊川文集》卷十《注孙子序》。
④　《樊川文集》卷十《注孙子序》。
⑤　《樊川文集》卷五《原十六卫》。
⑥　《樊川文集》卷十一《上门下崔相公书》。
⑦　《樊川文集》卷十《注孙子序》。

"文武并用"兵学主张在战争方法论上的具体反映。学者于汝波指出，《孙子兵法》的仁是智者之仁，而非迂腐之仁；《孙子兵法》的诈是"仁诈"，而非"不仁"之诈。仁与诈，互相界定，互相为用，以取得和保持战争的胜利为目的。孙子吸收了古代仁信思想中的某些成分而去其迂腐观念，吸收当时正在兴起的诡诈思想而将其严格界定在对敌斗争范围之内并使其受仁的制约，从而最早将仁与诈这两种截然相反的思想辩证地统一了起来，形成了完整的战争指导理论，对后世产生了深远的影响。①

　　杜牧是中国古代第一位明确揭示孙子仁诈辩证统一思想的兵学家。一方面，他指出在战争中必须"用仁义"，肯定了仁在经国治军中的作用，认为"道者，仁义也。李斯问兵于荀卿，答曰：'彼仁义者，所以修政者也。政修，则民亲其上，乐其君，轻为之死'"②，强调只有这样，才可以"令与上下同意，死生同致，不畏惧于危疑也"③。杜牧又提出"先王之道，以仁为首"④，强调"善用兵者，先修治仁义，保守法制，自为不可胜之政；伺敌有可败之隙，则攻能胜之"⑤。这里的"仁义"主要是指统治者实施仁政，以争取民心、得其效命。杜牧还提出"仁"是将帅所应具备的"五德"素养之一，认为将帅如果不具备"仁"的品德，"则不能与三军共饥劳之殃"⑥，也就是不能与士卒共患难，这样就必然不能得到士卒的衷心拥戴并为其效命。因此，正如杜牧所言"夫兵之主，在于仁义节制而已"⑦，高明的将帅善于运用仁义治军，以此锻造一支"仁义节制"之师。另一方面，杜牧主张在用兵中须"使机权"，认为这是

---

① 参见于汝波：《略谈〈孙子兵法〉的仁诈辩证统一思想》，《管子学刊》1992 年第 1 期。
② 《十一家注孙子校理》卷上《计篇》杜牧注。
③ 《十一家注孙子校理》卷上《计篇》杜牧注。
④ 《十一家注孙子校理》卷上《计篇》杜牧注。
⑤ 《十一家注孙子校理》卷上《形篇》杜牧注。
⑥ 《十一家注孙子校理》卷上《计篇》杜牧注。
⑦ 《十一家注孙子校理》卷下《地形篇》杜牧注。

一名称职的将帅首先应具备的素质。他指出"兵家者流，用智为先。盖智者，能机权、识变通也"①，认为战争指导的第一要义是"用智"，而战场上的"用智"则体现为通权达变。唯有在指导作战时善于变通者，才称得上是良将。如何在用兵中"使机权"是杜牧关注的重点，也是其着力探讨的核心内容。他指出"夫势者，不可先见，或因敌之害见我之利，或因敌之利见我之害，然后始可制机权而取胜也"②，主张深入分析利害，趋利避害，在"常法之外，更求兵势，以助佐其事也"③，设法获取有利的态势，采取灵活机动的应变措施，掌握战场的主动权，最终赢得胜利。由此可见，杜牧既重视"仁义"，又强调"机权"，二者相互为用、相辅相成，深刻揭示了孙子用兵之道的奥妙，对先前兵家思想内涵做了极大的充实和完善；同时也纠正了世人只关注兵法之"诡诈"而忽略其"仁义"的成见，有助于正确理解孙子仁诈辩证统一的用兵理念。

（二）"经邦致用"的战略筹划和作战指导思想

杜牧论兵涉及面广，既有兵学理论的探讨，又有现实问题的对策，兼具学术性与实用性，体现了其经邦致用的深层用意。杜牧十分重视战略筹划，提出"考古校今，奇秘长远，策先定于内，功后成于外"④，主张在庙算、全胜、知敌等方面取得优势，为而后的军事行动创造先机之利。与此同时，他还提出了避实击虚、示形诱敌、乘势取敌等一系列作战指导原则，并注意联系现状深入剖析，积极向朝廷建言献策，反映了其密切关注时局、务求实用的兵学特征。

1. 注重庙算

杜牧主张在战前要全面、深入地比较、计算敌我双方情况，从战略层面进行评估，对战争胜负得出一个合乎实情的判断性结论。他提出"先须经度五事之优劣，次复校量计算之得失，然后始可搜

① 《十一家注孙子校理》卷上《计篇》杜牧注。
② 《十一家注孙子校理》卷上《计篇》杜牧注。
③ 《十一家注孙子校理》卷上《计篇》杜牧注。
④ 《樊川文集》卷十《注孙子序》。

索彼我胜负之情状"①，强调先分析敌我双方在"道、天、地、将、法"五个方面的优劣情况，再比较双方在"主孰有道""将孰有能""天地孰得""法令孰行""兵众孰强""士卒孰练""赏罚孰明"七个方面的得失，而后可以在综合考量后预测战争胜负。在庙算的过程中，杜牧特别强调要权衡利害，指出"计算利害，是军事根本"②，一方面要见利思害，"我欲取利于敌人，不可但见取敌人之利，先须以敌人害我之事参杂而计量之，然后我所务之利，乃可申行也"③；另一方面要见害思利，"我欲解敌人之患，不可但见敌能害我之事，亦须先以我能取敌人之利，参杂而计量之，然后有患乃可解释也"④。只有利害相参，充分考虑和兼顾利与害两个方面，才能更深刻地探求事物本质，才能做出更全面更准确的分析，也才能更好地服务庙算。

2. 推崇全胜

杜牧非常推崇孙子的"全胜"思想，充分肯定其"百战百胜，非善之善者也；不战而屈人之兵，善之善者也"⑤ 的兵学观点，主张"以计胜敌"⑥，并就实现"全胜"的途径发表了自己的看法。

首先，提出了"伐其未形之谋"和"败其已成之计"两种伐谋手段。杜牧高度肯定了伐谋的作用，强调"攻必伐谋"，指出"天下人皆称战胜者，故破军杀将者也；我之善者，阴谋潜运，攻必伐谋，胜敌之日，曾不血刃"⑦；同时还进一步充实了孙子的伐谋内涵，列举了春秋时期的晏子之对和士会之对两个事例，认为它们是伐谋的两种不同手段："晏子之对，是敌人将谋伐我，我先伐其谋，故敌人不得而伐我。士会之对，是我将谋伐敌，敌人有谋拒我，乃

---

① 《十一家注孙子校理》卷上《计篇》杜牧注。
② 《十一家注孙子校理》卷上《计篇》杜牧注。
③ 《十一家注孙子校理》卷中《九变篇》杜牧注。
④ 《十一家注孙子校理》卷中《九变篇》杜牧注。
⑤ 《十一家注孙子校理》卷上《谋攻篇》。
⑥ 《十一家注孙子校理》卷上《谋攻篇》杜牧注。
⑦ 《十一家注孙子校理》卷上《形篇》杜牧注。

伐其谋，敌人不得与我战。斯二者，皆伐谋也。"① 在此基础上做了高度总结："敌欲谋我，伐其未形之谋；我若伐敌，败其已成之计，固非止于一也。"② 极大地深化了历代兵家对孙子"伐谋"思想的认识，所总结出来的两种伐谋手段融理论性与实用性于一体，对指导后人实施伐谋具有很大的启示意义。

其次是断敌退路以屈敌。杜牧列举了三国时期魏将陈泰逼退姜维、迫降蜀将的战例，陈泰围攻蜀将勾安、李韶防守的麴城，姜维率军从牛头山赶来援救。陈泰曰："兵法贵在不战而屈人，今绝牛头，维无返道，则我之擒也。诸军各守勿战，绝其还路。"③ 采取了切断对手退路之策，姜维因害怕失去退路而匆忙撤军，勾安等人被迫投降，陈泰不战而胜。

最后是严密围困，兵不血刃拔城。杜牧列举了司马昭围攻寿春之战与慕容恪围攻广固之战两个战例。司马昭认为寿春城池坚固、人马众多，不能采取强攻的方法，如果对手有援军相救，己方将陷入腹背受敌的不利境地，主张"吾当以全策縻之，可坐制也"④，深沟高垒，围城长达九个月，使寿春守军自困，最终破城。慕容恪围攻广固也采取了类似的战法，"筑室反耕，严固围垒，终克广固，曾不血刃也"⑤，未经交战就顺利夺取了城池。

3. 主张"料敌""知胜"

杜牧反复强调"知敌""料敌"的重要性，指出"先知敌之众寡，然后起兵以应之"⑥，强调要"料敌之政""料敌之将""料敌之众""料敌之食""料敌之地"，认为"诸侯之谋先须知之，然后可交兵合战；若不知其谋，固不可与交兵也"⑦。他主张要透过表象

① 《十一家注孙子校理》卷上《谋攻篇》杜牧注。
② 《十一家注孙子校理》卷上《谋攻篇》杜牧注。
③ 《十一家注孙子校理》卷上《谋攻篇》杜牧注。
④ 《十一家注孙子校理》卷上《谋攻篇》杜牧注。
⑤ 《十一家注孙子校理》卷上《谋攻篇》杜牧注。
⑥ 《十一家注孙子校理》卷上《谋攻篇》杜牧注。
⑦ 《十一家注孙子校理》卷中《军争篇》杜牧注。

把握敌情，"先见敌人已败之形，然后攻之""窥伺敌人可败之形，不失毫发也"①；识别战场上的各种假象，准确把握敌方的真实意图，具体反映在"相敌"三十二法。为了说明"知敌"的重要性，杜牧列举了淝水之战中的苻坚因不知敌、不料敌而惨遭失败的战例，指出苻坚犯了"不知敌不可伐"的致命错误，从反面深刻印证了孙子的"知胜之道"。

　　杜牧就如何"知敌"进行了深入思考，指出"不知敌情，军不可动；知敌之情，非间不可。故曰'三军所恃而动'"②，强调要知晓敌情就非用间不可，并且探析了"因间""内间""反间""死间""生间"这五种间谍各自的作用、特点等。他认为"因间"是指"因敌乡国之人而厚抚之，使为间也"③，并列举了东晋祖逖、西魏韦孝宽任用敌国乡人的成功事例予以佐证；认为需要先有针对性地选择敌国内适合担任"内间"的官员，"有贤而失职者，有过而被刑者，亦有宠嬖而贪财者，有屈在下位者，有不得任使者，有欲因败丧以求展己之材能者，有翻覆变诈、常持两端之心者"④，对于这些敌国官员"可以潜通问遗，厚赆金帛而结之，因求其国中之情，察其谋我之事，复间其君臣，使不和同也"⑤；认为"反间"可以分为两种类型，当敌方派遣间谍来刺探我方情报时，"我必先知之，或厚赂诱之，反为我用，或佯为不觉，示以伪情而纵之，则敌人之间反为我用也"⑥，要么策反敌方间谍，使其为我服务，要么故意将假情报透露给敌方间谍，使其不知不觉中被我利用；"死间"是指"吾间在敌，未知事情，我则诈立事迹，令吾间凭其诈迹，以输诚于敌，而得敌信也"⑦，但与此同时，充当死间者承担着巨大的风险，

---

① 《十一家注孙子校理》卷上《形篇》杜牧注。
② 《十一家注孙子校理》卷下《用间篇》杜牧注。
③ 《十一家注孙子校理》卷下《用间篇》杜牧注。
④ 《十一家注孙子校理》卷下《用间篇》杜牧注。
⑤ 《十一家注孙子校理》卷下《用间篇》杜牧注。
⑥ 《十一家注孙子校理》卷下《用间篇》杜牧注。
⑦ 《十一家注孙子校理》卷下《用间篇》杜牧注。

"若我进取，与诈迹不同，间者不能脱，则为敌所杀，故曰死间也"①；"生间"是指"往来相通报也"②，明确了"生间"的选拔标准，"必取内明外愚、形劣心壮、趫捷劲勇、闲于鄙事、能忍饥寒垢耻者为之"③。在这"五间"之中，杜牧认为"乡间、内间、死间、生间，四间者，皆因反间知敌情而能用之，故反间最切，不可不厚也"④，强调"反间"是获取敌情的重要渠道，在"五间"中占有重要地位，务必要给予厚待。

4. 主张避实击虚，出其不意

杜牧全面深入地探讨了用兵法则，对其中的"避实击虚"做了深刻的阐发，鞭辟入里地指出："夫兵者，避实击虚，先须识彼我之虚实也。"⑤ 当敌人一旦出现虚弱之处，"因伺敌人有可乘之便，然后出而攻之"⑥。但是，"敌若无形可窥，无虚懈可乘"⑦，那么我方虽然已经准备好了战胜对手的战具，也不能打败敌人。因此，杜牧强调要"击其空虚，袭其懈怠"⑧，以此可以取得良好的军事打击效果。这一兵法原则还被杜牧作为解决唐廷北疆边患问题的指导思想，在给朝廷宰相李德裕的上书中做了详细阐释。

杜牧首先回顾了汉朝攻打匈奴的情况，指出汉朝都是在秋冬时节攻打匈奴，而这时的匈奴正处于"畜肥草壮，力全气盛"之时，最终的结果是汉朝胜少败多，原因就在于其在军事上犯了"避虚而击实，逃短而攻长"⑨ 的错误。因此，他着眼制服回鹘而提出了避实击虚、出其不意的作战指导思想，建议"以幽、并突阵之骑，酒

---

① 《十一家注孙子校理》卷下《用间篇》杜牧注。
② 《十一家注孙子校理》卷下《用间篇》杜牧注。
③ 《十一家注孙子校理》卷下《用间篇》杜牧注。
④ 《十一家注孙子校理》卷下《用间篇》杜牧注。
⑤ 《十一家注孙子校理》卷中《虚实篇》杜牧注。
⑥ 《十一家注孙子校理》卷上《形篇》杜牧注。
⑦ 《十一家注孙子校理》卷上《形篇》杜牧注。
⑧ 《十一家注孙子校理》卷上《计篇》杜牧注。
⑨ 《樊川文集》卷十六《上李太尉论北边事启》。

泉教射之兵，整饰诚誓，仲夏潜发"①。杜牧之所以主张在仲夏时节出兵征讨回鹘，主要出于两个方面的考虑。一是回鹘的游牧活动随季节而变化，"夏则散众放畜，秋肥乃聚"②。若选择在此时出击，以集中统一指挥的唐军突然攻击分散而无防备的回鹘，能够收到事半功倍的效果。二是唐军在仲夏时节征战大漠比在秋冬更为有利，"五月节气，在中夏则热，到阴山尚寒，中国之兵，足以施展"③，有利于充分发挥唐朝军队的战斗力，而游牧民族正好相反，北方游牧民族在秋冬时节的战斗力处于鼎盛时期，而在仲夏时节则处于恢复期。唐军如果采取这一策略，就可以趁其不备掩击对手，一举消除北疆边患。这实质上是杜牧对其注解《孙子兵法》时所提出的"击其空虚，袭其懈怠"兵学观点的实践运用。杜牧所提出的避实击虚、掩其不备打击回鹘的作战策略得到了李德裕的高度称赞。

5. 攻守适宜

攻守是中国古代重要的兵学范畴。在战争中，交战双方根据彼己实力、战场态势、地形条件、军心士气、军需补给等诸多情况，综合分析判断后决定采用进攻或者防守的战法。攻与守是战争活动的两种基本形式，也是指导和研究战争的基本着眼点。孙子最早深入探讨了攻守关系，主张从兵力的多寡来确定采用哪一种手段，"守则不足，攻则有余"④，兵力不足的时候采取防守，兵力有余的时候实施进攻。历代兵家不断探讨并深化攻守的兵学内涵，最后得出了"攻是守之机，守是攻之策，同归乎胜而已矣"⑤的结论，认为攻与守都是争取战争胜利的有效手段，根据客观形势的需要而作出恰当的抉择，攻守二者相互依存、相互转化，要注重把握进攻与防守的主动权，做到攻守适宜。

杜牧传承并发展了先前兵家的攻守思想，主张先立足自守，再

---

① 《樊川文集》卷十六《上李太尉论北边事启》。
② 《樊川文集》卷十六《上李太尉论北边事启》。
③ 《樊川文集》卷十六《上李太尉论北边事启》。
④ 《十一家注孙子校理》卷上《形篇》。
⑤ 《李卫公问对校注》卷下。

等待机会进攻。他指出"未见敌人有可胜之形，己则藏形，为不可胜之备，以自守也"①，保证己方不被敌人打败。杜牧强调防守时要做到"韬声灭迹，幽比鬼神，在于地下，不可得而见之"②。当战场出现转机之后，"敌人有可胜之形，则当出而攻之"③，毫不犹豫地抓住敌方空隙，迅速发起猛烈进攻，"势迅声烈，疾若雷电，如来天上，不可得而备也"④，使敌人猝不及防，仓皇失措。他还主张要灵活地采取攻守战术，尤其要选择适宜的攻守方向，进攻敌人要做到"警其东，击其西；诱其前，袭其后"⑤，组织防守行动时要警惕对方声东击西，加强防守那些敌人表面假装不攻而实际上准备进攻的地方；实施进攻行动时务必要打击对手要害之处，"既攻其虚，敌必败""或以轻兵健马冲其空虚，或以强弩长弓夺其要害"⑥；在本土作战与进入敌境作战应采取不同的攻守手段，"我为主，敌为客，则绝其粮食，守其归路；若我为客，敌为主，则攻其君主"⑦。杜牧特别强调了攻守行动中军事情报的重要性，指出一方面要防止泄密，"攻取备御之情不泄也"⑧，要求做到"我深堑高垒，灭迹韬声，出入无形，攻取莫测"⑨；另一方面采取示形动敌之策，力争获取敌方防守情报，"昼日误之以旌旗，暮夜惑之以火鼓。故敌人畏慑，分兵防虞。譬如登山瞰城，垂帘视外，敌人分张之势，我则尽知；我之攻守之方，敌则不测"⑩，由此详尽地知晓敌方的防守态势，同时又严密地保守己方的军事机密，从而完全掌握了攻守的主动权。

　　杜牧深入探讨了攻守之道，并将其成功地运用于指导实践。唐

---

① 《十一家注孙子校理》卷上《形篇》杜牧注。
② 《十一家注孙子校理》卷上《形篇》杜牧注。
③ 《十一家注孙子校理》卷上《形篇》杜牧注。
④ 《十一家注孙子校理》卷上《形篇》杜牧注。
⑤ 《十一家注孙子校理》卷中《虚实篇》杜牧注。
⑥ 《十一家注孙子校理》卷中《虚实篇》杜牧注。
⑦ 《十一家注孙子校理》卷中《虚实篇》杜牧注。
⑧ 《十一家注孙子校理》卷中《虚实篇》杜牧注。
⑨ 《十一家注孙子校理》卷中《虚实篇》杜牧注。
⑩ 《十一家注孙子校理》卷中《虚实篇》杜牧注。

武宗会昌三年（843），昭义节度使刘从谏去世，其侄刘稹奏报朝廷，欲为留后，代行节度使之职。宰相李德裕极力反对姑息安抚之策，主张用兵征讨。唐武宗采纳了李德裕的用兵方略，下诏讨伐刘稹，并任命李德裕负责全面筹划军事行动。黄州（治今湖北武汉市新洲区）刺史杜牧上书李德裕，提出了平定刘稹叛乱的用兵方略。

其一是"扼险"断其粮。杜牧指出，昭义镇土地贫瘠，多仰赖从太行山以东地区输运粮谷，建议使河阳"万人为垒，下窒其口，高壁深堑，勿与之战"①，派军扼守泽州（治今山西晋城）南面的险要之地天井口，"山东粮谷既不可输，山西兵士亦必单鲜"②，以此断绝对手粮谷供应，迫其陷入困境。这一用兵主张有其兵学理论支撑。杜牧指出"馈用之费，人马之力，攻守之便，皆在险厄远近也"③，如果能够"料此以制敌，乃为将臻极之道"④，善于扼险制敌是将帅用兵的高超境界。

其二是"径捣上党"。杜牧主张"以忠武、武宁两军，以青州五千精甲，宣、润二千弩手，由绛州路直东径入，不过数日，必覆其巢"⑤，将对手老巢上党（此处指潞州，治今山西长治）作为重点打击目标，攻其所必救，以此夺取战争的胜利。之所以要直接覆灭对手巢穴，是因为这是彻底平叛的关键而有效之策，"凡是敌人所爱惜倚恃以为军者，则先夺之也"⑥。

其三是"贵欲速擒"。杜牧认为"若上党久不能解，别生患难，此亦非难。自古皆因攻伐，未解旁有他变，故孙子曰：'兵闻拙速，未睹巧之久也'"⑦，建议"贵欲速擒，免生他患"⑧。因为藩镇林

---

① 《樊川文集》卷十一《上李司徒相公论用兵书》。
② 《樊川文集》卷十一《上李司徒相公论用兵书》。
③ 《十一家注孙子校理》卷下《地形篇》杜牧注。
④ 《十一家注孙子校理》卷下《地形篇》杜牧注。
⑤ 《樊川文集》卷十一《上李司徒相公论用兵书》。
⑥ 《十一家注孙子校理》卷下《九地篇》杜牧注。
⑦ 《樊川文集》卷十一《上李司徒相公论用兵书》。
⑧ 《樊川文集》卷十一《上李司徒相公论用兵书》。

立，犬牙交错，彼此关系错综复杂，诸镇对刘稹持观望态度，所以平叛行动一旦久拖不决，则势必激起各镇趁机作乱。除此之外，杜牧主张"速擒"还有军事上的考量，认为"攻取之间，虽拙于机智，然以神速为上，盖无老师、费财、钝兵之患"①，速战速决，避免师老兵疲。杜牧的用兵策略得到了李德裕的赏识，并被采纳。会昌四年（844），唐廷顺利平定昭义刘稹叛乱，"泽潞平，略如牧策"②，充分说明杜牧的兵学主张绝非纸上谈兵，而是符合实情并可运用于军事实践的经世致用之策。

（三）注重练兵与将帅选任的治军思想

杜牧传承了古代兵家的治军思想精髓，但又不囿于兵学理论的研讨，而是密切关注现实，敢于指斥唐朝军队弊端，并就此提出富有针对性的治军主张，从而形成了自身独特的治军思想。

一是注重练兵。杜牧非常关注练兵，详细列举了士卒训练科目，包括"辨旌旗，审金鼓，明开合，知进退，闲驰逐，便弓矢，习击刺"③。他主张平时要教兵习战，加强训练，如果"不教人之战，是谓弃之，则谋人之国，不能料敌，不曰弃国可乎"④。推此及彼，杜牧联系了当时唐军存在的"不蒐练""不责实料食""赏厚""轻罚""不专任责成"的"五败"问题，重点探讨了排在首位的"不蒐练"即不练兵的问题，指出"天下无事之时，殿寄大臣，偷处荣逸，为家治具，战士离落，兵甲钝弊，车马刓弱，而未尝为之简帖整饰，天下杂然盗发，则疾驱疾战。此宿败之师也，何为而不北乎！是不蒐练之过者，其败一也"⑤，因为军队平时不练兵，最终导致战场上的失败。

二是注重赏罚。杜牧主张"赏不僭，刑不滥"⑥，强调要把握好

① 《十一家注孙子校理》卷上《作战篇》杜牧注。
② 《新唐书》卷一百六十六《杜牧传》。
③ 《十一家注孙子校理》卷上《计篇》杜牧注。
④ 《樊川文集》卷十二《上周相公书》。
⑤ 《樊川文集》卷五《战论》。
⑥ 《十一家注孙子校理》卷上《计篇》杜牧注。

赏罚的分寸，适可而止，并在实施过程中注意做到"善无细而不赏，恶无微而不贬"①，还列举了诸葛亮挥泪斩马谡、吕蒙大义斩乡人、曹操马踏田禾割发代首等严格执法的事例，强调只要违犯军法军令，不论地位高低都要依法处罚，"故能威克其爱，虽少必济；爱加其威，虽多必败"②。

三是注重将帅的素养与选任。中国历代兵家都非常重视将帅的作用，对将帅的培养、选拔、任用提出了一系列标准，形成了全面、深刻而系统的将帅论。杜牧深受孙子、曹操等兵家的影响，十分留意将帅理论的研讨，广泛、深入地探讨了有关将帅的诸多问题。他对何为良将发表了自己的看法，提出了"文能附众，武能威敌"的标准，指出"晏子举司马穰苴，文能附众，武能威敌也"③，认为"文武既行，必也取胜"。他主张将帅应在平时树立威信，与士卒和睦融洽，恩威并施，"恩信威令先着于人，然后对敌之时，行令立法，人人信伏"④，由此就能做到战无不胜，攻无不克。

杜牧认为徒有"文"或者徒有"武"都不足以胜任将帅之职。他反对文武分途，指出"不知自何代何人分为二道，曰文、曰武，离而俱行。因使搢绅之士，不敢言兵，或耻言之"⑤，由此造成了文人不知兵、行伍者不知书的状况。杜牧对此痛心疾首，并从其直接关系社稷之安危的高度进行了论述，"主兵者圣贤材能多闻博识之士，则必树立其国也；壮健击刺不学之徒，则必败亡其国也"⑥，认为只有"才兼文武"者方能担当大任。他赞同孙子的将帅"五德"观，具备"智、信、仁、勇、严"的综合素养，方是"才兼文武"者。具体而言，杜牧指出：

① 《十一家注孙子校理》卷下《地形篇》杜牧注。
② 《十一家注孙子校理》卷下《地形篇》杜牧注。
③ 《十一家注孙子校理》卷中《行军篇》杜牧注。
④ 《十一家注孙子校理》卷中《行军篇》杜牧注。
⑤ 《樊川文集》卷十《注孙子序》。
⑥ 《樊川文集》卷十《注孙子序》。

兵家者流，用智为先。盖智者，能机权、识变通也；信者，使人不惑于刑赏也；仁者，爱人悯物，知勤劳也；勇者，决胜乘势，不逡巡也；严者，以威刑肃三军也。楚申包胥使于越，越王勾践将伐吴，问战焉，曰："夫战，智为始，仁次之，勇次之。不智，则不能知民之极，无以诠度天下之众寡；不仁，则不能与三军共饥劳之殃；不勇，则不能断疑以发大计也。"①

在"五德"之中，杜牧尤其强调其中的智、仁、勇，指出"智为始，仁次之，勇次之"，鲜明地表达了自己在此问题上的兵学主张。

除了具备"五德"外，杜牧认为将帅还须有勇于担当、不贪图功名的品质，做到"进不求战胜之名，退不避违命之罪"②。其实，这是杜牧深刻反思本朝穆宗长庆元年（821）发生的藩镇之乱所得出的结论。他指出"自长庆已还，益轻边事，选拔将帅，多非贤良，豪夺种落蹄角之畜，割削士卒衣食之赐。见利则往，见弱则欺，罔酬恩荣，不顾廉耻，积帛藏镪，丘累陵聚"③，尖锐地揭露了当时军队将帅贪利图财、卑鄙无能、寡廉鲜耻、欺负弱小的丑陋面目，由此导致"战士离落，兵甲钝弊，积三十年，掷之不问"④，因而成为军队积弊。

正因洞悉军队之弊，杜牧强烈呼吁要慎选将帅。一方面要注重为将综合素养，将帅在用兵之前须从道、天、地、将、法五个方面分析敌我优劣，也就是"先须经度五事之优劣，次复校量计算之得失，然后始可搜索彼我胜负之情状"⑤；平时治军要像吴起为将一样，"与士卒最下者同衣食""与士卒分劳苦"⑥。另一方面，杜牧又

---

① 《十一家注孙子校理》卷上《计篇》杜牧注。
② 《十一家注孙子校理》卷下《地形篇》杜牧注。
③ 《樊川文集》卷十九《朱叔明授右武卫大将军制》。
④ 《樊川文集》卷十九《朱叔明授右武卫大将军制》。
⑤ 《十一家注孙子校理》卷上《计篇》杜牧注。
⑥ 《十一家注孙子校理》卷下《地形篇》杜牧注。

主张君主要赋予将帅便宜行事、临机决断的权力，并引用了《三略》原话"出军行师，将在自专；进退内御，则功难成"①，将帅全权指挥战场作战行动，不受到任何掣肘，"无天于上，无地于下，无敌于前，无主于后"②，由此就可以充分发挥其主观能动性，相机处置，因利而制权，因敌而制胜。他还强调要"量人之材，随短长以任之，不责成于不材者也"③，并列举了曹操巧妙选择作战能力和胆略各不相同但能互补的张辽、李典、乐进三位将领镇守合肥（今安徽合肥）的成功案例，充分说明统帅要做到知人善任、用人所长。反之，"将无权智，不能铨度军士，各任所长，而雷同使之，不尽其材，则三军生疑矣"④，从反面论述了任用将领之所长的重要性，进一步阐明了灵活任用、人尽其才的用将观点。

---

① 《十一家注孙子校理》卷下《地形篇》杜牧注。
② 《十一家注孙子校理》卷中《九变篇》杜牧注。
③ 《十一家注孙子校理》卷中《势篇》杜牧注。
④ 《十一家注孙子校理》卷上《谋攻篇》杜牧注。

第六章　隋唐五代军事家的兵学造诣

隋唐五代时期，战争规模进一步扩大，冷兵器的杀伤性大幅度提升，轻骑兵成为军队的主战军种，经受战火洗礼的军事家展现出高超的战争指导艺术，涌现出一大批具有深厚兵学造诣的著名将帅。隋文帝杨坚的统一战争指导思想，唐太宗李世民的地缘战略思想，李密的因变制敌、灵活用兵的作战指导思想，黄巢的大规模流动作战思想，李勣、苏定方、李存勖娴熟运用轻骑兵实施长途奔袭、攻虚击弱、速战速决的作战指导，杨素、郭子仪、李光弼对以步制骑、夹击战术、守城战法的创新，李光弼、柴荣率先垂范、号令严明的治军思想，堪称这一时期的兵学精华，极大地促进了中国古典兵学的发展。

第一节　隋文帝杨坚的军事思想

隋文帝杨坚是隋朝的建立者，不仅实现了天下一统，而且在完成统一、巩固统一的过程中展现了卓越的军事指挥艺术。隋朝建立之前，南北对峙的局面持续了 200 余年。杨坚顺应历史发展趋势，积极整军经武，先后组织指挥平定尉迟迥等人发动的叛乱，组织指挥并取得北击突厥、南灭陈朝之战的胜利。杨坚在军事实践中之所以能够取得巨大成功，既是顺时而动的历史产物，也与其具备较高的军事素养有着密切关系。他出身于关陇军事贵族家庭，五世祖杨元寿曾任北魏武川镇司马，父亲杨忠辅助宇文泰建立西魏政权，受封为十二大将军之一，赐姓普六茹氏，官至柱国、大司空、隋国公。杨氏世代为将，杨坚15岁时就被授予车骑大将军，16岁升任骠骑大将军，后来又进位大将军。周武帝伐北齐，杨坚率三万水军破齐师于河桥，因参加平齐之战立下战功而进位柱国。家族的尚武遗风和早期经历对杨坚后来的军事活动产生了不可忽视的影响。杨坚的军事思想主要体现在战争指导思想、战略思想、策略思想、治军思想（集中军权、善于选将用将）等方面。

一、"胜于易胜"的战争指导思想

隋文帝杨坚在筹划和指导战争方面有其独到之处，在顺应统一的历史大潮的情势下，能够理智、冷静地制定战争方案，注重战争效益，优化选择收效大而损失小的用兵方式，在已占据优势的情形下，仍然采取谨慎用兵的态度，坚持贯彻"胜于易胜"①的战争指导思想，全方位地巩固和发展自身力量，同时千方百计地打击、削弱对手力量，在此长彼消的过程中，创造了有利于己的战略态势，为夺取战争胜利奠定了基础。所谓胜于易胜，意指在己方占据绝对优势、很容易取胜的情况下战胜敌人。后人常将"胜于易胜"视为高明的指挥艺术，优秀的指挥员在筹划和指导战争时，总是力求以最小的代价追求必胜的结果，在战争之前竭尽全力削弱对手的力量，直到对手在未经交战就已经处于失败地位。显然，"胜已败者"对于己方来说可以获取最佳的战争效益。

杨坚"胜于易胜"的战争指导思想反映在战争全过程中，尤其是在战前和战争初期表现得更为明显，具体实施手段是"积形""造势"。所谓积形，是指以军事实力为主导的国家实力的积蓄。孙子指出："若决积水于千仞之谿者，形也。"②后人由此引出"积形"一词，专指战争准备阶段的综合国力建设。孙子提出"积形"思想，主张在"道""天""地""将""法""财""卒""兵"八个方面

---

① 《十一家注孙子校理》卷上《形篇》。
② 《十一家注孙子校理》卷上《形篇》。

做好充分准备，做到政治清明、经济发达、军事强大，不断提升本国的综合国力。隋文帝杨坚深谙此道，高度重视发展和壮大本国实力。无论是北击突厥，还是南灭陈朝，他始终注重抓综合实力建设。杨坚在政治上厉行改革，精简机构，废除九品中正制，大量选拔德才兼备的官员，极大地提高了行政效率，为促进国家、军队发展奠定了基础；经济上恢复和发展生产，颁布均田令，减轻农民负担，兴修水利，改善交通，特别重视南方的水路建设，开发、疏浚多条水路，对于平时物资运输，尤其是保障战争期间的前线军需补给发挥了重要作用；军事上加强中央集权，重视边防建设，进一步大抓军事训练，特别强化了水师建设，提高了江河作战能力，为南下灭陈创造了有利条件。

所谓造势，是指通过对力量和谋略的运用，创造有利于己而不利于敌的战略态势，也就是孙子所说的"乃为之势，以佐其外。势者，因利而制权也"①。孙子"造势"思想的要义在于充分发挥人的主观能动性，善于创造和利用有利于己方达成战略目的、迫使对方逐步陷入被动的态势。隋文帝杨坚在灭陈之战前，采纳了虢州（治今河南卢氏）刺史崔仲方提出的建议，将武昌（治今湖北鄂州）以东作为主攻方向，武昌以西作为次要方向，造成东西呼应之势。为进一步打击对方军心士气，隋文帝在战前发布讨陈诏书，"又送玺书暴帝二十恶；仍散写诏书三十万纸，遍谕江外"②，宣扬了隋军的声威，动摇了陈国的民心士气，为己方用兵营造了有利的态势。

隋文帝杨坚实施"积形""造势"之策，在削弱对手力量之时，也不断地壮大了己方的声威和力量，保障了"先削后灭"战略方针的顺利贯彻和实现。隋灭陈之战从开皇八年（588）十一月初十举行"陈师誓众"③大会始，至开皇九年二月"陈国皆平"终，隋文帝杨坚仅用三个多月时间就完成了统一战争，印证了"胜于易胜"战争

① 《十一家注孙子校理》卷上《计篇》。
② 《资治通鉴》卷一百七十六《陈纪十》，长城公祯明二年三月。
③ 《隋书》卷二《高祖纪下》。

指导思想是切合实战的正确思想。

二、积极防御的战略思想

中国古代兵家没有提出积极防御这个概念，当然也未对此做过阐释。毛泽东对积极防御有过一个明确定义："积极防御，又叫攻势防御，又叫决战防御。""只有积极防御才是真防御，才是为了反攻和进攻的防御。"① 当代学术界一般认为，积极防御是指以积极主动的攻势行动对付进攻之敌的防御，通常体现为在战略防御中采取积极的战役、战斗进攻行动，或在战役、战术防御中采取阵前出击、反击、纵深打击等各种攻势行动，以消耗和歼灭敌人，为转入反攻创造条件。积极防御具有四个特性，即作战对象是进攻之敌；手段是积极主动的攻势行动；目的是消耗和歼灭敌人，为转入反攻创造条件；防御层次既有战略防御，又有战役、战术防御。古代兵家尽管没有提出"积极防御"一词，但其思想主旨及其在实践中的运用却由来已久，早在先秦时期的曹刿论战已有类似的阐述，并在实战中呈现出了防御与反击的作战样式。纵观中国古代大型战役所运用的积极防御，通常包含了战略或战役层次的防御、相持、反击三个阶段。积极防御与消极防御的最大区别在于落脚点不同，前者是为了最终反击而先防御，后者则是单纯的防御。

隋文帝杨坚在指导对突厥的作战中，成功地贯彻了积极防御的战略思想，鲜明地体现出了积极防御的特征，在实践中取得了良好效果。游牧于北方的突厥拥有较强的军事力量，自恃武力强大而大肆扩张，屡次南下袭扰中原地区。隋朝建立后，突厥依旧接连不断地南下袭扰掠夺。面对来自北疆的严重威胁，政权尚未巩固的隋文帝决定对突厥暂取守势，以防御应对突厥的进犯。开皇元年（581）十二月，突厥沙钵略可汗打着为姻亲周室复仇的幌子，勾结盘踞于和龙（今辽宁朝阳）地区的前北齐营州刺史高宝宁举兵南犯。开皇

---

① 毛泽东：《毛泽东选集》第一卷《中国革命战争的战略问题》，人民出版社，1991 年，第 198 页。

二年（582）五月，突厥联合高宝宁再次南犯，沙钵略可汗派遣40万人马分道南进。为阻遏突厥军的进攻，隋文帝杨坚先后抽调军队进驻咸阳、弘化（治今甘肃庆城县）、临洮（今甘肃岷县）、幽州（治今北京西南）等地加强防守。攻势迅猛的突厥军击败多路隋军，继续南下，一度直逼隋朝都城长安，给隋朝统治带来巨大威胁。开皇三年（583）春，突厥军又大举南犯。杨坚认为，过去以优厚资财结好突厥，实际上是虚耗钱财，更加助长其侵扰的气焰，倒不如奋力一战，"使其不敢南望"①。于是，他决定调整战略方针，由防御转入全面反击，任命卫王杨爽、河间王杨弘、上柱国豆卢勣、秦州总管窦荣定、尚书左仆射高颎等为行军元帅，派兵"分八道出塞击之"②。隋文帝精心筹划作战方案，集中主要兵力打击沙钵略军，其他兵力配合主力行动。由于准备充分，部署周密，各路隋军进展迅速，杨爽率军大破沙钵略军，最终取得了战略反击的胜利。隋朝之所以能够在对突厥的作战中取得胜利，固然有力量消长、人心向背、将卒士气等多种因素综合作用的缘故，但不可否认的是，隋文帝杨坚的积极防御思想发挥了至关重要的作用，是扭转局面、达成目标的关键因素。

三、军政结合的策略思想

中国古人很早就认识到，凡事欲成功必须遵循"文武之道"，文与武要并举而不可偏废，正所谓"有文事者必有武备，有武事者必有文备"③。隋文帝传承了上述思想，在实践中注意军事手段和政治、外交等手段结合使用，军事与政治相互倚重，收到了显著成效。在对付突厥时，杨坚没有一味使用武力，而是注重军事打击与政治策略相互配合，在不同的阶段使用不同的政治、军事手段，有针对性地实施相应策略，较顺利地解决了国防安全问题。开皇元年，隋

---

① 《隋书》卷八十四《突厥传》。
② 《资治通鉴》卷一百七十五《陈纪九》，长城公至德元载四月。
③ 《史记》卷四十七《孔子世家》。

朝初建不久，突厥沙钵略可汗就率领大军南犯。隋文帝多次征询臣僚，寻求应对之策。曾经出使突厥的长孙晟经过深思熟虑，提出了"远交而近攻，离强而合弱"的策略。他对突厥内部的情况做了十分精辟的分析，指出突厥内部沙钵略、达头、突利、阿波各可汗貌合神离，彼此之间钩心斗角，建议制造并利用各可汗之间的矛盾，联合其他可汗以孤立沙钵略可汗，挑起内斗，促使突厥分化瓦解，并使其在相互攻伐过程中逐步削弱力量，而后在合适的时机再一举扫灭对手。杨坚全面实施了长孙晟提出的策略，并派他和元晖各自行事，分头开展瓦解突厥的工作，收到显著效果。此后，沙钵略可汗、达头可汗、阿波可汗自相残杀，力量日益削弱。开皇三年（583），杨坚决定实施战略反击，集中精锐部队打击突厥，并以主要兵力攻打沙钵略可汗部，大获全胜，迫使突厥臣服于隋，"岁时贡献不绝"①，成功消除了隋朝的北疆威胁。隋文帝在灭陈之战中也成功运用了军政兼施的策略思想。在以军事手段发起统一战争之前，杨坚对陈朝采取了多种政治策略，有效地削弱了陈军的战斗力，动摇了其军心士气。他采纳了高颎的建议，在江南收获季节佯作进攻之势，误其农时；实施优容感化政策，将捕获到的陈朝间谍一律放归，既可以通过他们宣扬隋朝的国威与军威，又可借此收揽民心；颁布伐陈诏令，宣扬自己的伐陈战争是"引伐罪之师，向金陵之路"②的正义行为，公开列举陈朝陈叔宝的罪状，广为传布，争取江南士民的支持。隋文帝实施上述策略后，极大地打击了陈朝军民意志，损耗了其财力物力，拖垮了沿江守军，还使得陈军放松了对隋军的戒备。杨坚趁机派兵全面出击，以突然而迅速的军事行动收到了奇效，在很短的时间内取得了统一战争的胜利，从实践的角度印证了政治策略和军事手段结合使用所具有的显著效果。

---

① 《隋书》卷八十四《突厥传》。
② 《隋书》卷二《高祖纪下》。

四、集中军权的治军思想

隋文帝出身将门，世代统兵领军作战，杨坚本人也曾多次亲率军队讨伐北齐，因立下战功而进位柱国。经历戎马生涯的杨坚益发重视军权。周宣帝在位期间，杨坚被任命为大司马、右司武，由此掌握了军权。北周大象二年（580）五月，周宣帝病死后，年幼的周静帝即位，内史上大夫郑译和御史下大夫刘昉等人趁机矫诏拥戴杨坚"入总朝政，都督内外诸军事"①，完全掌握了中央军事大权。次年，杨坚登基称帝后，积极采取多项有效措施集中军权，极大地加强了隋中央政权对军队的控制。

一是完善府兵制度，强化中央军事统率权。隋文帝沿袭魏、周的军事制度，在中央设置十二卫府，即左、右卫府，左、右武卫府，左、右武候府，左、右领左右府，左、右监门府，左、右领军府。皇帝通过十二卫府统御全国军队，既包括中央禁卫军，也包括分布于各地军府的地方军队，军权集中于朝廷，最终归于皇帝之手。高度集中军权可以提高中央权威，防止将帅擅权作乱，断绝分裂割据之源，有利于大一统国家的政治、经济、军事、文化等的全面发展和繁荣。

二是整顿私人武装，消除割据因素。北周末年以来，全国各地豪强拥有相当数量的乡兵、部曲，实质上是地方的私人武装力量。显然，对于国家统治者而言，这些实力和数量都不可小觑的私人武装力量是隐性的地方割据势力，对国家安全构成潜在的威胁。为解决这一问题，杨坚给地方豪强授予卫府初级将领，将其乡兵、部曲改编为国家的府兵，纳入府兵系统，使其成为巩固国家政权的军事力量。

三是实行兵符制度，加强兵员调动的管理。兵符由来已久，最迟在周代已经在战争中使用，以此作为调兵遣将的凭证，常用于国君与大将之间。兵符一分为二，朝廷和领兵将领各执一半。一旦需

---

① 《隋书》卷一《高祖纪上》。

要调兵遣将，使者持朝廷的这一半兵符面见领兵将领，将领只有将自己的另一半兵符与朝廷的兵符合符之后，才能接受调兵的命令。为进一步加强中央对军队调动的统一管理，杨坚先后两次颁发兵符，开皇九年（589）闰四月"颁木鱼符于总管、刺史，雌一雄一"①，开皇十七年（597）十月"颁铜兽符于骠骑、车骑府"②，对于强化中央军事集权发挥了积极作用。

四是针对北周时期强迫汉族官员改用鲜卑姓的状况，下令恢复群臣旧姓，改变了兵随将姓的宗法隶属关系，增强了国家对军队将士的控制，一定程度上也强化了中央军事集权。

五、善于选将用将的治军思想

杨坚早在入总朝政之前，已经留意网罗人才，结交和笼络了一批具有军事才华的将领、幕僚，诸如韦孝宽、高颎、元胄、宇文忻等人。在平定"三方之乱"过程中，杨坚在严峻形势下临危不乱，制定了周密的作战方案，调兵遣将，特别是选用了能够独当一面的得力主将，很快平定了叛乱。当时，杨坚从三个方向分兵平叛。相州总管尉迟迥"聚徒百万"③，率先起兵发动叛乱，得到关东诸州的响应，东战场成为杨坚平定叛乱的关键方向。郧州（治今湖北安陆）总管司马消难在南方发动叛乱，益州（治今四川成都）总管王谦在西部发难。杨坚集结主要兵力攻打叛首尉迟迥，任命谋深虑远、战功卓著的韦孝宽为行军元帅，满腹韬略的高颎为监军，率领精锐部队东进，仅用两个月时间就取得了胜利。杨坚任命有"文武奇才"的王谊为行军元帅，负责南战场指挥，任命久居重镇而善于"见机而动"的梁睿为行军元帅，担任西战场指挥，均在很短的时间内就平定了叛乱。杨坚前后仅用四个月就平定了尉迟迥、司马消难、王谦发动的三方叛乱，不能不说与所任命的三位行军元帅的出色指挥

---

① 《隋书》卷二《高祖纪下》。

② 《隋书》卷二《高祖纪下》。

③ 《隋书》卷一《高祖纪上》。

有密切关系，而这三个战场的最高军事指挥员均是杨坚直接选用的，亦可见杨坚平素深知各位将帅的才能及用兵特色。

隋朝初建，杨坚已经"有并吞江南之志"①，开始物色担负灭陈统一战争重任的合适将领，并就此垂询高颎意见。高颎举荐了上开府仪同三司贺若弼与和州刺史韩擒虎，隋文帝杨坚采纳了高颎建议，任命贺若弼为吴州（治今江苏扬州西北）总管，韩擒虎为庐州（治今安徽合肥）总管，特意将二人"置于南边，使潜为经略"②。他还重用曾在平定尉迟迥叛乱中立下战功的上柱国杨素为信州（治今重庆奉节东）总管，负责在长江上游大造战舰，训练水师；派遣柱国李衍在襄州（治今湖北襄阳市襄城区）营造战船，积极为日后的水上作战做准备；派遣来护儿等人率领间谍潜入江南，破坏陈朝的军需物资，使"陈人益敝"③。在灭陈之战中，杨坚任命晋王杨广、秦王杨俊、清河公杨素为行军元帅，以足智多谋的尚书左仆射高颎为长史，杨素率舟师顺江东下，韩擒虎率军自庐州攻采石（今安徽马鞍山市西南），贺若弼率军自广陵攻京口（今江苏镇江），直指陈朝都城建康（今江苏南京）。高颎、贺若弼、韩擒虎、杨素四人在平陈之战中立下卓著功勋。高颎虽然未曾率军在前线作战，但身处指挥中枢，负责指挥、协调各路军队的作战行动，"三军谘禀，皆取断于颎"④，而高颎不辱使命，"区处支度，无所凝滞"⑤，协助隋文帝指导统一战争取得了胜利。杨坚知人善任，选任合适的将领担负军事要职，充分发挥各自独特作用，使其各尽其才，极大地加速了统一战争进程，从而顺利达成了战略目标。

---

① 《资治通鉴》卷一百七十五《陈纪九》，宣帝太建十三年三月。
② 《资治通鉴》卷一百七十五《陈纪九》，宣帝太建十三年三月。
③ 《隋书》卷四十一《高颎传》。
④ 《隋书》卷四十一《高颎传》。
⑤ 《资治通鉴》卷一百七十六《陈纪十》，长城公祯明二年十月。

第二节　杨素、贺若弼、韩擒虎的作战指导

在隋朝建立后所组织实施的军事活动中，战争规模最大、投入兵力最多、影响最为深远者，当推隋灭陈之战。在这场声势浩大的统一战争中，不少将领浴血奋战，出奇制胜，立下汗马功劳，其中尤以杨素、贺若弼、韩擒虎为翘楚。他们各具特色的作战指导思想和实践，极大地丰富了中国兵学的内涵。

一、杨素的作战指导

杨素在长期的戎马生涯中，先后参加北周灭北齐战争、平定三方之乱、隋灭陈之战、平定江南叛乱、北击突厥等重大军事行动，屡立战功，威名远播。杨素在战争实践中形成了有别于他人的用兵特点，"多权略，乘机赴敌，应变无方"①，善于因情用兵，所以能够做到"战无不胜，称为名将"②。

一是敢于创新战法，灵活用兵，因敌制胜。崛起于 6 世纪中叶的突厥长于骑射，拥有一支人数众多、战斗力强的骑兵力量。他们屡屡南下袭扰和掠夺，时刻威胁隋朝北疆的安全。当突厥达头可汗率领十余万骑兵再次南下侵扰时，隋文帝杨坚任命杨素率军迎击。在交战之前，杨素与部下商议退敌之策。以往在与北方游牧民族作战时，由于对手拥有强大冲击力的骑兵，这些将领通常都会"以戎车步骑相参，舆鹿角为方阵，骑在其内"③，也就是采取攻守结合，先以防御为主，而后再适时转入进攻的阵法。这里涉及中国古代作战中的阵法问题。最早深入探讨阵法的兵书是《孙膑兵法》，其中的

---

① 《隋书》卷四十八《杨素传》。
② 《隋书》卷四十八《杨素传》。
③ 《隋书》卷四十八《杨素传》。

《八阵》《官一》《十阵》《十问》四篇提及 12 种阵法的名称，包括方阵、圆阵、疏阵、数阵、锥形之阵、雁行之阵、钩形之阵、玄襄之阵、火阵、水阵、云阵、飘风阵。汉代以后的阵法越来越多，也更趋复杂。但从阵法的核心要素，即队形排列与兵力布置的角度来划分，最基本的类型就是方阵和圆阵。一般而言，方阵是侧重于进攻的阵式，圆阵是防御型阵式。不过，在实际作战过程中，方阵、圆阵都强调攻与防不可脱节，尤其要依据敌我力量的对比、战场地形、彼己武器装备的配置，以及交战双方的作战特点、兵种结构等诸多情况综合考量，全盘筹划作战方案，制定出切合实情、能够充分发挥己方优势、抑制对方战斗力的最佳阵式。诸葛亮所作"八阵图"就是一种攻守结合的方阵，西晋名将马隆在平定西羌叛乱时，"依八阵图作偏箱车，地广则鹿角车营，路狭则为木屋施于车上，且战且前，弓矢所及，应弦而倒"①。马隆在实战中善于根据地形的变化而灵活使用阵法，注重在稳固防守的基础上相机进攻，取得了不错的效果。由于阵法直接关系作战中的排兵布阵，事涉军事机密，通常要求布置阵法的将领必须严格保密，不允许外传。长此以往，阵法的使用方法逐渐失传，同时后人对阵法的穿凿附会、脱离实际的解释却日益多了，越来越增加了阵法的神秘感。何良臣有感而发，指出："阴符家每好穿凿，或假知兵之名而妄作阵图，为害深矣。豪杰之士，固宜识之。如风后之握机阵者，宋人所作，独孤及附会而记之也。穰苴之握奇营者，元人许洞之所作也。孙武之方阵、圆阵、牝阵、牡阵、雁行阵、罘罝阵、车轮阵、冲方阵、常山阵者，皆唐人裴绪所作。嗣而王氏分配八阵，李筌附之而有天覆、地载、风扬、云垂、龙飞、虎翼、鸟翔、蛇蟠之名。"②

　　历观中原王朝与北方游牧民族交战，通常有两种作战类型，其一是以步抗骑，侧重守势作战；其二是以骑制骑，强调攻势作战。

---

① 《晋书》卷五十七《马隆传》。
② 何良臣：《阵纪》卷三《阵宜》，《中国兵书集成》编委会：《中国兵书集成》第二十五册，解放军出版社、辽沈书社，1994 年。

以西汉为例，从汉高祖刘邦至汉景帝统治时期，限于国力、军力，汉军在与匈奴作战时仍然以步兵为主要兵种，作战样式以防御为主；随着国力、军力的上升，汉武帝组建了一支强大的骑兵部队，一跃而为汉军的主要兵种，在与匈奴作战时充分发挥了骑兵快速奔袭的优势，主动发起了攻势作战。

　　作战样式的变化是与国家实力以及战略方针的调整等因素息息相关的。杨素率军与突厥交战之时，隋朝经过十几年的发展，无论是经济实力还是军事实力都有了较大改观，尤其是杨素所统领的军队具有较强的战斗力，具备了主动进攻歼敌的条件。正是在这样的背景下，杨素在率军北击突厥时，一反常规战法，认为先前惯用的方阵只能用来防御自固，不能成为隋军取胜突厥军队的有效战法。杨素之所以有这样的看法，是因为这里涉及方阵中的"戎车步骑相参"的问题。戎车也就是战车，在先秦时期尤其是西周和春秋时期的车战中发挥了重要作用。周武王曾经统率"戎车三百乘"① 讨伐商纣王。在春秋时期的城濮之战中，晋军拥有"车七百乘"②；《孙子兵法》也提及当时战争中广泛使用战车的情形："凡用兵之法：驰车千驷，革车千乘，带甲十万。"③ 但是由于受到社会生产力的发展、武器装备的极大改善、军事交通以及士兵成分的变化等因素的影响，从战国时期开始，战车的地位日趋下降，秦汉以后更加式微，逐渐由车战向步战、骑战过渡。随着战争形态的转变，战车的职能也由以进攻为主演变为以防御为主。战车职能的转变是有迹可循的，西汉李陵曾经"以大车为营"④，卫青曾经设法使"武刚车自环为营"⑤，此后的光武帝刘秀、曹操、田豫等人都曾经将战车用于防御，既能以此抵御北方游牧民族骑兵的强大冲击，充分发挥战车的

---

① 《史记》卷四《周本纪》。
② 《春秋左传注》（修订本），僖公二十八年。
③ 《十一家注孙子校理》卷上《作战篇》。
④ 《汉书》卷五十四《李陵传》。
⑤ 《汉书》卷五十五《霍去病传》。

作用，又可以避免战车行动迟缓的弱点，可谓扬长避短。突厥骑兵行动迅速，作战果敢，擅长突袭。因此，若想在与突厥骑兵交战中获胜，就必须做到主动出击，快速行动，抓住战机，出奇制胜，而传统的车步骑结合的方阵"乃自固之道，非取胜之方也"①，仅能自守，却无法以此克敌制胜。正因为对传统阵法有透彻的认识，为了一击制胜，杨素"悉除旧法，令诸军为骑阵"②，充分发挥骑兵优长，以骑制骑，最终大败突厥军，取得了反击战的胜利。

二是善于把握和利用战机。能否明察战机、选择战机适时打击对手，是衡量一名指挥员优秀与否的重要标准。早在先秦时期，中国古代兵家就对战机有了深刻认识。《吴子》提出用兵要把握"四机：一曰气机，二曰地机，三曰事机，四曰力机"③。《六韬》讲得更直接明了，认为"善战者见利不失，遇时不移，失利后时，反受其殃"④，强调了适时把握战机的重要性。《将苑》发展了前人的兵学思想，提出了"善将者，必因机而立胜"⑤的兵学观点，进一步指出善于利用战机夺取胜利是一名优秀将帅必须具备的素质。杨素虽然未对如何利用战机进行兵学理论阐述，但却将此兵学思想成功地运用于战争实践之中。开皇九年（589）正月，杨素率军从长江上游顺江而下，配合下游隋军实施夺占陈朝首都的军事行动。为稳固西部防线，陈朝派遣吕忠肃领军据守岐亭（在今湖北宜昌西北西陵峡口），并在长江北岸开凿江边岩石，连缀三条铁锁横截江面，企图以此阻遏隋军的战船。隋军兵分两路，水陆并进攻打陈军。杨素亲率军队从陆路进攻，但由于陈军占据了险要地形，易守难攻，隋军出师不利，败下阵来。取胜之后，陈军将士并未乘胜追击，而是忙于争功邀赏，抢割已经战死沙场的隋军士卒的鼻子，结果导致陈军

---

① 《隋书》卷四十八《杨素传》。
② 《隋书》卷四十八《杨素传》。
③ 《吴子》卷下《论将》。
④ 《六韬》卷三《龙韬·军势》。
⑤ 《诸葛亮集·文集》卷四《将苑·机形》。

阵形大乱。杨素不愧为久经沙场的将领，虽然初战失利，但仍然密切关注战场动向，看到陈军的混乱阵形后，果断抓住稍纵即逝的战机，命令军队立即回头攻击队伍不整的陈军，大败对手，顺利夺占了营寨。杨素及时把握了战机，转败为胜。由此可见，杨素能够正确地研判变化的战局，善于通权达变，具有较强的相机取胜的作战指导能力。

在北击突厥的作战中，杨素充分发挥骑兵快速机动的优长，乘突厥军立阵未稳之隙，指挥部下突然袭击对手，导致突厥军遭受重创，损失惨重，隋军则赢得了一次大胜。单就骑兵的战斗力而言，隋军相比突厥军并不占优势，但是如果能够充分发挥骑战"疾如锥矢，战如雷电，解如风雨"① "驰骤便捷，利于邀击奔趋"② 的特点，佐以高明的作战指导，就可以打败势均力敌甚至实力强于自己的对手。古代兵家和兵书总结了骑战"十利""十胜"，孙膑认为骑兵的第一个用途就是"迎敌始至"③，主张在敌军刚刚到达战场、立足不稳、尚未摆好阵形或构筑稳固阵地的时候，己方骑兵对其发起突然袭击，往往能够以此获得胜利。历史上采用这一战法取胜的战例不胜枚举，特别适用于力量较弱的一方。杨素深谙此道，不止一次运用此法取得作战胜利。仁寿元年（601），他受命率军抗击突厥侵扰，统领骑兵北出云州（治今山西大同），"候其顿舍未定，趣后骑掩击"④，及时抓住对方尚未安顿好的时机实施偷袭，大破突厥军，逼迫其在很长时期内不敢南犯。

三是注重攻其无备，出奇制胜。孙子提出"攻其无备，出其不意。此兵家之胜，不可先传也"⑤，主张在敌人没有防备、难以预料的时间和地点发起攻击，达成作战行动的突然性，认为这就是兵家

① 刘向集录：《战国策》卷八《齐策一·苏秦为赵合纵说齐宣王》，上海古籍出版社，1985 年。
② 《阵纪》卷四《骑战》。
③ 《通典》卷一百四十九《兵典二·法制》。
④ 《隋书》卷四十八《杨素传》。
⑤ 《十一家注孙子校理》卷上《计篇》。

取胜的奥秘。出奇制胜的要义是"以正合，以奇胜"①，最终的目的是"无不正，无不奇，使敌莫测"②，从而能够出其不意地打击对手，并以此获胜。杨素在指导作战时长于料敌，善于全面分析彼己情况，尤其注重深入把握敌方将领的作战特点和心理素质，在此基础上制定相应的作战方案。隋伐陈之战开始后，杨素率水师顺流而下，在狼尾滩（在今湖北宜昌西长江中）遭到陈军的阻挡。狼尾滩地势险要，易守难攻，陈朝将领戚欣率领数千名士卒、百余艘战船扼守于此，使得隋军进退两难。杨素深入思考后，找到了破局之策，指出白天发起攻击会让对方察觉我军的虚实，建议在夜间实施突袭。在得到部下的一致赞同后，当天晚上，杨素命令水师顺流而下，同时派出步兵、骑兵两支部队，分别从长江南岸、北岸袭击陈军营寨。戚欣对隋军的夜袭毫无防备，惨败而逃，杨素率军取得了胜利。

　　隋朝统一战争结束后，江南大地主的利益受到很大损害，心存不满。当隋朝大军撤离江南后，这些人造谣惑众，煽动闹事，越州（治今浙江绍兴）、苏州等地相继发生叛乱，不少郡县被卷入其中，江南形势迅速恶化。隋文帝下诏任命杨素为行军总管，率大军南下镇压叛乱。开皇十年（590）十一月，杨素率军由广陵渡江，相继攻克京口（今江苏镇江）、无锡等地，直指浙江。叛乱首领高智慧占据浙江（今钱塘江）东岸百余里地盘，拥有千余艘战舰，并且占据了险要之处。针对这一态势，杨素的裨将来护儿建议效仿韩信破赵的战法，杨素率军严阵以待，不直接和叛军交战；自己率一支数千人马的奇兵偷渡浙江，掩袭叛军营寨，出奇制胜。杨素采纳了来护儿的建议，让他率数百艘小船，趁夜偷渡浙江后直接登岸，偷袭并攻破了高智慧的大营，随后乘风纵火。杨素看到来护儿偷袭得手，迅速指挥大军趁机渡江，奋力冲杀，一举击溃了叛军。高智慧被迫逃入闽地（今福建境内）。杨素上表隋文帝，请求率军继续南下肃清残敌，并得到了准许。在隋军短暂休整期间，泉州叛乱首领王国庆重

---

① 《十一家注孙子校理》卷中《势篇》。
② 《李卫公问对校注》卷上。

新发展势力，先前被杨素镇压下去的各支叛军的残余力量纷纷投靠在王国庆手下，一时叛乱气焰高涨。在分析杨素所率领的隋军进军路线时，王国庆认为海路十分艰险，且隋军将士以北方人居多，不善水战，因此隋军从海路进攻的可能性很小。于是，他没有在海路部署兵力，仅在陆路设防。用兵"多权略"的杨素一反常法，决定出其不意地从水路攻击对方，亲率大军泛海而进，登陆后发动大规模的攻势。王国庆猝不及防，落荒而逃，残余兵力纷纷逃入海岛或者窜入深山。杨素分别派遣部将追击，大获全胜。

四是信赏明罚，治军严明。信赏明罚是严肃军纪军令、激励军心士气的一项根本性措施，也是我国历代将帅治军的一贯传统。纵观成功的治军将帅，均主张赏不私亲，罚不私怨，不论贵贱、亲疏、恩仇、爱憎，凡有功者一律按法行赏，凡有罪者一律按律论罪；赏则当功，罚则当罪。杨素在历史上以"驭戎严整"① 著称，形成了一套具有自身特色的治军之道，在治军实践中也收到了较好的效果。他注重严格贯彻赏罚制度，尤其在战场上强调严明军纪，"有犯军令者，立斩之"②，虽然有时不免出现"滥杀"的现象，但也由此在全军内部形成了宁可奋勇杀敌立功、决不后退半步的战斗氛围。在战斗打响后，他通常会命令一二百人首先冲击敌阵，获胜有功，而败下阵来则一律斩杀，而后命令一二百人再往前冲杀。如果有人败退，杨素就会将这些败退的士卒斩首示众，以儆效尤。在这样的赏罚机制的激励下，将士们都抱着必胜的信心、立功的心态拼死力战，胜多而败少。杨素在执行赏罚时比较公正，凡是出征将士不论功劳大小，从不遗漏，做到了"微功必录"③。正因为他有功必赏，有罪必罚，将士们都乐意跟随他四处征战，为其效力，因此保证了军队较强的战斗力。

---

① 《隋书》卷四十八《杨素传》。
② 《隋书》卷四十八《杨素传》。
③ 《隋书》卷四十八《杨素传》。

二、贺若弼的作战指导

贺若弼出身将门，父亲贺若敦是北周颇有名气的将领。贺若弼为人慷慨英武，"有大志，骁勇便弓马""有重名于当世"[1]，史称"其儇儇英略"[2]。他在隋灭陈统一战争中善于谋划，尤其擅长示形造势，注重心战，在指导隋军作战过程中强调正确选择主攻方向，攻虚击弱，战而胜之。在灭陈之战胜利后的第六年，贺若弼将自己战前提出过的平陈策略进行了一番整理，以"御授平陈七策"之名上奏朝廷。其内容如下：

> 其一，请广陵顿兵一万，番代往来。陈人初见设备，后以为常，及大兵南伐，不复疑也。其二，使兵缘江时猎，人马喧噪。及兵临江，陈人以为猎也。其三，以老马多买陈船而匿之，买弊船五六十艘于渎内。陈人觇以为内国无船。其四，积苇荻于扬子津，其高蔽舰。及大兵将度，乃卒通渎于江。其五，涂战船以黄，与枯荻同色，故陈人不预觉之。其六，先取京口仓储，速据白土冈，置兵死地，故一战而克。其七，臣奉敕，兵以义举。及平京口，俘五千余人，便悉给粮劳遣，付其敕书，命别道宣喻。是以大兵度江，莫不草偃，十七日之间，南至林邑，东至沧海，西至象林，皆悉平定。[3]

在这篇策对里，贺若弼着重从积极有效备战的角度出发，就如何在战前欺敌误敌扰敌提出了具体举措，包括在战略主攻方向广陵、扬子津实施一系列示形惑敌的行动，夺取战略物资仓储，组织开展

---

① 《隋书》卷五十二《贺若弼传》。
② 《隋书》卷五十二《贺若弼传》。
③ 李延寿：《北史》卷六十八《贺若弼传》，中华书局，1974 年。

优待俘虏、舆论攻心等心战工作。① 在平陈之战的实际备战和战争过程中，贺若弼基本上贯彻了上述七策中所提及的各项举措，在实践中收到了良好的效果。现结合其作战实践，对贺若弼的作战指导做以评析。当然，部分作战指导思想未出现在"御授平陈七策"中。

首先是主张在战前示形误敌，隐蔽己方真实意图，为后续军事行动创造条件。孙子提出了"能而示之不能，用而示之不用，近而示之远，远而示之近"② 等一系列示形之策，主张"形之，敌必从之"③。杜牧注曰："言我强敌弱，则示以羸形，动之使来；我弱敌强，则示之以强形，动之使去。敌之动作，皆须从我。"④ 杜牧的注释基本上把握了孙子思想的要义，即通过向敌方传达虚假信息，制造假象，以此来欺骗、麻痹或调动敌人，导致其做出错误的决策。后世兵家也就此展开深入研讨，极大地丰富了"示形"的兵学意蕴。

贺若弼深刻领悟了先秦以来兵家所阐述的示形思想，并将其巧妙运用于实践之中，成功地对陈朝实施了示形误敌之计。在筹备灭陈统一战争过程中，贺若弼被隋文帝委任为吴州总管，出镇广陵（今江苏扬州）。上任伊始，为了麻痹陈军，他命令沿江戍军每次换防都大列旗帜、帐幕，并且沿江射猎，人马喧哗，做出准备渡江的架势，但是等到陈军调兵遣将准备防守的时候，隋军就马上收兵。如此反复多次，陈军习以为常，逐渐丧失了警惕。隋军向陈军真正发起攻击时，陈军却毫无准备，只得束手就擒。为了筹措用于日后渡江作战所需的足够战船和运输船，贺若弼采取了贸易获取的方式。隋朝的马匹较多，而陈朝则有大量船只，贺若弼以战马同陈朝交换船只，把许多基本丧失作战能力的战马淘汰后卖到江南，再从江南买回船只，提前为渡江战役做准备。为了防止对手产生疑心，他将买回的好船停泊在扬子津，将这些船涂成黄色，远看如同枯草，并

----

① 参见黄朴民、孙建民：《中国统一大略：历代著名统一方略透析》，解放军出版社，2002 年，第 141—149 页。

② 《十一家注孙子校理》卷上《计篇》。

③ 《十一家注孙子校理》卷中《势篇》。

④ 《十一家注孙子校理》卷中《势篇》杜牧注。

在船只停泊的滩头附近堆满高高的芦苇，以遮掩这些船只。与此同时，他把一些破旧的船只停泊在长江北侧，造成隋军缺乏战船的假象。贺若弼通过多种示形手段，达到了误敌的目的，使敌产生了错觉，放松了戒备，为隋军而后出其不意地发起渡江作战行动创造了有利条件。

其次是实施心战，争取民心，瓦解敌军。贺若弼在发起渡江之战后，严明军纪，信赏明罚。其间有一名军士到百姓家买酒喝，违犯了军令，贺若弼立即下令按军法处死，全军将士做到了"军令严肃，秋毫不犯"①。贺若弼在战争中还执行了优待战俘的政策。优俘政策属于心战的一项内容，以此可以瓦解敌方军心士气，同时还可以壮大自己的力量。优俘政策在我国已有几千年的历史，据《尚书》所载，周武王伐纣之时已经有了优待俘虏的政策。《牧誓》曰："弗迓克奔，以役西土。"② 指出不要杀掉殷商军队中前来投降的人，以便使这些人为我们服务。孙武提出要优待战俘，明确指出"车杂而乘之，卒善而养之，是谓胜敌而益强"③，从而在削弱敌人的同时不断壮大自己的力量。吴起指出战争中敌方如有请降的，应允许并安抚他们。《荀子》主张"服者不禽""奔命者不获"④，即不逮捕降服的敌人，不以俘虏身份对待归顺者。《司马法》提出要优待俘虏，不杀降卒，"敌若伤之，医药归之"⑤，从而最大限度地瓦解敌人的军心士气。《武经总要》主张"凡得庄口，无问逆顺，皆不得辄杀，以招来者"⑥，强调一律不得任意杀戮战俘，吸引敌军来降，以此来

① 《隋书》卷五十二《贺若弼传》。
② 《尚书》卷三《牧誓》。
③ 《十一家注孙子校理》卷上《作战篇》。
④ 《荀子集解》卷十《议兵篇》。
⑤ 《司马法》卷上《仁本》。
⑥ 曾公亮、丁度：《武经总要前集》卷十五《行军约束》，《中国兵书集成》编委会：《中国兵书集成》第三册，解放军出版社、辽沈书社，1988年。

瓦解敌人。何守法提出"示以俘囚则气夺"①，以此瓦解敌军士气。《草庐经略》指出"杀降之戒，尤应书绅，杀降不武，无以劝来"②，认为杀戮投降者不符合武德，不能使人诚心归附，也不能规劝其他人前来投降；主张对于"非正战"者采取"犒而遣回"的办法，以此"彰吾大德，释彼战心"③，即目的在于瓦解敌人的斗志。中国古代战争史上优待战俘的事例不胜枚举。晋元帝大兴三年（320），东晋名将祖逖率军攻取石勒，十分重视感化对手的军士民众，宽待战俘，对石勒降卒皆厚待遣归。因此，石勒军民"咸感逖恩德""归附者甚多"④，为祖逖顺利收复黄河南北失地创造了有利条件。贺若弼也非常注重优待俘虏，在京口之战中俘虏了陈军士卒六千余人，经过抚慰后全部释放，给其发放盘缠返乡，并让他们沿途散发安民告示，极力争取民心。此举果然收到了显效，既感化了俘虏，笼络了人心，又利用战俘遣返回乡，向江南军民宣传了隋朝的怀柔政策，助长了隋军的声威，动摇了对手的民心士气。贺若弼率部所到之处受到民众欢迎，陈军"望风尽走"⑤，极大地加速了战争进程。

　　最后是在战略决战中善于攻虚击弱。贺若弼率军渡江后进展神速，很快就抵达陈朝首都建康城东的钟山（今江苏南京紫金山），屯兵钟山南麓的白土冈附近。陈后主不懂军事，却自作主张，命令萧摩诃、任蛮奴、鲁广达等将领组织抵御，强令陈军自白土冈向北布成一字长蛇阵，南北绵延二十里，企图阻击隋军的进攻。孙子曰："无所不备，则无所不寡。"陈军的排兵布阵犯了兵家大忌，在长达二十里的宽大正面部署兵力，势必会出现防不胜防的状况，容易给对手提供空隙，且首尾不能相顾，极大地削弱了军队的战斗力。此

①　西湖逸士：《投笔肤谈》卷上《持衡》，《中国兵书集成》编委会：《中国兵书集成》第二十六册，解放军出版社、辽沈书社，1994年。

②　无名氏：《草庐经略》卷七《受降》，《中国兵书集成》编委会：《中国兵书集成》第二十六册，解放军出版社、辽沈书社，1994年。

③　《草庐经略》卷七《招抚》。

④　《晋书》卷六十二《祖逖传》。

⑤　《资治通鉴》卷一百七十七《隋纪一》，文帝开皇九年正月。

外，陈后主将主要兵力投入东战场，集重兵于白土冈，相形之下，其他方向的兵力非常虚弱，从而为之后韩擒虎率军趁虚从南面顺利攻入建康创造了有利条件。就此而言，陈后主没有听取作战经验丰富的前线将领意见，自行其是，犯下了孙子所谓的"乱军引胜"的错误，即"不知军之不可以进，而谓之进；不知军之不可以退，而谓之退，是谓縻军。不知三军之事，而同三军之政者，则军士惑矣。不知三军之权，而同三军之任，则军士疑矣。三军既惑且疑，则诸侯之难至矣，是谓乱军引胜"①。贺若弼望见陈军布阵，率军冲向对方长蛇阵的南端，遭到陈军鲁广达部的顽强抵抗，隋军初战受挫。贺若弼在失利后及时总结教训，决定调整主攻方向，采取攻虚击弱原则，集中兵力打击陈军兵力薄弱的长蛇阵的北端，取得了作战的胜利。一战而及其余，贺若弼一鼓作气，指挥军队彻底摧毁了陈军的一字长蛇阵，歼灭了陈军的有生力量，为隋灭陈统一战争的胜利奠定了基础。

三、韩擒虎的作战指导

韩擒虎（538—592），字子通，河南东垣（今河南新安）人。他出身将门，"少慷慨，以胆略见称，容貌魁岸，有雄杰之表"②。更为可贵的是，韩擒虎深通韬略，"经史百家皆略知大旨"③，常与李靖论孙、吴兵法。在灭陈之战中，他充分展现了过人的胆略和高超的用兵艺术，称得上一代名将。

一是料敌察机，大胆偷袭。孙子指出："古之所谓善战者，胜于易胜者也。"④ 认为高明的指挥员善于打仗的奥秘，就在于战胜容易取胜的敌人，在于其作战措施建立在必胜的基础上，从而做到了

---

① 《十一家注孙子校理》卷上《谋攻篇》。
② 《隋书》卷五十二《韩擒虎传》。
③ 《隋书》卷五十二《韩擒虎传》。
④ 《十一家注孙子校理》卷上《形篇》。

"胜已败者也"①。张预对孙子此番议论进行了阐释："交锋接刃，而后能制敌者，是其胜难也；见微察隐，而破于未形者，是其胜易也。故善战者，常攻其易胜，而不攻其难胜也。"② 这就要求战争指导者要善于在战前深入分析敌情，从中寻找打击对手的合适时间、地点和方式，在削弱敌人力量的同时，准确抓住战机摧垮敌军。就此而言，韩擒虎可谓深谙兵法精髓。在灭陈之战全面发起之时，隋军多路出击，对陈军拥有兵力上的巨大优势。在以强击弱、以多击少的有利态势下，韩擒虎依然审慎出兵，多方筹划作战方案，尤其在出兵地点、时间、兵力上深思熟虑，务求必胜。当时，隋军主力于开皇八年（588）十一月出征，十二月推进到长江北岸各进攻地。韩擒虎率军驻扎于横江（今安徽和县东南），伺机发起渡江作战。陈朝皇帝陈叔宝自恃有长江天险的巨大优势，对前线传来的报警文书不以为然。为庆祝即将来临的元会③，陈朝召回镇守江州（治今江西九江）、徐州（治今江苏镇江）的南平王陈嶷、永嘉王陈彦，命令长江沿岸用于防备的船舰也一同返回京都建康（今江苏南京）。由此一来，陈朝在长江下游的江防更加空虚。韩擒虎获悉这一情报，当机立断，决定亲率五百精兵，从横江渡口出发，在陈军庆祝元会之际发起攻击，以此收到出奇制胜的效果。开皇九年（589）正月初一，陈朝守军上下欢庆元会，开怀畅饮，酩酊大醉。夜半时分，韩擒虎率精兵偷渡长江，成功登陆，"袭采石，守者皆醉，擒遂取之"④，兵不血刃占领了采石。韩擒虎之所以能够顺利渡江并夺占江防重地采石，与其选择的出兵时机密切相关，即在陈军欢度元会、极度放松警惕之际出奇制胜，收到了很好的效果。

二是批亢捣虚，夺其所爱。在双方战事纠缠之时，高明的指挥员善于透过表象发现对手的虚弱之处，打击其薄弱且关键环节，以此收事半功倍之效。隋军兵临建康城下时，陈叔宝命令城内的军队

---

① 《十一家注孙子校理》卷上《形篇》。
② 《十一家注孙子校理》卷上《形篇》张预注。
③ 皇帝在元旦朝会群臣的活动。
④ 《隋书》卷五十二《韩擒虎传》。

全部出城作战。陈军布成一字长蛇阵，与隋将贺若弼统率的军队对峙，双方展开殊死决战。韩擒虎率军抵达建康城西南郊，得知陈军出城作战，城内守备空虚，果断决定乘隙突击，率轻兵直捣其腹心，生擒陈叔宝。他率五百精锐骑兵，快速进军石子冈（在今江苏南京市雨花台区），正好有陈将任忠前来投降。韩擒虎在任忠的引导下，迅速进入建康城，活捉了陈后主。陈军听到陈朝皇帝被俘，军心土崩瓦解，纷纷投降。韩擒虎在双方作战胶着之际，敢于大胆决策，抓住建康城兵力空虚之机，率兵快速出击，不停留不拖延，一举擒获对方最高统帅，极大地加快了战争进程，充分体现了其善观大势、敏锐把握战机、敢于任事的用兵特点和机动灵活的指挥风格。与贺若弼相比，韩擒虎更擅长用奇兵，采取对手意想不到的方式出兵制胜，善于找到用力小而收效大的解决方式，因而取得了高于常人的战争效益。

第三节　李密的军事思想

李密（582—619），字玄邃，一字法主，京兆长安（今陕西西安西北）人，隋末农民起义领袖之一。他自幼善读兵书，"多筹算，才兼文武，志气雄远，常以济物为己任"[1]。后来追随杨玄感起兵反隋，失败后转投瓦岗军，充分施展军事才华，辅佐翟让取得了一系列军事行动的胜利。在取得义军领导权后，他又推动瓦岗军不断发展壮大，在战略指导、治军、作战等方面均有建树。

一、"诛灭暴虐"、夺取政权的战略指导思想

李密出身于上层贵族官僚之家，后来荫袭蒲山郡公爵位，但其在仕途的发展并不顺利，遭到太子杨广的排挤。隋朝末年，隋炀帝

---

① 《隋书》卷七十《李密传》。

横征暴敛，穷兵黩武，社会矛盾日益尖锐。隋朝统治集团内部出现分化，奉命在河南黎阳（在今河南浚县西南）督运军粮的杨玄感起兵反隋，不久兵败被杀。参与反隋行动的李密不得不隐姓埋名，逃匿四方。他在这一期间真切感受了社会底层民众的悲惨境遇，意识到隋朝已陷入难以自拔的统治危机，遂萌生了取而代之的念头："秦俗犹未平，汉道将何冀！樊哙市井徒，萧何刀笔吏。一朝时运合，万古传名器。寄言世上雄，虚生真可愧。"① 全国各地农民起义风起云涌之际，李密一路辗转，最终投奔了具有较强实力的瓦岗起义军。目光远大的李密认为瓦岗军不能满足现状，而要趁势发展，也就是利用统治者昏庸无道、民怨沸腾、精兵远征边疆、中原守备空虚的机会壮大队伍，鼓动瓦岗军领导人翟让"以足下之雄才大略，士马精勇，席卷二京，诛灭暴虐，则隋氏之不足亡也"②。李密至此明确提出了推翻隋朝统治的战略目标，为瓦岗军的发展指明了正确的方向。在探讨后续军事行动时，他提出了"除亡隋之社稷，布将军之政令"③ 的口号，确立了夺取隋朝政权的战略指导思想，从而引导瓦岗军完成了从求生存到平天下的理念转变，走上了快速发展的轨道。

二、注重政治攻势、军政紧密结合的策略思想

中国古代政治家、兵家很早以前就认识到，战争双方的对抗不仅是武力的角逐，而且也要受到政治因素、精神因素的重大影响。一味倚仗武力逞强争胜，充其量只是"斗将"，称不上是高明的将领。只有善于合理地利用政治、外交、心战等多种手段辅助军事行动，文武并用，软硬兼施，才能收到事半功倍的效果，从而取得最佳的战争效益。有学者指出，李密在运用军政策略方面所表现出来的思想水平，明显高出同时期的其他农民义军领袖，不愧是知识分

---

① 《隋书》卷七十《李密传》。
② 《旧唐书》卷五十三《李密传》。
③ 《资治通鉴》卷一百八十三《隋纪七》，恭帝义宁元年二月。

子型的隋末农民起义的杰出领袖。① 即使与中国历史上其他朝代的义军领袖相比，李密运用军政策略的能力也绝不逊色。

中国古代兵家历来注重战前造势，打着为民请愿除弊的旗号，为自己的军事行动寻找道义依据。他们主张出兵之前"吊民伐罪"，历数敌人的罪恶行状并大加声讨，以达到孤其势、泄其气、离其心的目的，同时申明自己"替天行道"，以招揽人心。古代兵家强调通过战前有效的舆论宣传，充分宣扬己方"师出有名"，从而赢得政治上的主动权，同时置对手于被动处境。历观兵家惯用的各种舆论宣传载体，檄文可谓是运用最为普遍的一种，其功效也尤为显著。檄文由来已久，早在先秦时期就已经出现了《甘誓》《汤誓》《牧誓》，夏启、商汤和周武王通过揭露对手的罪行，宣扬自己的正义行为，达到了瓦解敌军士气并在战前造成有利于己的声势的目的，对于加速战争进程发挥了积极作用，更对后世兵家重视在战前及战争过程中运用檄文产生了深远影响。纵观古代战争实践，檄文具有分化瓦解敌人、震慑敌军将士心理、鼓舞己方军心士气、争取广大民众支持的巨大作用，是打击对手、巩固己方、团结友方、动员民众的利器，受到了古代战争指挥者的普遍重视。

随着瓦岗军力量逐渐壮大，李密率军进占荥阳地区后，开始为下一步攻占洛阳地区做准备。他派军积极抢占洛阳外围地区，在攻占了回洛仓之后，命祖君彦作《为李密檄洛州文》，历数隋炀帝骄奢淫逸、残害人民、"公卿宣淫，无复纲纪""荒湎于酒，俾昼作夜""科税繁猥，不知纪极""恃众怙力，强兵黩武"② 等十大罪行，痛斥其"罄南山之竹，书罪未穷；决东海之波，流恶难尽"③，指出隋朝处于即将灭亡之际，李密领导的瓦岗军已经抢占了先机，占据了优势地位，号召大家揭竿而起，把握难得的良机，"神鼎灵绎之秋，裂地封侯之始，豹变鹊起，今也其时，鼍鸣鳖应，见机而作，宜各

---

① 参见《隋代军事史》，第 233 页。
② 《旧唐书》卷五十三《李密传》。
③ 《旧唐书》卷五十三《李密传》。

鸠率子弟，共建功名"①；分化瓦解隋朝统治集团，宣示"魏公推以赤心，当加好爵"②的优待政策，告诫他们要识时务，顺应大势，"择木而处"，如果"暗于成事，守迷不反，昆山纵火，玉石俱焚"③，必将后悔莫及。这篇讨隋檄文一经发布，便震动天下，收到了打击敌人士气、鼓舞己方斗志、争取各方支持、唤醒民众起义反隋和分化瓦解对手的多重效果。

讨隋檄文的成功之处，还在于李密对发布檄文的时间节点的巧妙把握。在此之前，瓦岗军在中原战场正处于上升势头，夺占了战略要地荥阳地区，随后正式建立了政权，促使义军得到迅速发展壮大，声望日增，成为威震中原的反隋主力大军。挟战胜之威，李密率兵进军洛阳地区，兵锋直指隋廷。此时的隋朝处于被各地农民义军分割包围的状态之中，所控制的地区日渐缩小，呈江河日下之势。尽管如此，隋朝仍然保存了一定的军事实力，尚未到能够被义军一击破灭的地步。为营造更有利的战略态势，同时也为了进一步打击对手士气，争取更多官吏民众的支持，李密选择在攻打隋朝东京洛阳之前发布檄文，显然是为配合义军进攻隋都洛阳、推翻隋朝统治的军事行动而采取的强有力的政治行为。

三、灵活机动的作战思想

在李密加入瓦岗军之前，这支义军只是满足于劫掠货物以求生存，尚不具备与隋军交战的决心与实力。当李密参与义军军事筹划后，瓦岗军开始有了明确的斗争目标、机动的作战指导思想以及灵活多变的战术，在与隋军作战中屡次击败强敌，极大地改变了中原态势，有力地推动了隋末农民起义进程。

李密在指挥作战时，既慎重又大胆。所谓慎重，表现为他不轻率出击，而是要周详地了解敌情，深入地分析对手尤其是担负指挥

---

① 《旧唐书》卷五十三《李密传》。
② 《旧唐书》卷五十三《李密传》。
③ 《旧唐书》卷五十三《李密传》。

重任的敌将之优长、缺陷，善于从中找到敌将在作战指挥、兵力部署、性格、心理等方面的弱点，进而采取有针对性的打击。所谓大胆，表现为定下作战方案后，就全力付诸实施，不畏手畏脚，以果敢勇猛的冲击、迅速有力的行动夺取作战的胜利。

第一，战前料敌，庙算制胜。李密在指导作战时，长于庙算，注重战前分析敌情，针对敌军的可乘之隙实施准确打击，常能一击制胜。他在投奔瓦岗军不久，在翟让面前对敌情做了深入的分析："今东都空虚，兵不素练；越王冲幼，留守诸官政令不一，士民离心。段达、元文都，暗而无谋，以仆料之，彼非将军之敌。"① 指出了隋统治集团内部存在的一系列致命问题，增强了翟让战胜对手的信心。随后，李密又为瓦岗军的发展做了深谋远虑的战略筹划。

> 今百姓饥馑，洛口仓多积粟，去都百里有余，将军若亲帅大众，轻行掩袭，彼远未能救，又先无预备，取之如拾遗耳。比其闻知，吾已获之，发粟以赈穷乏，远近孰不归附！百万之众，一朝可集，枕威养锐，以逸待劳，纵彼能来，吾有备矣。然后檄召四方，引贤豪而资计策，选骁悍而授兵柄，除亡隋之社稷，布将军之政令，岂不盛哉！②

这一高明的战略指导为瓦岗军的发展壮大奠定了基础。在大海寺之战前，他分析指出了"须陀勇而无谋，兵又骤胜，既骄且狠"③的弱点，认为隋将军张须陀外强中干，不足为惧，可一战而胜。在北邙之战前，李密召集诸将商讨对敌之策。裴仁基提出了"简精兵三万，傍河西出以逼东都"④ 的作战建议，李密听后表示赞成，并且进一步分析了敌情："今东都兵有三不可当：兵仗精锐，一也；决

① 《资治通鉴》卷一百八十三《隋纪七》，恭帝义宁元年二月。
② 《资治通鉴》卷一百八十三《隋纪七》，恭帝义宁元年二月。
③ 《隋书》卷七十《李密传》。
④ 《资治通鉴》卷一百八十六《唐纪二》，高祖武德元年九月。

计深入，二也；食尽求战，三也。"① 在此基础上提出了一个较完善的作战方案："我但乘城固守，蓄力以待之；彼欲斗不得，求走无路，不过十日，世充之头可致麾下。"② 应该说，李密在战前料敌精明，并且提出了适宜的制敌之道，本可打败对手，取得至关重要的北邙之战的胜利。可惜他谋而不决，惑于众议，在众多将领坚决请战的情况下，改变了原先正确的作战决定，结果导致失利。由此可见，即使能够正确料敌，找到制胜手段，作为最高指挥员的军队统帅还必须做到头脑清醒，坚持正确决定而不为部下意见所迷惑，否则就会如李密一样自酿败局。

第二，灵活多变的战术。李密善于根据对手的不同情况，深入分析并找出可乘之隙，据此制定适宜的战术，攻虚击弱，从而夺取作战的胜利。

首先是诱敌伏击。瓦岗军围攻荥阳城，曾多次击败义军的隋朝大将张须陀率精兵前往救援。翟让想率军退避，李密却主张予以痛击。与他人不同，李密能够看到隋军强大力量表象下所掩藏的弱点。他指出"须陀勇而无谋，兵又骤胜，既骄且狠，可一战而擒"③，并且定下诱敌深入以伏击的作战方案。翟让率军与张须陀交战佯作不利而退却，隋军乘胜追击，不料遭到李密等众将所率领的伏兵的袭击。翟让趁机领兵反击，张须陀军被歼灭，李密制定的诱敌伏击战术大获成功。

其次是侧翼攻击。隋朝派遣虎贲郎将刘长恭率重兵进攻瓦岗军，同时命令河南讨捕裴仁基率军予以配合，从侧背掩袭瓦岗军。刘长恭求战心切，不等裴仁基军到达便提前发起进攻。翟让抵挡不住，率军后退。正当刘长恭领兵追击之时，李密率领部众从侧翼突然袭击隋军。在军队行进过程中，侧翼乃是这支军队的最薄弱的环节。此处一旦被对手攻击，势必对战局造成重大的影响。李密深谙用兵

---

① 《资治通鉴》卷一百八十六《唐纪二》，高祖武德元年九月。
② 《资治通鉴》卷一百八十六《唐纪二》，高祖武德元年九月。
③ 《隋书》卷七十《李密传》。

之道，善于"夺其所爱"①，抓住对手暴露的侧翼实施突然攻击，隋军大败。此战说明李密制定的侧翼攻击战术是符合瓦岗军作战特点的高明战术。

再次是先后夹击。洛北之战后，李密率军与王世充军在石子河再次交战。翟让率军与隋军接战后佯败而退，王世充领兵追击。这时王伯当、裴仁基率军"从旁横断其后，密勒中军击之"②，先有瓦岗军侧击隋军，随后又有李密与王伯当、裴仁基分别率军前后夹击隋军，最终大获全胜。

最后是调动对手，声东击西。李密在黑石之战中充分体现了调动对手，在运动中予以致命打击的战术。隋军与瓦岗军隔洛水对峙。瓦岗军初战失利，李密率精骑退回洛水南岸，另外一部分兵力向月城（今河南巩义西北）撤退。王世充率部进攻月城，李密趁机率军直捣隋军大营黑石（今河南巩义西南黑石关）。遭到袭击的黑石隋军举烽火告急，王世充知道军情紧急，立即解除对月城的包围，率军回救。李密成功调动了对手，趁其回军过程中实施攻击，取得了作战的胜利。

第三，善于使用选锋。在冷兵器时代，双方列阵厮杀，是否拥有选锋以及是否善于使用选锋，对作战结果具有重要影响。孙子指出："将不能料敌，以少合众，以弱击强，兵无选锋，曰北。"③ 孙子首次提出了"选锋"，并充分肯定了其作用。之后，《孙膑兵法》《尉缭子》等兵书都深入探讨了这一问题，认为"其阵无锋"必然失败。古代的选锋有许多不同的称呼，《荀子》谈到了齐国的技击、魏国的武卒、秦国的锐士，指出"齐之技击不可以遇魏氏之武卒，魏氏之武卒不可以遇秦之锐士"④；何氏指出："昔齐以伎击强，魏以武卒奋，秦以锐士胜，汉有三河侠士、剑客奇材，吴谓之解烦，

---

① 《十一家注孙子校理》卷下《九地篇》。
② 《资治通鉴》卷一百八十四《隋纪八》，恭帝义宁元年十一月。
③ 《十一家注孙子校理》卷下《地形篇》。
④ 《荀子集解》卷十《议兵篇》。

齐谓之决命，唐谓之跳荡，是皆选锋之别名也。"① 由此可见，选锋乃是军队最精锐的力量，通常用于最关键的时刻，担负着打击敌要害或薄弱部位的重任，达成一击制敌的目标。李密善于使用选锋："选军中尤骁勇者八千人，分隶四骠骑以自卫，号曰内军，常曰：'此八千人足当百万。'"② 他任用秦叔宝、程咬金（后更名程知节）等勇将统率内军，在作战中屡屡发挥左右战局的关键作用。

四、注重实际的建军治军思想

瓦岗军从一支"旦夕偷生草间"的小股义军，最终发展成为隋末农民起义军的反隋中坚，屡败隋军主力，其中缘由不一而足，而李密颇具实效性的建军治军思想无疑是不可或缺的重要因素。

第一，以粮养军扩军的建军思想。兵马未动，粮草先行。古人的这一番话道出了粮草对于军事行动的重要性。孙子强调"军无辎重则亡，无粮食则亡，无委积则亡"③，《管子》认为"地之守在城，城之守在兵，兵之守在人，人之守在粟"④，辛弃疾认为"用兵制胜，以粮为先"⑤，《草庐经略》指出"三军之事，莫重于食矣"⑥。由此可见，历代兵家都高度重视粮草，认为它对军队生存、发展以及作战具有至关重要的作用。李密加入瓦岗军之后，随着起义队伍不断扩大，粮草供应日趋紧张，制约了瓦岗军的发展壮大。李密适时向翟让提出建议："今兵众既多，粮无所出，若旷日持久，则人马困弊，大敌一临，死亡无日矣！未若直取荥阳，休兵馆谷，待士勇马肥，然后与人争利。"⑦ 荥阳地形险要，历来为兵家必争之地。李

---

① 《十一家注孙子校理》卷下《地形篇》何氏注。

② 《资治通鉴》卷一百八十三《隋纪七》，恭帝义宁元年四月。

③ 《十一家注孙子校理》卷中《军争篇》。

④ 《管子校注》卷一《权修》。

⑤ 辛弃疾撰，邓广铭辑校审订，辛更儒笺注：《辛稼轩诗文笺注》上卷《美芹十论·屯田第六》，上海古籍出版社，1995年。

⑥ 《草庐经略》卷三《粮饷》。

⑦ 《旧唐书》卷五十三《李密传》。

密的真实意图并非只是夺取荥阳，而是夺占荥阳附近的粮仓。因此，当瓦岗军攻占荥阳之后，李密着眼建军大计，从长远规划瓦岗军的建设出发，向翟让提出了夺取大粮仓以壮大义军队伍的建议："今东都士庶，中外离心，留守诸官，政令不一。明公亲率大众，直掩兴洛仓，发粟以赈穷乏，远近孰不归附？百万之众，一朝可集，先发制人，此机不可失也！"① 翟让采纳了这一建议，瓦岗军先后攻取了兴洛仓（亦称洛口仓，在今河南巩义东北）和回洛仓（在今河南洛阳隋洛阳故城北）两大粮仓，随即开仓赈济饥民，"开仓恣人所取，老弱襁负，道路不绝，众至数十万"②，远近民众踊跃参加起义军，队伍迅速壮大起来。

李密在乱世中抓住了"粮草"这一影响军队生存与发展的关键环节，通过夺取粮仓，解决了瓦岗军的生存问题；通过赈济饥民，争取了大量民众参军，从而解决了军队兵员补给问题，也就是解决了瓦岗军的发展问题，起义军由此成为一支拥有强大实力、可以影响时局的农民武装力量。

第二，号令严明的治军思想。古代兵家历来重视治军，强调从严治军。《吴子》主张"以治为胜"③，要求军队做到"居则有礼，动则有威，进不可当，退不可追，前却有节，左右应麾，虽绝成陈，虽散成行"④，以此打造一支后人所谓的"节制之师"。他们认为从严治军能否取得成效，关键在于严明军纪，令行禁止，"从命为士上赏，犯命为士上戮"⑤。《黄石公三略》更是明确地指出："将之所以为威者，号令也。"⑥ 认为只有做到号令严明，才能树立将帅的威信。一支纪律严明的军队，即使将领没有出众的指挥才能，通常也不会打败仗；反之，一支治军不严、纪律松弛的军队，即使将领拥

---

① 《旧唐书》卷五十三《李密传》。
② 《旧唐书》卷五十三《李密传》。
③ 《吴子》卷上《治兵》。
④ 《吴子》卷上《治兵》。
⑤ 《司马法》卷上《天子之义》。
⑥ 《黄石公三略·上略》。

有超群的指挥才能，也不可能打胜仗。李密投身瓦岗、执掌义军领导权的时间虽然不长，但其高度重视治军，尤其注重严格的军事训练。在他提出诱敌伏击作战方案，并率军击败隋朝张须陀军之后，翟让不由得对其军事才能刮目相看，于是让李密别统一军，号称"蒲山公营"。在拥有独立建制的军队后，李密严于治军，史称"军阵整肃，凡号令兵士，虽盛夏皆若背负霜雪"①。正是由于他从严治军，才锻造出一支拥有强大战斗力的瓦岗起义军。

第三，重视人才，善用降将，广泛收揽各路人才。孙子明确提出"将者，国之辅也"②，充分肯定了将帅对于国家安危存亡的极端重要性。《六韬》也认为"将者人之司命，三军与之俱治，与之俱乱；得贤将者，兵强国昌；不得贤将者，兵弱国亡"③，进一步强调了将帅的作用。正由于将领是一种特殊人才，具有其他人才不可替代的地位与作用，所以如何收揽与使用将领便成为军队统帅的头等大事。李密在成为瓦岗军主要领导人之后，注重招揽人才而不问其出身，从身经百战的猛将到行走江湖的侠士、深居大山的奇人均诚心结纳，希图全部收于麾下。隋恭帝义宁元年（617），李密派遣军队突袭攻占黎阳仓，开仓赈济饥民，大量民众投身义军，军威大振。这时，泰山道士徐洪客献书一封给李密，建议他"乘进取之机，因士马之锐，沿流东指，直向江都，执取独夫，号令天下"④。李密看后大为折服，非常赏识徐洪客此番豪壮之语，于是写信给他，想将其收于帐下，但最终以不知道其行踪而作罢。由此可见，李密不问人才来自何方，只要有一技之长，即使是僻居深山的道士也极力招引。

李密在战胜攻取之后，尤其注重招收降将，对于卓有才能的降将更是委以重任。隋朝虎贲郎将裴仁基率其子裴行俨归降后，李密

---

① 《旧唐书》卷五十三《李密传》。
② 《十一家注孙子校理》卷上《谋攻篇》。
③ 《六韬》卷三《龙韬·奇兵》。
④ 《资治通鉴》卷一百八十四《隋纪八》，恭帝义宁元年九月。

立即授他为上柱国，封为河东郡公，可以说给予了很高的待遇。裴仁基富有韬略，在邙山之战前提出了自己的作战方案："世充尽锐而至，洛下必虚，可分兵守其要路，令不得东。简精兵三万，傍河西出，以逼东都。世充却还，我且按甲，世充重出，我又逼之。如此则此有余力，彼劳奔命，兵法所谓'彼出我归，彼归我出，数战以疲之，多方以误之'者也。"① 尽管李密没有采纳其建议，但也充分认可这一方案，只是由于瓦岗军众将求战心切，导致未能付诸实施。李密爱才惜才，即使对方没有归降之意，甚至对自己有大不敬也能容忍。隋恭帝曾派遣江都郡丞冯慈明前往东都，被李密部下截获。李密久闻其大名，劝他与自己共图大事，结果遭到拒绝。李密将他囚禁起来，他设法逃到雍丘（今河南杞县），又被瓦岗军抓获，李密"义而释之"②。在攻打洛口时，隋将张季珣坚守不降，瓦岗军历数月才攻陷城池。张季珣见李密不肯拜，曰："天子爪牙，何容拜贼！"③ 尽管如此，李密仍然想劝其投降，以为自己所用。虽然没有成功，但由此亦可看出李密对人才的重视程度。

第四节 唐太宗李世民的军事思想

唐朝是中国封建社会的盛世，也是当时世界上最文明最富强的封建帝国。唐太宗李世民（599—649）是中国历史上一位杰出的政治家和军事家，文治武功均臻于极致。凭借雄厚的国力、强大的军力和巨大的影响力，唐朝声威远播，而唐太宗则被周边少数民族尊称为"天可汗"。这是中国历史上绝无仅有的一个尊号，唐太宗所享有的崇高声望在中国古代封建帝王中罕有其匹，其在位时的国土疆

---

① 《隋书》卷七十《裴仁基传》。
② 《资治通鉴》卷一百八十四《隋纪八》，恭帝义宁元年九月。
③ 《资治通鉴》卷一百八十四《隋纪八》，恭帝义宁元年九月。

域也是空前广阔。史载："唐地东极于海，西至焉耆，南尽林邑，北抵大漠，皆为州县，凡东西九千五百一十里，南北一万九百一十八里。"① 唐太宗在长期的军事实践过程中形成了丰富的军事思想，尤其在国防、战略与作战指导领域有着显著的反映。唐太宗的军事思想对整个唐帝国的发展、强大产生了深刻影响，唯有对唐太宗的军事思想进行系统研究与深入探讨，才能更好地理解有唐289年的兴衰史。

一、唐太宗的国防思想

贞观时期，唐中央王朝对广阔的国土实施有效的管辖，封建主义的中央集权管理达到了极高水平。这一时期的唐王朝不仅内部稳定，生产发展，国力上升，而且能够适时有效地反击入侵者，拱卫边境，保障边疆人民的生产生活安定，从而使中原与边疆之间建立起长期稳定的联系，将唐朝先进的科技文化、生产工具带到边疆，促进了当地的开发，将西域置于唐政府的统治之下。如此巨大的成功，与初唐强大的国防实力及其在正确的国防思想指导下制定、推行的国防政策息息相关。

（一）唐太宗国防思想的时代背景

唐朝建国之初处于内外交困的处境之中，主要面临三个棘手问题：一是北方的突厥空前强大，屡屡骚扰边境；二是内乱不已，唐政府忙于统一战争，稳定国内，无暇他顾；三是国力不振，有待恢复。在这三个问题之中，如何解除北方边患是摆在初即帝位的唐太宗面前的最突出的问题。他一方面感到唐高祖称臣于突厥是耻莫大焉，曾立誓要系颉利可汗于阙下；一方面又深知国力单薄，需要通过轻徭薄赋政策，休养生息，不便大举用兵。这就决定了在两难之间，须采取比较克制的态度。当时有三件典型事件反映了初唐国防虚弱而取退让自保之策：一是唐高祖向突厥称臣纳贡，二是豳州对阵，三是渭桥之盟。这三件事对唐太宗产生了较大的刺激。正如太

---

① 《资治通鉴》卷一百九十五《唐纪十一》，太宗贞观十四年九月。

宗对侍臣所言："往者太上皇以百姓之故，称臣于突厥，朕常痛心。今单于稽颡，庶几可雪前耻。"① 这促使他采取积极措施，经武备战。主要是通过发展经济，增强国力，整顿军队，提高军队战斗力，以及政治上整顿吏治，开明廉洁等，获得中小地主及农民的支持。因此，唐太宗即位后的最初两年所采取的基本战略是：一方面在内部休养生息，恢复经济，增强国力，做好最后与突厥决一雄雌的准备；一方面先灭梁师都以削弱突厥的力量，并拉拢突厥北面的薛延陀族，以孤立颉利可汗。

唐太宗是以巩固当时的政权、维护其统治作为国防思想的出发点的。他的国防思想有一个逐步形成、不断演变的过程，是伴随着对外战争而逐步产生、发展、成熟起来的，经过贞观君臣的共同努力及国防实践，不断得到修正、补充和完善。

唐太宗国防思想的形成及演变大体可分为四个阶段。

一是产生阶段，时间跨度从贞观元年（627）至四年（630）扫平东突厥，基本奉行积极防御与羁縻的国防政策。唐高祖武德九年（626）八月，突厥颉利可汗率部侵犯至渭水之北，太宗与其订立"渭桥之盟"，突厥才撤退回去。事后，太宗解释道："所以不战者，吾即位日浅，国家未安，百姓未富，且当静以抚之。"② 这里的"静"主要是指不进行对外战争，使百姓减少兵役的负担，也隐含了暂取守势以积蓄国力待机反击之意图。唐朝建国之初，唐太宗正确处理了战争与国家建设之间的关系，国防服从于国家建设，这表明太宗这时已经开始考虑国防在国家生存与发展中所处的地位与所起的作用。贞观三年（629），突厥内外交困，而唐朝内部政局稳定，经济有很大发展，剪灭颉利势力的条件已经成熟。从当年年底到第二年，唐廷任命李靖为行军总管，率部出击颉利可汗，最后生擒颉利而还。至此唐朝北方的严重边患基本上解除了。唐朝声威远播，各国、各族遣使至长安朝贡，四夷君长诣阙请求尊唐太宗为"天可

① 《资治通鉴》卷一百九十三《唐纪九》，太宗贞观三年十二月。
② 《资治通鉴》卷一百九十一《唐纪七》，高祖武德九年八月。

汗"。从此以后，凡以玺书赐西北君长，皆称"天可汗"。对东突厥战争的胜利是初唐国防上的重大事件，不仅扭转了长期以来数面受敌的不利态势，基本上解除了北方边患，而且标志着太宗积极防御的国防思想在实践中取得了巨大成功，极大地提高了唐朝及唐太宗本人的声望，客观上加强了唐朝与周边民族之间的政治、经济、文化联系。

二是发展阶段，时间跨度从贞观五年（631）至九年（635）征服吐谷浑，基本奉行积极防御与羁縻的国防政策。北方的东突厥败后，西面的吐谷浑渐趋强大，多次侵入河西走廊，威胁唐与西域的交通与经济交流。贞观八年（634）至九年（635），唐太宗派唐军大举征讨吐谷浑，很快就结束了战事。唐太宗平定吐谷浑，从近者来说，是解除吐谷浑对河西走廊的威胁，保障唐对西域的经济文化交流；从远者来说，则是力图控制吐谷浑，将其作为防范日益强大的吐蕃的屏障。

三是成熟阶段，从贞观十年（636）至十六年（642）成功招抚铁勒诸部，基本奉行怀柔羁縻和威服兼施的国防政策。东突厥汗国灭亡后，薛延陀汗国在漠北崛起。随着势力日渐强大，薛延陀对唐朝国防构成新的威胁。唐太宗采取剿抚并用之策，先是向其示好，之后利用薛延陀的内乱以及铁勒内部的混乱，乘势出兵扫平薛延陀，取得了"北荒悉平"的战果。为安抚铁勒诸部，唐太宗亲往灵州（治今宁夏灵武市西南），后来铁勒诸部十一姓各遣使入贡，并且请求唐朝在他们各部"置官司"以统辖之。唐太宗赐宴回纥等族使者，颁赍拜官，并赐其酋长玺书。贞观二十一年（647），唐太宗下诏，以回纥部为瀚海府、仆骨为金微府等。他们又请求在回纥以南、突厥以北开一道，谓之"参天可汗道"。这样，北方各族同唐朝的紧张关系大为缓和，经济、文化的交流得到了很大的发展，边境长期安宁。

四是进一步发展阶段，从贞观十七年（643）至二十三年（649）经营西域，基本奉行威服的国防政策。唐太宗经营西域早在贞观十三年（639）出兵高昌就已经启动了。高昌国是西域诸国向唐朝朝贡时的必经之路，其对当时所过西域贡使任意拘留、抢夺贡品。这样高昌成为一个与唐朝对立的力量，阻挡了西域往来唐朝的商贾贸易。唐太宗为改变这种情况，于贞观十三年（639）正式出兵征讨高昌，次年平定高昌。唐太宗决定以其地置西昌州，并将高昌所属各县并为安西都护府，置于交河城，留军镇守。唐太宗之所以将高昌置于唐政府的直接统治之下，原因有二：一则为了有效地确保中西交通孔道的畅通和安全，以利于唐朝进一步经营西域；二则为了防止西突厥卷土重来。事实证明，唐太宗这样做是具有战略眼光的，也是他统一西域的重要组成部分。之后，唐太宗平定焉耆、龟兹，并在西域设置四镇，开始对西域实施卓有成效的管辖。

在形成、发展的过程之中，政治、经济诸因素极大地影响并制约了唐太宗国防思想。唐朝初年，政治上能不能从根本上缓和阶级矛盾，对唐政权来说是个生死攸关的问题。因此，唐太宗采取了"抚民以静"的施政方略。唐太宗政治理论的核心是"君道"，即传统的儒家"仁义"思想。当时的政治背景如下：一是国家未安，国内政治不太稳定；二是唐太宗与大臣以亡隋为鉴，注意吸取历史教训，开始调整统治政策。前者直接制约了国防发展，使国防暂时降到次要地位，服从于国内建设；后者则通过朝廷所实行的各项政治改革措施，对国防产生间接影响。这两点都对唐太宗的国防思想具有较大的制约作用。当时的经济背景如下：一是经济萧条，生产遭到极大破坏；二是百姓未富，人民生活困苦；三是国家财政处于严重的拮据状况。为了缓和阶级矛盾，改善人民的生产、生活条件，改变国家捉襟见肘的财政状况，首先必须大力恢复和发展社会经济。基于以上情况，唐太宗在政治上精简中央和地方机构，整顿吏治，防止地方势力坐大。为减省国用，唐太宗并省州县；提倡俭朴，力戒奢靡；同时尽量避免和减少不必要的战争，以紧缩军费开支。这样做，既有利于农民安居乐业，发展农业生产，也有利于节省财政开支，增强国力。他在经济上大力推行均田制，为恢复和推动唐初社会经济发展奠定了基础；实行轻徭薄赋，减轻农民的负担。他对此曾经有过表述："朕当去奢省费，轻徭薄赋，选用廉吏，使民衣食有余，则自不为盗，安用重法邪！"① 唐太宗在边地推行屯田制，以节约国家开支；对农民的户等划分更加符合贫富实际状况；重视马政，为建立高质量的骑兵队伍奠定了基础。另外，唐太宗还非常注意增加户口。隋朝强盛时户九百万，贞观时期户不满三百万。太宗招徕、赎还隋唐之际没落沿边各少数民族和被掠夺去的汉人。贞观三年（629），汉人自塞外来归、突厥内附以及开边为州县所增的人口，总共有男女一百二十余万口。同时，大力奖励男女嫁娶，提倡鳏寡婚配，以达繁殖人口的目的。历贞观一朝，全国户数得到了很大的增加，为农业生产提供了充足的劳动力。

（二）唐太宗国防思想的主要内容

唐太宗国防思想主要反映在战争观、建军治军思想、边防思想等方面。他的战争观包括积极防御的国防观、反对穷兵极武的慎战观和居安思危的备战观，其中积极防御的国防观是其战争观的核心。

唐太宗的积极防御的国防观在反击东突厥的战争中得到了突出体现。唐朝建国初年，当时是突厥强而唐朝弱。面对强悍的东突厥，太宗尽管有向其称臣纳贡的耻辱，也只能委曲求全。唐太宗即位后忙于稳定内部统治，发展社会经济，反击东突厥的主客观条件都不成熟。因此，唐太宗对东突厥采取防御态势，静以抚之，但绝非单纯防御、专守防御，而是为了反攻的积极防御。他的积极防御思想主要体现在所采取的具体措施和军事实践上。一是以退为进，首先在内部休养生息，集中力量恢复经济，增强国力，为以后的决战提供充足的保障；二是采取各种手段孤立和削弱东突厥，如消灭梁师都、拉拢薛延陀，使颉利可汗处于南北受敌的状态；三是等到条件成熟，立即抓住时机，果断反击，一举成功。唐太宗所采取的各种措施和所做的各项准备，都是为最后的反击服务的，充分表明唐太宗善于灵活运用积极防御思想并在国防实践中获得了成功。

唐太宗一贯秉持慎战观，向来反对穷兵极武，指出："夫兵甲者，国之凶器也。土地虽广，好战则民凋；中国虽安，亟战则民殆。

----

① 《资治通鉴》卷一百九十二《唐纪八》，高祖武德九年十一月。

凋非保全之术，殆非拟寇之方，不可以全除，不可以常用。"① 他还强调指出："兵者，凶器，不得已而用之。故汉光武云：'每一发兵，不觉头鬓为白。'自古以来，穷兵极武，未有不亡者也。"② 唐太宗久经沙场，深知战争给国家与民众所带来的深重浩劫，一贯主张慎重对待战争，在具体作战指导上也强调持重待敌，在条件成熟时再及时出击，不战则已，战则必胜，绝对不打无把握之仗。他还主张居安思危的备战观，《贞观政要》载其言："自古帝王亦不能常化，假令内安，必有外扰。当今远夷率服，百谷丰稔，贼盗不作，内外宁静。此非朕一人之力，实由公等共相匡辅。然安不忘危，理不忘乱，虽知今日无事，亦须思其终始。"③ 他后来又说道："朕所以不敢恃天下之安，每思危亡以自戒惧，用保其终。"④ 唐太宗在《备北寇诏》中历数北寇自古侵掠边境的事实，给国家安全带来莫大的危害，提出"作固京畿，设险边塞，式遏寇虐，隔碍华戎""御以长算，利在修边""城寨镇戍，须有修补，审量远近，计度功力，所在军民，且共营办"⑤ 等一系列对策，以此御敌防患。由此可见，他的备战思想是建立在深入分析彼己情况的基础上的，具有很强的现实针对性，所提出的举措也具有可操作性。

　　唐太宗的建军治军思想也具有丰富的内容。他重视改革和发展兵制，通过推行均田制，为府兵制度的发展奠定了坚实的基础。府兵所用的武器、装具和征途所需的粮食必须自备，从而极大地减轻了国家的负担，节省了开支。当然，府兵制能否顺利推行，归根结底还在于府兵是否拥有一定数量的土地，以保障其能够自备打仗所需的器械和粮食。他还重视选练、善于用将，在用人方面能够舍短取长，知人善用，并能打破民族偏见，大胆任用少数民族将领，诸如尉迟敬德、阿史那社尔、契苾何力等都发挥了各自独特的作用。

---

① 李世民：《帝范》卷四《阅武篇》，中华书局，1985年。
② 《贞观政要集校》卷九《议征伐第三十五》。
③ 《贞观政要集校》卷十《论慎终第四十》。
④ 《贞观政要集校》卷十《论慎终第四十》。
⑤ 《全唐文》卷四《太宗皇帝·备北寇诏》。

唐太宗任用大量少数民族将领并取得巨大成效，对于唐朝继任统治者也产生了极大影响，唐高宗、唐玄宗、唐肃宗、唐德宗等纷纷效仿，在一定程度上也促进了民族融合和文化融合。唐太宗还初步确定了内重外轻、互相维制的武装力量配置原则。唐朝在全国各地部署折冲府时，基本遵循了"居重驭轻"的原则。唐太宗划天下为10道，置军府657个，其中仅关内道（治今陕西西安，辖今陕西秦岭以北，甘肃祖厉河流域以东，内蒙古呼和浩特市以西，阴山、狼山以南的河套等地和宁夏回族自治区）就有288府，约占军府总数的43.8%；在关内道中，京兆有131府，约占关内道军府数的45.5%。正因如此，陆贽总结道："举天下不敌关中，则居重驭轻之意明矣。"① 唐太宗确立的这一原则保障了初唐的国防安全，而唐玄宗违背了"居重驭轻"原则，直接导致后来的安史之乱，唐朝由盛转衰，历史的教训不可谓不深刻。治军思想是唐太宗国防思想中的重要内容。他注重以法治军，在贞观时期重视立法，进一步修订、完善了军事法律。《贞观律》包含《卫禁律》《擅兴律》《捕亡律》《宫卫令》《军防令》《兵部式》《兵部格》等律令，涉及警卫皇宫、保卫关津要塞、军队调动、将士职责、军队刑罚等内容，对于强制将士履行职责、保证皇帝对军队的控制、统一军队的管理发挥了重要作用。唐太宗还非常重视军事训练，亲自带领将卒习射，采取讲武、狩猎等方法训练部队。他主张对军队训练要"教得其道"，改进训练方法，建立起一套适应府兵特点的训练制度。

唐太宗在处理周边民族关系的实践中逐步形成了内外并举、德威兼施的边防思想。他认为巩固边防的根本在于内政，指出："昔人谓御戎无上策，朕今治安中国，而四夷自服，岂非上策乎！"② 任何一个王朝，若要长治久安，莫不励精图治，注重内政外交双管齐下。一旦内外关系处理失调，则危及社稷，有损国家利益。唐太宗在长期的政治实践中，积累了丰富的治国经验，得出了"治安中国，四

---

① 《陆宣公集》卷十一《论关中事宜状》。
② 《资治通鉴》卷一百九十三《唐纪九》，太宗贞观三年十二月。

夷自服”的结论。他的这一结论隐含了正确处理治内与服外的思想，即“中国既安”是治内，“四夷自服”是服外。在这二者的关系中，治内为主，服外为次；先治内，后服外。若从内外关系的角度来观察唐太宗的军事实践活动，大致可将其划分为前后两个阶段。前一阶段主要是巩固政权，恢复经济，其指导思想是立足内政，力避战事，以治内为主，先“治安中国”而后威服四夷；后一阶段主要是发展经济，富国强兵，其指导思想是谋定而后战，修文不偃武，侧重于服外，治内次之。唐朝经过几年的休养生息之后，经济得到快速发展，国力得到很大的恢复。唐王朝国力的迅速强大为实施军事反击、威慑四夷提供了必要条件。

唐太宗在治边时成功实施了羁縻而治、和亲安远之策。所谓羁縻，通常是指在不改变原有政治实体内部结构的前提下，通过在政治、经济和文化等方面加强联系的方法，中央王朝对边区政府施加一定影响，从而建立一种既有地方的相当自治，又使中央与地方保持相当牢固的政治关系的格局，保证国家和民族的统一。羁縻府州始于贞观三年（629）十二月，其时南蛮的东谢酋长谢元深、南谢酋长谢强来朝，唐太宗“诏以东谢为应州、南谢为庄州，隶黔州都督”①。贞观四年（630），东突厥归附之后，一部分迁居内地，余部仍居原处。唐太宗在仍居原处的东突厥余部设置羁縻府州，如在突利可汗辖区东起幽州西至灵州一带，设置顺、祐、化、长等四州都督府；将颉利可汗辖区分置为六州，又以定襄、云中两都督府统辖六州。在羁縻府州行政管辖方面，唐廷任命各少数民族本族首领为都督或刺史，统率原来部众，收到明显效果。此外，唐太宗在西北地区也推行羁縻而治之策，收到了巩固西北边防的良好效果。从贞观初年至末年，唐太宗发起持续近 20 年之久的西北边疆战争，先后扫灭东突厥、吐谷浑、高昌、薛延陀汗国等。唐太宗西北边疆战争深刻改变了西北地缘政治格局，东、西突厥和高昌等先后被灭，薛延陀汗国瓦解，西北地区各民族、部落或归附，或有内附之意图，

_____

① 《资治通鉴》卷一百九十三《唐纪九》，太宗贞观三年十二月。

为之后唐太宗在灵州大会铁勒诸部创造了有利的历史条件。薛延陀汗国瓦解之后，"诸俟斤互相攻击"①，漠北地区暂时出现群龙无首的混乱局面。从当时的形势分析，无论哪一个部落都不具备统一漠北的实力，混战的结果无非就是两败俱伤，并有可能危及唐朝北疆安全。唐太宗认为，"薛延陀破灭，其敕勒诸部，或来降附，或未归服，今不乘机，恐贻后悔，朕当自诣灵州招抚"②，决定适时把握薛延陀汗国瓦解、铁勒诸部落请求内附的有利时机，亲赴灵州会见并安抚铁勒诸部，以彻底解决边防安全和民族问题。贞观二十年（646）八月，唐太宗乘车驾北上，九月抵达灵州，"敕勒诸部俟斤遣使相继诣灵州者数千人"③。唐太宗在灵州接见各部落酋长及使者，与诸酋长、使节数千人隆重集会。回纥、拔野古、同罗、仆骨、多滥葛、思结、阿跌、契苾、跌结、浑、斛薛等11部上表归顺，诸蕃酋长一致请求上唐太宗尊号为"天可汗"，表示诚心归附。回纥等部开通了通往长安的"参天可汗道"，周边各民族入朝长安的使者"道路不绝，每元正朝贺，常数百千人"④。此后，唐太宗在漠北推行羁縻府州制度，设立六府七州，各州府均以本部酋长任都督、刺史，对漠北实行羁縻统治，安置内附部落，妥善解决了民族问题，安定了西北边疆，促进了当时各民族的进步和历史的发展，也进一步巩固了唐朝的国防。

唐太宗巩固国防之所以能够卓有成效，注重抚顺伐叛、德威兼施是关键要素，也就是古代兵家通常所说的文武并举、刚柔相济。文武之道向来为中国历代政治家、军事家所推崇，但能否做到却因人而异。唐太宗在运用文武之道时，注重因情势而定，军事手段与政治、文化等手段交互迭用，多管齐下。面对复杂的边防态势，唐太宗推行积极防御，以强大的武力为后盾，组建并训练了一支极富

---

① 《资治通鉴》卷一百九十八《唐纪十四》，太宗贞观二十年六月。
② 《资治通鉴》卷一百九十八《唐纪十四》，太宗贞观二十年六月。
③ 《资治通鉴》卷一百九十八《唐纪十四》，太宗贞观二十年九月。
④ 《资治通鉴》卷一百九十八《唐纪十四》，太宗贞观二十二年二月。

战斗力的军队，在西北边疆战争中发挥了重要作用。在用兵西北过程中，唐太宗并未迷信武力，尤其在唐军力量尚未占据优势地位时，深刻意识到一味用武并非良策。唐太宗对此做了总结，指出"远人不服，则修文德以来之"①。在此思想指导下，唐太宗较好地处理了武与文、战与和的辩证关系，武力打击与怀柔招抚相辅相成，或先行招抚，以怀柔方式争取北方部落归附，以文德感化对方，遣使慰抚招降之，一旦招抚不成，再继之以武力打击，"降则抚之，叛则讨之"②；或以武力打击为主，尤其当一方势力严重威胁边疆安全之时，唐朝则坚决予以打击，如贞观四年（630）任命李靖、李世勣等名将率军打击东突厥，贞观十五年（641）、贞观十九年（645）至二十年（646）先后两次派大军北击薛延陀，彻底消除北疆安全威胁。在军事打击之后，唐太宗辅以政治招抚，亲赴灵州会见铁勒诸部酋长及使者，以诚心感化之，赢得了"天可汗"的称号。

（三）唐太宗国防思想的影响

唐太宗不仅是一个杰出的理论家，而且是一个成功的实践者。他把二者密切地结合起来，取得了显著的效果，尤其是将积极防御思想作为制定国防政策的一个指导性原则，更是对其后的唐朝统治者产生了深刻的影响。唐高宗守太宗之成，基本上遵循唐太宗地缘战略思想，取得了东服高句丽、西平西突厥的巨大成果，唐朝疆域达到空前广阔的程度。武则天在处理国防问题上也基本秉承了太宗遗风，唐玄宗在其统治后期则将太宗积极防御的国防思想推向极端，走向穷兵黩武，最终导致了安史之乱，唐朝从此一蹶不振。此后唐朝皇帝大都仅图内顾，已无力向外发展，但唐太宗的国防思想对宪宗、文宗仍有一定的影响。如唐宪宗即位之初，"读列圣实录，见贞观、开元故事，竦慕不能释卷"③。宪宗以太宗为标榜，力图有所作为，后来取得了削平藩镇的业绩。后人对唐太宗的国防思想也给予

① 《资治通鉴》卷一百九十七《唐纪十三》，太宗贞观十七年六月。
② 《资治通鉴》卷一百九十八《唐纪十四》，太宗贞观二十年六月。
③ 《旧唐书》卷十五《宪宗纪下》。

了充分肯定，北宋范祖禹指出："太宗以武拨乱，以仁胜残，其材略优于汉高，而规模不及也。恭俭不若孝文，而功烈过之矣。"① 范祖禹在这里将其与前代的汉高、孝文相比，并指出唐太宗的卓越武功，这武功当然包括了唐太宗登基以后成功的国防实践活动。何去非对唐太宗也有过一番评论："昔者唐之太宗，以神武之略起定祸乱，以王天下，威加四海矣。……然犹以为未也，乃大诛四方之侵侮者。破突厥，夷吐浑，平高昌，灭然耆，皆俘其王，亲驾辽左而残其国。凡此者非以黩武也，皆所以立权而固天下之势者也。"② 认为唐太宗发起的一系列征讨周边诸族或小国的军事活动并非穷兵黩武，而是强化中央政权、促进大一统的正当行为，发挥了巩固国防的积极作用。

二、唐太宗的地缘战略思想

所谓地缘战略，是从战略的高度研究地理环境对战略的影响，从而利用地缘关系及其作用法则谋取和维护国家利益的方略。地缘战略思想则是关于地缘战略问题的理性认识。唐太宗地缘战略思想，是唐太宗关于地缘战略问题的理性认识，是唐太宗利用唐王朝与周边少数民族政权之间的地缘关系及其作用法则谋取和维护唐王朝利益的战略思想。唐太宗地缘战略思想是中国古代地缘战略思想的重要组成部分，具有不同于西方也不同于现代的独具特色的思想内容。唐太宗在位期间，国土广大，边界线绵延曲折，地缘形势复杂，并随时间推移而发展变化。历观这一时期唐与周边所发生的诸多地缘关系，既有与唐军事利益攸关的，也有与唐政治、外交利益攸关的，还有与唐经济利益攸关的，更多的则是几种利益兼而有之，错综复杂。唐太宗比较成功地处理了与北方突厥，西面吐蕃，西北高昌及西域诸国，东北高句丽、新罗、百济等国之间的关系。唐太宗的地

---

① 范祖禹：《唐鉴》卷三《太宗下》，上海古籍出版社，1984 年。

② 何去非：《何博士备论·唐论》，《中国兵书集成》编委会：《中国兵书集成》第六册，解放军出版社、辽沈书社，1992 年。

缘战略思想正是在处理与周边地缘关系的实践过程中逐步产生、发展并走向成熟的。

唐太宗地缘战略思想是其军事思想的重要组成部分，不仅在理论上取得了突破，达到了一个新高度，更重要的是在实践中获得巨大成功，业绩斐然。唐太宗以超越前人的英武雄迈之气魄，重新开拓了中华民族的疆土，为后来中国版图的确定做出了重大的贡献。而这一辉煌业绩的获得，是与唐太宗的地缘战略思想密不可分的。即使今天看来，唐太宗的地缘战略思想也不乏可取之处。

（一）着眼于争夺关中、巩固中国的固本思想

纵观中国历代王朝建国的历史，大凡起兵争取天下者，都必须熟谙天下山川形势，确定战略方向。一旦丧失地利，则可能招致无可挽回的损失。唐太宗能够夺取天下，先得地利是其中重要的原因。唐太宗在起事之前即对天下大势明了于胸，对关中（通常指函谷关以西、散关以东、武关以北、萧关以南之地）的地缘战略地位始终有着比较清醒的认识，看到了它在军事上的特殊而重要的地缘价值。起事之后，他积极进取关中，使它成为统一天下的巩固的根据地；登基后又致力于关中建设，使其成为全国的政治、经济、军事、文化中心。唐太宗高度重视根据地建设，在长期的军事斗争实践中始终注意抓住"根""本"，在太原起事、入据关中的过程中，他发挥了举足轻重的作用。唐太宗即位后，在治安中国的基础上进一步发展和完善了深根固本的思想。

关中本位思想是唐太宗一个重要的地缘战略思想，也是其固本思想的重要组成部分。这一思想的形成有其深刻的地缘背景，既受到传统地缘战略的影响，也与当时的地缘形势密切相关。关中地区四周山水拱卫，地形固若金汤，南有挺拔巍峨的秦岭，西有峰峦起伏的陇山，北为梁山，东有黄河，进可以攻，退可以守。渭河及其支流流经八百里秦川，平原上土地肥沃，河渠纵横，物产丰富，自古有陆海之称，为我国古代开发较早的文明地区。丰富的物产和内部完固的山河大势，使关中成为经济和军事上的必争之地。贾谊在《过秦论》中指出："秦地被山带河以为固，四塞之国也。自缪公以

来，至于秦王，二十余君，常为诸侯雄。岂世世贤哉？其势居然也。"① 楚汉战争时期，项羽分封诸王，韩生向他献策："关中阻山带河，四塞之地，地肥饶，可都以霸。"② 萧何亦劝谏刘邦："臣愿大王王汉中，养其民以致贤人，收用巴、蜀，还定三秦，天下可图也。"③ 刘邦平定天下后，定都洛阳。齐人娄敬过洛阳进见刘邦，建议迁都长安："且夫秦地被山带河，四塞以为固，卒然有急，百万之众可立具也。因秦之故，资甚美膏腴之地，此所谓天府者也。陛下入关而都之，山东虽乱，秦之故地可全而有也。夫与人斗，不扼其亢，拊其背，未能全其胜也。今陛下案秦之故地，此亦扼天下之亢而拊其背也。"④ 三国荀彧也有一段评论："昔高祖保关中，光武据河内，皆深根固本以制天下，进足以胜敌，退足以坚守，故虽有困败而终济大业。"⑤ 正因如此，顾祖禹得出结论："陕西据天下之上游，制天下之命者也。是故以陕西而发难，虽微必大，虽弱必强，虽不能为天下雄，亦必浸淫横决，酿成天下之大祸。"⑥ 就关中的对外交通而言，它恰好处于中枢地带。长安犹如轴心，呈扇状向四周辐射出去。关中的东面为华北平原；南经栈道与汉中盆地和四川盆地相通；西拥陇东，与河西走廊相接，为古代丝绸之路的起点；东南沿汉水盆地入南阳盆地和江汉平原。关中地区的政权可利用南面的巴蜀之饶、北面西面的胡马之利来壮大自己的力量，与东面华北平原的政权对抗。

　　唐太宗首先看中关中的险要的地理位置与便利的交通条件，四周有崇山峻岭、高原险关作为屏障，易守难攻，在一定程度上可避开突厥等北方游牧民族的直接威胁和关东军事力量的进攻；其次关

---

① 《史记》卷六《秦始皇本纪》。
② 《资治通鉴》卷九《汉纪一》，高帝元年十二月。
③ 《资治通鉴》卷九《汉纪一》，高帝元年二月。
④ 《资治通鉴》卷十一《汉纪三》，高帝五年五月。
⑤ 《三国志》卷十《魏书·荀彧传》。
⑥ 顾祖禹撰，贺次君、施和金点校：《读史方舆纪要》卷五十二《陕西方舆纪要序》，中华书局，1955 年。

中地区受战争破坏较小，人力、物力资源较丰富；最后从人事关系上讲，李渊出自关陇贵族，关中亲属故旧较多，容易得到支持。这些因素为唐太宗形成关中本位思想提供了客观依据。

唐太宗关中本位思想在军事力量设置上有较明显的体现。从当时折冲府的地区分布特点，可清楚地看出其所采取的重首轻足的方略，即重关中而轻四方，当然这里的"重"与"轻"是相对而言。贞观元年（627），唐太宗即因山川形便，将全国分为十道。贞观十年（636），确立军府的专名为折冲府。折冲府在全国的分布极不平衡，这种地区分布状况在很大程度上反映了唐太宗应付当时军事斗争的地缘战略构想。从当时军府分布情况可以看出，折冲府的设置首在保障关中。折冲府很大部分分布在京城附近，其中关内道有折冲府288个，约占折冲府总数的43.8%，关中成为府兵最为集中的地区，这就是所谓"重首轻足""举关中之众以临四方"[①]。当然，这里还要考虑到人口因素。因为折冲府是府兵制，依人口密度而设置。关中在隋末战祸小，从而成为全国人口最密集的地区。以关中为中心的府兵配置，是因地制宜的固本地缘战略。从折冲府的分布数量来看，是自关中向外辐射，自近而远，由多到少，由密而疏。另外，折冲府的设置还具有北多南少、关内河东多于河西（今甘肃、青海二省黄河以西，即河西走廊与湟水流域一带）的特点。这是唐太宗基于当时北方少数民族主要是突厥入侵而采取的对策。河东道的太原一向为突厥骑兵入侵的要冲，河北道（治今河北大名东北，辖今京津冀地区，以及辽宁、河南、山东部分地区）的幽州则是抵御契丹、奚等少数民族的边防重镇。这一时期的南方战事很少，至于西北及西南的边境冲突，则是在贞观后期才占据主要地位。适时向西北陇右道增置折冲府，反映了唐太宗顺应情况变化的灵活态度。需要说明的是，这里所引数字及折冲府比例，均为贞观十年时的统计数，之后折冲府数有所增减损益，但基本格局并未大变。就折冲府的地区分布而言，小而言之，关内道为"重"，余道为"轻"；或

---

① 《陆宣公集》卷十一《论关中事宜状》。

者说"中国"为"重"，四方为"轻"。大而言之，北方为"重"，南方为"轻"。当然，根据地方情势而部署的军事力量不单是府兵，尚有军、守捉、城、镇等地方性质的军队；从府兵本身来说，在于居重驭轻、重首轻足，控制整个军事局面。这也是唐太宗关中本位思想之实质所在。

由上观之，太宗"深根固本，治安中国"之思想，既有传统政策沿袭之因素，又有出于当时初唐政治、经济背景考虑之因素，特别是对地缘因素的考虑，为巩固政权、密切中外关系、发展经济进而增强国力而不得不为之。

（二）以夷制夷、保藩固圉的地缘藩屏思想

唐太宗地缘藩屏思想主要表现为以"怀辑"政策绥纳归附民族，并将其内徙安置在唐朝周边地区的一系列行为，从而达到令其"世作藩屏"的目的。这里所说的"世作藩屏"主要有以下两种情况：一是夷狄内属，并为唐州县充作藩屏，如突厥等；二是唐对周边民族政权抚顺伐叛，扶植亲唐势力，作为唐周边缓冲地带，如吐谷浑等。唐太宗对周边民族政权的处置，基本上还是成功的，至少在当时已经收到了一定成效。

其一是置内属少数民族政权于周边，以作藩屏。贞观四年（630），李靖率唐军击灭东突厥，生擒颉利，其部落或北附薛延陀，或西奔西域，其降唐者仍然有十万人。就如何安置突厥降户，太宗曾召集朝臣廷议。当时群臣展开激烈争论，大致有以下几种意见：一、大多数朝臣主张将突厥降众迁至黄河以南兖（今山东兖州）、豫（今河南汝南）之间，"分其种落，散居州县，教之耕织，可以化胡虏为农民，永空塞北之地"①。二、颜师古、窦静等主张降户须居住河北，"分其土地，析其部落，使其权弱势分，易为羁制，可使常为藩臣，永保边塞"②。三、温彦博否定了前述意见，建议"请准汉建武故事，置降匈奴于塞下，全其部落，顺其土俗，以实空虚之地，

---

① 《资治通鉴》卷一百九十三《唐纪九》，太宗贞观四年四月。
② 《资治通鉴》卷一百九十三《唐纪九》，太宗贞观四年四月。

使为中国捍蔽"①。四、魏徵强调突厥世为寇盗，反复无常，"弱则
请服，强则叛乱"②，不能将其留在中原，应该驱出塞外。最后唐太
宗采纳了温彦博的建议，对突厥降户采取怀辑政策，即将这些离开
其聚落故地、款塞内附的降部徙于临界内地的河南、朔方（治今陕
西靖边北白城子）之境，实际上成了唐北方的屏障。贞观四年七月，
唐太宗以凉州都督李大亮为西北道安抚大使。李大亮向太宗上言：
"伊吾之地，率皆沙碛，其人或自立君长，求称臣内属者，羁縻受
之，使居塞外，为中国藩蔽，此乃施虚惠而收实利也。"③ 这一建议
为唐太宗所采纳，令李大亮于碛口贮粮，以招慰西突厥种落散在伊
吾（治今新疆哈密市伊州区）者，于是伊吾城主举其属七城降唐，
以其地置西伊州（632 年改伊州），成为唐王朝西北的重要屏障。此
后，将周边游牧民族降众徙于内地或边州安置成为唐朝绥纳归附民
族的一项重要政策④。后又有契苾何力、阿史那社尔等各率其部落
来降。唐太宗均用内徙方式安置他们，以此巩固唐边疆地区安全与
稳定。

　　其二是在唐周边地区扶植亲唐政权，以作藩屏。吐谷浑位于唐
西南、青藏高原东北一带。史载："吐谷浑，其先居于徒河之清山，
属晋乱，始度陇，止于甘松之南，洮水之西，南极白兰，地数千
里。"⑤ 随着吐谷浑渐趋强大，多次侵入河西走廊，对唐边境安全构
成极大威胁。由于吐谷浑主要聚居于青海沿岸附近地区，与唐边界
接壤，故凉州（今甘肃永昌以东、天祝以西一带）、兰州（今甘肃
兰州市及临洮、榆中、皋兰、永登等县地）、岷州（今甘肃岷县一
带）、鄯州（今青海西宁市、湟中、海东市乐都区等地）等地常被
其侵扰。顾祖禹曰："镇河湟环带，山峡纡回（《志》云：西宁万山
环抱，三峡重围，红崖峙左，青海潴右），扼束羌番，屹为襟要。汉

---

① 《资治通鉴》卷一百九十三《唐纪九》，太宗贞观四年四月。
② 《资治通鉴》卷一百九十三《唐纪九》，太宗贞观四年四月。
③ 《资治通鉴》卷一百九十三《唐纪九》，太宗贞观四年七月。
④ 参见《隋唐的边疆政策》，第 166 页。
⑤ 《旧唐书》卷一百九十八《吐谷浑传》。

武使霍去病破匈奴，因斥逐诸羌，不使居湟中。宣帝时，赵充国留屯金城，尽平诸羌，关陇宁谧。后汉建武十一年，马援等击破先零诸种羌。时议者以金城破羌之西，涂远多寇，欲弃之。援因上言：'破羌以西，城多坚牢，易可依固，其田土肥壤，灌溉流通；如令羌在湟中，则为害不休，不可弃也。'从之。其后马贤、庞参，往往树绩于此。"① 隋炀帝为经略西域，乃亲征吐谷浑，西域之道赖之以宁。唐初为屏藩陇右，建雄镇于鄯州，也是地理形势在起作用。由于青海诸山脉的结构，导致吐谷浑与陇右间的通道主要有河北、河南二道。北道自兰州经今海东市乐都区、西宁而向西；南道自河州经今循化、贵德而向西。唐数次对吐谷浑用兵，其主力军亦循此二道以指向吐谷浑国都伏俟城（今青海共和西北）。唐为保障陇右之地及河西通西域之道的安全，对吐谷浑或者以和亲实行羁縻，或者质其子以求控制，和亲、质子无效则出兵征讨。贞观八年（634），唐太宗诏唐军征讨吐谷浑，大获全胜，随后拥立亲唐朝的慕容顺为可汗。同时，唐太宗担心他"不能静其国"②，乃遣李大亮率精兵数千为之声援。唐太宗之所以要在征服吐谷浑之后扶植一个亲唐派执政的政权，主要有两方面的考虑：一是解除吐谷浑对河西走廊的威胁；二是仍让归附的吐谷浑居其故地，作为唐西南边境的屏障。其最终目的，无非是借此以解决整个西南的边境安全问题。当然，随着吐蕃的迅速崛起和壮大，吐谷浑不足以抵挡来自吐蕃的进攻，这样一来，吐谷浑也就不能胜任唐西南藩屏之使命了。

（三）纵横捭阖的地缘制衡思想

唐自立国以来就处在四夷的包围之中：北有东突厥，西北有高昌（都高昌城位于今新疆吐鲁番市东）、西突厥，西有吐谷浑、吐蕃，西南有南诏，东北有契丹、奚、高句丽等。如何巩固新生的大唐政权，如何对广土众民实施有效的统治，始终困扰着唐太宗。在与周边民族政权的政治、外交、经济交往及军事斗争的过程中，唐

---

① 《读史方舆纪要》卷六十四《陕西十三》。

② 《旧唐书》卷一百九十八《吐谷浑传》。

太宗找到了一条"驭夷之道"，即灵活选择战略盟友，对远近政权实行地缘上的互相牵制，以收平衡地区势力、稳定地区安全之效。

唐太宗实行地缘制衡的思想及其基本情况大致有如下几种：

首先是远交近攻，拉拢与孤立并用，以唐与东突厥、薛延陀的地缘制衡关系最为典型。贞观初年，唐北方的主要威胁来自突厥，此外还有铁勒。史载："铁勒，本匈奴别种。自突厥强盛，铁勒诸部分散，众渐寡弱。"① 铁勒诸部一度称臣于突厥。到贞观二年（628），情况开始发生变化。这时正"遇颉利之政衰，夷男率其徒属反攻颉利，大破之。于是颉利部诸姓多叛颉利，归于夷男，共推为主，夷男不敢当"②。是时，唐太宗看到了北方这两支力量的此消彼长，决计采取远交近攻策略，拉拢薛延陀以孤立突厥，借薛延陀之力在北面牵制东突厥，为唐军攻打东突厥起战略钳制作用。③ 史载："时太宗方图颉利，遣游击将军乔师望从间道赍册书拜夷男为真珠毗伽可汗，赐以鼓纛。"④ 次年又遣使入贡，颉利可汗因此而大惧，"始遣使称臣，请尚公主，修婚礼"⑤。由此可见，唐太宗这一远交近攻策略对突厥产生了直接的影响。

其次是扶弱抑强，保持地区均势。为维持地区力量平衡，保持和平友好之现状，唐在必要之时讨伐欲图割据称雄、野心膨胀的地区强权势力。这一思想与其他思想均有所不同。它强调借力打力，"以夷制夷"，唐廷并不公开出面扮演角色，仅在幕后操纵而已，如方法得当，措置适宜，则能费力小而收效大，显示其特有的优势。扶弱抑强思想体现在两方面：一是联众弱而制一强，以唐联合铁勒余部扼制薛延陀的地缘制衡关系最为典型。贞观四年（630）唐灭东突厥后，北方形势发生重大变化。原置于颉利可汗统治下的薛延陀

---

① 《旧唐书》卷一百九十九下《铁勒传》。
② 《旧唐书》卷一百九十九下《铁勒传》。
③ 参见胡如雷：《李世民传》，中华书局，1984年，第208页。
④ 《旧唐书》卷一百九十九下《铁勒传》。
⑤ 《资治通鉴》卷一百九十三《唐纪九》，太宗贞观三年八月。

取代了过去突厥的地位，成为北方最强大的势力。薛延陀的坐大根源于唐太宗的扶植政策，即大力扶持薛延陀以扼制东突厥。孰料去了一突厥，又来一薛延陀，令太宗大为伤神。薛延陀真珠毗伽可汗乘唐平突厥、朔塞空虚之际，"率其部东返故国，建庭于都尉捷山北，独逻河之南，在京师北三千三百里，东至室韦，西至金山，南至突厥，北临瀚海，即古匈奴之故地，胜兵二十万，立其二子为南北部。太宗亦以其强盛，恐为后患"①。为此，唐太宗在贞观十二年（638）"遣使备礼册命，拜其二子皆为小可汗，外示优崇，实欲分其势也"②。薛延陀的败亡与其说归因于唐朝，不如说归因于铁勒的内讧。史载："薛延陀多弥可汗，性褊急，猜忌无恩，废弃父时贵臣，专用己所亲昵，国人不附，多弥多所诛杀，人不自安。回纥酋长吐迷度与仆骨、同罗共击之，多弥大败。"③ 这说明铁勒内部薛延陀与其他部存有尖锐矛盾，尤其是势力正处于发展中的回纥，俨然充当了反对薛延陀的领导者。唐太宗巧妙地利用了薛延陀的内乱及铁勒内部的混乱，乘势取之，同时也是出于地缘安全考虑，"恐其为碛北之患"④，因此采取与九姓铁勒联合的战略，"乃更遣李世勣与九姓敕勒共图之"⑤，达到了联众弱而图一强的目的。联系之前及之后的军事行动，可知太宗迅速击破薛延陀，乃是希图彻底解决北方战事，为后复讨伐高句丽保证侧翼安全，免除后顾之忧，从而使唐避免两面作战的不利处境。二是扶一弱而抑多强，以唐与高句丽、百济、新罗的地缘制衡关系最为典型。唐太宗奉行"扶弱抑强"的地缘政策，这既是当时的形势使然，又有地缘背景上的考虑。从地缘位置来看，新罗位于朝鲜半岛东南部，与唐不接壤；从距离上讲，新罗是三国中离唐最遥远的，其北面是高句丽，西面是百济。唐之所以

---

① 《旧唐书》卷一百九十九下《铁勒传》。
② 《旧唐书》卷一百九十九下《铁勒传》。
③ 《资治通鉴》卷一百九十八《唐纪十四》，太宗贞观二十年六月。
④ 《资治通鉴》卷一百九十八《唐纪十四》，太宗贞观二十年六月。
⑤ 《资治通鉴》卷一百九十八《唐纪十四》，太宗贞观二十年六月。

扶植新罗，正因为新罗居于高句丽、百济的侧背。新罗的存在本身就是对高句丽、百济的一种牵制。即使新罗暂无力量发动进攻，终究是高句丽、百济的后顾之忧。正因有了新罗这一盟友，才使得高句丽、百济有所顾忌，不敢倾其全力、明目张胆地出兵攻唐。百济视新罗为心腹之患，必欲除之而后快。于是便有了百济对新罗的战争。在唐太宗前期，主要是百济进攻新罗，新罗频频遣使向唐告急；太宗后期，百济、高句丽联合进攻新罗，新罗又处于危险境地。愈到太宗晚期，朝鲜半岛的形势愈是险恶，也愈不利于唐对三国实行地缘制衡。因为百济不仅袭占新罗城池，导致唐之藩臣——新罗岌岌可危，而且干脆断绝了对唐的朝贡。亡羊补牢，犹未晚也。若再袖手旁观，任由事态发展下去，唐太宗苦心经营的宗藩体系在这里有可能遭到瓦解。在此情势之下，唐太宗决定出兵，首先打击毗邻唐朝且势力强大的高句丽，其着眼点正在于抑强扶弱，以保持朝鲜半岛上的势力均衡，便于唐控制该地区局势。

最后是联近抗远，服近慑远，以唐与吐谷浑、吐蕃的地缘制衡关系最为典型。唐太宗平定吐谷浑后，在其国扶持亲唐派建立政权，牢牢控制了吐谷浑。借此唐可保障丝绸之路通畅，打开唐朝与西方联系的通道。当此时，吐蕃日渐强大，"蚕食他国，土宇广大，胜兵数十万，然未尝通中国。其王称赞普，俗不言姓，王族皆曰论，宦族皆曰尚。弃宗弄赞有勇略，四邻畏之。上遣使者冯德遐往慰抚之"[1]。但后来吐蕃与吐谷浑关系交恶。在此种情形下，唐太宗全力支持吐谷浑，不仅因吐谷浑已完全置于唐控制之中，而且在地缘位置上吐谷浑处于唐与吐蕃之间，吐谷浑之得失对于唐至关重要，否则唐太宗联近抗远、服近慑远之打算将落空。正由于此，唐太宗对吐蕃之侵扰实行坚决反击方针，"以吏部尚书侯君集为当弥道行军大总管……督步骑五万击之"[2]。最后，唐军大败吐蕃，"弄赞惧，引

---

[1] 《资治通鉴》卷一百九十四《唐纪十》，太宗贞观八年十一月。

[2] 《资治通鉴》卷一百九十五《唐纪十一》，太宗贞观十二年八月。

兵退，遣使谢罪，因复请婚。上许之"①。唐、吐谷浑、吐蕃的关系趋于正常化，这正是太宗联近抗远、服近慑远之地缘制衡策略获得成功的生动而有力的证明。

综上所述，可知唐太宗的地缘制衡思想的出发点是：维持唐周边地区的势力均衡，不容许出现任何一个足以威胁唐政权的势力集团。其途径是：对各少数民族实行分化，扶持弱小方，牵制强大方；一旦某一势力日益坐大，打破地区势力均衡之时，即予以抑制。

（四）隔断南北、积极进取的地缘隔绝思想

西域地处中西要道，北接强大的游牧部落，南邻青藏高原，地缘位置非常重要。早在西汉时期，为抗击匈奴，汉王朝执行"断匈奴右臂"的战略，大力经营西域。汉宣帝神爵二年（前60），汉王朝设立西域都护，正式将西域纳入中央政府管辖。西汉末年，汉王朝无暇西顾，匈奴卷土重来，至东汉初年，匈奴完全控制了西域。他们屡寇边境，攻掠河西，使得河西诸郡城门为之昼闭。西域俨然成为匈奴南侵汉朝的后方基地。若想保住河西，则非得控制西域不可。西域对于中原王朝来说实在是一个不容忽视的地缘战略地区。

唐太宗在位期间，西域面临着来自南面吐蕃、北面西突厥的威胁。唐太宗非常重视经略西域，其中很重要的一点就是着眼于切断吐蕃与西突厥的联系，改变唐在西域被动的地缘态势，为最终牢固控制西域创造条件。自东突厥灭于唐之后，相继归附或入贡于唐者，有伊吾（治今新疆哈密市伊州区）、高昌（今新疆吐鲁番市东）、焉耆（今新疆焉耆西南）、于阗（今新疆和田）、龟兹（今新疆库车）、疏勒（今新疆喀什）、葱岭（包括帕米尔高原、西昆仑山、喀喇昆仑山和兴都库什山）诸国、康国（今乌兹别克斯坦撒马尔罕一带）、朱俱波（今新疆叶城）、波斯（今伊朗）、天竺（今印度）等。值得指出的是，唐以伊吾地为西伊州，后来成为唐太宗进图西域的前进基地。贞观初年以来直至十三年唐出兵攻打高昌的这段时间内，西域数国与唐之间建立了密切的联系。唐太宗采取和平地缘方式与西

---

① 《资治通鉴》卷一百九十五《唐纪十一》，太宗贞观十二年八月。

域诸国交好，使他们互相制约、互相依存，保持均衡现状。但是事情的发展往往不以个人意志为转移，唐与高昌之间在许多问题上产生利益上的分歧，最终导致双方只能通过战争的方式予以解决。唐与高昌之间的冲突还牵涉另一支不可忽视的西域力量——西突厥。要想继续贯彻唐太宗的地缘制衡战略，就非得先平定高昌、征服西突厥不可，否则西域诸小国的安全就没有保证，也势必影响唐对西域的控制。不平定高昌，则无法打开西域之门；不征服西域，则无法隔绝西突厥与吐蕃的联系，当然更无法将唐势力推进到中亚地区。

首先探讨唐太宗平定高昌的地缘考虑。高昌地处河西走廊与西域交接处，控西域出入中原之要道，"时西戎诸国来朝贡者，皆涂经高昌"①。西域由于天山与塔里木盆地及沙漠的分隔，形成三条主要交通道路：中道出玉门关或由碛口，经高昌、焉耆、龟兹、疏勒至葱岭。此中道又有二支道，一由拨换城（今新疆阿克苏）西北逾拨达岭至碎叶城（今吉尔吉斯斯坦北部托克马克西南）。一由交河城（今新疆吐鲁番市西北），北逾天山至浮图城（今新疆吉木萨尔北破城子），与北道合。北道自伊州（治今新疆哈密市伊州区），经浮图城、弓月城（今新疆霍城县西北）至碎叶城。南道自阳关经楼兰（罗布泊湖西即所谓碛道，隋末唐初已闭塞）、且末（今新疆且末县）、于阗，至疏勒与中道合。② 高昌正好地处三道的交会点。如果从军事地缘上看，高昌是西域通向中原的必经之路，是联系西域与中原的纽带。高昌失则河西危，河西失则关中危！此种利害关系对于熟悉边情且当初曾领兵平定陇右、统一西北的唐太宗来说，当是再明白不过的。

唐征讨高昌的直接起因是高昌为贪图私利而控扼道路，进而影响西域各国向大唐朝贡。根据史书记载，可将唐出兵理由归为五点，也即高昌在以下五个方面触犯了唐王朝的利益：遏绝西域朝贡；与

---

① 《旧唐书》卷一百九十八《高昌传》。
② 参见台湾三军大学编著：《中国历代战争史》第八册《唐（上）》，中信出版社，2013年，第252—253页。

西突厥联合攻打伊吾等小国；蔽匿奔高昌之中国人；朝贡脱略；无藩臣礼。① 这些都严重动摇了唐对西域的统治，也损害了唐在周边少数民族政权中的声誉。出于政治上的考虑，维持西域势力之均势，保证唐对西域的有效控制，攻打高昌，势所难免。唐太宗出兵攻打高昌，也有经济利益上的考虑。随着唐朝国势强盛，国威远扬，唐王朝的商业也得到极大的发展，并向周边延伸。唐太宗经营西域，不仅是为了远扬国威、慑服西夷，同时也意图巩固并拓展丝绸之路的商贸活动，以此促进中西贸易往来。唐讨伐高昌，还有更深一层的用意，屡屡跟唐对立的西突厥与高昌结成盟国，不仅共同遏绝往来西域的商贾行旅，而且攻打内属唐朝的西域小国。史载："伊吾先臣西突厥，既而内属，文泰与西突厥共击之。"② 西突厥是远比高昌更可怕的潜在对手，其与高昌结盟，更增加了西域地区的不稳定性。为最后打击西突厥计，首先须断其右臂、除其盟友高昌，而后向前推进，俟时机成熟，剪灭西突厥。

　　唐太宗平定高昌，是在相继击灭东突厥及吐谷浑之后进行的，即来自北方与河西走廊的威胁皆已解除，乃开始展开对西域的经营和对高昌的征讨。贞观十三年（639）十二月，唐太宗遣侯君集率部正式征讨，次年八月即平定高昌。本来与高昌结盟的西突厥听说唐军到来，迅速向西撤退。高昌平定以后，唐太宗欲以其地置为州县，魏徵和褚遂良等人极力反对。褚遂良认为："此河西者方以腹心，彼高昌者他人手足，岂得糜费中华，以事无用？……宜择高昌可立者，征给首领，遣还本国，负戴洪恩，长为藩翰。"③ 显然，褚遂良希望以高昌为唐守边，长为藩翰。但是唐太宗没有采纳魏、褚建议，仍以其地置西昌州，将高昌划归唐王朝版图，"改西昌州曰西州，更置安西都护府，岁调千兵，谪罪人以戍"④。尽管后来唐太宗表示后悔不用魏、褚之策，但并没有因此废罢西州（治今新疆吐鲁番市东

----

① 参见《资治通鉴》卷一百九十五《唐纪十一》，太宗贞观十三年二月。
② 《资治通鉴》卷一百九十五《唐纪十一》，太宗贞观十三年二月。
③ 《贞观政要集校》卷九《议安边第三十六》。
④ 《新唐书》卷二百二十一上《高昌传》。

南）。胡如雷先生认为，唐太宗之所以在高昌置州县，原因有二：一则为了有效地确保中西交通孔道的畅通和安全，以利于唐朝进一步经营西域；一则也为了防止西突厥的卷土重来。① 又林立平先生指出，陇右道东起秦州（治今甘肃天水）、渭州（治今甘肃陇西县东南），中经凉（治今甘肃武威）、甘（治今甘肃张掖）、肃（治今甘肃酒泉）、瓜（治今甘肃瓜州东南）等州，西抵西州、庭州（治今新疆吉木萨尔北破城子），沿河西走廊呈窄长状自然排去，宛如利剑直插西域，而剑锋正当西州。陇右道州郡的排列特点，充分显示了斩断南北蕃戎交连之势的战略思想。②

现在探讨唐太宗统一西域并设安西四镇的地缘考虑。唐太宗经营西域的关键在于设置安西四镇。四镇的置废与西域关系极大，而统一西域则是前提。只有在西域建立巩固的政权，才能有效地应对西突厥与吐蕃的威胁，才能确保河西的安全，从而维护唐王朝的稳定与统一。

唐太宗统一并经营西域可分为三部分：首先平定焉耆，其次统一龟兹，最后设置四镇。其实质则是与强大的吐蕃和西突厥争夺对西域的控制权。唐太宗一旦得手，则不仅能够阻绝“南羌北交”之势，而且可将唐朝势力向西推进到中亚地区，进一步扩大唐帝国的影响，伸展其势力范围。唐与西突厥的冲突是不可避免的。贞观十六年（642）九月，唐太宗欲经营西域，以凉州都督郭孝恪行安西都护、西州刺史，镇抚高昌，并图龟兹，以经营西域诸国。史载：“焉耆国，在京师西四千三百里，东接高昌，西邻龟兹，即汉时故地。”③ 贞观初年，焉耆一度与唐友好，后被西突厥拉拢，结成姻亲，“由是相为唇齿，朝贡遂阙”④。“相为唇齿”说明西突厥与焉耆结成密切的地缘关系，有着共同的利害认识，遂成唇齿相依之势。

① 参见《李世民传》，第 205 页。
② 参见《隋唐的边疆政策》，第 174—175 页。
③ 《旧唐书》卷一百九十八《焉耆传》。
④ 《旧唐书》卷一百九十八《焉耆传》。

贞观十八年（644）九月，郭孝恪率部夜袭焉耆王庭，生俘其王。平定焉耆是唐太宗统一西域的重要组成部分。贞观二十年（646），"西突厥乙毗射匮可汗遣使入贡，且请婚；上许之，且使割龟兹、于阗、疏勒、朱俱波、葱岭五国以为聘礼"①。唐太宗借西突厥可汗求婚一事，不失时机地使其割让西域五国与唐，实质上可视之为唐与西突厥对西域地缘主导权争夺的胜利。从一个侧面看出唐太宗对西域地缘位置的重要性有着较清醒的认识。自唐平定焉耆之后，西突厥加紧控制龟兹。唐太宗为进一步打击西突厥并统一西域，遣阿史那社尔等将率部进讨龟兹，生擒龟兹王。唐太宗在统一西域的过程中，虽未直接与西突厥交锋，然而次第平定高昌、焉耆、龟兹，犹如断其双臂②，从而遏制了西突厥南进势头，消除了来自北方的威胁。据史载，阿史那社尔"执诃黎布失毕、那利、羯猎颠献太庙，帝受俘紫微殿。……拜布失毕左武卫中郎将。始徙安西都护于其都，统于阗、碎叶、疏勒，号'四镇'"③。至此，唐太宗在西域正式设置四镇，职责在于"抚宁西域"④，而要达此目的，须北防西突厥之南侵，南防吐蕃之北犯，更重要的是切断吐蕃与西突厥的联结，以免四镇受到南北夹击。安西四镇的设置充分体现了唐太宗主动经营西域的战略意图。还有一点须在此指出，即唐太宗较好地选择了进取西域的时机。贞观后期，吐蕃虽逐渐强大，但还无力进攻以龟兹为中心的天山以南地区；在天山以北的西突厥，因内部不统一，力量互相削弱，不能向南发展。这一时机对唐是有利的。因此从贞观十四年（640）到二十二年（648）的八年间，唐太宗把唐帝国的军事政治力量牢固地安置在西州地区，并发展到天山以南的龟兹地区，设置四镇，初步控制了西域。⑤ 唐太宗经营西域能取得如此成功，

---

① 《资治通鉴》卷一百九十八《唐纪十四》，太宗贞观二十年六月。
② 参见《唐太宗传》，第247页。
③ 《新唐书》卷二百二十一上《龟兹传》。
④ 《资治通鉴》卷二百一十五《唐纪三十一》，玄宗天宝元年正月。
⑤ 参见王永兴：《唐代前期西北军事研究》，中国社会科学出版社，1994年，第117页。

很大程度上须归因于此。

贞观后期，唐太宗的注意力主要放在西北，全力经营西域。从灭高昌，设西州、庭州及安西都护府，到伐焉耆、征龟兹及南迁安西都护府，基本上都是他自定的，甚至是力排众议的决定。由此不仅说明唐太宗对西域的特殊关注，更表明其对经营西域深思熟虑，当有通盘考虑。分析唐太宗设四镇以经营西域的地缘决策，必须将其与在此之前的积极经营河西、灭高昌、设置西州及安西都护府、南迁龟兹等一系列军事活动联系起来考察，而绝非一个个互不关联的孤立的事件，它们之间有着内在的联系。如果说关中是唐的首脑的话，那么河西地区是狭长的臂膀，安西四镇则是伸出去的手掌。尽管安西四镇远离唐统治中心，但通过河西依然忠实地贯彻着唐统治者的意图，置于唐太宗的绝对统治之下。唐朝廷在这里仍然享有极高的威望。

安西四镇的设置是由当时的客观形势和西域独特的地理位置决定的。唐太宗于贞观四年（630）和贞观九年（635）分别解除了北方东突厥和西面吐谷浑的威胁以后，开始将目光投向西北。贞观十四年（640），"置安西都护府于交河城，留兵镇之"①。安西都护府的设置是唐太宗经营西域政策的重要内容。尽管当时唐太宗还未控制西域，但在河西走廊与天山及西域地区的交界处——西州设置安西都护府，并有为以后全面统辖西域预作行政组织准备之意。后来的事实也证明了这一点。贞观二十三年（649），安西都护府由西州迁至龟兹，始设四镇。当时的西域形势是：南方的吐蕃已经崛起为一支力量强大、屡犯唐边境的民族政权，北方的西突厥虽遭挫折，但其力量仍不可小视。独特的地理位置，使安西四镇成为唐经营西域的前沿基地。从地图上可以看出，四镇恰处于西域的中枢地带，又是唐、吐蕃、西突厥三方力量的交汇处。控制了四镇，则控制了西域；控制了西域，则隔绝了吐蕃与西突厥的联系，阻止了南北夹击唐朝之势。在这种背景下，唐太宗自然不得不严控四镇，倾其全

① 《资治通鉴》卷一百九十五《唐纪十一》，太宗贞观十四年九月。

力来经营西域。王永兴先生曾经指出："唐代经营西域的方针策略，多为太宗所制定：以凉州为经营西域的总部，以西州为前沿根据地，以在龟兹的安西都护府为前方指挥机构。从凉州进至西州，从西州沿银山道经焉耆进至龟兹，形成自经营西域的总部到前方指挥机构的大动脉。"① 这一席话可谓切中要害。虽然不能说这时唐太宗对西域的经营很完善，但至少可以说，唐太宗之所为奠定了西北军事的基本格局，也影响了其后统治者的地缘战略决策。

当然，在肯定安西四镇的地缘隔绝作用的同时，绝不能仅局限于西域地区，而应将之与河西地区联系起来考察。河西的地缘战略价值在很大程度上超过了西域。要想准确理解唐太宗的地缘隔绝思想，不但应当研究安西四镇，更不可忽视河西。史载："安西节度抚宁西域，统龟兹、焉耆、于阗、疏勒四镇，治龟兹城，兵二万四千。"②"河西节度断隔吐蕃、突厥"③。尽管这是就玄宗时期的节度而言，但其所涉及安西、河西节度之职能也适用于太宗朝安西都护、凉州都督。就此而言，西域、河西、内地结成密不可分、利益攸关的地缘关系：守长安必须守河西，守河西必须镇西域。

唐太宗继承了中国古代地缘战略思想，在军事实践的基础上逐步形成了自己独具特色的地缘战略思想，并在执行过程中取得了很大的成功，主要有如下五个特点。

一是善于根据周边地缘态势，灵活制定策略，调整战略方向和重点。从唐太宗的主要军事活动来看，约可分为四个时期：第一时期自贞观元年（627）至四年（630），平定东突厥，着力巩固北方；第二时期自贞观五年（631）至九年（635），主要是征服吐谷浑，安定西部边境；第三时期自贞观十年（636）至十四年（640），坚决反击吐蕃，平定高昌，尤其重视高昌的地缘战略地位；第四时期自贞观十五年（641）至二十三年（649），以西域地区为重点，兼

---

① 《唐代前期西北军事研究》，第54页。
② 《资治通鉴》卷二百一十五《唐纪三十一》，玄宗天宝元年正月。
③ 《资治通鉴》卷二百一十五《唐纪三十一》，玄宗天宝元年正月。

顾北方和东北，平焉耆、征高句丽、灭薛延陀，又平龟兹，这是战事频仍时期。每个时期都有各自的地缘战略重点，且每个地缘战略重点都有一定的方位指向性，大体上符合当时斗争的实际需要，并收到一定成效。太宗曾说："戡乱以武，守成以文，文武之用，各随其时。"[1] 此话很能反映他的这一特点。

第一时期的地缘战略的重点是东突厥，其方向来自北方。从地理位置及距离、威胁而言，东突厥的侵扰对唐的影响是直接而深远的，直接关系着新生的唐政权的存亡兴替。正因如此，唐高祖、太宗都对东突厥深予关注。东突厥居处黄河以北、阴山一带，毗邻唐疆界，可直下山西高原，并能够迅速抢占河东，轻易占据形胜之地，从而对关中构成致命威胁。正因东突厥占有此种地利，加之颉利可汗的贪婪好物、掳掠成性，突厥在唐太宗登基后不到两个月即南侵，直到被李靖击破，始终没有停止对唐的骚扰活动，其中地缘位置是一个很重要的因素。东突厥败后，西面的吐谷浑渐趋强大，多次侵入河西走廊，威胁唐与西域的政治联系与经济交往。贞观六年（632），"吐谷浑寇兰州，州兵击走之"[2]。又据史载："太宗时，伏允遣使者入朝，未还，即寇鄯州。""有诏止婚，遣中郎将康处真临谕。又掠岷州。"[3] 在第二时期，吐谷浑成为唐的地缘战略重点。第三时期，吐蕃与高昌相继成为触犯唐利益的周边政权。唐太宗没有坐视不管，而是恩威兼施，文武并用，或胜而后和，或先礼后兵。这一时期由于高昌阻绝西域诸国与唐的联系，开始成为破坏唐帝国体系的一个地缘障碍。唐太宗果断出兵平定高昌，稳定了西北地缘格局。第四时期，唐太宗从一个更广阔的视角看待周边少数民族政权，意欲在有生之年将之纳入唐宗藩体系之中。贞观十九年（645），太宗征高句丽前曾对侍臣说："朕今东征，欲为中国报子弟之仇，高丽雪君父之耻耳。且方隅大定，惟此未平，故及朕之未老，用士大

---

① 《资治通鉴》卷一百九十二《唐纪八》，太宗贞观元年正月。
② 《资治通鉴》卷一百九十四《唐纪十》，太宗贞观六年三月。
③ 《新唐书》卷二百二十一上《吐谷浑传》。

夫余力以取之。"① 这可视为太宗晚年用兵频仍的重要动机,同时也可看出在这一时期,太宗的地缘战略呈现多方向、多重点的特色。一方面努力经营西域,先后平焉耆、龟兹,又先后两次击败薛延陀,将其彻底扫灭;另一方面东征辽东伐高句丽,至贞观二十二年(648)仍然准备讨伐高句丽。这一时期的地缘战略既有成功之处,也有许多教训。多个方面出击,兼顾几个战略重点,其效果往往是不尽如人意的。

二是立足民族政策制定地缘战略,将民族政策与地缘战略融为一体。从唐太宗对周边各少数民族政权的处置来看,可以管窥其地缘战略思想之一斑。纵观其对外民族政策,可简要概括为以下四种情形:首先是对内属归附之少数民族政权的措置;其次是对周边多侵扰之少数民族政权的措置;再次是对地处战略枢纽之少数民族政权的措置;最后是对势力日益坐大之少数民族政权的措置。若究其实质,以上四种情形的根本目的是一致的,都是充分地利用少数民族政权,使其"为我所用"。第一种情形很能反映唐太宗在不同情况下善于采取灵活的地缘战略对策的智慧。这主要表现在对归降后的东突厥的处置上,最后将其徙于河南、朔方一带,成为唐王朝的北方藩屏。前面已有论析,此不赘述。第二种情形是对那些经常侵略唐边境、掳掠财物、威胁唐统治秩序的周边少数民族政权而言的。概观唐对外用兵,不外乎是由于少数民族政权违犯了以下几种情况:或浸失臣礼,或侵渔邻国,或降而复叛,或弑君专政。一旦周边少数民族政权违犯其中一项或几项情况,唐就将履行宗主国对藩属国的权力与责任了。唐太宗在征讨高句丽之前曾曰:"盖苏文弑其君,贼其大臣,残虐其民,今又违我诏命,侵暴邻国,不可以不讨。"②应该说处理这几种情况的出发点兼有政治、军事或许还有经济的考虑,但往往是政治上的色彩比较浓厚。第三种情形以对高昌的军事斗争较为典型,反映了唐太宗对高昌地缘战略地位重要性的认识,

① 《资治通鉴》卷一百九十七《唐纪十三》,太宗贞观十九年三月。
② 《资治通鉴》卷一百九十七《唐纪十三》,太宗贞观十八年二月。

将之纳入唐帝国整体战略之中，为后来唐势力西进并成功经营西域，预先做了铺垫。第四种情形以薛延陀为代表。贞观十二年（638），太宗"以其强盛，恐后难制，癸亥，拜其二子皆为小可汗，各赐鼓纛，外示优崇，实分其势"①。这为后来薛延陀的内争埋下了伏笔。唐太宗借分化瓦解少数民族内部势力之手段，达成其削弱和控制该少数民族政权之目的。

三是先急后缓，由近及远，既持重又果敢的全方位地缘战略思想。对于关乎国家利益的众多的战略性矛盾，唐太宗能够有条不紊地按问题的轻重缓急逐个解决。立国之初，最先对唐构成威胁的是东突厥。隋末丧乱，突厥乘势崛起，开始成为中国主要边患。唐初经济凋敝，国力不济，强盛的突厥迫使唐太宗仅以固守幽州、太原、绥州（治今陕西绥德）、延州（治今陕西延安东北）、泾州（治今甘肃泾川）、灵州、凉州为北方之边防线，更无力反击突厥。尽管唐还与其他一些少数民族政权存有冲突，但轻重缓急之下，显然颉利可汗乃是此时唐太宗首先要对付的敌手。解决东突厥后，唐朝换来几年的和平，国力也蒸蒸日上。吐谷浑、高昌次第成为影响唐太宗实施地缘战略的制约因素。唐太宗果敢出兵，迅速平定吐谷浑、高昌，并力排众议，在高昌设州置府，为后来将大唐势力推进到西域打下了坚实基础，提供了前进基地。之后亲征辽东，尽管未能达成预期目标，但遏止了高句丽向西蚕食的势头，其影响也极其深远，为后来高宗取得东征高句丽战争的胜利创造了条件。唐初经营西域之步骤，首先以凉州为基地，随后推进到伊州和庭州，由近及远，逐步推进。贞观初李大亮为凉州都督，贞观四年（630）命大亮为西北道安抚大使，安抚西突厥部落散在伊吾者，此即唐经营西域之始。同年，伊吾归附，唐以其地为西伊州，于是唐经营西域又进一步。贞观八年（634）唐征吐谷浑，乃一面求陇右之安全，一面廓清通西域道路上之障碍。至贞观十四年（640）灭高昌，置西州，并置安西都护府，以凉州都督郭孝恪为都护兼西州刺史，于是唐经营西域之基

---

① 《资治通鉴》卷一百九十五《唐纪十一》，太宗贞观十二年九月。

地又推展至西州。同时唐在天山之北已取得浮图城，以其地为庭州，庭州遂为天山北路经营之基地。贞观二十二年（648）灭龟兹，又将安西都护府移置此地，葱岭以东诸国莫不慑服。唐至此达成了其经营西域的战略目标，然后以安西、北庭为基地，长驱直入，远征西突厥。

四是善于用多种策略手段配合地缘战略的实施，以加速扩大其功效。唐太宗善用离间分化及争取盟国、孤立敌人之计，乘其弊而取之。如对突厥，当其势力强盛之时，"倾府库赂以求和"，不轻启战事；待其离乱之势已成，乃离间以孤立之，最后出兵一举将其击灭。具体言之，唐太宗的主要策略有：一、贞观元年（627）唐与西突厥统叶护可汗议亲，以削弱突厥内部势力。二、贞观元年十二月，太宗以书谕梁师都，师都不从。于是遣兵就近图之。因为突厥与梁师都互相结盟，攻打梁师都等于断突厥右臂，所以这一举动可视作唐太宗为以后征讨突厥提前做的准备，同时也是向突厥传出了一个信号。三、贞观二年（628）利用颉利与突利的内部矛盾，拉拢突利可汗。四、同年利用薛延陀部酋长夷男叛颉利，册拜夷男为真珠毗伽可汗。以上均是在征讨颉利之前所实施的非军事辅助策略，对于最终达成战略目的起到了不可忽视的作用。此外，唐太宗运用"以夷制夷"策略征伐西突厥，获得极大成功。如利用乙毗射匮、阿史那贺鲁、真珠叶护等，使西突厥内部分裂，利用回纥、东突厥之兵与唐兵联合进攻。他还经常用外夷大将以攻夷，如阿史那社尔、契苾何力、阿史那弥射、阿史那步真等，建立了赫赫战功，取得良好的效果。

五是从地缘角度并结合实际需要出发的务实政策。唐太宗在处理各类内政外交问题时，具有冷静的现实主义思想，也注重从地缘角度予以分析，做出决策。贞观五年（631），地处中亚的康国求内附于唐。太宗曰："前代帝王，好招来绝域，以求服远之名，无益于用而糜弊百姓。今康国内附，傥有急难，于义不得不救。师行万里，岂不疲劳！劳百姓以取虚名，朕不为也。"① 按康国君姓温，本月氏氏，始居祁连山北昭武城，为突厥所破，乃西越葱岭，支庶分王，世称昭武九姓。其地土沃宜禾，出善马，兵强，隋时臣于西突厥，贞观元年曾入贡于唐。此时唐太宗并非不想得到康国，但因为这时唐朝立国不久，国力尚未恢复，加上康国与唐相距遥远，以唐初之国力，控制西域尚且不行，又怎么能够"师行万里""求服远之名"呢？唐太宗拒绝康国内附是一种务实态度，符合当时唐之国情。后来康国在唐高宗时期归附，可视为太宗地缘战略的继续。

综上所述，唐太宗地缘战略思想在许多方面都取得了巨大的成功，并产生了较大的历史影响。尽管如此，唐太宗的地缘战略思想仍然具有历史的局限性，带有明显的时代和阶级的烙印。阶级性质决定了他必然要实行强力的对外政策，唐太宗的主观努力和客观历史条件造就了其较为开明的民族观，但他又未能摆脱历史的束缚，所有这些必然会影响并反映到他的地缘战略思想里面。他曾经说过对少数民族"不必猜忌异类"②，但他又往往对其采取分而治之的策略，拜薛延陀部真珠可汗之子皆为小可汗，就是显例。凡事都有其两面性，地缘制衡一方面可以造成均势状态，维持暂时的和平，但同时也容易制造或扩大少数民族之间的矛盾，或为个别怀有野心的少数民族政权首领所利用，酿成祸乱，尤其是多立可汗，不仅使少数民族政权内部不和，而且往往会发生互相倾轧、骨肉相残的历史悲剧。

唐太宗灵活应变的地缘制衡思想、冷静务实的地缘藩屏思想、积极进取的地缘隔绝思想，以及关于治内与服外并举，相互为用，因时制宜的地缘战略思想，等等，都可以为现实提供有益的借鉴。

---

① 《资治通鉴》卷一百九十三《唐纪九》，太宗贞观五年十二月。
② 《资治通鉴》卷一百九十七《唐纪十三》，太宗贞观十八年十二月。

三、唐太宗的作战思想

孙子倡导"践墨随敌"①，强调只有"因敌而胜者"才可称得上是神奇，而呆板、机械地套用兵法是注定要打败仗的。就此而言，唐太宗李世民的用兵艺术大抵够得上孙子所谓的"神"的境界。纵观李世民在历次战争中的作战指导，较好地贯彻了"知彼知己""料敌制胜""因敌而胜"的用兵韬略，重视侦察敌情并做出正确的研判，从而制定出切合战场敌我态势的战略方针和作战指导原则，不仅能够捕捉战机，更难能可贵的是能够主动创造战机，引导战争朝有利于己的方向发展，屡屡在逆势中扭转局面，不仅赢得战争的胜利，而且能够最大限度地扩大战果，从而达成最佳的战争效益。深入总结其作战指导思想，有助于今人更全面地理解唐太宗军事思想的精髓。

（一）持久相持、后发制人的作战指导思想

《孙子兵法》主张在战争中实施先发制人、速战速决的作战指导方针，"兵闻拙速，未睹巧之久也""兵贵胜，不贵久"②被后世兵家奉为用兵圭臬。需要指出的是，孙子的上述思想是针对攻势作战而提出的，具有特定的适用范围。显然，唐太宗李世民是善于活用兵法的高明统帅，注意结合敌情、我情，采取适宜的作战指导思想，尤其在己方处于劣势的时候，强调扬长避短，充分地发掘己方的优势和潜力，同时消弭敌方的优势、打击敌方的士气，逐步完成战场态势的优劣转换，最终乘敌之隙，实施迅速而猛烈的打击，一举成功。

唐朝初创，天下群雄并立。文武兼备的李世民被唐高祖李渊委以重任，率军出征，讨平割据势力。与各方势力相比，唐朝的军事力量并不占优。李世民在指导作战时，对彼己的态势尤其是双方的优势和劣势有着清醒的认识与正确的分析，并据此制定出持久敝敌

---

① 《十一家注孙子校理》卷下《九地篇》。
② 《十一家注孙子校理》卷上《作战篇》。

的作战指导思想。在指挥第一次浅水原之战时，李世民就深刻指出薛举军队"粮少兵疲，悬军深入，意在决战，不利持久，即欲挑战，慎无与决"①，命令唐军深沟高垒，坚壁挫锐，"以老其师"②。后因李世民突然患病，委托元帅府长史刘文静、司马殷开山处理军务，二人擅作主张，改变了李世民制定的正确作战部署，主动出击，结果遭到薛军偷袭，唐军交战失败。在指挥第二次浅水原之战时，李世民吸取了上次作战失败的教训，坚定执行持久敝敌的作战方针，进一步指出："我士卒新败，锐气犹少。贼以胜自骄，必轻敌好斗，故且闭壁以折之。待其气衰而后奋击，可一战而破，此万全计也。"③ 李世民在这里明确提出了我方与敌持久相持的最终目的是等待合适时机实施反击，后发制人，从而达到"一战而破"的战役目标。在此需要指出的是，后发制人思想源远流长，以熊侣、阖闾、伍子胥、勾践、文种、范蠡、鹖冠子等为代表性人物的荆楚吴越兵家深刻地阐述了这一思想，并娴熟地运用于战争实践。荆楚吴越兵家主张韬光养晦、战略防御，强调以柔克刚、持久御敌、后发制人。《老子》提出"柔弱胜刚强"④，范蠡在此基础上创造性地提出"尽其阳节，盈吾阴节而夺之"⑤，认为强敌"阳节不尽，轻而不可取"⑥，弱军要想战胜强大之敌，就必须迟滞、疲惫、削弱对手，同时抓紧时间发展壮大己方力量，以持久相持达到强弱易位，在"尽其阳节"的同时"盈吾阴节"，最后战而胜之。范蠡运用后发制人思想，辅佐越王勾践成功实现灭吴的战略目标。李世民将前人思想灵活运用于作战指导中，既表明他深得古典兵学思想之精髓，更表明他善于因敌因情制宜，能够结合战情灵活应对，制定出"万全之

---

① 《旧唐书》卷五十七《刘文静传》。
② 《旧唐书》卷五十五《薛举传》。
③ 《旧唐书》卷五十五《薛仁杲传》。
④ 《老子道德经注校释》上篇《三十六章》。
⑤ 邬国义、胡果文、李晓路：《国语译注》卷二十一《越语下》，上海古籍出版社，1994 年。
⑥ 《国语译注》卷二十一《越语下》。

计"。他率领唐军与对手相持六十多天后，看到薛军已呈疲惫之态，指出"彼气将衰，吾当取之必矣"①，决定趁机转守为攻，发动反击，最终大获全胜。

在统兵北伐刘武周的作战中，李世民再次成功运用后发制人的指导思想。其时，李世民率军前往河东地区，驻屯柏壁（今山西新绛西南）与刘武周部将宋金刚部对峙。他询问部下对策，江夏王李道宗认为："群贼乘胜，其锋不可当，易以计屈，难与力竞。今深壁高垒，以挫其锋，乌合之徒，莫能持久，粮运致竭，自当离散，可不战而擒。"② 这一建议正好符合李世民的预定作战计划。李世民下令全军坚壁不出。过了一段时间，部将纷纷请求出战，李世民分析道："金刚悬军深入，精兵猛将，咸聚于是，武周据太原，倚金刚为捍蔽。军无蓄积，以虏掠为资，利在速战。我闭营养锐以挫其锋，分兵汾、隰，冲其心腹，彼粮尽计穷，自当遁走。当待此机，未宜速战。"③ 相持半年后，宋金刚部终因军粮用尽而被迫北撤，李世民率军追击，取得了该次战役的胜利。在虎牢之战中，面对占据优势的窦建德军队，唐军中的众多将士有恐惧之心，李世民却在瞭望对手军阵后得出了相反的结论，指出窦建德军"起山东，未尝见大敌，今度险而嚣，是无纪律，逼城而陈，有轻我心；我按甲不出，彼勇气自衰，陈久卒饥，势将自退，追而击之，无不克者"④。李世民部署全军暂取守势，拒不出击，等到窦军困倦之时，下令唐军全线出击，生俘窦建德及其将士五万余人。通过列举上述战例可以看出，李世民指导作战善于进行全方位分析，也就是孙子所谓的"庙算"，在己方没有十分把握获胜的情况下，通常采取后发制人方针，坚壁挫锐，尽可能减杀对手锐气、削弱其战斗力，在与对方相持中耐心地等待战机，有时也会主动选择适合己方的战场，创造战机，而后

① 《通典》卷一百五十五《兵典八·坚壁挫锐》。
② 《旧唐书》卷六十《李道宗传》。
③ 《资治通鉴》卷一百八十八《唐纪四》，高祖武德二年十二月。
④ 《资治通鉴》卷一百八十九《唐纪五》，高祖武德四年五月。

全军迅速出击，不战则已，战则必胜。

（二）知彼知己，重视料敌制胜

李世民的高超作战指导艺术是建立在正确料敌的基础之上的。大凡战前，他均要亲自侦察敌情，力求做到"知彼知己"，详尽深入地掌握彼己的情况。"知彼知己，百战不殆"是被战争实践证明了的科学真理，最早出自《孙子兵法》："知彼知己，胜乃不殆；知天知地，胜乃不穷。"① 这就是孙子在战争指导问题上的知行统一观。孙武视"知彼知己"为从事战争的先决条件，指出只有正确估量敌我情况，才能做出正确的判断，制定正确的方针。吴起主张料敌察机，审敌虚实，尤其强调要掌握敌情，重视分析敌方的士气，强调要了解敌方将帅的情况，指出"凡战之要，必先占其将而察其才"②。《黄石公三略》指出"用兵之要，必先察敌情"③，切不可盲目行事。翻开人类战争历史，大凡成功的战争都基于对敌我情况的正确把握，是建立在知彼与知己基础之上的。楚汉战争期间，韩信在刘邦处境艰难之时，适时向其进献了《汉中对》，对刘邦、项羽双方进行了综合比较，并预言刘邦可以实现由弱转强的局面，最终夺取天下。韩信的正确预测皆缘于其知彼知己，洞察大局，对敌我双方情况的透彻了解。孙权与刘备集团之所以能够在赤壁之战中取胜，主要原因也在于知彼知己。晋武帝司马炎即位后，在灭吴问题上难以决断。羊祜适时向其进呈《平吴疏》，全面分析了敌我双方的战略态势，着重分析了敌方的实情，指出吴国在孙皓的残暴统治下，上下离心，社会矛盾全面激化，孙皓刚愎自用，嫉贤妒能，将相疑心，贤士怨恨，吴军士气低落，人心浮动，一旦大兵压境，必定无人甘愿死战。晋武帝采纳了羊祜等人的正确建议，果断兴兵，终于成就了统一全国的大业。中国古代战争史上既有许多知彼知己的正面经验，也有不知彼不知己的反面教训。苻坚之所以在淝水之战中被弱者击败，

① 《十一家注孙子校理》卷下《地形篇》。
② 《吴子》卷下《论将》。
③ 《黄石公三略·上略》。

恰恰就是不知彼不知己，既不了解晋军的实力与晋国的现状，又昧于时势，被前秦表面的军队数量上的优势蒙蔽，没有看到前秦内部民族矛盾尖锐，统治秩序尚未稳固，刚刚归附者多怀二心，内部稳定问题并未得到根本的解决，战争准备也很不充分，同时苻坚刚愎自用，骄傲自大，最终走向失败也就不是偶然的。

李世民注重通过多种方式料敌察情。一是近距离观察敌情。这是李世民运用得最多且效果最显著的侦察敌情的方式。只要条件许可，李世民都会在战前亲自觇敌。在柏壁之战时，他"尝自帅轻骑觇敌"①，实地侦察敌情；在慈涧之战中，亲自"将轻骑前觇世充"②；在攻打洛阳外围据点时，他"以五百骑行战地"③。凡此种种，说明李世民注重亲临前线侦察敌情，准确掌握战场动态。二是登高瞭望敌情。《六韬》指出："登高下望，以观敌之变动。望其垒，即知其虚实；望其士卒，则知其去来。"④ 这一侦察方式由来已久，是一种具有重大军事价值的侦察活动。李世民在虎牢之战中，"将数骑升高丘以望之"，从而比较准确地了解窦建德的军情。三是采取试阵之法探究敌情。在虎牢之战中，唐军与窦军对峙。为探明窦军布阵虚实，李世民命令宇文士及率骑兵对窦军进行试探性攻击，告诫道："贼若不动，尔宜引归，动则引兵东出。"⑤ 当看到窦军阵势骚动的情形，李世民知道对方阵势不稳，号令不一，于是下令全军出击。四是亲自深入对方营区了解情况。当然，这种获取情报方式具有较大的风险，只是偶尔为之。

李世民不但长于料敌，更善于根据已掌握的情况做出深入的分析和正确的判断。在太原起兵南下后，因军中缺粮、外援不至，又听说刘武周联合突厥准备偷袭太原，李渊进退两难。李世民分析了

---

① 《资治通鉴》卷一百八十八《唐纪四》，高祖武德二年十一月。
② 《资治通鉴》卷一百八十八《唐纪四》，高祖武德三年七月。
③ 《资治通鉴》卷一百八十八《唐纪四》，高祖武德三年九月。
④ 《六韬》卷四《虎韬·垒虚》。
⑤ 《资治通鉴》卷一百八十九《唐纪五》，高祖武德四年五月。

当时的形势，尤其深刻分析了影响李渊集团发展的隋朝霍邑宋老生、瓦岗军首领李密、盘踞山西北部并依附突厥的刘武周这三股势力，指出"老生轻躁，一战可擒。李密顾恋仓粟，未遑远略。武周与突厥外虽相附，内实相猜"①。正是由于李世民鞭辟入里的形势分析与极力争取，李渊最终定下了继续入据关中的至关重要的战略决策。在第二次浅水原之战中，薛举派大将宗罗睺挑战，唐军诸将领请求出战，均遭到李世民拒绝。他分析了当时的形势，认为"我军新败，士气沮丧，贼恃胜而骄，有轻我心，宜闭垒以待之。彼骄我奋，可一战而克也"②。在虎牢之战中，李世民通过料敌察情，分析了窦军强大兵力的表象下隐藏的致命弱点，即"度险而嚣，是无纪律，逼城而陈，有轻我心"③，并由此定下了"我按甲不出，彼勇气自衰，陈久卒饥，势将自退，追而击之，无不克者"④ 的胜敌之策。观察敌情固然重要，但作为战争指导者的最高统帅绝不能就此止步，务必从纷繁复杂的战场态势中抓住战略枢纽，透过纷繁复杂的表象看清本质，找到克敌制胜之策。

（三）善于选择攻击的关键环节，出奇制胜

李世民在指导作战时，善于从全局着眼，选择对手薄弱且要害的环节，实施突然而猛烈的打击。概括而言，李世民的这一作战指导思想有如下几个要点。

首先是擅长使用"阵后反击"的战法，出其不意打击对手。他在即位后曾就用兵之法做过阐述："吾自少经略四方，颇知用兵之要，每观敌陈，则知其强弱，常以吾弱当其强，强当其弱。彼乘吾弱，逐奔不过数十百步，吾乘其弱，必出其陈后反击之，无不溃败，所以取胜，多在此也。"⑤ 这正是对其战争实践经验的深刻总结。李

① 《资治通鉴》卷一百八十四《隋纪八》，恭帝义宁元年七月。
② 《资治通鉴》卷一百八十六《唐纪二》，高祖武德元年十一月。
③ 《资治通鉴》卷一百八十九《唐纪五》，高祖武德四年五月。
④ 《资治通鉴》卷一百八十九《唐纪五》，高祖武德四年五月。
⑤ 《资治通鉴》卷一百九十二《唐纪八》，高祖武德九年九月。

世民在指导第二次浅水原之战时，派遣右武侯大将军庞玉率部列阵于浅水原西，结果遭到宗罗睺的猛攻。正当两军激烈交战时，李世民亲率大军从浅水原北直接攻击对方阵后，宗罗睺遭到唐军前后夹击，大败而逃。在介休之战中，宋金刚率兵追击时，李世民率军趁机从宋军阵后发起反击，大败宋金刚。

其次是实施中央突破，直接打击对手要害部位。在虎牢之战中，李世民看到对方军阵不稳，指挥骑兵从窦建德军阵中央实施突破，直接冲击其中央军帐，窦建德手下的朝臣乱作一团，"建德召骑兵使拒唐兵，骑兵阻朝臣不得过，建德挥朝臣令却，进退之间，唐兵已至，建德窘迫，退依东陂"①。正由于李世民率骑兵实施中央突破，突然而猛烈地打击窦建德指挥中枢，导致对手仓促之间无法组织有效的抵抗，最终在唐军的冲击下一败涂地。

最后是善于使用富有强大战斗力的突击部队，在关键时刻出奇制胜。在唐初统一战争中，"秦王世民选精锐千余骑，皆皂衣玄甲，分为左右队，使秦叔宝、程知节、尉迟敬德、翟长孙分将之。每战，世民亲被玄甲帅之为前锋，乘机进击，所向无不摧破，敌人畏之"②。在浅水原之战、介休之战等战役中，李世民多次率领这支精骑冲锋陷阵，为后续部队进攻打开缺口，或者实施阵后反击，配合主力前后夹击对手，为战胜攻取发挥了关键作用。

（四）注重穷追猛打，具有勇猛顽强的战斗作风

孙子主张"归师勿遏，围师必阙，穷寇勿迫"③，对撤退的敌军不要阻遏，对被围敌军留出逃跑的缺口，对濒临绝境的敌军不要过分逼迫。春秋时期，各诸侯发动战争并非要完全摧毁敌国或歼灭敌军，而往往想以有限的军事行动达成称霸的政治目的。孙子正是在这样的历史背景下提出了上述用兵法则。李世民用兵善于结合当时的战场态势，活用兵法甚至逆用兵法，在指导具体作战时善于在初

---

① 《资治通鉴》卷一百八十九《唐纪五》，高祖武德四年五月。
② 《资治通鉴》卷一百八十八《唐纪四》，高祖武德四年正月。
③ 《十一家注孙子校理》卷中《军争篇》。

战获胜后抓住战机，对败退之敌实施连续追击，穷追猛打，直至彻底歼灭敌人。他在第二次浅水原之战中打败宗罗睺后，坚决果断地实施追击行动，不给对手喘息之机，成功迫使薛仁杲投降。当宋金刚率军从柏壁北撤后，李世民率兵展开追击，昼夜兼行二百余里，经过三天的紧急行军，终于追上宋金刚部。李世民及其士卒在两天未进食、三天不解甲的情况下，发扬顽强战斗的作风，经过一日八次交战，最终击败对手。在行军途中，行军总管刘弘基请求稍事休整，李世民认为"金刚计穷而走，众心离沮，功难成而易败，机难得而易失，必乘此势取之。若更淹留，使之计立备成，不可复攻矣"①，强调要抓住难得的战机彻底歼敌，否则就会痛失获胜良机。在整个作战过程中，李世民身先士卒，率先垂范，与参战将士同甘共苦，极大地激发了全体将士的斗志，对于提升军队战斗力并赢得胜利具有重要意义。

（五）广集谋臣猛将，知人善任

中国古代兵家向来重视将帅在战争中的地位与作用，认为将帅无论在治军还是在指挥作战中都发挥着决定性作用，直接关系到能否建立起一支训练有素、纪律严明、士气高昂、能征善战的军队，直接关系到军队能否在作战中克敌制胜，直接关系到全军将士乃至国家的生死存亡。春秋战国以后，随着战争的发展，军队规模的扩大，军队正规化、专业化程度的提高，出将入相向文武分职转变，治军作战成为将军专职，将帅被赋予了更多的战场独立机断指挥权，从而使其在战争中的作用显得更加重要。《周易·师》指出："师：贞，丈人吉，无咎。"意思是说正义的战争，有德高望重的人统率指挥，是吉利的，没有什么祸害。孙子全面考察了将帅在战争中的地位、作用，奠定了古代兵家将帅论的理论基础。吴起从战争的胜败关系国家的强弱存亡的角度，强调了将帅的重大作用："夫总文武者，军之将也。兼刚柔者，兵之事也。……得之国强，去之国亡，

---

① 《资治通鉴》卷一百八十八《唐纪四》，高祖武德三年四月。

是谓良将。"① 指出将帅的好坏直接关系国家的存亡。《孙膑兵法》认为，只有掌握战争规律的将帅，也就是"上知天之道，下知地之理，内得其民之心，外知適（敌）之请（情），陈则知八陈之经"②，才能起到"安万乘国，广万乘王，全万乘之民命"③ 的巨大作用。《六韬》认为"将者人之司命，三军与之俱治，与之俱乱。得贤将者，兵强国昌；不得贤将者，兵弱国亡"④，"社稷安危，一在将军"⑤，"兵者，国之大事，存亡之道，命在于将。将者，国之辅，先王之所重也，故置将不可不察也"⑥，认为将帅掌握着国家的命运，对将帅在治军与用兵中的作用给予了高度评价。由此可以看出，中国兵家对选将用将的认识已经达到了相当的水平，看到了将帅对国家的安危、军队战斗力的强弱具有决定性的作用。这些认识对当时和后世都有深刻的影响。

李世民高度重视选将用将，在举事之初就注意多方收揽人才，聚合各方力量筹谋大事。史载："时隋祚已终，太宗潜图义举，每折节下士，推财养客，群盗大侠，莫不愿效死力。"⑦ 他广集谋臣猛将，知人善任，在用人任将方面有诸多成功之道。

一是善用部属举荐的人才。李世民就任秦王期间，势力初起，与太子李建成相比不占优势，王府内部的一些惯于见风使舵之辈趁机离去而另投新主。这时房玄龄向李世民极力推荐杜如晦，认为他"聪明识达，王佐才也。若大王守藩端拱，无所用之；必欲经营四方，非此人莫可"⑧。李世民非常注重听取房玄龄的举荐之言，立即重用杜如晦，使其在治国平天下的过程中发挥了重大作用。

---

① 《吴子》卷下《论将》。
② 《孙膑兵法校理》上编《八阵》。
③ 《孙膑兵法校理》上编《八阵》。
④ 《六韬》卷三《龙韬·奇兵》。
⑤ 《六韬》卷三《龙韬·立将》。
⑥ 《六韬》卷三《龙韬·论将》。
⑦ 《旧唐书》卷二《太宗纪上》。
⑧ 《旧唐书》卷六十六《杜如晦传》。

二是善用对方阵营的人才。唐太宗用人做到了唯才是举，不避亲不避仇，能够征用昔日对手属下的人才，更显出他的宽大胸襟、识才慧眼与用人胆魄。魏徵原来效力李建成，被任命为太子洗马，忠心耿耿地为太子服务。李世民与李建成反目成仇后，魏徵竭力为李建成出谋划策。事败之后，久仰魏徵之名的李世民不计前嫌，立刻征召魏徵，封其官授其爵，对其信任有加并委以重任，成就了历史上明君良臣的典范。李世民大胆重用李靖则是一个成功用将的范例。李靖原为隋朝官员，降唐后被李世民招入幕府。李世民即位后，经过几年的军事准备，开始执行积极防御的国防战略，首先反击严重威胁唐朝北疆安全的东突厥。备受器重的李靖受命率军出征，大破突厥军队。数年之后，盘踞西北的吐谷浑迅速崛起，威胁唐朝西疆。年事已高的李靖再次被唐太宗委以重任，率大军西征，大获成功，立下卓越战功。

三是善用降将。李世民戎马倥偬，在战胜攻取之后收降了许多将士，特别注重选用有杰出才能的将领。在统一天下的战争中，李世民先后选用屈突通、殷开山、秦叔宝、程知节、尉迟敬德等骁勇之将。屈、殷皆是投降的隋将，秦、程本是瓦岗军的骑将，后归附于唐朝。李世民任命秦叔宝为马军总管，程知节为左三统军，二人在虎牢之战等战役中立下汗马功劳。尉迟敬德勇猛善战，原来追随刘武周，数次与唐军交战。投降之后，李世民任命他为一府统军，对其深信不疑，终于使得尉迟敬德感恩戴德，在与王世充、窦建德等集团的作战中表现英勇，屡建功勋。李世民之所以能够让降将心悦诚服地为己效劳，主要得益于赤诚以待，肝胆相照。正当秦府上下都因寻相叛逃而怀疑尉迟敬德必定叛变并将其囚禁在军中之时，李世民命令立即释放尉迟敬德，并对他说道："丈夫以意气相期，勿以小疑介意。寡人终不听谗言以害忠良，公宜体之。"[1] 这一番话说出了李世民为人处世之道，也表明了他的爱将惜才之心。

四是华夷一体，汉将与夷将并用。唐太宗李世民在不同场合多

---

[1] 《旧唐书》卷六十八《尉迟敬德传》。

次申明华夷并贵的思想。他指出："自古皆贵中华，贱夷、狄，朕独爱之如一。"① 并在实践中身体力行，不仅重用汉将，而且大力提倡使用夷族将领，取得令人瞩目的成效。唐太宗对来自突厥族、铁勒族等北方游牧民族的阿史那社尔、阿史那思摩、契苾何力、执失思力等将领非常器重，并且能够量才使用，使其均能人尽其才、才尽其用，尤以阿史那社尔、契苾何力二人的战功最为显赫。贞观二十一年（647），因龟兹无礼且侵凌邻国，唐太宗下诏征讨，任命阿史那社尔为昆丘道行军大总管，契苾何力为副大总管，率军十余万征讨，次年顺利平定龟兹，"降者七十余城，宣谕威信，莫不欢服"②。唐太宗重用夷将的一个深层次原因是要用其所长，充分发挥他们擅长骑射的长处，在边疆战争尤其是用兵西域统一西北的战争中发挥了显著作用。不少夷将因屡立战功而封官晋爵，甚至担任宫殿宿卫之要职，还有的被皇帝赐姓。突厥族将领阿史那思摩因立军功，唐太宗赐姓李，他的姓名也改为李思摩。贞观二十一年，唐太宗总结了自己的成功之道。

　　自古帝王多疾胜己者，朕见人之善，若己有之。人之行能，不能兼备，朕常弃其所短，取其所长。人主往往进贤则欲置诸怀，退不肖则欲推诸壑，朕见贤者则敬之，不肖者则怜之，贤不肖各得其所。人主多恶正直，阴诛显戮，无代无之，朕践阼以来，正直之士，比肩于朝，未尝黜责一人。自古皆贵中华，贱夷、狄，朕独爱之如一，故其种落皆依朕如父母。此五者，朕所以成今日之功也。③

唐太宗此番话中的第二句是直接讲如何正确用人，用其长处而避其短处，最大限度地激发人才的潜能。如果从更宽广的视野来理

---

① 《资治通鉴》卷一百九十八《唐纪十四》，太宗贞观二十一年五月。
② 《新唐书》卷一百一十《阿史那社尔传》。
③ 《资治通鉴》卷一百九十八《唐纪十四》，太宗贞观二十一年五月。

解，下面几句也都与秉公用人、合理用人息息相关，所强调的是用人所应具备的博大胸襟、恢宏气度与一视同仁的进步观念。唐太宗之所以能够在自己身边聚集各方人才，并且凝聚成一个坚强、团结、富有战斗力的集团，既有形势所逼的时势背景，更有积极主动作为的个人因素，善于顺应历史发展大势，以英武雄迈的胆识气魄、卓越非凡的才略引领文臣武将战无不胜、攻无不克，在战争进程中不断发展壮大，最终一统天下，中国封建社会由此进入了清明昌盛的"贞观之治"。这一切当然都离不开唐太宗的成功的用人之道。

第五节　李勣、苏定方、裴行俭的作战指导

李勣、苏定方、裴行俭均为唐代前期的才兼文武、功勋卓著的著名将领。李勣（594—669），本姓徐，名世勣，字懋功。唐初赐姓李，后避唐太宗李世民讳，去"世"字，单名勣。他先投奔瓦岗起义军，为义军发展壮大出力不少，做出了重要贡献；瓦岗军失败后归唐，跟随李世民取得了唐统一战争的胜利，而后又在巩固边疆的战争中屡立战功，为唐王朝的统一和巩固做出了重要贡献。他一生历仕高祖、太宗、高宗三朝，官至兵部尚书、尚书左仆射、同中书门下三品，爵封英国公，受到莫大恩宠，堪称出将入相的成功典范。

苏定方（592—667），名烈，字定方，冀州武邑（今属河北）人，他在年少时"骁悍多力，胆气绝伦"[1]，归唐后初次扬名于贞观四年（630）征讨东突厥之战，后又跟从葱山道行军大总管程知节征讨西突厥，因战功卓著、武德超众而被唐高宗赏识，此后屡被委以重任，成为唐朝对外征战独当一面的统帅，在频繁的战争中得以充分施展军事指挥才华。苏定方先后领兵讨灭西突厥、思结、百济三国并生擒其主，为唐朝国防的巩固做出了贡献。

---

[1]　《旧唐书》卷八十三《苏定方传》。

裴行俭（619—682），字守约，绛州闻喜（今山西闻喜东北）人，出身官宦世家，历任长安令、吏部侍郎、礼部尚书、定襄道行军大总管等职，封闻喜县公。他是唐高宗时期的著名将领，亦是政绩卓著的政治家。

一、李勣的作战指导

李勣一生东征西讨，久经沙场，在将近 60 年的戎马生涯中形成了具有自身风格的作战指挥艺术。观其一生的不同阶段，俨然各有特点。正如他本人所言："我年十二三时为亡赖贼，逢人则杀。十四五为难当贼，有所不惬则杀人。十七八为佳贼，临陈乃杀之。二十为大将，用兵以救人死。"① 由此可见，在不断的历练过程中，李勣逐步成长为独当一面的杰出将领。

（一）用兵多筹算，谋深虑远

李勣注重在用兵之前料敌察情，多方筹划，通盘考虑战局，制定最切合战情的作战指导方针及作战方案。这正是中国古代兵学一贯主张的"先计后战"思想的要义。李勣的这一用兵思想突出体现在讨伐东突厥和东征高句丽的作战过程中。贞观三年（629），东突厥内部发生动乱，又恰逢大雪，牲畜多被冻死。唐太宗决定发动全面反击，命令通汉道行军总管李勣、金河道行军总管柴绍、畅武道行军总管薛万彻在定襄道行军总管李靖统一指挥下分路出击。李勣率军北进，在白道（今内蒙古呼和浩特西北）击败突厥军后与李靖会合，而战败后的突厥颉利可汗率众后退，并派遣使者请求议和。李勣深入分析了局势，认为"颉利虽败，人众尚多，若走渡碛，保于九姓，道遥阻深，追则难及"②，建议趁唐使前往招降，颉利可汗松懈而毫无防备之时，"我等随后袭之，此不战而平贼矣"③。李勣不仅提出了用兵之策，而且预先精准地判断出被袭击的突厥可能逃

---

① 《资治通鉴》卷二百一《唐纪十七》，高宗总章二年十二月。
② 《旧唐书》卷六十七《李勣传》。
③ 《旧唐书》卷六十七《李勣传》。

窜的路线。当李勣率大军夜袭突厥之时，李勣领兵迂回至突厥退走漠北必经的碛口，切断了其退路。果然不出所料，大败溃逃的突厥军涌向碛口，正好被李勣截击，突厥军众纷纷投降，总计被唐军俘虏五万余人。经此一战，唐王朝消除了东突厥对北疆的边防威胁。

在东征高句丽之役中，李勣被任命为辽东道行军大总管，统领水陆大军进攻高句丽。在进入辽东之前，他认真地分析了敌情，做出了正确的判断，指出："新城，高丽西边要害，不先得之，余城未易取也。"[1] 李勣在作战之前通过深入的分析，找到了对战役进展具有决定性影响的关键环节，而这一关键环节正是必先夺取的要害之地——新城。他指挥唐军集中力量攻破了新城，之后乘胜进击，势如破竹，接连攻下 16 城，一举攻占高句丽都城平壤，取得了这次作战的胜利。

纵观此战，首攻新城是作战能否取胜的决定性因素。孙子曰："先夺其所爱，则听矣。"[2] 打击敌人的要害之处，就能创造陷敌于被动的有利态势，而己方则能掌控战局的走向。显然，新城正是孙子所说的"爱"，实为高句丽的要害之处。李勣将其选定为首要攻击目标，事实证明是非常正确的，也反映了其深远的战略眼光。

（二）"临机应变，动合事机"的指挥风格

李勣在作战指导上灵活机动，善于因势利导，能够根据不同情况采取最适宜的战法，形成了"临敌应变，动合事机"[3] 的指挥风格。贞观十五年（641），薛延陀汗国夷男真珠毗伽可汗以李思摩部突厥人偷窃羊马为借口，率兵南下，入侵白道川（今内蒙古呼和浩特西北）。唐太宗派遣李勣领兵迎击。夷男可汗之子大度设得知唐军大规模出击，立即率军北撤。李勣选唐军和突厥军的六千精骑实施猛追，终于追上了薛延陀军队，双方展开大战。大度设列阵十里，先与突厥军交战。在击败了突厥军之后，大度设率军乘胜追击，遇

① 《资治通鉴》卷二百一《唐纪十七》，高宗乾封二年九月。
② 《十一家注孙子校理》卷下《九地篇》。
③ 《旧唐书》卷六十七《李勣传》。

到了唐军，双方展开了一场遭遇战。薛延陀军变骑战为步战，"每五人，以一人经习战阵者使执马，而四人前战，克胜即授马以追奔，失应接罪至于死"①，同时命士众"万矢俱发"②，用箭射死了唐军的大量战马。李勣在危急关头泰然自若，随机应变，命令士兵迅速下马力战，"执长槊，直前冲之"③。薛延陀军队的十里长阵在唐军的猛烈冲击下土崩瓦解，被唐军俘虏五万余人。大度设率残兵逃奔漠北，结果遇上大雪，人畜冻死大半，薛延陀不得不暂时停止了南下袭扰行动。

李勣在此战中面临危局能够通权达变，在对手改变战法的情形下，因敌变而应变，果断调整战术，以步制步，最终取得了这场野战的胜利。

（三）准确把握攻守转换，有守有攻，攻守结合

攻与守是战争活动的两种基本形式，也是指导和研究战争的基本点。一般地说，攻是积极主动的战法，守是消极被动的战法。《孙子兵法》最早提出"不可胜者，守也；可胜者，攻也。守则不足，攻则有余"④的基本运用原则，意为没有必胜的把握就应采取防守，有必胜的把握即可主动进攻，但防守有节省兵力、以逸待劳等有利之处，运用中必须辩证地思考。能够正确处理攻守关系者，可谓善于用兵的高明将帅。李勣算得上是熟谙攻守之道的善用兵者。武德元年（618），李密统领瓦岗军占据了中原的广大地区，声威远播。与此同时，隋禁军统帅宇文化及在江都发动兵变，杀死隋炀帝杨广后统军北进，兵锋直指东都洛阳。这时越王杨侗被隋朝群臣拥戴为皇帝，任命李密为太尉，李勣为右武侯大将军，命令他们率军讨伐宇文化及，企图使"两贼自斗"，而自己"徐承其弊"，达到一石二鸟的目的。李密贪图官爵利禄，接受了隋恭帝的任命，率军迎击宇

---

① 《旧唐书》卷一百九十九下《铁勒传》。
② 《资治通鉴》卷一百九十六《唐纪十二》，太宗贞观十五年十二月。
③ 《资治通鉴》卷一百九十六《唐纪十二》，太宗贞观十五年十二月。
④ 《十一家注孙子校理》卷上《形篇》。

文化及，并派遣李勣守卫黎阳仓城。李勣守卫仓城的兵力仅五千人，而对手则是宇文化及从江都带来的人数众多且勇猛善战的"骁果"和"江淮劲卒"。李勣和李密分析了隋军"乏食，利速战"的弱点，决定采取"持重以老其兵"的应敌之策。李勣在坚守仓城之时，没有一味龟缩于城内，而是"于城外掘深沟以固守"①，进一步扩大了防御纵深。宇文化及率军携带攻城器具，从四面攻打仓城，结果却被深沟阻止而不能到达城墙下，攻城行动无法实施。在对手攻城陷入僵局后，李勣及时把握住战机，果断决定转守为攻，派人在沟中暗挖地道，通过地道突然出兵攻击对手，宇文化及大败而逃。

此战表明，一味的进攻或单纯的防守都不是最佳选择，攻中有守、守中有攻是比较合理的作战手段，能够充分发挥攻与守各自的优长，攻守结合，相得益彰。李勣采取以守为主、以攻为辅的防御作战指导，符合当时的战场态势，取得了较好效果。反之，单纯的防守或一味的进攻既不能扬己长而避己短，更不能抑制对手的进攻，势必进一步扩大敌我双方的优劣对比，从而使己方陷入困境。积极的进攻和积极的防守均不排斥攻与守的结合，在合适的时机巧妙实施攻守转换，以获取最佳的战争效益。

（四）注重军需补给，以丰裕的粮物招兵扩军

瓦岗起义军初起之时，首要的问题是争取民心，以求生存。李勣显然已对此问题做了深入的思考，并提出了解决之道，终极目标在于既要争取当地民众的大力支持，又要获取足够的财物，以解决军队将士的基本生活保障。李勣向瓦岗军领导人翟让提出建议：

> 今此土地是公及勣乡壤，人多相识，不宜自相侵掠。且宋、郑两郡，地管御河，商旅往还，船乘不绝，就彼邀截，足以自相资助。②

---

① 《旧唐书》卷六十七《李勣传》。
② 《旧唐书》卷六十七《李勣传》。

　　翟让立即采纳了这一建议，率军劫取公私船的财物，"资用丰给，附者益众"①，义军队伍迅速壮大起来，很快发展到一万余人。次年，河南、山东发生大水灾，百姓大量死亡。尽管隋朝廷命令黎阳打开粮仓，救济饥民，但由于政局动荡，管理粮仓的官员没有及时救济，致使每天饿死上万人。李勣认为这是义军发展壮大的良机。李勣向瓦岗军领袖李密（此时已被推举为义军领导人）建议夺取隋朝大粮仓，认为"天下大乱，本是为饥，今若得黎阳一仓，大事济矣"②，以此进一步争取民众拥护和扩充军力。李密认为言之有理，派遣李勣率部攻取了黎阳仓。之后，李勣命令向饥民开仓，让他们任意取粮，十天时间就招募了 20 多万人。附近郡县也纷纷投诚，瓦岗军发展到了鼎盛时期。

　　孙子很早就指出："军无辎重则亡，无粮食则亡，无委积则亡。"③ 充分肯定了以粮草为中心的军需物资的重要性。无数战争实践证明，"凡与敌垒相对持兵，胜负未决，有粮则胜"，而一旦"敌既无粮，其兵必走"④。由此可见，有无粮草极大地左右了战局的发展，是战胜攻取的重要环节。隋末大乱之时，充足的粮草更具有招揽民众、稳定军心的巨大作用，有助于在不利处境中开创一个崭新局面。瓦岗军在发展阶段通过劫掠公私船物与袭取黎阳仓，不仅解决了军队的军需补给问题，更重要的是借此迅速扩充了大量兵员，增强了军事实力，李勣可谓功不可没。

　　（五）"感德推功"，忠义为本，王者之将

　　李勣一生波澜起伏，久经沙场，战功显赫，是初唐凌烟阁二十四功臣之一。尽管他先后数易其主，始则追随翟让、李密，后曾投奔窦建德，终则归唐，忠心侍奉唐太宗李世民，但是瑕不掩瑜，在

---

① 《资治通鉴》卷一百八十三《隋纪七》，炀帝大业十二年十月。

② 《旧唐书》卷六十七《李勣传》。

③ 《十一家注孙子校理》卷中《军争篇》。

④ 无名氏：《百战奇法》前集《第三门·粮战》，《中国兵书集成》编委会：《中国兵书集成》第五册，解放军出版社、辽沈书社，1988 年。

大唐名将之中，李勣仍是颇具个人特色的杰出将领，尤以忠义为本、"进不求名，退不避罪""谦退不伐"、廉洁俭约、不计恩怨的将帅品德最为突出。武德二年（619），李密率众归顺唐朝。李勣得知这一消息后，决定将当时自己控制的地盘以李密的名义献给唐廷。他对长史郭孝恪说道：

> 魏公既归大唐，今此人众土地，魏公所有也。吾若上表献之，即是利主之败，自为己功，以邀富贵，吾所耻也。今宜具录州县名数及军人户口，总启魏公，听公自献，此则魏公之功也。①

李勣派遣使者送信给李密。使者刚到，唐高祖听说只有书信给李密而没有奏表呈给自己，感到很奇怪。使者便把李勣的想法如实禀报，唐高祖称赞李勣"感德推功，实纯臣也"②，下诏授任其为黎阳总管、上柱国、莱国公，后加右武侯大将军，改封曹国公，赐姓李氏。不久，李密因不满归唐后所受的冷遇，出逃叛唐，途中被唐军斩杀。高祖认为李勣过去曾服侍李密，派人将李密谋反情况告诉他。李勣此时充分表现出忠义的本色，拜伏在地，号啕大哭，并上表恳请收葬李密，以尽自己与故主之情义。唐高祖下诏同意，李勣穿戴丧服，和旧时将士一起将李密埋葬在黎阳山之南。朝野人士一致认可李勣的忠义行为。当初，李密杀翟让夺取瓦岗军领导权时，曾误伤李勣，后来李密又有意疏远他，派其出镇黎阳。但李勣以大局为重，不记私怨，始终忠心耿耿，全力推动瓦岗军发展。在李密投唐后，他将献地之功推于李密，不邀功，不图名，更加显示出其赤诚之心。武德四年（621），唐王朝平定王世充集团后，俘获了李勣的旧友单雄信，照例要处死。李勣向李世民求情，称颂单雄信武艺超群，如果免除其死罪并予以收用，定会拼命效力，同时请求用

① 《旧唐书》卷六十七《李勣传》。
② 《旧唐书》卷六十七《李勣传》。

自己的官爵为他赎罪，但李世民不同意。单雄信被斩首之后，李勣收养了其子女。此外，李勣在统军作战中能够做到"闻其片善，扼腕而从，事捷之日，多推功于下，以是人皆为用，所向多克捷"①。由此可见，李勣为人忠诚坦荡，常怀感恩之心，顾念将士之情、同人之义；同时能够妥善处理功名利禄，打了胜仗论功行赏，总是把功劳推给部下，得到了珍宝财帛，经常散发给广大将士，不邀功不贪利，从而得到了士卒的衷心拥戴。尽管李勣严于治军，将士们却乐于在他手下效命。实践证明，将帅的军事指挥能力固然重要，而其个人品德情操及为人处世之道，尤其是是否具有宽广的胸怀、能否赢得军心也不可忽视，对战胜攻取具有重要影响。

二、苏定方的作战指导

在灿若星河的唐朝名将之中，苏定方的名望并不显赫，但其在战争实践中却展现出卓越的军事才能，立下了非凡的战功，"前后灭三国，皆生擒其主"②，足以跻身唐代一流战将行列。

（一）善用轻骑兵，擅长突袭，注重迅猛攻击

早在唐朝统一战争之中，李世民就屡屡率领轻骑兵迂回到对手侧后出奇制胜，或率精骑从中央突破，纵贯敌阵，而后再从阵后反击，极大地发展了轻骑兵的战术。苏定方历唐太宗、唐高宗二朝，传承了太宗"兵法尚权，权在于速"③"见利速进，不利速退"④ 的用兵思想，充分发挥轻骑兵快速机动的优长，采取远程奔袭的战法，往往在对手意想不到的情形下突然出现，乘其措手不及之时发起迅猛有力的攻击，常能获得大胜。贞观四年（630），苏定方跟随李靖征讨突厥颉利可汗。李靖派遣苏定方率领 200 名骑兵为先锋，乘雾急速行进。距离对手据点大约一里的时候，大雾突然散去，唐军可

---

① 《旧唐书》卷六十七《李勣传》。
② 《旧唐书》卷八十三《苏定方传》。
③ 《旧唐书》卷五十七《裴寂传》。
④ 《通典》卷一百六十一《兵典十四·因机设权》。

以望见突厥人的牙帐。苏定方率骑兵纵马突袭，杀死近百名突厥兵，颉利可汗狼狈逃窜。苏定方制定的轻骑兵快速突袭战术首获成功。高宗显庆元年（656），苏定方转任左卫中郎将，随从左卫大将军程知节征讨西突厥沙钵罗可汗阿史那贺鲁。苏定方被任命为前军总管，率军向西进发。当他领军到达鹰娑川（今新疆境内开都河）时，望见灰尘扬起，判断唐军与突厥军正在激战，于是立即率 500 名骑兵飞驰进攻。突厥军突然遭到苏定方的猛烈攻击，大败溃逃。苏定方率兵追杀 20 里，杀死对手 1500 多人，缴获战马 2000 匹，战死的马匹和遗弃的兵器遍布山野。苏定方率领轻骑兵作战再获成功。显庆二年（657），苏定方被任命为伊丽道行军总管，率军再次征讨西突厥，在战场取胜后率骑兵追击突厥逃兵，"追奔三十里，杀人马数万"①。显庆四年（659），思结部俟斤都曼叛唐，高宗诏令苏定方率军讨伐。他率兵到达叶叶水，对手占据马头川。苏定方"选精卒一万人、马三千匹驰掩袭之，一日一夜行三百里"②，天明时分到达城西十里处。都曼见此情形大吃一惊，唐军的长途奔袭、快速攻击远远出乎其意料，在唐军的强大攻势下都曼被迫开门投降。苏定方率领轻骑兵实施快速攻击，不仅使对手来不及做好应战准备，打其措手不及，而且可以从心理上给对手以强烈的震撼，借助兵威慑服对手，都曼主动投降即属于此种情形，由此也说明了苏定方能够极其娴熟地运用轻骑兵战法，可谓奇兵突袭的高手。

（二）通晓兵法，主张攻守结合，以攻为主，反对一味防守

苏定方少年从军，戎马一生，在东征西讨的战争实践中经过历练，谙熟用兵之道，常能提出独到见解。这既说明苏定方是一位具有鲜明个性的将领，不随波逐流，不人云亦云，同时也反映了他善于独立思考，能够运用一己学识，结合对战场实情的分析，找到适宜的应对之策。显庆元年（656），苏定方在随军征讨西突厥之战中，

---

① 《旧唐书》卷八十三《苏定方传》。
② 《旧唐书》卷八十三《苏定方传》。

敏锐地捕捉了战机，敢于大胆进攻，"帅五百骑驰往击之"①，获得一场大胜，但苏定方立下的显赫战功却遭到副大总管王文度的嫉妒。本就不通兵法的王文度对苏定方的作战行动横加指责："虽云破贼，官军亦有死伤，盖决成败法耳，何为此事？"②他还提出了自己的排兵布阵之法："自今正可结为方阵，辎重并纳腹中，四面布队，人马被甲，贼来即战，自保万全。无为轻脱，致有伤损。"③王文度假称得到圣旨，自己全权指挥部队，召回军队不许深入。此后，唐军"终日跨马，被甲结阵，由是马多瘦死，士卒疲劳，无有战志"④。苏定方针对战马饿死而士兵丧失斗志的现状，提出了尖锐的反对意见，认为王文度的"结为方阵"之法纯粹是自守之法，导致的后果是极其严重的，即"马饿兵疲，逢贼即败"⑤。如此一来，莫说"讨贼"，更谈不上立战功了，"怯懦如此，何功可立"⑥。苏定方称王文度的行为是怯懦的表现，实在是一针见血的评价，亦反映出他能够从战略高度着眼作战行动，即征讨西突厥乃是积极主动地进攻对方，最大限度地打击并削弱突厥力量，而绝非就地防守。显然，苏定方不是那种逞匹夫之勇的"斗将"，而是有眼光有头脑的"智将"。

　　显庆二年（657），苏定方被任命为伊丽道行军大总管，担任统帅率军再次征讨西突厥沙钵罗可汗阿史那贺鲁部。唐军从金山北面出发，打败了突厥处木昆部落，随后继续向前进军，结果在曳咥河（今新疆额尔齐斯河）遭遇了阿史那贺鲁率领的近10万人的西突厥主力部队，而此时苏定方所率领的军队只有1万余人。阿史那贺鲁轻视苏定方兵少，命令突厥军向前实施包围唐军的行动。众寡悬殊，战情危急，苏定方命令"步卒据原，攒槊外向，亲领汉骑阵于北

---

① 《资治通鉴》卷二百《唐纪十六》，高宗显庆元年十二月。
② 《旧唐书》卷八十三《苏定方传》。
③ 《旧唐书》卷八十三《苏定方传》。
④ 《旧唐书》卷八十三《苏定方传》。
⑤ 《旧唐书》卷八十三《苏定方传》。
⑥ 《旧唐书》卷八十三《苏定方传》。

原"①。他所制定的作战部署的核心在于将步兵与骑兵分开，并赋予各自不同的作战任务，步兵主要担负防御任务，骑兵则侧重执行进攻命令。苏定方命令步兵固守南原，手持长槊围成圆形，槊尖一致向外，保持队形，进入防御状态；自己率领骑兵在北原布阵，等待机会发动进攻。突厥兵见唐军人少，将步兵团团围住，连续发动了三次冲击，但是都没有奏效。苏定方见时机已到，率领骑兵突然出击，杀得突厥兵措手不及，全线溃乱，唐军杀死突厥数万人马，取得大胜。

苏定方在此战中灵活运用了"攻守之道"，先立足于守，以步兵持槊防御，在抵御了突厥骑兵的三次攻击之后，再适时以骑兵实施突然进攻，最后以积极主动的攻击获胜，充分体现了苏定方的攻守结合、适时转守为攻、以攻制胜的高超用兵艺术。此外，苏定方在此战中还成功使用了"奇正之术"，即以步兵为正，以骑兵为奇，步兵在正面与突厥军相持，骑兵从侧翼出击，践行了孙子"以正合，以奇胜"②的用兵原则。

（三）征讨与招抚并用，军政兼施，双管齐下

苏定方身为一员战将，擅长冲锋陷阵，但并非只知以武力逞强，而是注重文武并用，政治招抚与军事打击巧妙结合，收到了良好效果。第二次讨伐西突厥时，在大败处木昆部落后，其俟斤嬾独禄率众万余前来投降，苏定方加以安抚，调发他们 1000 名骑兵共同进击沙钵罗可汗。之后，唐军乘突厥毫无戒备之际，突然发起攻击，斩获数万人，沙钵罗可汗等人逃往石国（今乌兹别克斯坦塔什干一带）。苏定方命令西突厥"诸部各归所居，通道路，置邮驿，掩骸骨，问疾苦，画疆场，复生业"③，凡是被沙钵罗掠夺的牲畜、财物，全部归还原主，西突厥十姓"安堵如故"④。

孙子指出："夫战胜攻取，而不修其功者，凶，命曰'费留'。

---

① 《旧唐书》卷八十三《苏定方传》。
② 《十一家注孙子校理》卷中《势篇》。
③ 《资治通鉴》卷二百《唐纪十六》，高宗显庆二年十二月。
④ 《资治通鉴》卷二百《唐纪十六》，高宗显庆二年十二月。

故曰：明主虑之，良将修之。"① 学者于汝波认为这里蕴含了战后
"修功"思想，其含义是指在对敌完成"战胜攻取"任务后，必须
做好争取民心工作，巩固和扩大战果，控制局势，使之迅速走上正
常轨道。② 苏定方遵循了孙子的这一战后"修功"思想，在攻打西
突厥之战后，着眼巩固安全大局，从迅速稳定社会秩序入手，帮助
西突厥开通道路，设置驿站，掩埋亡者骸骨，划定部落地界，访问
民生疾苦，恢复社会生产，使各部落"安堵如故"，并将他们被掠夺
的物品全部归还，极大地争取了民心，有利于边疆的长治久安。

唐永徽年间，位于朝鲜半岛西南部的百济数次攻击其东邻新罗，
新罗王金春秋遣使向唐求援。显庆五年（660），高宗诏命左武卫大
将军苏定方为神丘道行军大总管，率左骁卫将军刘伯英等水陆军 10
万进攻百济。苏定方率领大军从成山（今山东荣成东北成山角）渡
海，在熊津江口（今朝鲜半岛南部的锦江入海口）击溃百济守军，
随后乘胜进军，在百济都城附近又大破百济军，最终迫使百济王投
降。攻灭百济之后，唐廷"诏以其地置熊津等五都督府，以其酋长
为都督、刺史"③。苏定方在做好战后安抚重建工作后，率军返唐，
留下部将刘仁愿镇守百济，维持当地秩序。

（四）连续作战，穷追猛打，务求全歼

在唐统一战争中，李世民在用兵作战中充分发挥顽强的战斗作
风，在出现有利战机后能够牢牢把握，实施长距离、不间歇的追击，
穷追猛打，以求彻底歼敌，在浅水原之战、柏壁之战中体现得尤为
突出。苏定方继承了李世民的这一作风，在实战中取得了良好效果。
在征讨西突厥之战中，苏定方率军与沙钵罗可汗阿史那贺鲁展开激
战，初战获胜，阿史那贺鲁率数百骑向西逃去。他派遣副将萧嗣业
领兵追击阿史那贺鲁，自己则率领大军继后进发。这时正好天降大
雪，部属提议停止行动，等待雪霁再行军。苏定方断然回绝道："虏

---

① 《十一家注孙子校理》卷下《火攻篇》。

② 参见于汝波：《论〈孙子兵法〉的战后"修功"思想及其实现途径》，《军事历史研究》2005 年第 1 期。

③ 《资治通鉴》卷二百《唐纪十六》，高宗显庆五年八月。

恃雪深，谓我不能进，必休息士马，亟追之可及，若缓之，彼遁逃浸远，不可复追，省日兼功，在此时矣！"① 于是，苏定方率军踏雪而进，昼夜兼程，所过之处收降了阿史那贺鲁的大量人马。在距离阿史那贺鲁营地二百里的时候，苏定方指挥军队长驱而入，直接冲杀至阿史那贺鲁的牙帐。当时，阿史那贺鲁与其部下正准备打猎，苏定方"掩其不备，纵兵击之，斩获数万人"②。阿史那贺鲁率残部仓皇逃跑，苏定方派遣副将萧嗣业率兵穷追不舍，最终擒获阿史那贺鲁。

苏定方在此战中率军纵横数千里，克服天寒雪大恶劣天气的影响，辗转多地，连续作战，对阿史那贺鲁部众实施不间断的打击，最终彻底歼灭西突厥，有力地巩固了唐朝西部边陲的国防安全。

（五）善用地利之便

孙子曰："夫地形者，兵之助也，料敌制胜，计险厄、远近，上将之道也。"③ 苏定方在排兵布阵之时，善于观察地形，充分利用地利之便抢占先机，取得有利的作战态势，可谓深谙孙子思想之精髓。在第二次征讨西突厥时，苏定方率领 1 万余人抗击沙钵罗可汗阿史那贺鲁所统率的 10 万人马。史载："贺鲁率胡禄屋阙啜、慑舍提暾啜、鼠尼施处半啜、处木昆屈律啜、五弩失毕兵马，众且十万，来拒官军，定方率回纥及汉兵万余人击之。"④ 沙钵罗以为唐军兵少可欺，发动骑兵实施包围，企图围歼唐军。在彼众己寡的不利态势下，苏定方命令步兵抢先占据南面高地，构筑防御阵形；自己亲率骑兵在北面高地上布阵，从而在对方发起冲击之前，唐军已经对西突厥军形成了居高临下的有利态势。孙子主张"高陵勿向"⑤，认为用兵的法则是切勿仰攻已经占据高地的对手。孙子又主张"凡军好高而

---

① 《资治通鉴》卷二百《唐纪十六》，高宗显庆二年十二月。
② 《资治通鉴》卷二百《唐纪十六》，高宗显庆二年十二月。
③ 《十一家注孙子校理》卷下《地形篇》。
④ 《旧唐书》卷八十三《苏定方传》。
⑤ 《十一家注孙子校理》卷中《军争篇》。

恶下"①，强调行军作战要力争占据高敞之地，力避处于低洼之地。苏定方遵循了孙子用兵之法，而阿史那贺鲁则贸然进攻处于高地的唐军，同时又受制于唐军步兵手持长槊结成的阵形，最终唐军以少胜多，取得了这次作战的胜利。

在唐攻灭百济之战中，苏定方率军渡海到达熊津江口，百济沿江屯兵据守。史书记载了苏定方在此战中的用兵情形：

> 定方升东岸，乘山而阵，与之大战，扬帆盖海，相续而至。贼师败绩，死者数千人，自余奔散。遇潮且上，连舳入江，定方于岸上拥阵，水陆齐进，飞楫鼓噪，直趣真都。②

由此观之，苏定方不仅知晓地形，而且还能够妙用海水涨潮之机，确是善用地利之便的高手。他先是依据山势列阵，当扬帆渡海而至的唐军到达战场后，彼此配合作战，大败百济军。初战获胜后，唐军乘胜追击。这时正好遇上海水涨潮，唐军战船从熊津江入海口随海潮而上，接连驶入熊津江。苏定方在岸上列阵行军，战船在江中飞驶，水陆并进，气势恢宏，连战连捷。在唐军的强大兵威之下，百济王最终俯首投降。苏定方巧妙运用地形，极大地推进了战事，从而快速地达成了作战目标。

三、裴行俭的作战指导

裴行俭生逢初唐蓬勃发展之际，从小受到良好的儒家思想教育，饱受儒学熏陶，乃是这一时期逐渐形成的具有鲜明儒将风度的兵家群体的杰出代表。他在幼年时就学于弘文馆，博览经史，精通诗书，是一位具有较高文化素养的饱学之士；同时出身于军事世家，受家族的影响，对军事问题具有浓厚的兴趣并常有独到见解。长期从政的经验及其边疆经历，加之精明干练的作风，最终促使裴行俭成长

---

① 《十一家注孙子校理》卷中《行军篇》。
② 《旧唐书》卷八十三《苏定方传》。

为善于治边抚众的一代名将。

（一）"伐叛柔服"，军事威慑与怀柔招抚相结合

大凡中国历史上卓有建树、名垂青史的将帅，其中为数不少者并非凭借超凡的战功，而是善于从国家政治的高度、战略全局的视角思考军事行动，注重收揽人心，将军事打击与政治招抚巧妙结合，最大限度地减少双方的损失，以最小的代价达成预期目标。这一类将帅正是孙子所说的"善战者之胜也，无智名，无勇功"①。在常人看来，他们没有智谋的名声，没有显赫的战功，被世人认为只是泛泛之辈，但在孙子眼里却是最高明的将帅，因为其能够做到"胜于易胜者也"②，能够"立于不败之地，而不失敌之败也"③。裴行俭恰是属于这一类的卓越将领。

李渊、李世民父子创建大唐帝国，文治武功相得益彰。高宗即位之后，唐朝继续向外开疆拓土，疆域空前辽阔，而如何经略边疆、处理中央与边疆民族关系成为当务之急。在此之前，唐太宗李世民已就此进行了成功的探索。在处理西北边疆民族问题时，唐太宗注重文武并举，军事手段与政治手段交互迭用，在具体实施过程中灵活掌握，或先行招抚，以怀柔方式争取北方部落归附，"远人不服，则修文德以来之"④，以文德感化对方，遣使慰抚招降之，一旦招抚不成，再继之以武力打击；或以武力打击为主，尤其当边疆民族势力严重威胁唐边疆安全时，唐朝则对其实施坚决打击，彻底消除边防安全威胁。唐太宗军政兼施，较为妥善地处理了朝廷与边疆民族的关系，最终促成灵州盛会，赢得了"天可汗"的称号，为后人提供了有益的借鉴。

裴行俭所处时代正是大唐国威远播、万邦来朝的鼎盛时期，唐朝的影响力日益扩大；与此同时，唐朝军队的战斗力也有增无减，

① 《十一家注孙子校理》卷上《形篇》。
② 《十一家注孙子校理》卷上《形篇》。
③ 《十一家注孙子校理》卷上《形篇》。
④ 《资治通鉴》卷一百九十七《唐纪十三》，太宗贞观十七年六月。

高宗朝的对外用兵以战胜居多就是明证。在国力空前强大的背景下，如何处理与边疆民族的复杂关系成为检验朝廷以及边疆将吏军政能力的试金石。高宗调露元年（679）六月，吐蕃大举内侵，西突厥十姓可汗阿史那都支及其别帅李遮匐勾结吐蕃，联合出兵直逼安西城，西域形势处于危急状态。在朝议欲发兵征讨之时，吏部侍郎裴行俭提出了反对意见，在陈述理由的同时也提出了自己的主张："吐蕃为寇，审礼覆没，干戈未息，岂可复出师西方！今波斯王卒，其子泥洹师为质在京师，宜遣使者送归国，道过二虏，以便宜取之，可不血刃而擒也。"① 裴行俭曾长期在西域任职，熟悉夷情及当地的地形，深知西域远离中原，沿途多戈壁、荒漠，劳师远袭是兵家大忌，再加上前不久唐朝军队刚打了败仗，刘审礼率军征讨遭到覆没，损兵折将，挫伤了军队的锐气。因此，在这种情形下，裴行俭极力反对武力征伐，主张便宜行事，争取智擒柔服对手。这一方案可谓极具胆识，乃大智大勇者才能付诸实施。该方案虽要长途跋涉广袤漠地，直抵西突厥腹地，无疑带有一定风险，但与一味用武相比，则显然是更为高明的做法。唐高宗同意了该方案，诏命裴行俭率人护送波斯王子到波斯册立波斯王，同时担任安抚大食使。

为了尽快制止可能发生的骚乱，裴行俭精心实施了一系列的巧妙行动。首先，他只带了少数随从上路，以此迷惑阿史那都支、李遮匐，使对手消除了戒备之心。其次，裴行俭扬言天气炎热，"未可涉远，须稍凉乃西上"②，表示要等到天气凉快以后再继续前进。阿史那都支派出的侦探打听到这一消息后，立即返回禀报。此后，西突厥对裴行俭的行动不再做任何防备了。再次，他借打猎之名，召集人马进行军事训练。裴行俭召来了当地各部落的酋长，说道："昔在西州，纵猎甚乐，今欲寻旧赏，谁能从吾猎者？"③ 此话一出，各部酋长子弟热烈响应，争相跟从他"纵猎"，人数接近 1 万。裴行俭

① 《资治通鉴》卷二百二《唐纪十八》，高宗调露元年六月。
② 《资治通鉴》卷二百二《唐纪十八》，高宗调露元年七月。
③ 《资治通鉴》卷二百二《唐纪十八》，高宗调露元年七月。

经常率领他们出去游猎，"阳为畋猎，校勒部伍"①，打猎为虚，训练为实。最后，他率军"倍道西进"②，快速行动，乘对手意想不到、措手不及之时，迅速擒获了阿史那都支，随后又以此迫降了李遮匐。裴行俭采取智取的方式，先用计擒获阿史那都支，又趁势迫降李遮匐，收到不战而胜的效果。裴行俭率军凯旋后，唐高宗慰劳道："卿权略有闻，诚节夙著，兵不血刃，而凶党歼灭。伐叛柔服，深副朕委。"③ 这一席话可作为对裴行俭此次行动的最好评价。

（二）以谋取胜、"制敌尚诈"的作战指导思想

中国古代兵学历来崇智尚谋，"贵谋而贱战"④，将谋略视为用兵之根本。孙子强调"上兵伐谋"，孔子主张"临事而惧，好谋而成"⑤，均赞同慎战重谋。后人发展了"不战而屈人之兵"的全胜思想，主张"太上用计谋，其次因人事，其下战克"⑥，认为"谋乃行师之本，非谋无以制胜于万全"⑦。在面对"亡国不可以复存，死者不可以复生"⑧ 的残酷战争时，古代兵家强调必须预先制定出战胜对手的计谋，做到"先计而后战"⑨，先谋而后动，确定有胜利的把握再行动，不做贸然之举，从而达成慎战与善战的统一。

裴行俭深谙兵家谋略思想，并将其娴熟地运用于战争实践。纵观其用兵，几乎都是贯彻"先计而后战"的指导原则，战前精心筹划，在全面料敌的基础上，针对敌方的致命弱点，制定出最切合实情的作战方案。唐高宗调露元年（679）十月，突厥阿史德温傅、奉职二部起兵反叛，拥立阿史那泥熟匐为可汗，单于都护府内二十四州的酋长群起响应。唐王朝派遣单于大都护府长史萧嗣业、右领军

① 《资治通鉴》卷二百二《唐纪十八》，高宗调露元年七月。

② 《资治通鉴》卷二百二《唐纪十八》，高宗调露元年七月。

③ 《旧唐书》卷八十四《裴行俭传》。

④ 《汉书》卷六十九《赵充国传》。

⑤ 杨伯峻译注：《论语译注·述而篇第七》，中华书局，2012年。

⑥ 黄怀信：《鹖冠子汇校集注》卷下《武灵王第十九》，中华书局，2004年。

⑦ 《投笔肤谈》卷上《本谋》。

⑧ 《十一家注孙子校理》卷下《火攻篇》。

⑨ 《汉书》卷三十《艺文志》。

卫将军花大智、右千牛卫将军李景嘉率军征讨，屡战屡胜，逐渐放松了警惕，结果在大雪之夜被突厥偷袭，大败而归。高宗任命裴行俭为定襄道行军大总管，率大军讨伐突厥。经过深入思考，他对部下谈了自己的见解："用兵之道，抚士贵诚，制敌贵诈。前日萧嗣业粮运为突厥所掠，士卒冻馁，故败。今突厥必复为此谋，宜有以诈之。"① 针对突厥在先前劫掠唐军粮运屡屡得手的情况，裴行俭决定将计就计，运用谋略制胜对手。他命令手下伪装了三百辆运粮车，每辆车内埋伏五名壮士，手持长刀、强弩，派出几百名老弱士兵押运粮车，同时派出精兵占据险要地段，埋伏起来，等待战机行动。不久，突厥兵果然依照惯例又来劫掠粮食，押粮的士兵丢下粮车一哄而散。突厥兵押着抢来的粮车来到有水草的地方，一边牧马，一边准备从粮车取粮。正当他们要卸粮的时候，先前埋伏好的壮士突然从车内跃出，迅猛向对方展开袭击。猝不及防的突厥兵惊恐逃窜，结果又被事先埋伏在险要处的精兵截击，几乎被唐军杀得全军覆没。此后，突厥兵再也不敢劫掠唐军的粮车了。在此次战斗中，裴行俭先是在粮车内和险要处埋下伏兵，而后佯顺敌意，故意照旧派出粮车以引诱对手出动，突厥兵果然上钩；对手抢粮车得手之后，进一步助长了得胜而骄的心理，消除了戒备之心，而后唐军抓住时机一举击灭对手。此次战斗之所以能够取胜，根本原因就在于裴行俭善于施计用谋，以诡道制敌；而他之所以能够成功运用诡道，主要应归结于其准确地把握住了彼己的不同心理，即突厥兵恃胜而骄的心理和唐军因败而怯敌的心理。根据这一心理状况，他设计了以谋制敌之策，通过一次小胜来提振士气，极大地增强了唐军打胜仗的信心。

　　裴行俭善用谋略还反映在他具有高超的用间技巧，通过反间计分化瓦解对手，达到各个击破的目的。开耀元年（681），突厥残部阿史那伏念自立为可汗，纠合阿史德温傅作乱。裴行俭受命率军征

───────────

① 《资治通鉴》卷二百二《唐纪十八》，高宗永隆元年三月。

讨，"纵反间说伏念与温傅，令相猜贰"①。他采用反间计，挑起伏念与温傅之间的矛盾，使其相互猜疑而日益疏远。与此同时，裴行俭趁阿史那伏念率兵外出之际，派遣部将袭击了伏念的后方基地金牙山，夺取了他的妻子和辎重；又派遣副总管刘敬同、程务挺等率领单于府兵紧追不舍。走投无路的伏念"请执温傅以自效"②，在犹豫不决之际，唐军追踪而至，迫使伏念不得不执温傅向裴行俭投降，讨伐东突厥乱军至此获得重大胜利。裴行俭通过用谋使间，成功地分化了对手阵营，随之施加强大的军事压力，促使其内讧，以最小的代价平定了乱军，践行了孙子所说的"兵不顿而利可全"的用兵指导思想。

（三）经略北疆的治边名将

自唐太宗经营西域始，西北边疆一直是朝廷重点关注的战略方向。为实施有效的统治，唐王朝在此地先后设置都护府、羁縻府州，不断强化行政管理。但由于边疆民族时服时叛，因此骚乱不断。朝廷为平定骚乱而不得不出兵征讨，遂使北疆战事频仍。与前朝相比，唐朝营造了更为开放的社会氛围，同时弥漫着浓烈的尚武风潮与积极进取的精神风貌。在这种特定的历史背景下，一大批富有才华者投笔从戎，在频繁的边疆战争中涌现出许多文武兼备的文人儒将，既有军事将领的威猛，更蕴含文人的儒雅，比其他类型的将领更能凸显唐朝礼仪之邦的特点，更能体现以儒将文化立国的唐朝对边疆民族的经略思想——怀柔远人，"使常为藩臣，永保边塞"③。这些文人儒将在边疆战争中建功立业，在治边实践中卓有建树，裴行俭乃是其中突出的代表人物。

高宗永徽六年（655），裴行俭因对高宗废皇后而改立武昭仪之事不满，并与太尉长孙无忌、尚书左仆射褚遂良私下议论此事，结果被人告发，为此被逐出京城，外放边疆，开启了经略北疆之旅。

①《旧唐书》卷八十四《裴行俭传》。
②《资治通鉴》卷二百二《唐纪十八》，高宗开耀元年七月。
③《资治通鉴》卷一百九十三《唐纪九》，太宗贞观四年四月。

他从出任西州都督府长史，到接下来担任安西大都护，经略北疆十余年。在经营治理西域期间，裴行俭充分体现了儒将治边的特点。他尊崇仁义礼治，在治边过程中讲究德治，同西域各部各族的酋长、首领保持密切的联系，与之友好交往，尤其注意处理好边疆民族关系，始终与西域各族人民和谐相处。这对封建王朝的边疆大臣来说殊为少见。他在担任安西大都护之时，"西域诸国多慕义归降"①。裴行俭在治边时以"安天下"为己任，具有强烈的责任担当，虽遭贬谪出镇边州，但始终以国家利益为重，处处从江山社稷的大局着想，故能潜心经营，赢得民心。西域多数国家"慕义归降"的史实，正是其经略北疆取得成功的真实反映。

（四）"治戎"有方，善于知人抚士

裴行俭善于治军，形成了独具特色的治军之道，主要体现在两个方面。其一是知人善任。他素有识人之誉，早在担任吏部侍郎之时，就已经"甚有能名"②，执掌典选官吏十余年，为朝廷选拔推举了大量人才。裴行俭善于观察人的才能之大小、长处与短处，"兼有人伦之鉴，自掌选及为大总管，凡遇贤俊，无不甄采"③。无论是在朝廷为官，还是在边疆领兵，他坚持选贤任能，发现了人才就悉心培养，大胆使用，先后任用的将领有程务挺、张虔勖、崔智辩、王方翼、党金毗、刘敬同、郭待封、李多祚、黑齿常之等，后来都成为唐朝名将，有几十人被任命为刺史、将军。裴行俭能够援引如此众多的优秀将领，足可印证其超常的识人能力。其二是善于抚士，以诚相待。裴行俭对待部下秉持宽严相济的原则，但相对而言更注重以宽待人，强调"抚士贵诚"④。他曾经让医生制药，里面有犀角、麝香，送药的人不小心将药丢失了，因为害怕被惩罚而潜逃了。皇帝赐给裴行俭一匹马和一副新马鞍，令史骑着这匹马快速奔驰，

————————

①　《旧唐书》卷八十四《裴行俭传》。

②　《旧唐书》卷八十四《裴行俭传》。

③　《旧唐书》卷八十四《裴行俭传》。

④　《资治通鉴》卷二百二《唐纪十八》，高宗永隆元年三月。

不小心摔倒了，马鞍摔破了，令史怕怪罪而逃窜了。裴行俭让随从把这两个人找回来，没有责怪他们，还像以前那样对待他们。有一次，众多将士在裴行俭家观看曾经缴获的稀世珍宝，军吏王休烈不慎跌倒，摔破了一个精美绝伦的玛瑙盘。王休烈惶恐不安，叩头流血。裴行俭对他打破玛瑙盘并不在意，笑道"尔非故也，何至于是"①。他和部下始终保持融洽的关系，颇受将士拥戴和信服，也从侧面反映了裴行俭的治军之才。

（五）将德与将才兼备的儒将楷模

中国古代兵家广泛地探讨了优秀将帅所应具备的条件，提出了相应标准，但大体不出将德与将才两个方面。当然，将德、将才并非区分得很清楚，只是一种大致的说法而已。孙武提出"五德"，即"将者，智、信、仁、勇、严也"②；《黄石公三略》提出将帅应具备的十二项能力，即"能清，能静，能平，能整，能受谏，能听讼，能纳人，能采言，能知国俗，能图山川，能表险难，能制军权"③；杜牧提出将帅要具备"仁义忠信，智勇严明"④，前四者是将德，后四者为将才；戚继光认为将帅必须做到品、学、才、识四者兼备，强调品德为立身之本。由此可见，历代兵家均关注为将之道，重视培养将德和将才，其中将德集中表现为忠、义、仁、勇、信、宽、谨、廉等，将才主要反映在智、明、严、识、理、备、果、戒、约等方面。这充分说明一名优秀的将帅必须具备较高的综合素质，必须是"总文武""兼刚柔"⑤、德才兼备、能文能武的全才。上述条件尽管很严苛，但也有一些优秀的人才符合这些要求，称得上是经得起历史检验的杰出将帅，裴行俭就是初唐涌现出来的将德与将才兼备的儒将楷模。

---

① 《旧唐书》卷八十四《裴行俭传》。
② 《十一家注孙子校理》卷上《计篇》。
③ 《黄石公三略·上略》。
④ 《樊川文集》卷十《注孙子序》。
⑤ 《吴子》卷下《论将》。

　　裴行俭一生忠心耿耿，为大唐帝国的安危殚精竭虑，体现了一代良将的高尚品德。他在长期军事、政治生涯中取得了多方面的成就，战功显赫，政绩突出，始终能够站在国家利益的高度思考问题，无论是私议废后立昭仪之事，还是典选官吏，均着眼江山社稷的大局考虑，秉公处事；在执拿阿史那伏念、阿史德温傅回朝以后，他极力反对将二人斩杀，担心杀降以后就没有人再来投降，同样也是出于国家长远利益的深邃思考。为了安定北疆，裴行俭在花甲之年毅然请命出征，率领大军千里跋涉，历尽艰辛，最终平定叛乱，充分体现了其一心为公、鞠躬尽瘁、死而后已的精神。他有着开阔的胸襟、功成不居的品德，从不居功自傲。当他平定东突厥叛乱返朝后，侍中裴炎妒忌其战功，向皇帝进言，称阿史那伏念是因为被程务挺、张虔勖等人追逼而无奈投降的。高宗信以为真，裴行俭的战功也因此没有被记录和奖赏。但是，裴行俭不以为意，"浑、濬前事，古今耻之"①，指出从前晋朝灭吴之后，王浑、王濬两位大将在皇帝面前争功，一直以来被世人认为是一件很羞耻的事情，表明自己绝不争功的心迹。

　　裴行俭拥有多方面的军事才能，除了擅长用兵之外，"尤晓阴阳、算术"②。在平定阿史德温傅叛乱的过程中，他率军来到单于府北面。这时天色已晚，军队扎下营盘，刚刚挖好壕沟。裴行俭认真观测了天气，立即下令将军营转移到地势高的山冈。将士们认为已经安置好营盘，不愿再移营，但是裴行俭坚持己见，再次下令催促部下迅速移营。当天夜里，暴风雨大作，原先扎营的地方已经积了一丈多深的雨水，将士们看后无不叹服。准确预测天气变化就是裴行俭精通阴阳之术的一个具体反映。此外，他还撰写了兵书《选谱》，包含"安置军营、行阵部统、克料胜负、甄别器能"③ 等内容，可惜该书已经亡佚。他自幼熟读儒家典籍，擅长书法，工于草

---

① 《旧唐书》卷八十四《裴行俭传》。
② 《旧唐书》卷八十四《裴行俭传》。
③ 《旧唐书》卷八十四《裴行俭传》。

书，具有较高的文化素养。观其一生，早年从政，中年治边，晚年领兵平乱，被誉为"儒将之雄"① 实不为过。总体而言，裴行俭兼有将德与将才，称得上是一位"文武兼资"② 的唐代名将。

第六节　郭子仪、李光弼的军事思想

郭子仪、李光弼是唐代中期的著名军事家，史称"李郭"。他们在平定安史之乱的过程中，力挽狂澜，扶大厦于将倾，被誉为"中兴名将"。郭子仪善于从战略高度运筹帷幄，注重料敌、伐谋，能够因敌据情定策，治军宽严相济，得到了将士的衷心拥戴，在朝野均享有很高的威望。李光弼善于庙算先胜，注重掌握战略主动权；在作战中勇于创新战法，常出奇计克敌制胜；治军严明，能够率先垂范；重视训练，大胆用将，在平叛战争中取得了非凡的战功。

一、郭子仪的军事思想

郭子仪（697—781），华州郑县（今陕西渭南市华州区）人，历事玄宗、肃宗、代宗、德宗四帝，官至兵部尚书、太尉兼中书令，长期担任唐军副元帅，功勋卓著，威望崇高，被誉为"再造王室，勋高一代"的功臣。其进退直接影响国家社稷，"天下以其身为安危者殆二十年"③，为维护和巩固唐王朝的统一安定局面做出了杰出贡献。

（一）高瞻远瞩，着眼大局的战略远见

郭子仪戎马一生，建立不世武功，但并非一个单纯的战将，而是才兼文武，尤具高人一等的战略眼光，善于从全局思考问题，注

---

① 《旧唐书》卷八十四《裴行俭传》。
② 《旧唐书》卷八十四《裴行俭传》。
③ 《旧唐书》卷一百二十《郭子仪传》。

重以大局利益决定自身的军事行动。因而，郭子仪的诸多建议及军事主张均能切中要害，对扭转战局发挥了积极作用，只是部分建言未被朝廷采纳，影响了其实际效用。

安禄山发动叛乱后，郭子仪率军东征，倾全力收复河北。他与李光弼、仆固怀恩等将领勠力同心，在嘉山（今河北曲阳东）大败史思明军，"斩馘四万级，生擒五千人，获马五千匹"①，使得河北十余郡闻风而动，群起响应，斩杀贼将以迎接官军。在河北形势大为改善的状况下，郭子仪准备"北图范阳，军声大振"②。嘉山之胜是自平叛以来，唐朝军队取得的最大一次胜利，遏制了安军的攻势，并且隔断了安军前线与后方根据地的联系，从根本上扭转了唐王朝的危急局面。在这种有利的形势下，郭子仪谋划打击安军老巢范阳（今河北涿州市），无疑是极具战略意义的决策。范阳是安禄山起兵之地，也是其经营多年的后方基地，粮秣辎重及其家属子女都在这里。范阳的得失对于安军具有重大意义。如果郭子仪能够北上攻取范阳，那么势必极大地动摇对手的军心，沉重打击其士气，也可从根本上断绝安禄山、史思明军的物资供给，彻底改变双方的战场态势。可惜的是，由于潼关失守、长安陷落，刚就帝位的唐肃宗下诏命令郭子仪立即班师勤王，郭子仪不得不放弃这一战略计划。

天宝十五载（756）六月，安军在夺占洛阳后继续西进，直逼潼关。唐玄宗急于荡平叛乱，错误地判断了形势，以为安军不足为虑，一再催促潼关守将哥舒翰出关攻打安军，收复陕州（治今河南三门峡市陕州区）、洛阳。哥舒翰认为对手仍然拥有强大的实力，不可贸然进攻，而应据险坚守，等待机会再实施反攻。这一主张是较为稳妥的应对之策。郭子仪、李光弼上言支持哥舒翰，同时再次提出了着眼战略大局的建议："请引兵北取范阳，覆其巢穴，质贼党妻子以招之，贼必内溃。潼关大军，唯应固守以弊之，不可轻出。"③ 相比

---

① 《旧唐书》卷一百二十《郭子仪传》。
② 《旧唐书》卷一百二十《郭子仪传》。
③ 《资治通鉴》卷二百一十八《唐纪三十四》，肃宗至德元载六月。

上次"北图范阳"的战略谋划，这次的战略建议更具可操作性，主要是安军虽然仍保持强大的实力，但后方不稳，河北诸郡蜂拥起兵响应平叛。安军在前方受阻于潼关，归路又被切断，处于进退两难的境地。在形势开始向着有利于唐王朝的方向发展之时，如能双管齐下，一方面在潼关持久敝敌，一方面派军突袭，直捣范阳巢穴，则必定可以扭转战局。孙子主张"夺其所爱"①，着力打击对全局有重大作用的关键部位，而范阳恰恰就是孙子所说的对手之"爱"。何守法提出"执其所爱则计失"②，通过打击其要害以挫败对手的计谋，使其原先的计谋落空。由此可见，郭子仪"北取范阳"的建议乃是战胜对手的釜底抽薪之策，具有很大的胜算。奈何唐玄宗昧于时势，听信了杨国忠的谗言，误以为安军兵少力弱，没有准备，认为哥舒翰逗留不进将丧失战机。于是，他派遣中使再三催促，哥舒翰被逼无奈，只好率军反攻安军，最终导致唐军丧师失地。战争形势顿时逆转，原本处于被动的安军由此掌握了主动权，夺占了潼关，并乘胜直取长安，唐王朝陷于覆亡的边缘。

广德元年（763）十月，吐蕃大举入侵边郡，在攻占河西、陇右后直指关中，京师震动。郭子仪临危受命，被诏任为关内副元帅，出镇咸阳抵御吐蕃进攻。但由于仓促奉命，且脱离军队已有一段时间，郭子仪手下无兵，只好一路招募。吐蕃攻势迅猛，日益逼近长安，代宗仓皇逃奔陕州，长安落入吐蕃之手。这时，郭子仪收集散兵4000人，激励部下捍卫国土、驱逐吐蕃，提振了军队的士气。代宗担心吐蕃出潼关威胁自身安全，准备调遣郭子仪去陕州护驾。郭子仪权衡之下，做了回复："臣不收京城无以见陛下，若出兵蓝田，虏必不敢东向。"③ 两相比较，高下立判。代宗的主张显然属于消极防御，是一种被动式的防守；而郭子仪采取了积极防御，主动作为，在战略要地蓝田提前部署兵力，有效地钳制了吐蕃，使其有所顾忌

---

① 《十一家注孙子校理》卷下《九地篇》。

② 《投笔肤谈》卷上《持衡》。

③ 《资治通鉴》卷二百二十三《唐纪三十九》，代宗广德元年十月。

而不敢向东进兵。这是郭子仪着眼大局的正确措置，为之后顺利收复长安奠定了基础。

（二）长于料敌察情、持重用兵的战争指导艺术

郭子仪从军六十余年，尤其在平定安史之乱的过程中，以天下兵马副元帅的身份运筹帷幄，在东征河北、收复两京以及战略反攻中发挥了重要作用，之后又在平定仆固怀恩的叛乱中力挽狂澜，成功击退吐蕃，再次收复长安。深入考察郭子仪的军事指挥行动，可以总结出其独特的战争指导艺术。

一是注重分析敌情，善于把握对手心理特点，"料敌若神"。孙子曰："料敌制胜，计险厄、远近，上将之道也。"① 正确地分析、判断敌情是打胜仗的重要前提。郭子仪在每次作战之前，几乎都要做一番"料敌"的工作。当安军攻占洛阳、直逼潼关之时，郭子仪对当时的形势做了深入分析，指出哥舒翰"病且耄，贼素知之，诸军乌合不足战。今贼悉锐兵南破宛、洛，而以余众守幽州，吾直捣之，覆其巢窟，质叛族以招逆徒，禄山之首可致。若师出潼关，变生京师，天下怠矣"②，主张哥舒翰应坚守潼关，切勿轻易出击。但是，唐玄宗急于收复洛阳，听信谗言，接连催促哥舒翰出兵，结果一败涂地。

在收复河北诸郡的作战中，郭子仪率军屡战屡胜，安禄山非常恼怒，派出精兵强将增援史思明，准备反扑唐军。郭子仪看到这一态势，分析道："彼恃加兵，必易我；易我，心不固，战则克矣。"③ 郭子仪认为安军求胜心切，又增加了军队人马，有轻视唐军的心理，可以乘隙取胜，于是下令迎战，唐军果然获胜。在仆固怀恩发动叛乱、引兵内侵的时候，唐代宗惊慌失措，急忙召见郭子仪，询问应对之策。郭子仪认为仆固怀恩不可能有所作为，并为此做了一番鞭辟入里的分析："怀恩虽称骁勇，素失士心，今所以能为乱者，引思

---

① 《十一家注孙子校理》卷下《地形篇》。
② 《新唐书》卷一百三十五《哥舒翰传》。
③ 《新唐书》卷一百三十七《郭子仪传》。

归之人耳。怀恩本臣偏将，其下皆臣之部曲，臣恩信尝及之，今臣为大将，必不忍以锋刃相向，以此知其无能为也。"① 郭子仪深刻地分析了仆固怀恩的致命弱点，即"素失士心"，指出其作乱只是利用了想回乡的士兵而已，而这些士兵正是自己昔日的部下。郭子仪准确地把握了他们的心理，认为这些旧部下对自己仍然怀有感恩之心，必定不忍心与自己兵戎相向。在平叛过程中，当仆固怀恩领着吐蕃、回纥兵马进至奉天，向唐军发起挑战时，郭子仪否定了部将出战的请求，指出："夫客兵深入，利在速战，不可争锋。彼皆吾之部曲，缓之自当携贰；若迫之，是速其战，战则胜负未可知。"② 郭子仪深入分析了对手的作战心理，把握了"客兵"和"吾之部曲"的作战心理，针对这两种作战心理，制定出"坚壁待之"的作战策略，"缓之"而不急于速战，以此获取战机的转换，最终迫使敌人不战而退，许多被胁迫的将士又重新归顺唐朝。唐德宗在《郭子仪太师陪葬建陵制》中称郭子仪"料敌若神"③，实不为过。

二是以计代战，谋略制敌。中国兵学谋略思想由来已久。孙子提出"上兵伐谋，其次伐交"，主张"不战而屈人之兵，善之善者也"④。在楚汉之战中，百战百胜的项羽输给刘邦，正是由于刘邦奉行了"吾宁斗智，不能斗力"⑤ 的指导思想。郭子仪传承了谋略制敌的兵学思想，注重伐谋伐交、威慑攻心，收效显著。代宗广德元年（763）十月，吐蕃大举进犯，唐军望风而逃，长安很快落于吐蕃之手。郭子仪临危受命，冷静分析了双方形势，认为敌强己弱，兵力对比悬殊，决定智取长安。他派遣一支人马到韩公堆（今陕西蓝田北）摆下阵势，"击鼓谨山，张旗帜，夜丛万炬，以疑贼"⑥，借此虚张声势，促使吐蕃产生疑惑、恐惧心理；同时派遣射生将王甫

① 《旧唐书》卷一百二十《郭子仪传》。
② 《旧唐书》卷一百二十《郭子仪传》。
③ 《旧唐书》卷一百二十《郭子仪传》。
④ 《十一家注孙子校理》卷上《谋攻篇》。
⑤ 《史记》卷七《项羽本纪》。
⑥ 《新唐书》卷一百三十七《郭子仪传》。

潜入长安城内，联络数百名少年豪侠，夜里在朱雀街击鼓，大声呼喊"王师至"①。城里的百姓也趁机纷纷传言"郭令公自商州将大军不知其数至矣"②，进一步增加了吐蕃的恐惧心理。吐蕃不知唐军虚实，惊恐不安，连夜撤离长安。郭子仪通过城外摆下疑兵阵、城内击鼓惊扰的方式，充分利用吐蕃畏服自己声威的心理，使得其在惶恐不安中主动撤离。

代宗永泰元年（765），仆固怀恩再次勾结吐蕃、回纥内侵，接连攻陷凤翔、奉天等地，威逼长安。代宗诏令郭子仪率军抵御。郭子仪在泾阳（今陕西泾阳）组织唐军实施防御。这时，仆固怀恩暴病身亡，吐蕃和回纥之间产生了矛盾。郭子仪认为有隙可乘，决定采取伐交的策略，说服回纥倒戈以共击吐蕃。他先派牙将李光瓒前往回纥大营游说，但回纥不相信郭子仪还在世，提出要与他见面。郭子仪不顾个人安危，拒绝了诸将领的劝阻，认为"今战，则父子俱死而国家危；往以至诚与之言，或幸而见从，则四海之福也！不然，则身没而家全"③，决定亲自奔赴回纥大营。为了表示诚意，郭子仪卸掉盔甲，放下长枪，回纥将帅看见果真是郭子仪来了，都下马施礼。为了分化回纥和吐蕃，郭子仪先是义正词严地对回纥的行为予以有力的斥责：

> 汝回纥有大功于唐，唐之报汝亦不薄，奈何负约，深入吾地，侵逼畿县，弃前功，结怨仇，背恩德而助叛臣，何其愚也！且怀恩叛君弃母，于汝国何有！今吾挺身而来，听汝执我杀之，我之将士必致死与汝战矣。④

这一番话说理透彻，极具杀伤力，顿时将回纥置于极其被动的

---

① 《新唐书》卷一百三十七《郭子仪传》。
② 《资治通鉴》卷二百二十三《唐纪三十九》，代宗广德元年十月。
③ 《资治通鉴》卷二百二十三《唐纪三十九》，代宗永泰元年十月。
④ 《资治通鉴》卷二百二十三《唐纪三十九》，代宗永泰元年十月。

地位。回纥首领药葛罗辩解说是仆固怀恩欺骗了他，郭子仪趁机予以拉拢："吐蕃无道，乘我国有乱，不顾舅甥之亲，吞噬我边鄙，焚荡我畿甸，其所掠之财不可胜载，马牛杂畜，长数百里，弥漫在野，此天以赐汝也。全师而继好，破敌以取富，为汝计，孰便于此！不可失也。"① 由此成功地争取了对方，二人酾酒发誓，重结旧盟，约定共同打击吐蕃。吐蕃听到唐军与回纥结好，连夜撤军。郭子仪准确把握了回纥与吐蕃互不统属、争权夺利的内在矛盾，晓之以理，动之以情，成功说服回纥与唐朝重归于好，拆散了其与吐蕃的联合，达成了"伐交"的目标，不战而退吐蕃，并趁吐蕃退军之际，与回纥兵一起实施追击行动，大获全胜。

（三）灵活多变的作战指导思想

郭子仪在指导作战时，善于根据对手的不同特点，采取符合实情的战术手段，实现有效打击敌人的目的。他尤其善于对敌情做深入的分析，鞭辟入里，总能得出令人信服的精辟观点，故能在作战指导上高人一筹。

一是"贼来则守，贼去则追"的疲敌袭扰战。安史之乱爆发后，安禄山派军南下，河北成为唐军与安军交战的主战场。常山郡（治今河北正定）先被安军占领，后被郭子仪率军收复，唐军为之一振。常山郡北通范阳，南抵洛阳，控南北交通之要道，具有重要的战略地位。为夺回常山郡，安禄山命令史思明率军追击唐军，同时派出两支军队分头行动，一路从范阳南下，一路由南向北增援，试图南北夹击唐军。

孙子曰："善用兵者，避其锐气，击其惰归，此治气者也。"② 孙子强调要避开敌人的锐气，等到对方松懈疲惫、士气沮丧之时予以攻击。郭子仪冷静地分析了彼此情形，认为安军初起，有着较旺盛的气势，急于寻求与唐军展开决战，因而决定主动避开敌人的锐气，尽量疲敝对手，而后伺机破敌。郭子仪率军到达恒阳（今河北

---

① 《资治通鉴》卷二百二十三《唐纪三十九》，代宗永泰元年十月。
② 《十一家注孙子校理》卷中《军争篇》。

曲阳）后，采取"坚壁自固，贼来则守，贼去则追，昼扬其兵，夕袭其幕"①的战法，在坚守营垒挫敌锐气的同时，不断袭扰对手，搅得安军不得安宁，疲惫不堪。等到其气势消耗殆尽的时候，郭子仪、李光弼率军果断出击，大获全胜。此战获胜的根本原因，在于郭子仪成功运用了孙子的"治气"用兵法则，避敌锐气并挫敌锐气，同时不断提升己方的士气，养精蓄锐。在这里，"坚壁自固"以及游击袭扰均是消靡对手锐气的有效手段。当双方的士气呈现"彼竭我盈"的状况时，郭子仪率军一鼓作气击败了对手，赢得了作战的胜利。

二是善用伏兵，设伏夹击破敌。郭子仪在平叛过程中，屡次妙用伏击战法获胜。早在安史之乱初期，郭子仪率军进兵河东，设伏兵坑杀安军薛忠义部七千精骑，首次取得伏击战的胜利。在卫州（今河南卫辉）之战中，郭子仪将伏击战的战法运用得炉火纯青。乾元元年（758）十月，郭子仪率军击败安军，安太清领兵退守卫州。安庆绪听说安太清战败，统领大军救援卫州。郭子仪获知对手大军压境，知道不能硬拼。他预先挑选出三千弓弩手埋伏在垒墙内，告诫道："俟吾小却，贼必争进，则登城鼓噪，弓弩齐发以迫之。"②等安军赶到后，郭子仪率军迎战，随后佯装败退，以引诱安军。安军不知是计，争相乘胜追击，一直追到唐军营垒门前，这时只听到鼓声和呐喊声突然响起，唐军伏兵俱起，箭如雨下。安军惊骇万分，掉头便跑，郭子仪趁势掩杀，大败安军，前后斩杀安军 3 万余人，俘获千人。

郭子仪善于灵活使用伏兵，除了设伏射杀对手外，还成功地使用伏兵夹击破敌，先后取得了香积寺（在今陕西西安市长安区香积村）之战、陕州之战的胜利。至德二载（757）九月，郭子仪率军进攻长安，列阵于香积寺北、沣水以东地区，安军出动大军相对抗。郭子仪自领中军，李嗣业为前军，王思礼率后军，随后唐军与安军

---

① 《旧唐书》卷一百二十《郭子仪传》。
② 《旧唐书》卷一百二十《郭子仪传》。

展开激战。这时，安军预先埋伏好的精锐骑兵企图袭击唐军侧后，郭子仪派人侦察得知情报后，派遣仆固怀恩率回纥四千骑兵歼灭了安军的伏兵。回纥兵又迂回到安军阵后，与唐军主力夹击安军。经过一番鏖战，唐军斩杀对手 6 万多人，俘虏 2 万余人，顺利收复长安。郭子仪乘胜进军，准备收复洛阳，与安军在陕州新店（今河南三门峡市陕州区西）遭遇。双方在此排兵布阵。安军倚山扎营，占据了有利地形，对唐军构成了居高临下的态势。唐军违背了孙子所说的"高陵勿向"① 的用兵原则，郭子仪部初战失败。但是，凑巧的是，这时正在南山搜伏的回纥兵果断参战，从背后袭击安军，导致安军大乱。郭子仪看到安军阵形已乱，抓住时机，率军乘势猛冲，与回纥兵前后夹击，大败安军，乘胜收复陕郡。

郭子仪先后两次采用夹击战术获得胜利。考察这两次作战可以发现，郭子仪通常是采取"以正合，以奇胜"② 的兵法，也就是"正者当敌，奇兵从傍击不备也"③。尽管在陕州之战中，回纥兵从侧后突袭安军的军事行动，并非郭子仪的预先部署，但是郭子仪能够不失时机地发起反击，与回纥兵合力夹攻安军，从而逆转了战局。由此可见，无论是有意为之，还是巧合，郭子仪获胜的关键在于适时把握战机，正兵与奇兵前后夹攻对手。需要注意的是，担负奇兵"或捣其旁，或击其后以胜之"④ 的作战任务的回纥兵，是一支具有强大冲击力的骑兵。唐军在平定安史之乱过程中，回纥兵屡屡在关键时刻担任了突击力量，发挥了举足轻重的作用。唐廷借用回纥兵平叛，实有其特定历史背景。唐自立朝起，便格外重视骑兵建设，李世民尤其注重在作战过程中发挥骑兵的突击作用。他亲选精锐骑兵，由手下骁将秦叔宝、程知节、尉迟敬德统率，常常作为前锋担负攻坚任务，或作为一支机动力量在关键时刻投入使用，有时还作

① 《十一家注孙子校理》卷中《军争篇》。
② 《十一家注孙子校理》卷中《势篇》。
③ 《十一家注孙子校理》卷中《势篇》曹操注。
④ 《十一家注孙子校理》卷中《势篇》张预注。

为一支奇兵迂回侧击对手。初唐时期，轻骑兵得到了快速发展。之后，朝廷逐步完善马政制度，骑兵建设步入良性发展轨道。唐玄宗即位后，奉行开疆拓土的国防政策，不断扩大节度使的权力，逐步形成"外重内轻"的军事布局，边防兵力增强而关中兵力日益削减。安史之乱爆发后，兼任范阳、平卢、河东节度使的安禄山，所拥有的兵力超过 18 万，约占唐朝边防兵总数的 2/5，而郭子仪、李光弼统率的兵马却相形见绌。为了早日平叛，唐廷向回纥借兵。在香积寺之战、陕州之战中，回纥骑兵均充当了奇兵的角色，从阵后袭击，与唐军主力夹击安军，为最终取胜发挥了至关重要的作用。

三是因敌制宜的攻守城战法。郭子仪身经百战，擅长野战，也成功地指挥过攻城战和守城战。他在组织实施攻守城作战中，善于据情定策，根据作战对象的不同特点，制定相应的攻守城战法。孙子曰："水因地而制流，兵因敌而制胜。"[1] 郭子仪在实战中很好地践行了孙子的这条用兵原则。

自古以来，攻城战远比守城战更为不易，需要耗费更大的兵力和物资。孙子有感而发："上兵伐谋，其次伐交，其次伐兵，其下攻城。攻城之法，为不得已。"[2] 当然，如果巧妙实施谋略攻城，则情形就大为不同。唐肃宗至德二载（757）二月，兵部尚书、朔方节度使郭子仪在攻打河东（今山西永济西）时，采取了里应外合之计，"河东司户韩旻等翻河东城迎官军，杀贼近千人"[3]，击败安军崔乾祐部。这种攻城法收到了事半功倍的效果。至于守城战，虽然可凭借守城器具作持久防御，但是守城的关键仍然在于守城将领对作战态势的深入分析及其所制定的作战指导思想。根据郭子仪所指导的守城战的战例，他在守城时通常强调"坚壁挫锐"，后发制人。恒阳之战时，郭子仪命令军队"坚壁自固"[4]，而后反击获胜。代宗广德

---

① 《十一家注孙子校理》卷中《虚实篇》。
② 《十一家注孙子校理》卷上《谋攻篇》。
③ 《资治通鉴》卷二百一十九《唐纪三十五》，肃宗至德二载二月。
④ 《旧唐书》卷一百二十《郭子仪传》。

二年（764）十月，仆固怀恩引领吐蕃、回纥等数十万人马南下，进逼奉天（今陕西乾县）。唐军将领请求出战迎敌，郭子仪认为对手乘势而来，不可以和他们硬拼，于是决定"坚壁待之"①。对手看见唐军森严壁垒，不战而退。这两次守城战的战法如出一辙。郭子仪在面对强敌攻城时，故意隐藏兵力，实施坚固防守，不与其争锋，等到敌人的锐气消磨殆尽时，再趁机发起反击。就此而言，郭子仪深得《孙子兵法》的"治气"思想之精髓，并在战争实践中成功予以运用。

（四）宽厚得人、信赏明罚的治军思想

郭子仪治军注重简约宽缓，"训师如子"②，犹如吴子所谓的"父子兵"，将士之间建立了深厚的情感，以至郭子仪离开军队时，士卒哭泣，"如子弟之思父兄"一般思念主帅；当郭子仪回到军队，士卒"咸鼓舞涕泣，喜其来而悲其晚也"③。郭子仪之所以能够深得将士拥戴，根本在于宽厚得人。

郭子仪"始与李光弼齐名，虽威略不逮，而宽厚得人过之"④，最显著的例子莫过于宽厚对待部将仆固怀恩。仆固怀恩作战勇猛，善于打硬仗，在平叛战争中立下了汗马功劳。但是，他不善于控制自己的情绪，"刚决犯上""意有不合，虽主将必诟怒之"⑤。如何使用这样一名个性鲜明的骁勇战将是对军事指挥员统御才能的考验。郭子仪"以宽厚容众，素重怀恩，其麾下皆朔方蕃汉劲卒，恃功怙将，多为不法，子仪每事优容之，行师用兵，倚以辑事"⑥。在平定叛乱的非常时期，郭子仪在用人方面使用了非常之法，极力容忍仆固怀恩在意见不合时对自己的不敬，最大限度地发挥其军事才能。正因为郭子仪信任、看重仆固怀恩并放手让其统兵作战，使得其在

---

① 《旧唐书》卷一百二十《郭子仪传》。

② 《旧唐书》卷一百二十《郭子仪传》。

③ 《资治通鉴》卷二百二十三《唐纪三十九》，代宗广德二年二月。

④ 《旧唐书》卷一百二十《郭子仪传》。

⑤ 《旧唐书》卷一百二十一《仆固怀恩传》。

⑥ 《旧唐书》卷一百二十一《仆固怀恩传》。

平叛战争后期屡立大功，成为平叛战争胜利的关键人物。

郭子仪宽厚对待将士，"每降城下邑，所至之处，必得士心"①，而将士也甘愿为其效力，即使是后来飞黄腾达、地位显贵了也是如此。史载："麾下老将若李怀光辈数十人，皆王侯重贵，子仪颐指进退，如仆隶焉。"② 郭子仪以宽厚仁爱之道治军，深得将士拥护，上下关系和谐，极大地凝聚了军心，提升了军队的战斗力。当然，郭子仪虽讲究宽厚，但也不是无原则的一味纵容，如果有人行为不轨，超越了底线，则断然予以严惩。代宗宝应元年（762），河中军发生兵变，突将王元振作乱，杀害朔方等诸道行营都统李国贞。唐廷诏令郭子仪出镇绛州（治今山西新绛）。郭子仪拘捕了王元振，斥责道："汝临贼境，辄害主将，若贼乘其衅，无绛州矣。吾为宰相，岂受一卒之私邪！"③ 果断将其诛杀。吐蕃占领长安后，射生将王甫率众人在夜里击鼓大呼，吐蕃兵惊慌逃离长安。王甫自任京兆尹，聚众二千余人扰乱京师。郭子仪进城后，将其斩首示众，稳定了长安城内的秩序。河中戍军将领贪污、士卒残暴，成为驻地的祸患。郭子仪到河中后，将首恶14人斩首，迅速安定了当地秩序。可见，郭子仪并非一味宽容迁就部下，在必要时坚决从严治军，用重刑惩治不法之徒，收到了震慑性的效果。因此，"御下恕，赏罚必信"称得上是郭子仪治军的鲜明特点。

郭子仪在选将用人方面也颇有可取之处，其中不计前嫌举荐李光弼堪为典范。安史之乱爆发后，唐廷任命郭子仪充任朔方节度使，率军东讨。这时，李光弼心有疑惧，因为他原先与郭子仪同为前朔方节度使安思顺部将，彼此互不服气，双方关系不和睦。在国家、军队急需用人之际，郭子仪摒弃个人恩怨，向朝廷举荐李光弼，于是唐廷"以光弼为河东节度使，分朔方兵万人与之"④。后来，李光

---

① 《旧唐书》卷一百二十《郭子仪传》。
② 《旧唐书》卷一百二十《郭子仪传》。
③ 《资治通鉴》卷二百二十二《唐纪三十八》，肃宗宝应元年四月。
④ 《资治通鉴》卷二百一十七《唐纪三十三》，肃宗至德元载正月。

弼率军东征西讨，功勋卓著，"而战功推为中兴第一"。这里自然不能不提郭子仪的举荐之功。对于那些有卓越军事才能者，郭子仪敢于大胆使用，有时为了能更好地发挥部将的作用，不惜让出自己的职位。代宗宝应元年（762），郭子仪的部将仆固怀恩在平定河朔过程中立下大功，郭子仪主动提出"请以副元帅让之"①。唐廷予以采纳，任命仆固怀恩为河北副元帅，加左仆射兼中书令，单于、镇北大都护，朔方节度使，全面负责河北方面的军事行动。仆固怀恩之所以能够在平叛战争中大显身手，与郭子仪善于选将用人是密不可分的。郭子仪能够着眼大局用人，不计较个人恩怨，也不计较部将小节，敢于放手使用，从而能够充分发挥麾下的作用，取得了较好的效果。

（五）忠心爱国、不矜功伐的武德

中国兵家历来强调一名优秀将帅应该具有较高的素质，从军事、政治、修养、心理等不同角度提出了将帅应具备的条件。《孙子》提出将帅须具备"五德"，又提出"将有五危"②；《吴子》认为将帅必须具备"理""备""果""戒""约"，做到"威、德、仁、勇"，③ 后人称之为"五慎""四德"论。后世兵家在孙、吴之论的基础上不断充实和发展，形成了较为系统的为将之道的理论体系，而武德思想是其中的重要内容。

郭子仪在军事实践中体现了忠心爱国、不争功不透过、律己严而待人宽等诸多传统武德，彰显了一代大将风度。有学者将郭子仪建功立业的生存智慧总结为隐忍大度、敏锐机警、公而忘私、贵则自抑、善掩锋芒、胸怀坦荡六个方面，④ 主要还是着眼于其武德因素。正由于拥有突出的武德人格，郭子仪才超越了其他战功显赫的

---

① 《资治通鉴》卷二百二十二《唐纪三十八》，肃宗宝应元年十一月。

② 《十一家注孙子校理》卷中《九变篇》。

③ 《吴子》卷下《论将》。

④ 参见朱亚非、张贵芳：《试论郭子仪建功立业的生存智慧》，《湖湘论坛》2015 年第 6 期。

将领，成为唐代"权倾天下而朝不忌，功盖一代而主不疑，侈穷人欲而君子不之罪"① 的特别人物。

一是忠心耿耿，以江山社稷为重。郭子仪无论身处何种境地，始终忠心耿耿，毫无怨言。他前后屡遭幸臣程元振、鱼朝恩的诬陷，尽管当时手握强兵，有时正与敌人交战，但只要"诏命征之，未尝不即日应召，故谗谤不能行"②。郭子仪功高震主，不仅遭到权臣的妒忌，也曾受到最高统治者的猜忌，一再被罢免。但是，每当形势危急，朝廷需要他挺身而出的时候，郭子仪总是义无反顾地站出来，临危受命，两次收复长安，尤其是不顾个人安危，单骑见回纥首领，以诚意打动对方，成功地争取了回纥共击吐蕃，力挽狂澜，集中体现了其忠心爱国的武德人格。

郭子仪时刻心系江山社稷，从无非分之想，即使在吐蕃入侵、皇帝出逃之时也是如此。当时射生将王献忠煽动道："今主上东迁，社稷无主，令公身为元帅，废立在一言耳。"③ 结果遭到郭子仪的痛斥。他将忠诚于朝廷视为第一信条，不仅不背叛朝廷，而且所思所想皆从大局着眼，从巩固江山社稷的长远目标考虑，深思熟虑，尽显自己的赤胆忠心。吐蕃入侵长安，代宗东奔，朝廷官僚都将此归罪于程元振。心生恐惧的程元振劝说代宗迁都洛阳。郭子仪听说之后，连忙上了一封奏章，从古至今纵横议论，深入地剖析了定都长安与迁都洛阳的利弊得失，从长治久安的战略高度条分缕析，最终得出了较有说服力的结论，即以长安为都，重建国家。代宗看完奏章，垂泣谓左右曰："子仪用心，真社稷臣也。可亟还京师。"④ 郭子仪的良苦用心打动了皇帝，以至代宗再次见到郭子仪后，不由得喟叹道："朕用卿不早，故及于此。"⑤ 并赐铁券，图形凌烟阁，给

---

① 《旧唐书》卷一百二十《郭子仪传》。
② 《旧唐书》卷一百二十《郭子仪传》。
③ 《资治通鉴》卷二百二十三《唐纪三十九》，代宗广德元年十月。
④ 《旧唐书》卷一百二十《郭子仪传》。
⑤ 《旧唐书》卷一百二十《郭子仪传》。

予郭子仪异乎寻常的待遇。大历八年（773），回纥准备出卖一万匹马给唐朝，因经费不足，朝廷准备只购买一千匹。郭子仪"以回纥前后立功，不宜阻意，请自纳一年俸物，充回纥马价"[1]，虽然没有得到朝廷的准许，但却受到朝野上下的一致称赞。此举也突出反映了郭子仪能够从国家利益考虑问题，不愿破坏与盟友回纥的关系，体现了其深远的战略眼光与深沉的爱国情怀。

二是严于律己，胸襟开阔。郭子仪为人处世光明磊落，胸怀坦荡，从不徇私舞弊，尤其在执行军法方面更注重率先垂范，严于律己，也严格要求亲属遵纪守法。当时有一条法律规定，代宗丧葬期间严禁杀生。但是，郭子仪的一名亲属却偷偷宰羊，违犯了这条法律。左金吾将军裴谞报告朝廷，要求对其予以惩治。郭子仪知道后，主动惩治了自己的亲属，并向裴谞致谢。郭子仪曾经立下军令，严禁无故在军营中骑马。有一次，他的夫人乳母之子违犯了这一条禁令，都虞候秉公执法，杖杀了这名违令者。郭子仪的几个儿子向父亲告状，要求惩办都虞候。郭子仪将儿子们训斥了一顿，认为应该尊重都虞候的处决，维护军法威严。

郭子仪在严以律己的同时，却能够宽以待人，能忍常人所不能忍之事，表现出远超常人的隐忍大度。大历二年（767）十二月，盗贼挖了郭子仪父亲的坟墓。当时大家都认为鱼朝恩一向忌恨郭子仪，怀疑是他指使人干的。郭子仪心知肚明，大臣们都很担忧他会闹事。但是，等到他入朝以后，皇帝提及此事，郭子仪大声哭泣，上奏道："臣久主兵，不能禁暴，军士残人之墓，固亦多矣。此臣不忠不孝，上获天谴，非人患也。"[2] 他隐忍了祖坟被挖的奇耻大辱，不仅没有责难鱼朝恩，反而借此事做了一番自我批评，由此"朝廷乃安"，很好地维护了唐王朝内部的安定团结。一次，宦官鱼朝恩邀郭子仪赴宴。丞相元载担心二人关系和好对自己不利，就想挑拨离间，暗中派人对郭子仪说鱼朝恩想谋害他。郭子仪的部下"衷甲愿从，子仪

---

[1] 《旧唐书》卷一百二十《郭子仪传》。

[2] 《旧唐书》卷一百二十《郭子仪传》。

不听，但以家僮十数往"①。鱼朝恩看到郭子仪只带了十几名随从前来，感到很惊讶，郭子仪就把事情的缘由告诉他。郭子仪的坦荡胸怀极大地触动了鱼朝恩，也使得他之后不再诬陷郭子仪了。正如有学者指出："郭子仪能够以君子之心度小人之腹。这并不是说他把小人想得十分良善，而是他不和他们计较，用自己的胸襟、正气和宽容感化他们。"② 这正是郭子仪独有的武德人格所产生的巨大力量。

三是胜不居功，败不诿过。郭子仪在功过面前表现出高尚的武德情操，不争功，不诿过，谦逊得体，勇于担当，从而展现出极强的人格魅力。他率军东征西讨，屡获大胜，"天下以其身为安危者殆二十年"③，但从不居功自傲，从不自我夸耀，反而多次主动请辞官爵。因为在平定安史之乱中立下大功，朝廷不知道如何赏赐仆固怀恩，郭子仪主动提出将自己的副元帅之位让给仆固怀恩。后来，郭子仪率军平定仆固怀恩、周智光叛乱，代宗因其功勋卓著，特地封他为尚书令。因为唐太宗曾经担任过此职，后来尚书令设职不设员。郭子仪坚决推辞尚书令之职，认为自己功德浅薄，不适合担任该职。代宗只好接受郭子仪的辞呈。在收复长安之战中，郭子仪率军与安军在长安西的清渠一带交战，因冒进中计，被安军两翼包抄夹击，唐军大败而逃。郭子仪只身向皇帝请罪，请求处罚自己，"乞降官资，乃降为左仆射，余如故"④。郭子仪在战败之后，主动承认过错，勇于担当失败的责任，要求降低自己的官阶，体现了赏功罚过、不诿过于人的优秀品德。

二、李光弼的军事思想

李光弼（708—764），契丹族，营州柳城（今辽宁朝阳西南）人。沉毅果敢，善骑射，被称为边塞名将。历任河西节度副使、朔

---

① 《新唐书》卷一百三十七《郭子仪传》。
② 张云胜、陈飞：《乱世元勋的为将为臣与为人——唐代名将郭子仪功业中的人格因素分析》，《军事历史研究》2006 年第 4 期。
③ 《旧唐书》卷一百二十《郭子仪传》。
④ 《旧唐书》卷一百二十《郭子仪传》。

方节度副使、河东节度使、天下兵马副元帅等职。在平定安史之乱中，先后取得常山之战、嘉山之战、太原之战、河阳之战、怀州之战的胜利，战功卓著，与郭子仪齐名，世称"李郭"，而"战功推为中兴第一"①。

（一）作战指导思想

李光弼在指导作战过程中，善于洞观全局，从战争全局长远筹划，谋定而后战；在与敌交战之时，又能够根据敌情、战场态势的变化随机应变，践墨随敌，屡出奇计制敌，总能够把握作战的主动权，陷敌于无计可施的被动境地。

第一，洞观全局、力争主动的积极防御思想。李光弼无论身居何职，在用兵过程中都注重着眼大局，想方设法争取战场的主动权，绝不亦步亦趋，而是着力抢占先机，或者"先夺其所爱"②，或者"先处战地而待敌者佚"③，或者"出其所不趋，趋其所不意"④，避实而击虚，从而牢牢主导作战的进程。他所指导的河阳之战堪称典范。乾元二年（759）九月，史思明率大军南下，攻占汴州（治今河南开封）后继续西进。刚被任命为天下兵马副元帅的李光弼在洛阳整军备战。面对史军的大举进逼，李光弼召集部下商讨对策。东都留守韦陟认为史军人多势众，建议"留兵于陕，退守潼关，据险以挫其锐"⑤。李光弼予以否定，指出："两敌相当，贵进忌退，今无故弃五百里地，则贼势益张矣。不若移军河阳，北连泽潞，利则进取，不利则退守，表里相应，使贼不敢西侵，此猿臂之势也。"⑥ 判官韦损提出疑问："东京帝宅，侍中奈何不守？"李光弼答道："守之，则汜水、崿岭、龙门皆应置兵，子为兵马判官，能守之乎？"⑦

---

① 《新唐书》卷一百三十六《李光弼传》。
② 《十一家注孙子校理》卷下《九地篇》。
③ 《十一家注孙子校理》卷中《虚实篇》。
④ 《十一家注孙子校理》卷中《虚实篇》。
⑤ 《资治通鉴》卷二百二十一《唐纪三十七》，肃宗乾元二年九月。
⑥ 《资治通鉴》卷二百二十一《唐纪三十七》，肃宗乾元二年九月。
⑦ 《资治通鉴》卷二百二十一《唐纪三十七》，肃宗乾元二年九月。

于是，李光弼下令放弃洛阳，退守河阳。李光弼提出的北守河阳以钳制史军的作战指导思想，是极具积极主动意识的决策，既不同于韦陟提出的消极退守，无缘无故放弃五百里之地，只会使对手的气焰更加嚣张跋扈；也不同于韦损提出的分兵把守之策，若在洛阳驻守，因为其地势不利于防守，必须同时在汜水、崿岭、龙门派重兵防守，"无所不备，则无所不寡"①，处处把守则处处兵力薄弱，势必抵挡不了敌军的攻击。李光弼的北守河阳之策之所以高明，在于其进退自如，可攻可守，既未向后消极退守，又未分散兵力把守，而是集中兵力于一处，并对敌形成猿臂之势，可有效钳制对手，极大地限制了对手的活动范围。显然，这一作战指导思想体现了积极防御的精髓，防守中有进攻，以适时的攻与防争取作战的主动权，积极营造有利于己的战场态势。只有深谙用兵之道并正确料敌者，方可提出这一极具远见卓识的作战指导。

第二，谋定而后战，以少覆众。高明的军事指挥员善于在战前筹谋定策，料敌用兵，所谓"权谋者，以正守国，以奇用兵，先计而后战"②。中国古代兵家历来推崇施计用谋，并且强调在战前预先制定有针对性的战略策略，先有"运筹于帷幄之中"，后有"决胜于千里之外"。李光弼在用兵过程中多谋善断，不仅在面对危局以及突发状况下能够审时度势，制定适宜的作战计划，而且还善于采纳部下乃至战俘的合理化建议，从而做出切实可行的作战决策。

安史之乱爆发后，安军势如破竹，迅速席卷中原，唐王朝危在旦夕。为扭转战略态势，唐廷决定派军向东挺进河北，以牵制安军西进的行动。肃宗至德元载（756）二月，李光弼率军东出井陉关，进攻常山（今河北正定）。常山团练兵杀了守城的叛军，绑缚守城将领安思义出城投降唐军。李光弼深知"知彼知己，百战不殆"的用兵之道，决定向被俘将领安思义了解安军的情况，倾听对方的建议。

---

① 《十一家注孙子校理》卷中《虚实篇》。
② 《汉书》卷三十《艺文志》。

光弼曰："汝久更陈行，视吾此众，可敌思明否？今为我计当如何？汝策可取，当不杀汝。"思义曰："大夫士马远来疲弊，猝遇大敌，恐未易当；不如移军入城，早为备御，先料胜负，然后出兵。胡骑虽锐，不能持重，苟不获利，气沮心离，于时乃可图矣。思明今在饶阳，去此不二百里。昨暮羽书已去，计其先锋来晨必至，而大军继之，不可不留意也。"①

李光弼听后大喜，认为安思义说得很有道理，亲自解开缚绳。通过这一番询问，李光弼确定了应对史思明之策，指挥唐军进入常山城，令手下加固城防，坚壁固守，先挫敌锐气，而后再伺机反击。第二天，史思明率军抵达城下，李光弼按照事先拟定的作战指导与敌交战，避敌锋芒，挫了敌军骑兵的锐气。等远道赶来增援的敌兵刚到常山东的九门一带，李光弼派军实施突然袭击，一举全歼立足未稳的敌人援兵，取得了常山之战的胜利。此战获胜之因，很大程度上要归功于李光弼战前的充分谋划，在不太掌握敌情的情况下，虚心听取俘将的意见，从而形成了一个较有针对性的作战方案：先固守挫敌，再趁敌援兵刚到时进行突袭，使敌军优势在仓促间未能发挥出来，最终达成了以少胜多、以弱胜强的目标，再一次印证了"人谋"在战争中的重要地位及其所发挥的重要作用。

第三，攻守兼用的守城思想。李光弼在平叛战争中，屡次在兵力悬殊的情况下以寡敌众，依托城池抵御敌军的大举进攻，最终都取得了胜利。李光弼的对手史思明也不得不称其"长于凭城"②。李光弼守城并非消极防守，而是运用消耗战、袭击战、地道战等多种作战手段，主动进攻与积极防守相结合，有效地打击了敌人，使对手陷入进退两难的境地。

太原之战堪称中国古代守城战的经典战役，集中反映了李光弼的守城思想。当时，李光弼以一万人马抵御史思明的十万之众，在

---

① 《资治通鉴》卷二百一十七《唐纪三十三》，肃宗至德元载二月。
② 《资治通鉴》卷二百二十一《唐纪三十七》，肃宗乾元二年十月。

兵力处于极度劣势下充分发挥主观能动性，最终取得了守城战的胜利。

李光弼主要采取了如下四条守城举措。

一是在城外挖壕沟，加大防御纵深。当听说史思明将率大军围攻太原时，李光弼的部将都主张修城自固，李光弼却断然否决："太原城周四十里，贼垂至而兴役，是未见敌先自困也。"① 他不认可单纯的消极防守，而是主张将防御线推到城外。于是，李光弼"帅士卒及民于城外凿壕以自固"②，由此加大了太原城的防御纵深，迟滞了对手的攻城行动。

二是加强警戒，严密防守。史思明围攻太原时注意变化策略，在强攻未下时，挑选骁勇善战的精锐士兵组成游兵，并对该游兵作出具体的战术部署："我攻其北则汝潜趣其南，攻东则趣西，有隙则乘之。"③ 他想采用声东击西的战法，寻找唐军防守的漏洞，实施精准攻击。李光弼早有防备，着力加强太原城各处的防守，"虽寇所不至，警逻未尝少懈，贼不得入"④，最终使对手无隙可击。

三是巧做守城具，飞石伤敌。早在先秦时期，古代兵家已经提出了系统的守城战术，能够制造多种极具实用性的守城器具。《墨子》针对当时通行的"临""钩""冲""梯""堙""水""穴""突""空洞""蚁傅""轒辒""轩车"十二种攻城战法，提出了"备城门""备高临""备梯""备水""备突""备穴""备蛾傅"等守城战术，涉及数百种守城器械，诸如重型远程抛射武器转射机、藉车、连弩车等，抵御器械盾牌、大橹等，击砸器械连梃、滚木、礌石等，烧灼器械攒火、火炬等，障碍器械蒺藜、竹篱笆、拒马等。后人在实战中又不断地予以充实和完善，极大地推动了攻守城作战的发展。李光弼指导制作的守城具是一种抛石车，类似于《墨子》

① 《资治通鉴》卷二百一十九《唐纪三十五》，肃宗至德二载正月。
② 《资治通鉴》卷二百一十九《唐纪三十五》，肃宗至德二载正月。
③ 《资治通鉴》卷二百一十九《唐纪三十五》，肃宗至德二载正月。
④ 《资治通鉴》卷二百一十九《唐纪三十五》，肃宗至德二载正月。

提及的藉车。抛石车在战争实践中大显身手，为世人所关注，当在汉末的官渡之战。曹操在初战失利后，为应对袁绍军的进攻，"乃为霹雳车，发石以击绍楼，皆破"①。霹雳车又称发石车，因抛射的石头发出的巨大声响而得名。李光弼动员民众拆除房屋制作擂石车，"彻民屋为擂石车，车二百人挽之，石所及辄数十人死，贼伤十二"②，由此可见其巨大的威力。史思明军不得不将军营后撤数十步，以躲避飞石的伤害。

　　四是开展灵活机动的地道战。《墨子》提出"穴"的攻城战法，也就是挖地道攻城，并提出"备穴"的守城战法。李光弼将前人提出的用于攻城的地道战，创造性地用于守城，极大地拓展了地道战的内涵。他开展地道战的形式可谓多种多样，根据战场态势、敌人动向而灵活实施。其一，挖地道斩杀城外骂阵者。李光弼招募了三个善挖地道的工匠，让他们带领士卒从城内挖地道通向城外。当敌军在城下骂阵时，李光弼就派人从地道中爬到城外，拉扯骂阵者的双脚，将其拖入地道，捉拿进城，然后拉到城头上斩首示众。史军士卒惶恐不安，走路时都低头注视地面，不敢再逼近城墙了。史思明又故意在城下摆设宴席，"倡优居台上靳指天子"③，唱戏谩骂唐朝皇帝，以此激怒唐军。李光弼又派人挖地道至戏台下，将唱戏骂天子者捉进城里，极大地恐吓了敌人军心。其二，挖地道摧毁敌军攻城具。史思明想出了新的攻城法，派人制造"飞楼，障以木幔，筑土山临城"④。李光弼则率军将地道挖至敌人建飞楼、筑土山的地方，最终使飞楼、土山倒塌。其三，诈降欺敌，挖地道陷敌，趁势出击败敌。屡屡受挫之后，史思明转而采取长围久困之策，企图迫使唐军就范。李光弼随机应变，派人前往敌军大营面见史思明，诈称太原城中粮尽，想要投降，并约定了出城投降的日期。史思明信

① 《资治通鉴》卷六十三《汉纪五十五》，献帝建安五年九月。
② 《新唐书》卷一百三十六《李光弼传》。
③ 《新唐书》卷一百三十六《李光弼传》。
④ 《新唐书》卷一百三十六《李光弼传》。

以为真，放松了戒备。李光弼命人隐蔽地"穿地道周贼营中，撑之以木"①。到了出降之日，他派部将率兵出城投降，史思明率人准备受降。正在这个时候，唐军撤去地道中的撑木，史军大营突然塌陷，"死者千余人，贼众惊乱，官军鼓噪乘之，俘斩万计"②。李光弼命令唐军趁敌惊乱之时主动出击，大获全胜。

由上可知，李光弼在坚守太原时，攻与守紧密结合，以守为主，通过挖地道的方式，积极创造进攻的机会，趁敌营塌陷大乱之时，不失时机突然出击，以有利态势下的猛烈进攻取得了胜利。李光弼着眼于守，是敌我兵力悬殊、敌强己弱下的无奈之举，但绝非消极被动的守，而是为进攻积蓄力量，并且想方设法创造进攻的良机。他能够准确把握进攻时机，借敌营塌陷之机，实现了由守转攻。太原防卫战的胜利再一次说明，防守的最终目标是为了进攻，只有通过进攻才能更有效地打击敌人，从而夺取作战的胜利。这也正是李光弼实施防守的用兵要义之所在。

第四，不拘常法，以弩制骑，扬长避短，出奇制胜。古代兵法在排兵布阵上，有所谓常法与变法。所谓常法，是指通常的固定的法度和原则，多指在敌我兵力相当的情形下，依据用兵的通常法则制定的作战方法；所谓变法，是指打破常规的法度和行事准则。常法与变法互为依存，有常才有变，有变才有常。常法与变法又互为转换，在特定的条件下，常可转化为变，变亦可转化为常。古代兵家要求将帅做到既能守常，也会知变；既知晓作战常法，也懂得权宜之变，善于在常法与变法之间适时转换，正所谓"能因敌变化而取胜者，谓之神"③。

李光弼通晓韬略，善于根据复杂多变的战场态势随机应变，以弩制骑就是灵活运用兵法的成功案例。中原王朝在与北方游牧民族的骑兵交战时，起初是以步制骑。如果是在山地、林地、沼泽地带

① 《资治通鉴》卷二百一十九《唐纪三十五》，肃宗至德二载正月。
② 《资治通鉴》卷二百一十九《唐纪三十五》，肃宗至德二载正月。
③ 《十一家注孙子校理》卷中《虚实篇》。

等地形条件下作战，骑兵无法发挥其快速机动、迅猛冲击的优势，那么以步制骑是明智之举，可以取得良好的效果。但在平原地带作战时，作战态势则有了很大的变化，步兵显然无法抵挡骑兵的高速冲击，以车制骑的战术应运而生。战车一开始仅用于防御对方骑兵的攻击，西汉卫青曾经以坚固的战车围成防御型圆阵，有效地抵御了骑兵的进攻。西晋马隆在此基础上有所创新，制造了攻守兼备的"偏箱车"，取得了平定羌乱的胜利。随着抛射武器的发展，弓弩的威力日益增大，在战争中发挥出越来越重要的作用，以弩制骑的战法受到重视并被运用于实战之中。晁错在《言兵事疏》中曾经指出："劲弩长戟，射疏及远，则匈奴之弓弗能格也；坚甲利刃，长短相杂，游弩往来，什伍俱前，则匈奴之兵弗能当也。"① 认为汉军使用占据优势的劲弩长戟，并在军阵中充分发挥游弩的作用，就可以战胜匈奴军队。可以说，以弩制骑是晁错建议的主要内容之一。晁错建议基本上都被汉廷采纳，成为汉军战胜匈奴军的重要指导思想。此后，以弩制骑成为中原军队对抗北方游牧民族骑兵的惯用战法，但具体效果却因人而异。战场指挥员是否能够临机决断、通权达变、因敌灵活运用这一战法，直接决定其实战效果。

李光弼率军攻占常山后，史思明统领大军进抵常山城下，企图围歼唐军。当时双方的兵力对比是，李光弼拥有"蕃、汉步骑万余人，太原弩手三千人"②；史思明拥有二万余骑兵。两相对比，三千名弩手乃是唐军的一大优势。但是，李光弼与安军初战之时并没有发挥这一优势，而是采取以步制骑之法，派遣五千步卒从城东门出战，结果未能击退安军的骑兵。李光弼果断求变，"命五百弩于城上齐发射之，贼稍却"③，初步显示了弓弩的杀伤力。为进一步发挥己方弓弩手的优势，李光弼"乃出弩手千人分为四队，使其矢发发相

---

① 《汉书》卷四十九《晁错传》。
② 《资治通鉴》卷二百一十七《唐纪三十三》，肃宗至德元载二月。
③ 《资治通鉴》卷二百一十七《唐纪三十三》，肃宗至德元载二月。

继，贼不能当，敛军道北"①，成功击退了安军。李光弼不仅将以弩制骑的战法运用于守城战，而且还将其巧妙地运用于野战之中。在击退安军之后，李光弼派遣唐军出城乘胜追击，与安军夹呼沱水布阵，暗地将弩手配备于阵内。当对手"数以骑兵搏战，光弼之兵射之，人马中矢者太半"②，再次以弓弩击退了安军。纵观常山之战，李光弼在初战不利的情况下，能够通权达变，迅速调整战法，由以步制骑调整为以弩制骑，扬长避短，充分发挥了唐军弩手的绝对优势，由此取得了守城战和野战的胜利。

（二）"御军严肃"，以法治军

古代兵家认为，乱世治军与和平时期治军是有区别的，强调乱世用重典，纠之以猛而不可失之于宽，否则军队势必涣散而失去战斗力。李光弼临危受命，在安史之乱中艰难创业，每每以寡敌众，唯有治军有方，才能有效提升军队战斗力，从而实现以弱胜强。严明治军既是李光弼的成功之道，也是在当时特殊历史背景下的无奈之举。军纪是否严明对于战争胜负具有决定性作用。军纪若不严明，即使拥有百万大军也只是一群乌合之众。严明军纪的关键在于是否按军法行事。李光弼深明此理，治军"一裁之以法，无所假贷"③，任何人均须严格遵守军队法令，不得例外，坚决维护军法之威严。

首先，犯法者按律治罪，皇帝下诏重用者也不例外。李光弼执法如山，不徇私情，甚至在皇帝传诏任命犯法者的情况下，依然不改初衷，坚持将犯法者绳之以法。安史之乱爆发后，李光弼奉命到太原统领军队，组织防御。此前在太原主持军事工作的侍御史崔众"每侮狎承业"④，对节度使王承业多所不敬。当朝廷下诏，让他把兵权交给李光弼，崔众"素狂易，见光弼长揖，不即付兵"⑤。李光弼认为崔众未按诏令及时交出兵权，严重违反军令，下令将其羁押。

---

① 《资治通鉴》卷二百一十七《唐纪三十三》，肃宗至德元载二月。

② 《资治通鉴》卷二百一十七《唐纪三十三》，肃宗至德元载二月。

③ 《资治通鉴》卷二百二十二《唐纪三十八》，肃宗上元二年二月。

④ 《新唐书》卷一百三十六《李光弼传》。

⑤ 《新唐书》卷一百三十六《李光弼传》。

正在这时，皇帝使者带着诏书赶到，准备任命崔众为御史中丞。李光弼对使者说道："众有罪，已前系，今但斩侍御史。若使者宣诏，亦斩中丞。"① 坚持执行军法，将崔众斩首示众。此举威震三军，全体将士受到极大震动，军队纪律得到很大的强化。李光弼代郭子仪为朔方节度使，传令让兵马使张用济带兵前来听令。但是，张用济"惮光弼严，教诸将逗留其兵。用济单骑入谒"②。李光弼见他违反军令，以身试法，立即将其斩首，以正军法，强烈地震慑了朔方军的将领。此后，朔方军"营垒、士卒、麾帜无所更，而光弼一号令之，气色乃益精明云"③。

其次，行军作战令行禁止，井然有序。治军成效如何，具体反映在行军与作战之中。李光弼在平时严格治军，军队养成了令行禁止的良好作风，一切行动听从号令，进退有节制，即使在撤退时也能保持阵形，退而不乱。乾元二年（759），唐廷派遣 9 名节度使围攻邺城（今河南安阳），与史思明大军展开激战，忽然狂风骤起，天昏地暗，交战双方大惊失色，纷纷逃窜，"士卒所过剽掠，吏不能止，旬日方定。惟李光弼、王思礼整勒部伍，全军以归"④。李光弼在军队遭遇突发状况时，仍然能够指挥自如，秋毫不犯，"全军以归"，足见其军号令是何等严明，因而比其他军队具有更加强大的战斗力。不久，唐廷嘉许李光弼，任命其为天下兵马副元帅，委以收复失地的重任。

再次，有功者赏，违令者罚，赏罚分明。李光弼重视赏罚，尤其在战场上更加注重运用赏罚手段，通过及时的奖赏以激励将士杀敌立功，也通过合理的处罚以震慑不法之徒。在河阳之战中，李光弼命令荔非元礼率军在羊马城抵御安军的进攻。当对手逼近时，荔非元礼率精兵击退了安军，但是"料敌阵坚，虽出入驰突，不足破

① 《新唐书》卷一百三十六《李光弼传》。
② 《新唐书》卷一百三十六《李光弼传》。
③ 《新唐书》卷一百三十六《李光弼传》。
④ 《资治通鉴》卷二百二十一《唐纪三十七》，肃宗乾元二年三月。

贼，收军稍退，以怠其寇而攻之"①。在城墙上督战的李光弼看见荔非元礼收兵，不由得大怒，派人传唤他，准备按军法处置。当然，李光弼后来知道错怪了荔非元礼，这只是荔非元礼的"疲敌"之计，待敌疲惫之时一击而胜。李光弼远望郝廷玉所率军队停滞不前，"趣左右取其首来"②。郝廷玉解释说是由于战马中箭受伤，并非退却，于是换了一匹战马后继续投入作战。李光弼看见战场上"有裨将援矛刺贼，洞马腹，中数人，又有迎贼不战而却者"③，立即重赏奋勇杀敌者，将不战而退者就地斩首，坚决执行了严明的战场纪律。李光弼对军中上下一视同仁，无论是能征善战的爱将，还是名不见经传的士卒，一概按军法行事，有功者立刻奖赏，有罪者迅速惩罚，不管是谁违令，绝不姑息迁就。

最后，以身作则，率先垂范。李光弼治军严明，自己时时处处严以律己，为全军将士树立了榜样。在太原之战中，他昼夜坚守一线，率领将士们奋战五十多天，"躬率士卒百姓外城掘壕以自固"④，与大家同甘共苦，"设小幕，宿于城东南隅，有急即应，行过府门，未尝回顾。贼退三日，决军事毕，始归府第"⑤。李光弼将生死置之度外，全身心投入作战，产生了强大的感召力，最终取得了战役的胜利。

（三）巧妙分化瓦解，善于激励士气

心战是中国古代作战策略的重要内容，主张一方面要攻敌之心，另一方面要守己之气。高明的将帅善于将攻心与守气紧密结合，攻守兼备。《唐太宗李卫公问对》指出："夫攻者，不止攻其城击其阵而已，必有攻其心之术焉；守者，不止完其壁坚其阵而已，必也守吾气而有待焉。"⑥ 指出在进攻时除了军事打击外，还要摧毁和瓦解

① 《旧唐书》卷一百一十《李光弼传》。
② 《新唐书》卷一百三十六《李光弼传》。
③ 《新唐书》卷一百三十六《李光弼传》。
④ 《旧唐书》卷一百一十《李光弼传》。
⑤ 《旧唐书》卷一百一十《李光弼传》。
⑥ 《李卫公问对校注》卷下。

敌方军心士气；而在防守时除了巩固防御外，还要激发和保持己方旺盛的军心士气以待机破敌。明代兵学家何守法则在此基础上做了更加简明扼要的表述，指出"攻者，攻其心；守者，守其气"①，即进攻一方要着眼于瓦解敌人的军心士气，而防守一方要着眼于保持和激励己方的军心士气。

李光弼在指导作战过程中，既注重深入分析敌方将领心理，巧妙利用对手内部矛盾，将计就计，不战而降服李日越、高庭晖②，成功地分化瓦解了敌人；同时，又注重通过多种方式鼓舞己方士气，激励将士的旺盛斗志，最大限度地激发了唐军的作战潜能，取得了显著效果。

首先，准确把握对手心理，智降二将。肃宗上元元年（760），李光弼率军攻打怀州（治今河南沁阳），史思明企图断绝其粮道。李光弼随机应变，将军队临时驻扎在野水渡。到了晚上，他命令部将雍希颢率一千名士兵把守营寨，叮嘱道："贼将高晖、李日越，万人敌也，贼必使劫我。尔留此，贼至勿与战，若降，与偕来。"③诸位将领听后不解其意，莫名其妙，只是依照他的话去做。史思明得知李光弼在野外扎营，不由得大喜，急忙召来李日越："光弼野次，尔以铁骑五百夜取之，不然，无归！"④李日越率军直奔唐军营寨，打听到李光弼不在营寨，只有偏将雍希颢。他左思右想，认为抓不到李光弼，自己无法回去复命，与其回去受死，倒不如投降唐军还有一条生路。于是，李日越下马投降。雍希颢带他去见李光弼，李光弼予以厚待，并向朝廷奏请授予他官阶。高庭晖听说此事后，也率军向李光弼投降，同样受到了厚待。诸将看到李光弼预言成真，惊讶地询问其中的奥妙。李光弼答道：

---

① 《投笔肤谈》卷上《持衡》。
② 高庭晖，即高晖。《资治通鉴》称"高庭晖"，《新唐书》称"高晖"。本书采用《资治通鉴》说。
③ 《新唐书》卷一百三十六《李光弼传》。
④ 《新唐书》卷一百三十六《李光弼传》。

思明再败，恨不得野战，闻我野次，彼固易之，命将来袭，
必许以死。希颢无名，不足以为功。日越惧死，不降何待？高
晖材出日越之右，降者见遇，贰者得不思奋乎？①

　　李光弼准确地把握了史思明的心理，即其认为李光弼只会守城，
不善于野外作战，因此自己故意在野水渡驻军，从而造成对手的轻
敌意识，以为可以轻易地打败唐军，生擒李光弼。史思明派遣李日
越夜袭野水渡的唐军，要求他只许成功不能失败。李日越正是在这
样的压力下率军夜袭，而李光弼却事先有了预料，提前离开营寨，
导致李日越进退两难。在捉不到李光弼就要被处死的情形下，李日
越只剩下投降这一条活路。高庭晖的才能在李日越之上，听说李日
越受到优待，果然也主动前来归降。由此可见，李光弼对史思明、
李日越、高庭晖三个人的不同心理做了富有针对性的深入分析，据
情定策，制定了一套缜密的行动方案，将计就计，不战而收降史军
的两员将领，不愧是深谙用兵之道的智勇双全的大将。

　　其次，怯防勇战，激励民心士气。在太原之战中，唐军与安军
兵力对比悬殊，并且安军在此之前屡战屡胜，兵势强盛。在强敌的
围攻下，太原守军将领表现出畏惧的心理。李光弼神色自若，一方
面指挥军民积极守城，制造擂石车有效杀伤对手，挖地道破坏敌军
攻城的飞楼、土山；另一方面选择合适战机主动出击，通过诈降以
及地道破坏敌营的方式，趁敌混乱之时发起突然袭击，大获全胜。
李光弼在作战中多谋善战，不仅把握了作战的主动权，而且树立了
自己的崇高威望，有效地激励了守城军民的战斗意志，"城中长幼咸
伏其勤智，懦兵增气而皆欲出战"②，形成了众志成城、同仇敌忾之
势，为最终取胜奠定了坚实基础。

　　最后，视死如归，以武德感召将士精忠报国，誓死杀敌。李光
弼在将士中的威信，不仅来源于严明的军纪，更来源于身体力行、

---

① 《新唐书》卷一百三十六《李光弼传》。
② 《旧唐书》卷一百一十《李光弼传》。

忠义为本的大将武德。李光弼的武德精神的核心是忠义，以平叛杀敌、安定社稷、誓死报效国家为己任，置个人生死于度外，忠心耿耿，勇于担当。在河阳之战前，李光弼对左右坦白心迹："战，危事，胜负系之。光弼位为三公，不可死于贼手，苟事之不捷，继之以死。"① 他在作战过程中，"常纳短刀于靴中，有决死之志，城上面西拜舞，三军感动"②。李光弼的大无畏的英勇气概感动了将士，也激发了他们的斗志，郝廷玉、荔非元礼等将领拼死奋战，三军用命，击败了强大的对手。孙子曰："投之无所往，死且不北；死焉不得，士人尽力。"③ 李光弼以必死之心、决死之志激励将士竭尽全力奋勇作战，在无路可走的绝境下迸发出巨大的战斗潜能，也就是"众陷于害，然后能为胜败"④，军队深陷绝境，反而能够激发将士奋起拼杀夺取胜利。

（四）作战指挥艺术的若干特点

被推为"中兴第一"的李光弼，在平定安史之乱中建立了卓著战功，显示出高超的作战指挥艺术，尤其在战法创新方面独有特色，极大地丰富了中国古代军事思想宝库。

第一，善于后发制人。以道家、阴阳家思想为主导的荆楚吴越兵家率先明确提出了后发制人的兵学命题。《老子》提出"不争而善胜"⑤，范蠡主张"尽其阳节，盈吾阴节"⑥，战国时期的兵家进一步提出贵守雌节之法，极大地促进了后发制人兵学思想的发展。与先秦时期相比，李光弼在实战中推行的后发制人思想，更加具有积极主动的意识，是为了日后的反击而主动采取的敝敌之策。李光弼之所以屡屡运用这一策略，主要是由于他经常在兵力对比的劣势下以少击多、以弱抗强，在敌众我寡的态势下不得已而为之。他积

---

① 《旧唐书》卷一百一十《李光弼传》。
② 《旧唐书》卷一百一十《李光弼传》。
③ 《十一家注孙子校理》卷下《九地篇》。
④ 《十一家注孙子校理》卷下《九地篇》。
⑤ 《老子道德经注校释》下篇《七十三章》。
⑥ 《国语译注》卷二十一《越语下》。

极采取多种灵活有效的手段消耗对手实力，袭扰、疲惫敌人，不断地削弱对手力量，同时逐步地壮大自身实力，为最终实施后发制人创造有利条件。李光弼所指挥的常山之战、太原之战、河阳之战，均是后发制人的成功战例。

第二，勇于创新战法。李光弼在指导作战中能够别出心裁，妙用兵法，不落前人窠臼，尤其注重依据敌情、战场态势的变化而随机应变，往往能取得出奇制胜的效果。在太原之战中，李光弼极富创造性地运用了地道战这一作战样式，成效显著。他将先前侧重于防御功能的地道战，改造成为更加注重攻守兼备的作战样式，尤其赋予其更多的进攻功能，比如经由地道主动袭扰对手；通过地道斩杀叫阵者，从心理上强烈地震慑了对手；综合运用地道战与诈降、突击等手段，出其不意，攻其无备，大破敌军。李光弼不仅将地道战用于守城，也将其用于攻城。在攻打怀州时，李光弼先用水攻未获成功，后改变战法，"令廷玉由地道入，得其军号，登陴大呼，王师乘城"①，顺利攻下了怀州，体现了通权达变、因情制宜的思想。李光弼还创新了守城战法，在守城中贯彻了积极防御的指导思想，将城守和野战巧妙结合，在守城的过程中又不失时机地进行野战，在有利条件下歼灭敌人。如在常山之战中，李光弼在坚壁自固时，派出一支五千人队伍沿呼沱水布阵，与敌相持；当安军援兵远道赶来救援时，李光弼又派兵趁其立足未稳突然袭击，全歼敌援军。此外，李光弼还创造性地运用了多种守城器具。在太原之战时，李光弼指挥军民拆除房屋做擂石车，通过人力发射巨石，一次能够击毙敌军二十余人，在防御中发挥了较大威力，迫使敌人不得不后撤军营。在河阳之战中，唐军与史军隔黄河对峙。史思明点燃火船，向唐军占据的浮桥发起火攻。李光弼命人在事先准备好的长竹竿的头部装上铁叉，竹竿尾部固定在巨木上，以竹竿铁叉顶住火船，使其不能前进，挫败了对手的火攻行动。李光弼将竹竿、铁叉运用于防御对手的火攻行动，可算是极为成功的尝试。

---

① 《新唐书》卷一百三十六《李光弼传》。

第三，善用奇计胜敌。两军交战，不仅是双方实力的较量，而且是双方军事指挥员的智谋的较量。哪一方的谋略更胜一筹，则往往能够抢占先机，取得作战的主动权。李光弼在与安军的长期交战中，往往在对手施计攻己之后，能够迅速想出应敌之策，且出人意料，几乎每次都收到了奇效。在河阳之战中，李光弼率军与史思明军隔黄河处于相持局面。为炫耀武力，史思明下令将军营中的一千余匹战马陆续牵到河滩洗澡，循环往复，以此动摇唐军的军心。李光弼想出了一条妙计，下令将军中的母马搜集到一处，把这些母马的马驹拴在城内。等到对方又放出战马到河边时，李光弼立即命令把五百匹母马全部赶到黄河岸边，母马嘶叫不已。河对岸的史思明军的战马都是公马，听到母马嘶叫，纷纷游过来了。唐军将这些马匹全部赶进城内，一河之隔的史思明眼睁睁地看着自己的战马被引走了，却无计可施。在驻军野水渡时，李光弼准确分析史思明、李日越、高庭晖的心理，故意只留部将雍希颢率兵看守营寨，迫使李日越、高庭晖在走投无路之下前来投降。

第四，临危不惧，有大将风度。李光弼在平叛战争中，数次濒临绝境，然而终能渡过险局，转危为安，其中过人的胆识、以死决战的勇气乃是重要的原因。一名优秀的将帅除了要有高超的谋略、远大的目光之外，还要具备超出常人的胆魄、敢于犯难的勇气、无所畏惧的气概。《说苑》指出："将者，士之心也；士者，将之肢体也。心犹与，则肢体不用。"[①] 将领犹如士卒的大脑，士卒犹如将领的肢体，大脑指挥肢体的动作，将领与士卒构成了一个有机的整体。一旦将领在作战中优柔寡断，那么士卒就无从发挥作用。这就充分说明将领在战争中具有至关重要的作用，直接影响战争的胜负。李光弼在作战中能够充分发挥出自身的作用，在河阳之战战况危急之时，他将短刀藏于靴中，向将士表示拼死奋战的决心，极大地激发了军心士气。当史朝义率大军围攻宋州（治今河南商丘南）时，李光弼被朝廷任命为河南副元帅、太尉兼侍中，都统河南、淮南、山

---

① 刘向：《说苑》卷十五《指武篇》，中华书局，1985 年。

南等八道行营节度，出镇临淮（治今江苏盱眙西北），以防止史军进入淮水流域。当李光弼到达临淮时，部将劝他暂避开史军，南保扬州，结果遭到严词拒绝："朝廷倚我以为安危，我复退缩，朝廷何望！且吾出其不意，贼安知吾之众寡！"[1] 李光弼知难而进，前往徐州督战，大破史军。

第五，虚怀若谷，集思广益。李光弼多谋善断，具有出众的谋略才能，但同时他还注意听取他人的建议，博采众长，最终形成优化的作战方案。兼听则明，偏信则暗。常山之战中，李光弼问计于俘将安思义，不仅掌握了敌情，而且在作战指导上受到了启发，制定了富有针对性的作战部署，挫败了史思明的进攻，取得了作战的胜利。在河阳之战中，李光弼组织将士反击对手，看见荔非元礼在安军填壕时按兵不动，就派人责问元礼。当他得知这是荔非元礼在等待对手疲惫之时再予以出击时，不仅不责备，反而给予高度称赞："善，吾所不及，勉之！"[2] 表现出了谦虚的姿态，勇于承认自己在某一方面的认识差距，有助于激发部下的主观能动性和提升部队的战斗力，收到了较好的效果。

第七节　李密与黄巢军事思想之比较

李密与黄巢分别是隋末和唐末农民起义的杰出领导者，在长期的战争实践中形成了各自丰富的、颇具特色的军事思想。他们领导的农民起义均是在统治阶级内部矛盾十分尖锐、社会动荡不安的背景下爆发的大规模起义，得到了广大群众的热烈拥护，并产生了深远的历史影响，最后又都以失败告终。起义军的发展壮大与最后失败都与其领导者，即李密与黄巢有着密切的关系。李密与黄巢的军

---

[1] 《资治通鉴》卷二百二十二《唐纪三十八》，肃宗宝应元年五月。

[2] 《资治通鉴》卷二百二十一《唐纪三十七》，肃宗乾元二年十月。

事思想既有许多相似之处，又有一些不同点，反映了二者在战略决策、作战指挥、根据地建设等方面的相异之处，带有鲜明的个人特色。

一、李密与黄巢军事思想的相似之处

李密与黄巢在不同的时代背景与军事实践中逐步形成了各自颇具特色的军事思想，在各自领导隋末瓦岗农民军和唐末农民军发展壮大的过程中发挥了关键作用。比较二者军事思想，他们在战略思想、具体的策略思想、争取民心思想、治军思想等方面都具有相似之处。李密与黄巢在取得成功方面有诸多相似点，在最终失败方面也有一些惊人的相似，足资后人深思。

（一）善于利用矛盾因时而动，趁势而起，攻虚击弱，从夹缝中求得生存和发展

隋末和唐末，统治阶级内部的矛盾越来越尖锐，统治集团发生分裂。李密和黄巢领导的农民起义，正是巧妙地利用了当时严重的社会矛盾和统治阶级内部出现的矛盾，迅速发展壮大自己，并有意识地离间统治集团间的关系，进一步造成其内部的互相倾轧，从而达到削弱其统治力量的目的，为最后打败敌人创造条件。

隋朝末年，隋炀帝统治残暴，挥霍无度，滥用民力，对外连年发动战争，结果造成国家经济濒于崩溃，社会陷入动荡不安的境况。大业元年（605）以后，隋炀帝不断征发民众修宫室、掘长堑、建洛阳，以及修长城、伐木造船、凿山开道、开凿运河等，征发人数少则一二十万，多则一两百万人。广大劳动人民在无休止的徭役和繁重赋税的压榨下，到处流亡，社会生产遭到严重破坏。特别是从大业七年（611）起，隋炀帝连年发动战争，在四年之内对高句丽连续发动了三次战争。沉重的兵役和徭役使当时的社会矛盾空前尖锐，隋末农民起义由此爆发，李密也加入了反隋行列。大业九年（613）六月，隋统治集团内部发生分裂，礼部尚书杨玄感乘隋炀帝出兵高句丽远在辽东的机会，在黎阳（今河南浚县东南）举兵反隋。李密到达黎阳，为杨玄感出谋划策。李密提出了上、中、下三个方案：

"天子出征，远在辽外，去幽州犹隔千里。南有巨海，北有强胡，中间一道，理极艰危。公拥兵出其不意，长驱入蓟，据临渝之险，扼其咽喉。归路既绝，高丽闻之，必蹑其后，不过旬月，资粮皆尽，其众不降则溃，可不战而擒，此上计也。"① 李密提出的中计是建议杨玄感"帅众鼓行而西，经城勿攻，直取长安，收其豪杰，抚其士民，据险而守之。天子虽还，失其根本，可徐图也"②。至于下计则是"简精锐，昼夜倍道，袭取东都，以号令四方。但恐唐祎告之，先己固守。若引兵攻之，百日不克，天下之兵四面而至，非仆所知也"③。李密在此提出的上计、中计是建立在对形势的精辟分析的基础之上，针对隋朝统治者的疏漏，抓住其要害，及时出击，一举置对方于死地，或者批亢捣虚，迅速袭取对方防守空虚的关中并以此为根据地，用心经营，据险固守，可以形成万全自保的态势。但是，目光短浅的杨玄感选择了下计，不久就被隋廷镇压下去了。后来，李密投奔了瓦岗军。他充分利用当时的社会矛盾，将分散各地的小股农民起义军联合起来，迅速壮大了瓦岗军的力量。李密向翟让提出建议："当今主昏于上，人怨于下，锐兵尽于辽东，和亲绝于突厥，方乃巡游扬、越，委弃京都，此亦刘、项奋起之会。以足下之雄才大略，士马精勇，席卷二京，诛灭暴虐，则隋氏之不足亡也。"④ 提出了"席卷二京"的战略目标。此计类似于李密先前向杨玄感提出的"三计"的"中计"，均着眼于适时打击对手的薄弱点，趁机发展壮大自身的力量。此后，李密指挥瓦岗军实行远距离迂回作战，攻虚击弱，一举袭占了隋王朝的洛口仓和回洛仓，为瓦岗军后来的发展奠定了基础。

黄巢领导的农民起义军之所以能够不断发展壮大，也正是利用了唐王朝当时严重的社会矛盾的结果。唐朝在安史之乱后就逐渐走

① 《资治通鉴》卷一百八十二《隋纪六》，炀帝大业九年六月。
② 《资治通鉴》卷一百八十二《隋纪六》，炀帝大业九年六月。
③ 《资治通鉴》卷一百八十二《隋纪六》，炀帝大业九年六月。
④ 《旧唐书》卷五十三《李密传》。

向衰落，社会阶级矛盾进一步激化。从唐中期到晚唐，宦官始终专权，朋党斗争迭起。宦官不仅操纵文武大臣的任用升降，以其所掌握的禁军大杀朝臣，甚至可以废立皇帝。晚唐官吏间则有朋党之争，有的官吏勾结藩镇，有的投靠宦官，各树党羽，互相倾轧。从穆宗时开始，以李德裕和牛僧孺为首的两派官僚集团，展开激烈的朋党之争，由此带来吏治大坏，贿赂公行。武官为了当上节度使而贿赂宦官，文官为了当上宰相也不择手段。与此同时，唐朝后期的藩镇割据非常严重，它们之间战争不断。许多藩镇节度使长期镇守一方，久而久之，遂形成尾大不掉之势，而朝廷的软弱无能也助长了他们与朝廷对抗的气焰。唐中央政权与藩镇势力之间、各藩镇相互之间、各派政治势力和集团之间，存在着错综复杂的矛盾。他们互相掣肘，互相攻讦；有利则争，无利则避；号令不一，政治紊乱。如身为招讨使的宋威曾表示"不如留贼，不幸为天子，我不失作功臣"①，在荆门打败过起义军的刘巨容也主张"不若留贼以为富贵之资"②。坐镇淮南的高骈吃了败仗之后，拥兵自保，即使唐廷一再斥责也不出兵，故意让起义军"纵横河洛，令朝廷耸振"③。这些都反映了统治集团内部的混乱和矛盾，给了起义军以利用矛盾分化敌人的可能性。特别是北伐渡江后，黄巢抓住各藩镇只求自保的弱点，及时发出文牒，对孤立唐廷，减少阻力，顺利进军关中，收到一定的效果。

由此可见，李密与黄巢领导的农民起义军，能够从初起时较弱小的不利态势，逐渐发展壮大并一度威胁到统治阶级的统治地位，很重要的一点便是他们能够清醒地认识敌我力量之对比，同时看到了统治阶级内部的矛盾和统治区出现的薄弱环节。李密、黄巢正是抓住了这一薄弱环节，把握时机趁势而起，攻虚击弱，在夹缝中不仅生存了下来，而且利用敌人矛盾逐渐发展壮大起来。

（二）确立并贯彻以推翻旧王朝统治为根本目标的战略思想

---

① 《新唐书》卷二百二十五下《黄巢传》。

② 《资治通鉴》卷二百五十三《唐纪六十九》，僖宗乾符六年十一月。

③ 《旧唐书》卷一百八十二《高骈传》。

推翻隋炀帝暴政、夺取隋朝政权，一直是李密军事思想的核心内容。瓦岗农民起义军在翟让领导时期，仅是一支以瓦岗寨为根据地"聚党万余人"的小股农民军。它同当时许多起义军队伍一样，没有明确的斗争纲领，主要活动在流经河南荥阳至开封的汴水流域，以"劫公私船取物"谋求生存为目的。因此，瓦岗军在当时全国兴起的诸路农民起义军中并无多大影响。李密参加瓦岗军后，向翟让建议制定一个明确的反隋斗争纲领，以引导瓦岗军夺取更大胜利。他建议翟让率领精兵强将"席卷二京，诛灭暴虐"①。不久，李密建议袭取洛口仓，再次提出"除亡隋之社稷，布将军之政令"② 的口号。翟让接受了李密的建议，瓦岗军也由此确立了推翻隋炀帝暴政、夺取隋朝政权的战略目标。在隋末农民起义过程中，瓦岗军之所以能够发展壮大成为威震中原的反隋起义的主力军，与其贯彻李密提出的推翻隋朝统治的战略思想是密不可分的。

唐代末期，政治腐败，统治集团日益腐朽；赋税繁重，广大人民经济破产，民不聊生；战乱不已，百姓无法承受沉重的兵役徭役，社会阶级矛盾终于以农民大起义的方式全面爆发。王仙芝率先起义，发布檄文，揭露唐王朝的黑暗统治，并且自称"天补平均大将军兼海内诸豪都统"。"天补平均"反映了起义军的斗争目标，表达了广大农民对平均财产和土地的强烈要求。当唐王朝招降王仙芝时，黄巢坚决反对投降朝廷，指出起义的目的是"共立大誓，横行天下"③，后又提出要"讨国奸臣，洗涤朝廷"④，以推翻唐王朝为起义军的政治目标，以"黄王起兵，本为百姓"⑤ 为根本目的，由此确立了以推翻唐朝统治为政治目标、解救百姓为根本目的的战略思想。

---

① 《旧唐书》卷五十三《李密传》。
② 《资治通鉴》卷一百八十三《隋纪七》，恭帝义宁元年二月。
③ 《资治通鉴》卷二百五十二《唐纪六十八》，僖宗乾符三年十二月。
④ 《新唐书》卷二百二十五下《黄巢传》。
⑤ 《资治通鉴》卷二百五十四《唐纪七十》，僖宗广明元年十二月。

正是由于李密与黄巢在起义之初就提出了比较明确的政治主张，确立了以推翻旧政权、建立新政权为目标的战略思想，并在以后的斗争过程中不断予以充实和完善，充分反映了人民群众的斗争愿望和根本利益，所以深得人民的支持和拥护。这是起义军不断发展壮大并取得胜利的根本原因。

（三）广泛发动群众争取民心的思想

瓦岗起义军的行动顺应民众愿望，符合广大人民的要求和利益，有力地鼓舞了士气。同时，李密从长远考虑，向翟让建议："今兵众既多，粮无所出，若旷日持久，则人马困弊，大敌一临，死亡无日矣！未若直取荥阳，休兵馆谷，待士勇马肥，然后与人争利。"① 李密及时地提出了"直取荥阳，休兵馆谷"的作战方略，把夺取隋朝粮仓作为当务之急。大业十三年（617）二月，李密与翟让率领精兵7000人，乘隋军不备，以迅雷不及掩耳之势，一举袭占兴洛仓；四月，李密又遣兵攻占回洛仓。兴洛仓又称洛口仓，它与回洛仓是隋朝政权赖以维持在中原地区统治的两个最大的粮食供应基地。瓦岗军夺取这两个粮仓，不仅从经济上给隋王朝以致命打击，而且为起义军的迅速发展提供了雄厚的物质基础。李密率军袭占粮仓之后，立即开仓放粮。受到救济的远近民众，纷纷参加义军，从而使瓦岗军很快发展壮大起来，成为拥有数十万人的农民起义军。瓦岗军袭占洛口仓的战略意义是巨大的。它既解决了军粮问题，使起义军得以支持长期作战，士气更加旺盛；同时又广泛地动员了群众，壮大了队伍。

黄巢起义军也非常注意争取人民的支持。黄巢攻占广州后，广大将士一致要求"北还以图大事"，夺取两京，推翻唐王朝的统治。黄巢根据当时的形势，决定北伐，首先发布即将进军北上的文告，痛斥宦官专权、官吏贪污、科举流弊，提出"禁刺史殖财产，县令犯赃者族"② 等口号，深得人民群众的欢迎。黄巢率领起义军攻占

---

① 《旧唐书》卷五十三《李密传》。
② 《新唐书》卷二百二十五下《黄巢传》。

长安、建立"大齐"政权后，勒令唐朝官吏向新政权自首，下令三
品以上的大官僚停职，四品以下的留用；对那些与起义军为敌的官
僚贵族则进行了镇压，如来不及逃走的宰相崔沆、左仆射于琮、右
仆射刘邺等大官僚均被处死；对贵族及富豪家的财物，则加以没收，
有些当即分给了贫民，从经济上沉重地打击了地主阶级，并迅速稳
定了社会秩序。

李密、黄巢为求得起义军的生存、发展和壮大，非常注意争取
民心。无论是在起义初期，还是在顺利进军之时，都能够采取果断
措施，或是开仓济贫，或是惩处贪官，均得到了民众的热烈拥护和
支持，这对于起义军的发展壮大和最后夺取胜利起到了决定性的
作用。

（四）注重军政兼施，政治瓦解与军事打击紧密配合的策略思想

李密攻占回洛仓以后，一面令部队据此仓城"大修营堑"①，从
军事上做好进攻东都洛阳的准备；一面"使其幕府移檄郡县"②，令
记室祖君彦作书，以笔代剑，向隋王朝展开政治攻势。这篇近三千
字的讨隋檄文，既表明了李密灭隋的坚强决心，又体现了李密斗争
的策略思想。檄文揭露了隋炀帝滥用民力、大兴土木、横征暴敛、
穷奢极欲、恃众怙力、穷兵黩武、妒贤嫉能、滥施淫威等十大罪状，
号召广大人民奋起推翻隋朝的反动统治。李密在指挥瓦岗军作战中，
能够正确运用以政治攻势与军事打击相配合的斗争策略，军政兼施，
在实践中收到了良好成效：一方面给隋朝官吏以心理威慑，促使其
走向崩溃；另一方面又加速了隋王朝统治集团内部的分化瓦解，促
使许多持观望态度的地方势力乘机起兵。

黄巢攻占广州后，在广大义军将士的要求下决定北伐。出征前
夕，他以义军百万都统的名义发表了文告，痛斥唐王朝"宦竖柄朝，
垢蠹纪纲，指诸臣与中人赂遗交构状，铨贡失才"③ 等罪恶，提出

---

① 《资治通鉴》卷一百八十三《隋纪七》，恭帝义宁元年四月。
② 《资治通鉴》卷一百八十三《隋纪七》，恭帝义宁元年四月。
③ 《新唐书》卷二百二十五下《黄巢传》。

了"禁刺史殖财产，县令犯赃者族"① 的政治主张。同时勒令唐统治者立即归降义军。这一文告深刻揭露了当时政治腐败的现状，反映了广大农民的强烈愿望和要求，为即将开始的北伐指明了方向，赢得了广大义军将士和农民群众的欢迎和拥护。黄巢率起义军主力顺利进军，很快打到了河南。为了进一步分化瓦解敌人内部的军心，他向诸道官军发布了文牒："各宜守垒，勿犯吾锋！吾将入东都，即至京邑，自欲问罪，无预众人。"② 利用唐中央与地方藩镇的矛盾，分化了敌人，减少了进军的阻力，矛头直指唐僖宗，也极大地鼓舞了起义军的士气。黄巢成功地运用政治手段以配合军事进攻，有效地孤立了唐廷，减少了进军的阻力，收到了较好的效果。

李密、黄巢在对隋、唐统治阶级的斗争实践中注重军政兼施，逐渐形成了政治瓦解与军事打击相结合的策略思想。他们在与统治阶级的殊死斗争中，始终以军事打击手段为主，同时又善于运用有效分化瓦解对手的政治手段，军事和政治手段双管齐下。在进行军事斗争的同时，李密发表讨隋檄文，黄巢则发布文告、文牒，均起到了鼓舞义军士气、分化瓦解敌人、推动斗争形势进一步向有利于起义军的方向发展的作用。

（五）令行禁止，严明治军思想

瓦岗军拥有较强的战斗力，这与李密严于治军是分不开的。史载："密军阵整肃，凡号令兵士，虽盛夏皆若背负霜雪。躬服俭素，所得金宝皆颁赐麾下，由是人为之用。"③ 由此可见，李密既严于治军，同时又能安抚将士，这就能够有效地调动起义军广大官兵的参战热情，提高其斗志。李密还善于使用选锋。他曾精选八千骑兵，号称"内军"，以秦叔宝、程知节等将统领。他非常欣赏这支劲军，曾夸耀道："以八千人足当百万。"义宁二年（618），李密与王世充在洛水交战，李密亲率敢死士数百人诱敌，结果大败王世充。从这

---

① 《新唐书》卷二百二十五下《黄巢传》。
② 《资治通鉴》卷二百五十四《唐纪七十》，僖宗广明元年十一月。
③ 《旧唐书》卷五十三《李密传》。

点可以看出李密对军队的治理和训练是相当成功的，从而保证了瓦岗军较强的战斗力。黄巢领导起义军转战南北，一直重视训练和严明军纪。黄巢从广州北伐，在很短的时间内就夺占了两京，进军如此顺利的原因固然是多方面的，但起义军比较注意军纪和具有较强的战斗力是其中的重要原因。李密、黄巢均严于治军、严明军纪，这是保证起义军屡战屡胜的根本原因。严于治军就能多打胜仗；反之，则可能打败仗。起义军后期的失败也从反面回答了这个问题。

（六）缺乏统观全局的战略筹划意识和高瞻远瞩的战略远见

在瓦岗军日益发展壮大的同时，北方窦建德所领导的农民起义军和在江淮之间杜伏威所领导的农民起义军都各自发展，形成以瓦岗军为中坚，窦、杜两支起义军为左、右翼的三大起义军力量。他们连连击败隋军主力，动摇了隋王朝的统治。就在隋王朝摇摇欲坠的时候，地主官僚集团，如朔方梁师都、马邑刘武周、太原李渊先后起兵，形成割据势力和农民起义军既相互矛盾，又共同反隋的复杂形势。在这样的背景下，柴孝和向李密献策，认为："秦地阻山带河，西楚背之而亡，汉高都之而霸。如愚意者，令仁基守回洛，翟让守洛口，明公亲简精锐，西袭长安，百姓孰不郊迎，必当有征无战。既克京邑，业固兵强，方更长驱崤函，扫荡东洛，传檄指挥，天下可定。"[1] 柴孝和的战略设想是有远见的。因为瓦岗军位于中原，处在洛阳和江都的隋军夹击形势之下，且中原为四战之地，易攻难守，瓦岗军虽已有较大军力，但立足是不稳的，入关作为根据地，攻守自如，可以取得战略上的主动。李密没有接受柴孝和的建议，只派柴孝和率部西向，探察情况，虽有发展，但终因粮食不济，只好返回。李密不肯西向的实质，是满足于已有的成就，特别是舍不得放弃中原的粮仓。由此也可看出李密尽管长于战役指导，但却拙于战略规划，没有统观全局的战略意识。正因为其战略远见不足，最终导致失败。

黄巢率军夺占长安以后，战略上的主要失策是没有集中主要兵

---

[1] 《旧唐书》卷五十三《李密传》。

力，打击对长安威胁最大的敌军。黄巢起义军连下两京、进入关中之后，士气高涨，兵强马壮，拥有数十万屡经战阵的大军。反观唐军，士气低迷，军队陷于混乱分散状态，一时难以有效实施统一指挥，同时唐王朝上下震恐，惊惶失措，自顾不暇。但是黄巢没有统观全局的战略头脑，在如何巩固胜利成果、建立全国政权的问题上缺乏战略远见，在对手作鸟兽散之时，却始终坐守长安，无所作为，从而给了敌人以调和内部矛盾、纠集兵力反扑的机会，以致最后败出关中，前功尽弃。

李密与黄巢在处于有利形势之时，由于战略远见的不足，结果都犯了同样的错误。李密与黄巢在敌我力量发展出现变化的时候，往往过高估计自己的力量，不能保持清醒的头脑，对战争发展趋势缺乏预见性，或固守一地，或对敌人丧失应有的警惕。由于战略指导上的失误，大好形势毁于一旦，这是沉重的历史教训。

二、李密与黄巢军事思想的相异之处

李密与黄巢军事思想尽管有诸多相似点，但毕竟是在不同背景下成长起来的，无论是出身、社会阅历，还是军事理论素养、军事实践能力等方面都不一样。二者军事思想的相异之处主要反映在如下四个方面。

（一）李密坚决贯彻建立和巩固根据地思想，但不懂权变之道，始终局限于中原而陷入四战之地；黄巢则主要奉行大规模流动作战思想，但忽视根据地建设

李密在战争实践中形成了重视建立和巩固根据地的思想，主要体现在他夺取隋军粮仓、重视军事后勤保障上。李密在当时提出要夺取隋朝的粮仓，主要是着眼于壮大起义军队伍、解决义军食粮的后顾之忧，同时也隐含了依赖粮仓以建立根据地的思想。洛口仓与回洛仓是隋朝在中原地区最大的粮食供应基地，两仓共储粮谷二千多万石。瓦岗军夺取了它们，不仅从经济上给隋王朝以致命打击，而且为义军的迅速发展壮大提供了雄厚的物质基础。正是有了这样雄厚的后勤保障，才使得李密能够领导义军与隋军长期作战。当然，

李密在后期过于看重这个根据地，不愿离开中原地区，不能根据战争形势的变化而适时地改变战略方向和方针。李世民当时就一针见血地指出了他的要害之处在于"顾恋仓粟，未遑远略"①。

黄巢率领农民军在作战中采用大规模流动作战方式，避实击虚，在运动中歼敌，进展顺利，起义军队伍迅速壮大起来。起义前期，黄巢从唐军北强南弱和己弱敌强的实际出发，向唐军力量薄弱的南方进军；当义军发展壮大之后，又迅速回兵大举北进，致使唐军惶惶不安，疲于奔命，而使自己摆脱被动，掌握了战争的主动权。起义军采取流动作战的方式，在进军的过程中打垮了不少顽敌，驰骋在大江南北各地，然而所到之处始终没有重视根据地的建设，更谈不上以此来支持仍在进行中的战争和巩固已经取得的胜利。起义军攻占长安建立政权以后，未能及时乘胜追击，也未能建立稳固的根据地，致使唐王朝能在全国各地纠集武装势力，重新取得军事力量上的优势，而起义军则陷于被动应付，原有的优势地位逆转，最终未能避免失败的命运。

（二）李密缺乏正确的决战思想，未能选择有利决战时机，而是过早与敌决战；黄巢则基本上抓住了战略决战时机，一举夺占两京

李密率军打败宇文军后，瓦岗军还未来得及休整，洛阳王世充就乘机来攻。裴仁基等根据洛阳隋军极度缺粮和利于速战速决的情况，提出坚壁不战、先疲后打的方针是正确的。李密也分析王世充军"三不可当"，即"兵仗精锐，一也；决计深入，二也；食尽求战，三也。我但乘城固守，蓄力以待之；彼欲斗不得，求走无路，不过十日，世充之头可致麾下"②。李密明知不利于决战，但却惑于众议，下了立即决战的错误决心。加上他骄傲轻敌，不设壁垒，遭到了王世充军的袭击，使瓦岗军遭受到严重损失。瓦岗军大败之后，内部矛盾暴露，众心离散，以致局面不可收拾，终归失败。相反，黄巢在选择决战时机上却比李密要高明得多。当黄巢顺利攻下广州

---

① 《资治通鉴》卷一百八十四《隋纪八》，恭帝义宁元年七月。
② 《资治通鉴》卷一百八十六《唐纪二》，高祖武德元年九月。

时，唐朝军队部署在从淮河至关中的漫长战区内，兵力分散；同时中央与藩镇之间、藩镇与藩镇之间矛盾重重，军事上不能协同，互不合作。因连年征战，唐军内部士气低落，士兵厌战情绪严重，屡屡出现逃兵现象，战斗力受到极大影响。此外，当黄巢取得信州之捷时，唐军正处于两面作战的困境之中——在代北同李克用激战，在中原受刘汉宏大肆骚扰，逼得唐廷下令关东诸道兵进讨。上述诸因素为黄巢进取两京提供了绝好的机会。战争的进程证明了黄巢进行决战的决策是正确的，义军趁机轻取洛阳，顺利入关。

历史经验一再表明，农民起义军是从无到有、由小到大逐步发展的。决战时机是否及时，关系战争的胜负和起义的前途。如果失之过早，轻率行动，就会招致失败。如果当决战时机已经到来，仍然迟疑坐困，也会丧失良机，对战局带来不利的影响。《六韬》指出："善战者，见利不失，遇时不疑。失利后时，反受其殃。"[1] 黄巢作为农民起义军的杰出领袖，能够抓住稍纵即逝的战机，充分反映了他作为战争指挥者所应具有的通观全局的战略眼光和卓越胆识。

（三）李密在战略进攻方向的选择上灵活性不足，从而在战略上陷于不利；黄巢则能够乘虚蹈隙，灵活地选择战略进攻方向，从而夺取战争的主动权

李密取得瓦岗军领导权后，确实使瓦岗起义军很快地发展壮大起来。但是他在关系到起义军前途命运的战略发展方向的选择上，却犯了不可饶恕的错误。当时，柴孝和提出的牵制洛阳隋军、乘虚夺取关中的战略是积极可取的；泰山道士徐洪客的"直向江都"、号令天下的建议虽非上策，也有其可取之处。关中是隋王朝政治中心，又是"四塞"之地，便于攻守；生产破坏的程度较轻，物质条件优于中原地区；同时隋军兵力又极空虚。所以关中是瓦岗军起义后发展的最好方向。即使不采纳这些策略，也可东向徐、青，或北取上党、河东，或南下江汉，与当地起义军建立联盟，都比长期顿兵洛阳较有发展余地。河南在地理上乃是四战之地，周围又有不少敌对

---

[1] 《六韬》卷三《龙韬·军势》。

割据势力，难于摆脱数面受敌的不利地位；洛阳城坚，隋朝守军数量上虽不占优势，但都是精锐，一时难以攻破。瓦岗军不能迅速攻破洛阳，势必要丧失发展的机会并削弱自己的力量；纵然攻占了洛阳，困于四战之地，也难于建立较巩固的基地以对付其他武装割据势力。但是，瓦岗军主要领导人李密在攻取几个大粮仓后，满足于就食者如流的表面现象，缺乏"一旦米尽民散"的远虑，不接受柴孝和等人的建议，一味地强攻洛阳，结果数十万大军长期顿兵坚城，没有得到巩固、休整和再发展的充分机会，这是战略上的重大失策。

黄巢在亳州（治今安徽亳州市谯城区）被义军将士共推为王，号"冲天大将军"，改元"王霸"。建立政权后的农民起义军向何处去，成为关系到义军前途的头等大事。当时东都洛阳已重兵设防，而江南自建唐以来驻兵很少，又是唐王朝财赋的供应地，当地的农民以及王仙芝余部的反抗斗争也正在蓬勃发展。于是黄巢当机立断，正确地选择了战略进攻方向，挥师南下，最后攻占了广州，取得了进军江南的巨大胜利。在广大将士的要求下，黄巢发动北伐。荆门失利，黄巢及时改变方向，沿江东下，转战江、浙，并在江西取得决定性的信州决战的胜利。黄巢乘胜追击，率义军渡淮西进，趁唐廷正忙于与地方割据势力作战、关中空虚的时候，乘隙北伐，直捣唐王朝的心脏——长安。由于在战略进攻方向上选择正确，行动果断，很快就达成了预期战略目标。如前所述，这时的唐王朝正处于两面作战的不利形势之中，黄巢果断地向关中进军，以摧枯拉朽之势一举攻下长安。

李密、黄巢在战略进攻方向上的不同选择，导致了不同的结果。李密在攻打坚城受挫后，未能及时改变战略方向和作战对象，视空虚的关中而不夺，也不引兵东向以号令天下，从而丧失扭转战争形势的机会。黄巢既能灵活巧妙地运用策略，在荆门受挫后及时改变行军路线，随后取得了信州决战的胜利；同时又能始终把握战略进攻的总方向，乘胜袭取两京，实现了预期的战略目标。正确地选择战略进攻方向，为黄巢赢得胜利奠定了基础。

（四）李密具有机动灵活的作战指导思想，着眼于歼灭敌人有生力量，但在战略上显得呆滞；黄巢则具有大规模、大范围流动作战、伺机击敌的作战指导思想，善于在高速流动中各个击破敌人，但未能大量歼敌

李密在作战指导上长于分析敌我情况，知己知彼，能够根据不同的敌情实际，采取灵活多变的战法制敌。大业十二年（616）十月，瓦岗军准备迎战隋军大将张须陀。李密根据敌情，建议翟让率部正面列阵待敌，自己率千余人埋伏于大海寺以北树林中，采取诱敌入伏的战法，歼灭隋军。张须陀骄傲轻敌，瓦岗军利用他这一心理，假装畏战败退，张须陀挥军乘势追奔，恰好进入义军伏击圈。结果义军大败隋军，取得了很大的胜利。大业十三年（617）二月，李密协同翟让指挥义军在石子河与隋军交战。隋军刘长恭率军先期进至石子河西岸，不等其他隋军到达，就挥军渡河向对岸义军发动进攻。瓦岗军稍稍后退，隋军乘势紧追。这时，李密看准时机，一面亲率义军主力正面迎战，一面令单雄信等将率骑兵为左右翼，采取正面打击与两翼包抄相结合的战术，一举全歼隋军，又一次沉重地打击了隋军，极大地鼓舞了义军的士气。从李密长期的战争实践中可以看出，他在战役指导上能够客观分析战场情况，善于掩袭、迂回侧击，经常运用正面进攻和侧后袭击相结合的战法，以少击众，出奇制胜。与前人相比，其战法具有一定的新意。但是，李密在战略指导上存在失误，缺乏战略上的灵活性，长期顿兵坚城而不做任何变动，使起义军失去了发展机会，无法摆脱数面受敌的不利地位。这与其战役上的机动灵活恰成鲜明的对照。李密本人虽因多种因素未能取得最后胜利，兵败中原，但他西打王世充、东破宇文化及，基本上歼灭了隋军主要的有生力量，加速了隋王朝的垮台，客观上为李渊、李世民进据关中、统一全国创造了有利条件。从这一点来说，李密对历史的发展做出了贡献。

黄巢农民起义军运用流动作战形式，避实击虚，消灭敌人，不断发展壮大自己。作战初期，敌强己弱的条件不可避免地给起义军带来流动性较大的特点。黄巢起义军驰骋南北的大流动，在历史上是少有的。这一现象的出现，有其社会历史根源。从黄巢起义军的

士卒出身看，流民、盐贩、戍卒占相当大的比重，不仅习惯流动性生活，更重要的是熟悉山川险隘、交通道路，了解唐军的分布虚实，有利于自己在战略上做大范围的机动，避开对手强点，打击其薄弱之处。从客观情况看，北方藩镇林立，唐军密布，离唐统治中心近；南方藩镇稀疏，唐军较少，且离唐统治中心较远。流动作战可以乘敌之隙，避实击虚，发挥自己的长处。同时，北方连年灾害，战祸频繁，经济萧条；南方则物产丰富，经济发达。向南方发展，不但可以截断唐政府的经济命脉，而且可使自己积蓄力量。黄巢采取流动作战，趋利避害，转战南北，使唐军疲于奔命，使自己摆脱被动，逐渐掌握了战争的主动权。自发动北伐后，黄巢起义军一路上势如破竹，很快取得了占领长安的胜利。但是由于义军一直进行避实击虚的流动作战，除了在信州和潼关两战中重创对手之外，在攻克两京的整个过程中没有歼灭唐军的主力。当起义军攻占长安以后，黄巢不能清醒看到面临的新形势，反而错误地认为大局已定，没有派兵继续追击并消灭逃往四川的以唐僖宗为首的残余势力，也没有及时利用当时"近京藩镇悉无兵备"以及藩镇间的矛盾，集中兵力，各个击破，消灭藩镇割据势力，使各地武装力量得到喘息的机会，重新会集在唐僖宗的旗帜下，向农民军进行反扑。唐凤翔、陇右节度使郑畋表面上归顺农民政权，暗地里却"完城堑，缮器械，训士卒，密约邻道合兵讨贼，邻道皆许诺发兵，会于凤翔"[1]。黄巢得知这一情况后未能及时采取相应的有效行动。由此可见，黄巢农民军虽然完成了夺占京师这一战略进攻的目标，但是在决战阶段却未能大量歼敌，成为之后失败的重要原因之一。

　　综上所述，李密与黄巢在各自的实践过程中，都积累了丰富的斗争经验，形成了相对完整的农民战争思想，尤其反映在指导起义军作战的战略策略思想上，同时也留下了不少教训。李密与黄巢军事思想有许多相似之处，体现在农民起义以推翻旧王朝统治为目标的战略思想，因时而动、趁势而起的斗争策略思想，顺乎民意、争

---

① 《资治通鉴》卷二百五十四《唐纪七十》，僖宗广明元年十二月。

取民心的思想，政治瓦解与军事打击相结合的策略思想，严明治军的思想等方面。李密与黄巢的军事思想又有一些不同点，体现在根据地建立、决战时机把握、作战指导以及战略进攻方向选择等方面。这表明两次农民起义的领导人李密、黄巢的军事思想既有共性，又有个性，对后来的农民大起义具有一定的借鉴意义。通过对李密与黄巢军事思想异同的比较，我们可更深入地认识其中的成功经验和值得后人汲取的教训，从而能够更深刻地总结战争指导规律。

第八节　唐庄宗李存勖的作战指导

李存勖（885—926），西突厥沙陀部人，五代十国时期的杰出军事统帅，史称后唐庄宗。少年时跟从父亲李克用出征，善骑射，胆量超人，24 岁承袭晋王位。他在长期对后梁作战过程中，善于分析形势，能够在复杂态势下保持清醒的战略头脑，做出正确的判断，巧妙利用矛盾，综合运用军政手段争取同盟，不断壮大自己的力量；善于充分发挥骑战优势，以长击短，在总体兵力处于劣势的情况下扬长避短，采取适合己方的突然袭击战法，准确地打击对手的要害部位，进而影响战争全局；能够集思广益，及时采纳合理建议，屡次在不利处境下扭转局势。此外，李存勖具有超出常人的非凡胆魄，临危不惧，敢于在危急关头孤军深入，奋力搏杀，抓住对手的弱点予以猛烈的冲击，由此获得战略全局的胜利。历经艰苦卓绝的战争实践的锤炼，李存勖形成了独具特色的作战思想，极大地丰富了五代时期的军事思想内容。

一、军事手段和政治手段并用，孤立对手，争取同盟

李存勖继承晋王位后，梁太祖朱全忠觊觎幽冀之地，企图将其纳入自己的势力范围。当时这一地区为三个节度使所占据，分别是卢龙节度使、燕王刘守光，驻幽州（治今北京城西南）；义武节度使

王处直，驻定州（治今河北定州）；成德节度使、赵王王镕，驻镇州（治今河北正定）。这三人表面上归附后梁，实则各自保持独立地位。开平四年（910），朱全忠怀疑王镕与晋勾结，派遣供奉官杜廷隐、丁延徽监督3000名魏博兵屯驻于河北的深（今河北深州）、冀（今河北衡水市冀州区）。正在这时，燕王刘守光派兵屯驻涞水，准备入侵定州。王镕慑于梁军的兵威，不敢拒绝。不久，杜廷隐率兵夺占了所驻扎的城池，王镕派遣使者向晋王李存勖求援，受到刘守光威胁的王处直也派使者求救于李存勖。面对这一态势，李存勖召集众将商量应对之策。大多数将佐认为："镕久臣朱温，岁输重赂，结以婚姻，其交深矣；此必诈也，宜徐观之。"① 李存勖不同意这一看法，提出自己的观点："彼亦择利害而为之耳。王氏在唐世犹或臣或叛，况肯终为朱氏之臣乎？彼朱温之女何如寿安公主！今救死不赡，何顾婚姻！我若疑而不救，正堕朱氏计中。宜趣发兵赴之，晋、赵叶力，破梁必矣。"② 决定军政手段并用，一方面与赵王结盟，坚定赵王抗梁之心。赵王王镕由于力量有限，在政治上持观望态度，不敢公开得罪周边势力，尤其是强大的后梁。王镕之所以求救于晋王，也是在后梁的蚕食下不得已而为之。李存勖准确把握了王镕的心态，想方设法坚定其与己建立联盟共抗后梁的决心。李存勖派出援军抗击梁军，在前线抓获了200名割草砍柴的士兵，审问他们梁太祖有什么口令。被俘获的士兵回答道："梁主戒上将云：'镇州反覆，终为子孙之患。今悉以精兵付汝，镇州虽以铁为城，必为我取之。'"③ 梁军俘虏之语暴露了朱全忠对王镕的真实态度，即认为王镕反复无常，必欲除之而后快。李存勖将抓获到的200名梁兵送给王镕，以便让其了解朱全忠的为人，由此坚定其联晋抗梁的意志。另一方面，李存勖派出精锐力量直抵前线，与梁军对峙，伺机打击后梁军队。在梁赵力量对比悬殊的情况下，依靠赵军击败梁军的想法是不切实

① 《资治通鉴》卷二百六十七《后梁纪二》，太祖开平四年十一月。
② 《资治通鉴》卷二百六十七《后梁纪二》，太祖开平四年十一月。
③ 《资治通鉴》卷二百六十七《后梁纪二》，太祖开平四年十二月。

际的。李存勖决定亲率主力出征，寻找有利战机攻击梁军，通过必要的军事手段扭转不利局面。实践证明，李存勖的军政兼施的手段收到了良好效果，为晋军进入河北并逐步夺取这一地区奠定了基础。

二、以逸待劳，伺机决战，"以精骑乘之"

李存勖所统率的军队以骑兵为主，擅长骑战。他所属的沙陀族是西突厥的一部，原居金娑山（今新疆博格达山，一说为阿尔泰山）之南，蒲类海（今新疆巴里坤湖）之东，后来逐渐东迁，辗转活动于阴山（今内蒙古阴山）一带。部落有骑兵万人，骁勇善战，号称沙陀军。李存勖在率军征战过程中，注重发挥骑战优势，尤其在平原地区更能得到充分体现。在柏乡之战中，晋军与梁军隔着野河（上游即今河北赞皇县槐河，下游流经赵县南东入洨河）对峙。晋军大将周德威认为梁军气势旺盛，不宜立即与其交战，指出："镇、定之兵，长于守城，短于野战。且吾所恃者骑兵，利于平原广野，可以驰突。今压贼垒门，骑无所展其足；且众寡不敌，使彼知吾虚实，则事危矣。"[1] 他提出了自己的主张，即"退军高邑，诱贼离营，彼出则归，彼归则出，别以轻骑掠其馈饷，不过逾月，破之必矣"[2]。周德威所主张的战法，核心思想就是主动后撤，选择平原地带作为战场。这样既可以扬己之长，充分发挥己方的骑战优势，同时又可以使梁军离开大营，脱离阵地，增加了被攻击的风险。李存勖采纳了这一建议，率军后退至高邑（今河北高邑）。晋军在高邑诱敌出战，采取以逸待劳、伺机破敌的战法，与梁军战斗至傍晚，趁其"未食，士无斗志"之时"以精骑乘之"[3]，抓住稍纵即逝的战机，从东、西两阵发起攻击，迅速冲垮了梁军队伍，大获全胜。

在胡柳陂之战中，李存勖率军与梁军交战，一直战斗到黄昏时分。李存勖和众将准备收兵回营，次日再战。

---

① 《资治通鉴》卷二百六十七《后梁纪二》，太祖开平四年十二月。
② 《资治通鉴》卷二百六十七《后梁纪二》，太祖开平四年十二月。
③ 《资治通鉴》卷二百六十七《后梁纪二》，太祖乾化元年正月。

天平节度使、东南面招讨使阎宝曰:"王彦章骑兵已入濮阳,山下惟步卒,向晚皆有归志,我乘高趣下击之,破之必矣。今王深入敌境,偏师不利,若复引退,必为所乘。诸军未集者闻梁再克,必不战自溃。凡决胜料敌,惟观情势,情势已得,断在不疑。王之成败,在此一战;若不决力取胜,纵收余众北归,河朔非王有也。"昭义节度使李嗣昭曰:"贼无营垒,日晚思归,但以精骑扰之,使不得夕食,俟其引退,追击可破也。我若敛兵还营,彼归整众复来,胜负未可知也。"王建及擐甲横槊而进曰:"贼大将已遁,王之骑军一无所失,今击此疲乏之众,如拉朽耳。王但登山,观臣为王破贼。"[1]

阎宝、李嗣昭、王建及(后以功赐姓,改称李建及)三人的观点基本一致,即充分利用晋军骑兵严整而梁军骑兵逃走、只剩步兵的大好时机,居高临下,从上往下冲击梁军大营,必定可以摧枯拉朽,一击制胜。李存勖立即予以采纳,指挥骑兵突然攻击对手,梁军阵势大乱,自相践踏,遭到重创。李存勖在初战不利的情况下,及时调整战法,采取以骑制步战术,获得了此次作战的胜利。

李存勖还多次指挥轻骑实施袭扰行动,破坏梁军的军需供应。比如在柏乡之战中,"梁兵刈刍自给,晋人日以游军抄之,梁兵不出"[2]。晋军以骑兵骚扰出城割草喂马的梁兵,迫使其不敢出城,最终导致梁军的战马大量饿死,极大地削弱了梁军的战斗力。

三、攻虚击弱,突袭取胜

梁晋相持数年,尽管梁军在作战指导上略逊于晋,但其总体军事实力却要稍胜一筹。因此,双方战事持续不断,经历了一个较长的此消彼长的发展过程。同光元年(923),梁晋在黄河一线展开激

---

① 《资治通鉴》卷二百七十《后梁纪五》,均王贞明四年十二月。
② 《资治通鉴》卷二百六十七《后梁纪二》,太祖乾化元年正月。

战，互相争夺重要据点。在战事陷入胶着状态时，有降将告知李存勖，郓州（今山东东平西北）城内梁军兵力空虚，有隙可乘，建议立即偷袭。但是郭崇韬等将领认为"悬军远袭，万一不利，虚弃数千人"①，反对冒险出击。李存勖其实对当时局势已有透彻认识，在密召李嗣源进行谋划时指出："梁人志在吞泽潞，不备东方，若得东平，则溃其心腹。"② 这表明李存勖是赞同袭取郓州的，由此可收到"溃其心腹"之效。李嗣源率五千精兵顺利攻下郓州，使梁朝上下受到很大的震动。晋军随后又擒获后梁大将王彦章，李存勖认为除去了一名强劲对手，召集众将商议下一步行动计划。大多数人主张向东扩展，攻城略地，抢占地盘，而后静观时局，待机而动。但有两人提出了不同意见，康延孝主张趁后梁主力北上之机，迅速攻取守备空虚的后梁都城大梁（今河南开封）。李嗣源表示赞同："兵贵神速。今彦章就擒，段凝必未之知；就使有人走告，疑信之间尚须三日。设若知吾所向，即发救兵，直路则阻决河，须自白马南渡，数万之众，舟楫亦难猝办。此去大梁至近，前无山险，方陈横行，昼夜兼程，信宿可至。段凝未离河上，友贞已为吾擒矣。延孝之言是也，请陛下以大军徐进，臣愿以千骑前驱。"③ 李存勖采纳了此建议，命令李嗣源率军奔袭大梁。唐军一路长驱直入，攻破曹州（治今山东曹县西北）后未作停留，继续向西疾行，很快就逼近了大梁。在唐军猛烈而突然的进攻下，梁主朱友贞感到大势已去，被迫自杀。大梁守将开门出降，唐军顺利占领了大梁，后梁灭亡。李存勖在战争形势尚不明朗的情况下，敢于出奇制胜，派出一支行动果敢的骑军攻虚击弱，迅猛地打击对手守备薄弱的要害之地——大梁，出其不意地发起进攻，凭借强大的兵威慑降了梁朝守城将领，取得了不战而屈人之兵的效果。

---

① 《资治通鉴》卷二百七十二《后唐纪一》，庄宗同光元年闰四月。

② 《资治通鉴》卷二百七十二《后唐纪一》，庄宗同光元年闰四月。

③ 《资治通鉴》卷二百七十二《后唐纪一》，庄宗同光元年十月。

四、虚心听取部下正确意见，集思广益，择善而从

历代兵家向来重视将帅修养，强调将帅要做到"能采言"①，博采众言，虚怀若谷，在广泛听取各方意见和建议时，要做到"集众谋必先虚己，略去势分，屈降咨询，迩言不遗，寸长必录"②。李存勖之所以能够以弱胜强，在不利处境下逐渐扭转局势，直至灭梁，与其善于采纳部属意见有着密切的关系。

在柏乡之战中，李存勖指挥晋军与梁军交战，双方激战半天未分胜负。此时，李存勖决定亲自率军投入战斗，周德威在旁边劝阻道："观梁兵之势，可以劳逸制之，未易以力胜也。彼去营三十余里，虽挟糗粮，亦不暇食，日昳之后，饥渴内迫，矢刃外交，士卒劳倦，必有退志。当是时，我以精骑乘之，必大捷。"③ 建议等到对方饥渴困倦而退兵的时候，再趁机发起攻击。李存勖觉得言之有理，采纳了这一建议，最终取得了柏乡之战的胜利。在胡柳陂之战中，李存勖不听从周德威的劝告，自引亲兵向前冲击，结果导致被击败的梁军王彦章部在向西退却过程中，遭遇了晋军的辎重部队，迫使辎重部队退入晋军周德威部队的军阵内，由此引起阵势混乱。梁军趁势冲杀，晋军损失惨重。李存勖收拾残部，准备次日再战。这时，部将阎宝、李嗣昭、李建及主张派出精骑袭扰梁军营，使梁军将士无法吃晚饭，而后再以骑兵猛烈冲击梁营，必定可以获胜。李存勖意识到这是千载难逢的战机，立即实施部将之策，果然击败了梁军。在黄河沿岸据点争夺战中，唐军与梁军展开激战。梁将王彦章率军围攻杨刘城，李存勖率军前往援救。由于梁军设置了严密的防御体系，李存勖无法破敌，同时郓州唐军因失去与外界联系，人心惶惶。郭崇韬提出了应对之策。

---

① 《黄石公三略·上略》。
② 《兵镜》卷四《将职·将职条略》。
③ 《资治通鉴》卷二百六十七《后梁纪二》，太祖乾化元年正月。

今彦章据守津要，意谓可以坐取东平；苟大军不南，则东平不守矣。臣请筑垒于博州东岸以固河津，既得以应接东平，又可以分贼兵势。但虑彦章诇知，径来薄我，城不能就。愿陛下募敢死之士，日令挑战以缀之，苟彦章旬日不东，则城成矣。①

郭崇韬建议在杨刘城下游黄河东岸马家口（在今山东东阿县东北）修筑城垒，开辟新的战场，并可以巩固与郓州的联系，稳定守城将士的军心。李存勖同意了郭崇韬的主张，并派他率军前往筑城，扭转了战场上的被动态势。在奇袭汴梁之战中，李存勖召集诸将商讨作战计划。多数将领认为目前不清楚后梁京城的防备情况，建议先向兵力较少、守备空虚的后梁东部地区推进，而后再见机行事。熟悉后梁军情的降将康延孝和前线将领李嗣源一致主张疾攻大梁，利用后梁主力部队远离京城之机，派遣精锐骑兵迅速进军，突然袭取大梁。李存勖表示赞同，立即命令李嗣源率军作为前锋直趋大梁，顺利攻占了后梁京城。

由此可见，李存勖的高明之处，并不在于其本人足智多谋、料敌如神，而在于他能够谦虚待下，认真听取部属的不同意见，从中选取最合理、最有价值的建议付诸实施。这既反映了李存勖的民主作风，能够充分调动部下深入谋划议事，集众人之智；同时又体现了他的大局观和敏锐的判断力，在复杂的局势面前总能把握战局的枢纽，从而做出正确的抉择，定下最优化的作战方案。一名优秀的统帅应该兼具高超的指挥才能与优良的将帅素养，这样方能稳操胜券而不被对手打败。

---

① 《资治通鉴》卷二百七十二《后唐纪一》，庄宗同光元年六月。

第九节　周世宗柴荣的军事思想

柴荣（921—959），邢州龙冈（今河北邢台）人，五代十国时期杰出的军事统帅，史称周世宗。善骑射，性刚毅，长于治军，具有雄才大略。他即位之后，敢于推行一系列军政改革，制定务实可行的战略方针；不拘一格任用文臣武将；强调精兵，组建水军，极大地提升了军队战斗力；集思广益，身先士卒，拥有良好的统帅作风，文治武功均有卓越建树。

一、"修道"而备战，积极做好战争准备

孙子提出"以虞待不虞者胜"[①]，又强调"善用兵者，修道而保法，故能为胜败之政"[②]，认为高明的指挥员往往从国家政略和战略的高度全面筹划战争，修明政治，推行仁政，和军爱民，明法审令，扎实抓好各项战争准备，等到敌人出现可乘之隙，趁机战胜攻取。孙子提出的"修道"备战思想产生了深远影响，被后世不少统治者奉为战争指导思想。柴荣是一位年轻有为、目光远大的统治者，登基后励精图治，着眼统一天下的战略目标，大力推行改革，积极进行战争准备，为之后的统一战争奠定了坚实的基础。

一是勇于推行政治改革，除旧布新。柴荣即位之初，自晚唐以来的分裂割据局面没有多少改观，日益削弱的中央政府权威与日益坐大的地方割据势力恰成鲜明的对照。为改变此局面，柴荣将强化中央集权、削弱分裂势力作为其政治改革的重点内容，加强对中央禁军的控制，选派自己信任的将领统领禁军，确保禁军听从指挥；同时注重提高将士素质，强化训练，整顿军队风纪，极大地提升了

---

① 《十一家注孙子校理》卷上《谋攻篇》。
② 《十一家注孙子校理》卷上《形篇》。

禁军战斗力，使中央禁军的实力强于方镇，为强化集权提供了军事上的保障。柴荣的政治改革的另一个重点是致力于法制建设，革除了用刑过重、过度的弊政，严格规定用刑标准，要求各级官员及时、公正地审理案件，将其审案断狱与吏治考核相结合，如果谁在这方面不合格，则会被罢职。柴荣本人非常注意依法行事，"不因怒刑人，因喜赏人"①，在用法方面为众官员树立了榜样。柴荣还下诏删改旧行法典，组织人员撰修《大周刑统》，统一颁行全国，对于稳定社会秩序、安定人心、巩固统治发挥了积极作用。与此同时，他还注意纠治当时盛行的贪腐之风，大力惩治贪官污吏，不遗余力倡导节俭，使社会风气有了较大的改观。

二是大力发展经济，做好战争储备。柴荣颇知民间疾苦，即位后重视发展农业生产，充分调动广大民众的生产积极性。他认为"国以民为本，本立则国家安"②，强调要争取民众的拥护，将其引导到农业生产中去。后周政府鼓励从契丹、北汉等各地归来或投降的军人、百姓承租无主荒闲土地，并且大力招抚流民从事耕种，极大地促进了农业生产的发展。柴荣还重视兴修水利，派遣宰相李穀督修黄河工程，征发民工修筑堤防、堵塞决口，为促进农业生产提供了切实保障。他还命人疏通河渠，建立以大梁为中心的水上交通网，江淮、河南、山东各地的物资都能够源源不断地运到大梁，为出征军队提供了充足的物资保障。为了增加国家财政收入、减轻农民赋税负担，后周政府在全国范围内按实有田亩收取赋税，成效显著。为消除不按时征税的弊端，后周政府规定了统一征税的时间，即夏税自六月一日起征，秋税自十月一日起征，减少了对百姓的骚扰。柴荣推行一系列有利于经济发展的措施，使后周政府在数年间极大地充实了府库，具备了雄厚的物资储备，为战胜攻取奠定了坚实基础。

三是广泛争取民心。中国古人一贯重视民心的力量，主张要善

---

① 《资治通鉴》卷二百九十二《后周纪三》，世宗显德二年十一月。
② 《册府元龟》卷一百五十八《帝王部·诫励三》。

于依靠和团结民众，广泛地争取民众的拥护和支持，以此才能治国安邦、整军经武。《荀子·议兵篇》指出："士民不亲附，则汤武不能以必胜也。故善附民者，是乃善用兵者也。故兵要在乎善附民而已。"充分表明了善于"附民"的重要意义。柴荣从即位以来，就开始着手准备统一战争，而在准备实施以及推进统一战争过程中，始终注重采取多种手段争取民心，赢得了民众的衷心拥戴，极大地加速了战争胜利的进程。首先是通过舆论宣传来争取民心。在亲征南唐之前，柴荣一方面征选精兵强将出征；另一方面发布文告，历数南唐罪恶，指责其"蠢尔淮甸，敢拒大邦，因唐室之陵迟，接黄寇之纷乱，飞扬跋扈，垂六十年，盗据一方，僭称伪号"[1]，揭露其灭亡闽、楚之罪，"大起师徒，来为应援，攻侵高密，杀掠吏民，迫夺闽、越之封疆，涂炭湘、潭之士庶"[2]，对于打击南唐士气、争取人心发挥了极大作用。其次是通过罢免徭役、杂税等措施来争取民心。后周灭后蜀后，较好地处置了所俘获的蜀兵，去留皆可，愿留者有赏赐，愿返乡者发放盘缠、衣装等；免除后蜀在秦（治今甘肃秦安西北）、成（治今甘肃成县）、阶（治今甘肃陇南市武都区东）、凤（治今陕西凤县东北）四州的科徭，诏令"四州之民，二税征科之外，凡蜀人所立诸色科徭，悉罢之"[3]，稳定了社会秩序，受到了广大民众的欢迎和支持。在征伐南唐过程中，柴荣减免了新占领地区的不合理的租赋徭役以及各种苛捐杂税，宽大释放关在牢里的囚犯，极大地争取了民心。最后是妥善安置外地涌入的流民。因为突发水灾，契丹辖境内的数十万流民入塞，散居河北。后周较好地安置了这些流民，被契丹掳去的百姓也有半数以上乘机逃回，显示出后周政权的民心所向。

四是高度重视战争动员。柴荣非常重视战争动员，主要做好了两方面的工作。一是武器装备动员。五代时期，各割据政权独霸一

---

① 《旧五代史》卷一百一十五《周世宗纪二》。
② 《旧五代史》卷一百一十五《周世宗纪二》。
③ 《资治通鉴》卷二百九十二《后周纪三》，世宗显德二年十一月。

方，自行其是，甚至私造武器甲仗，公然对抗朝廷。柴荣意识到这一问题的严重性，即位后全面整顿全国兵器生产，停止各地作坊的兵器生产，同时扩大和加强中央的兵器生产；注意通过作战收缴对手兵器，他在亲征南唐之战中就曾缴获大量军资器械。二是粮草动员。为满足军队需要，柴荣注意在集结地区或战场附近征调粮食，有时还以赐官的方式诱导富商缴纳粮草。除了就地补给之外，如果需求量较大，他也会命令后方运送粮草到前线。

二、选贤任能，善于发现并大胆使用文臣武将

众所周知，人才是创业之本。对于一国之主来说，选拔并任用具有治国安邦平天下之才的文臣武将，对于国家安危、军队发展具有举足轻重的作用。柴荣即位以后，为有效推进改革，急需一大批文臣武将充实到各职能部门，以便切实贯彻其政略和战略。为此，他打破陈规，广开途径，选拔才俊，唯才是举，敢于破格任用人才，收到了较好效果。

一是重视科举制度，扩大选拔范围，强调真才实学。柴荣继承了隋唐以来的科举制度，坚持每年开进士科取士；同时恢复中断已久的制科，以便选拔当时急需的有突出才能的专门人才。为避免选拔过程中的徇私舞弊，他亲自主持复试，对新及第进士的诗赋、策文进行批阅复核，选能汰劣。显德二年（955），柴荣在复核过程中指出："今岁所放举人，试令看验，果见纰缪，须至去留。"[①] 只留下了 4 人，淘汰了其余的 12 人，并且还对主考官进行了惩处，科举之风气为之一变。另外，他还放宽了科举取士的范围，不论资历、出身，前资官、现任官员、布衣百姓均可以参加应试，为广泛选拔人才提供了政策保障。

二是打破常规，敢于破格用人。柴荣用人不拘一格，不论是新人还是旧臣，身份高贵者还是布衣之士，进士出身还是非科举出身，

———————

① 《旧五代史》卷一百一十五《周世宗纪二》。

只要身怀绝学、才能出众，就放手任用，"必当量材录用"①。他破格任用王朴堪称用人典范。王朴原先在后汉当官，后来投奔后周，在深入思考时局的基础上，向周世宗呈献了《平边策》，详尽分析对比南唐、后蜀、北汉、辽国等邻国和后周的政治、军事状况，提出了统一天下的作战方略，受到了柴荣的赞赏。短短几年时间，王朴从校书郎升至户部侍郎、枢密使，被委以重任。柴荣征伐淮南之时，命令王朴留守东京（今河南开封），全权处理朝廷事务，足见对其的信任，由此也反映出柴荣善于发现人才，也敢于任用有真才实学者。

选人用人注重实际才干是周世宗的鲜明风格，尤其在武将的提拔使用方面更为显著。他经常在军队训练与作战过程中考察将领的实际表现，从实际需要出发选拔用人。如在高平之战中，柴荣亲率后周军与北汉军打了一个遭遇战。由于柴荣所率领的前锋部队进展迅速，后续人马尚未赶到，后周军在与北汉军交战时的兵力处于劣势。战斗伊始，北汉军攻击后周军的右军得手，后周马军将领樊爱能、步军将领何徽率军败逃，阵脚大乱，不少士兵投降北汉军。在这关键时刻，宿卫将赵匡胤与殿前都指挥使张永德挺身而出，各率 2000 人向前进击，马仁瑀等人也率骑兵冲入敌阵，北汉军大败溃逃。战后，柴荣根据众将领在战场上的实际表现，将樊爱能、何徽等作战不力者斩首；与此同时，重赏和提拔张永德、赵匡胤等作战勇敢者。

三是完善人才选拔制度，汰劣留优，防止人才滥进。柴荣在广开招贤纳士之门的同时，注重从制度上把好人才质量关，尤其注重完善制度、增加复核、博采众议、重视人才实际能力等。柴荣规定，每年进士科考试结束后，他要亲自复试或命大臣看验复试，合格者才准许及第；凡复试有不合格者，主考官要受到降职处罚，以此警诫主考官恪尽职守。文武官员必须署名举荐人才，如果被举者有不法行为，举荐者也要酌情受到停任、降职等惩处。柴荣在破格提拔人才时，注意广泛听取各方意见，虚心咨询不同人士的看法，以确保对人才做出较为公允的评价。

---

① 王溥：《五代会要》卷十二《杂录》，中华书局，1985 年。

三、整编禁军，注重精兵，严明治军

高平之战后，柴荣深刻地总结了作战中的经验教训，决定彻底整编禁军，着力提升其战斗力。他提出了"兵在精不在众"[①] 的指导思想，挑选"武艺超绝者"[②] 编入禁军，其中包括藩镇军队中的精兵强卒、山林草莽的亡命之徒、交战投降的士卒等。柴荣一方面精挑各方勇士编入禁军，另一方面又将禁军中的老弱病残者予以淘汰，将其送回原籍。经过一番整编，中央禁军焕然一新，作战能力得到极大的增强。柴荣还注重严明治军，赏功罚过，以此激励将士杀敌立功，惩戒犯过者使其敬畏军纪。他在高平之战后，奖励作战中立下战功的李重进、向训、张永德、赵匡胤等人，并且升迁其官职；同时对作战不力、望敌而逃的将士予以严惩，将战场上败逃的樊爱能、何徽等人全部斩首，对在淮南作战失利的侍卫步军都指挥使李继勋、武宁节度使武行德予以贬官，维护了军纪的威严。柴荣还反复申明军队的群众纪律，严禁进入民居村舍、践踏民田、伤害禾苗，违令者按照军法处置。在讨伐南唐时，柴荣在诏书中宣布："王师所至，军政甚明，不犯秋毫，有如时雨，百姓父老，各务安居，剽掠焚烧，必令禁止云。"[③] 赵晁等将领违反军令，贪贿钱财，劫人妻女，被淮南节度使向训依法处死。严明的军纪为后周军队拥有强大的战斗力提供了坚强保障。史载柴荣"御军，号令严明，人莫敢犯"[④]，就是他治军成效的鲜明反映。

四、重新组建强大的水军，因敌制胜

孙子曰："能因敌变化而取胜者，谓之神。"[⑤] 统军作战须因敌

---

① 《五代会要》卷十二《京城诸军》。
② 《旧五代史》卷一百一十四《周世宗纪一》。
③ 《旧五代史》卷一百一十五《周世宗纪二》。
④ 《资治通鉴》卷二百九十四《后周纪五》，世宗显德六年六月。
⑤ 《十一家注孙子校理》卷中《虚实篇》。

随机应变，不可拘泥于一种战法僵化不变。后周军队以骑兵为主要军种，在与北方游牧民族作战时能够充分发挥作用，但在与南方水军作战时就派不上用场了。柴荣率军第一次征伐南唐时，"比无水战之备，每遇贼之战棹，无如之何，敌人亦以此自恃，有轻我之意"①。在与南唐军交战中，柴荣看到"唐水军锐敏，周人无以敌之"②，马上意识到后周水军亟待组建，否则无法抗衡南唐强大的水军，势必影响统一战争。从前线返回京城大梁（今河南开封）后，他召集人员建造了数百艘战舰，又从南唐投降的士兵中挑选擅长水战者充当教练，训练后周士兵练习水战，很快提升了后周水军的战斗力。几个月之后，后周水军"纵横出没，殆胜唐兵。至是命右骁卫大将军王环将水军数千自闵河沿颍入淮，唐人见之大惊"③。在第二次征伐南唐之战中，后周水军与骑兵、步兵紧密配合作战，"唐兵战溺死及降者殆四万人，获船舰粮仗以十万数"④，充分显示了新组建后的水军的强大威力。在三征南唐过程中，柴荣指挥军队攻打濠州。濠州濒临淮水，驻守的南唐军队拥有数百艘战船，还在淮水上放置大量巨木，企图以此阻挡后周军的攻势。柴荣因敌制胜，"命水军攻之，拔其木，焚战船七十余艘，斩首二千余级，又攻拔其羊马城，城中震恐"⑤，后周水军拔掉巨木、焚烧敌方战船，去除了对方的屏障，强烈震慑了南唐兵的心理，收到了良好的心战效果。这时的水军能够在战场上发挥独特作用，给对手以致命打击，已经成为后周军队不可或缺的重要军种。

五、发扬统帅的优良作风

统帅作为一军之首，担负着莫大的职责，关系着全军将士的生

---

① 《旧五代史》卷一百一十七《周世宗纪四》。
② 《资治通鉴》卷二百九十三《后周纪四》，世宗显德四年二月。
③ 《资治通鉴》卷二百九十三《后周纪四》，世宗显德四年二月。
④ 《资治通鉴》卷二百九十三《后周纪四》，世宗显德四年三月。
⑤ 《资治通鉴》卷二百九十三《后周纪四》，世宗显德四年十一月。

死存亡。荀攸曰："三军以将为主，主衰则军无奋意。"① 正因如此，历代兵家非常重视将帅修养，强调优良的作风对于统帅指挥打仗、战胜攻取具有重要的作用。

一是鼓励下属提意见，虚心纳言。中国古代兵家认为掌握军队指挥权的主将必须善于会聚众人之智，集思广益，才有可能克敌制胜。这就要求将帅必须做到"兼听群言"，也就是"集众谋必先虚己，略去势分，屈降咨询，迩言不遗，寸长必录"②，做到虚怀若谷，不耻下问，放下架子，求教于各方人士，这样才能形成最佳的破敌之策、制胜之略。

柴荣上台一段时间后，发现没有人纠正时弊、指摘自己的过失，深感奇怪，觉得需要改变这一不正常的局面。他鼓励文武百官"上章论谏。若朕躬之有阙失，得以尽言；时政之有瑕疵，勿宜有隐"③，让他们大胆地指出问题、秉笔直书，不必有什么顾虑。柴荣在实践中虚心听取各方意见，集思广益，将大家提出的意见和建议进行优化，最终形成一个较合理的行动方案。在高平之战前，柴荣召集群臣讨论御驾亲征问题。以冯道为首的群臣反对皇帝御驾亲征："陛下新即位，山陵有日，人心易摇，不宜轻动，宜命将御之。"④ 主张派遣大将率军出征。柴荣不同意，指出："昔唐太宗定天下，未尝不自行，朕何敢偷安！"⑤ 但冯道等群臣仍持反对意见，只有中书侍郎、同平章事王溥予以支持，柴荣最终决定亲征，后来取得了高平之战的胜利。由此可见，集思广益的关键在于统帅须有主见，并能从两种对立意见中汲取合理成分，在此基础上做出决策。显德二年（955），柴荣派大军西征后蜀，因路途遥远，军粮运输困难，宰相以此为由请求停止讨伐行动。柴荣说道："吾欲一天下以为家，而

---

① 《三国志》卷十《魏书·荀攸传》。
② 《兵镜》卷四《将职·将职条略》。
③ 《旧五代史》卷一百一十五《周世宗纪二》。
④ 《资治通鉴》卷二百九十一《后周纪二》，太祖显德元年二月。
⑤ 《资治通鉴》卷二百九十一《后周纪二》，太祖显德元年二月。

声教不及秦、凤，今兵已出，无功而返，吾有惭焉。"① 虽然并不认可宰相的请求，但为了准确掌握前线真实军情，以便做出正确决策，还是派遣殿前都虞候赵匡胤前往探察。赵匡胤从前线返回后，向他禀报出征的后周军队可以攻取当面之敌。柴荣听取了赵匡胤的意见，决定继续用兵，后来顺利实现预期作战目标。

二是身先士卒，攻坚克难。中国古代兵家强调统军带兵者时时处处要"先之以身，后之以人，则士无不勇矣"②，否则"将不仁，则三军不亲；将不勇，则三军不锐；将不智，则三军大疑"③，必将导致"乱军引胜"的严重后果。柴荣有英勇豪迈之气概，常以唐太宗李世民自勉，在南征北战中经常御驾亲征，亲临一线指挥作战，数次在危急关头知难而进，身先士卒，或反败为胜，或穷追猛打，取得了一系列战斗的胜利。史载他"攻城对敌，矢石落其左右，人皆失色而上略不动容"④，可见其在长时期的军事实践中锤炼出了遇险不惊、临危不乱的统帅气质。在高平之战中，柴荣"见军势危，自引亲兵犯矢石督战"⑤，极大地激励了军心士气，将士奋勇冲杀，获得大捷。他先后三次亲征南唐，在前线指挥军事行动。因为能够及时、准确地掌握敌我双方动态，对彼己双方的兵力部署和指挥员的缺陷优长都了如指掌，故能做出及时而适宜的处置。在第一次征讨南唐之战中，后周军队全力围攻寿州（治今安徽凤台），李毂指挥不力，退守正阳（今安徽寿县西南正阳关）。柴荣到前线后，立即亲自到寿州城下，组织大军发起围攻行动，命令李重进代领李毂之职，负责淮南作战事宜。为配合寿州之战，柴荣命令赵匡胤等将率军进攻滁州（治今安徽滁州）、鄂州（治今湖北武汉市武昌区）等地；楚国将领王逵、吴越王钱弘俶应后周要求，派兵进攻南唐边界，使对手陷入四面受敌的境地。受多方打击，南唐将士恐惧不安，作战

① 欧阳修：《新五代史》卷五十《王环传》，中华书局，1974 年。
② 《诸葛亮集·文集》卷四《将苑·厉士》。
③ 《六韬》卷三《龙韬·奇兵》。
④ 《资治通鉴》卷二百九十四《后周纪五》，世宗显德六年六月。
⑤ 《资治通鉴》卷二百九十一《后周纪二》，太祖显德元年三月。

意志动摇，战略态势向着有利于后周的方向发展。在之后的二征南唐、三征南唐以及北伐契丹的作战中，柴荣都是率军亲征，直接指挥后周军攻坚克难，进展顺利，先后夺取了南唐江北十四州，收复燕南失地。这在很大程度上要归功于柴荣的出色指挥及其率先垂范、勇敢无畏、一往无前的统帅作风。

第七章　隋唐五代战争实践中所反映的兵学成就

隋唐五代期间的战争活动范围广、持续时间长、历史影响大，具有丰富的战争样式。这一时期的统一战争、平叛战争、农民战争实践体现了丰富的兵学思想，其中隋灭陈之战的大战略、唐初统一战争的用兵方略、隋唐江河作战思想和攻守城作战思想等反映了该时期战争实践的主要兵学成就。

第一节　隋灭陈之战的大战略

自西晋末年以来，封建中央政府权力式微，豪强割据，全国出现了长达近 300 年之久的南北分裂的局面。南北朝末期，由于士族门阀势力的急剧衰落，北方各族人民的进一步融合，尤其是北朝在经济、政治、军事制度上厉行改革，社会经济获得较快较大发展，中央集权得到加强，军事力量迅速壮大，一个由北及南的统一趋势逐渐形成。

杨坚代周建隋之时，全国境内存在三个主要政权，即中原地区的隋朝、江南地区的陈朝和漠北广大地区的突厥。陈朝是在平定侯景乱梁之后建立起来的政权，军事实力、经济实力较弱，统治区域、人口等均不及前代各朝。尤其要指出的是，陈朝政治腐败，朝纲紊乱，奸佞当道，"纵横不法，卖官鬻狱，货赂公行"①，残酷剥削民众，"驱蹙内外，劳役弗已"②，导致陈朝内部出现严重的政治危机。这一时期的突厥拥有较强的军事力量，"控弦数十万"③，经常伺机南下掠夺财物。隋朝建立后，隋文帝对突厥采取强硬政策，"待之甚薄"④，停止向其输送财货。突厥对此异常不满，于是乘隋朝新建、内部尚待巩固之际，接连不断地南下袭扰，严重威胁隋王朝的统治。反观隋王朝，经过隋文帝杨坚所采取的一系列政治、经济、军事改革措施后，此时正处在上升发展时期。结束南北分裂、实现全国统一的任务历史性地落在隋文帝身上。

　　杨坚全盘筹划灭陈之战，采取"先声后实"⑤ 的策略，有计划、有步骤地对陈朝实施了全方位的大战略⑥，在政治上大造舆论，吊民伐罪，争取人心；在外交上与陈朝结好，隐蔽企图，迷惑对方；

---

① 　《资治通鉴》卷一百七十六《陈纪十》，长城公至德二年十一月。
② 　《隋书》卷二《高祖纪下》。
③ 　《隋书》卷八十四《突厥传》。
④ 　《隋书》卷八十四《突厥传》。
⑤ 　"先声后实"是指利用己方强大的声威震慑对手，造成敌方心理上的恐惧感，最终迫敌不战而降。"先声后实"是中国历代兵家常用常新的用兵策略，并且多种手段综合运用。韩信不战而慑服燕国就是中国历史上成功运用"先声后实"之策的范例。汉高祖三年（前204），韩信平定赵国之后，向李左车请教破燕之计。李左车提出"先声而后实"之策："案甲休兵，镇赵抚其孤""而后遣辩士奉咫尺之书，暴其所长于燕，燕必不敢不听从。燕已从，使喧言者东告齐，齐必从风而服"，即借用汉军连战皆捷、节节胜利的声威，向燕国展示自己的力量和决心，在此基础上派使者游说燕国，使之归降。燕国最终被汉军的强大声威慑服。
⑥ 　"大战略"一词最早出自英国军事思想家利德尔·哈特的名著《历史上的决定性战争》，主旨是综合运用政治、外交、经济、军事等手段实现国家目标。无论是广义大战略还是狭义大战略，都认为大战略的层次在军事战略之上，大战略指导军事战略，而军事战略则必须服从大战略。尽管"大战略"这一概念出现很晚，但大战略的实践和理论却是源远流长的。考察中国古代战争史，大战略曾经被战争指导者运用于战争实践中，并且取得了显著成效。隋朝初年，隋文帝杨坚组织指挥的灭陈之战成功地运用大战略，顺利达成统一目标，留下了可资后人借鉴的历史启示。

在经济上荒废陈朝农事，致其经济困乏，军民厌战；在军事上积极备战，调整军事部署，大练水师，完善军事交通；实施富有针对性的心战，有效地影响了对手的军心士气。总之，为全面夺取灭陈之战的战前绝对优势，隋朝综合采取诏书、誓师、袭扰、示形、用间、心战等多种手段，对陈朝实施了长期且有效的扰敌、疲敌、误敌、慑敌活动，涵盖了政治、外交、经济、军事等诸多领域，收到了事半功倍之效。在一系列大战略举措所创造的有利态势下，杨坚派遣大军分八路攻陈，一路势如破竹，很快就攻入建康，陈叔宝被迫向隋军投降，陈朝灭亡。隋灭陈之战由此成为中国历史上成功运用大战略的典型战例。

隋文帝杨坚之所以能够赢得灭陈之战的胜利，与其实施全方位的大战略具有重要的关联。兹从隋文帝杨坚运用大战略指导战争的角度，简要探讨其成功之道。

一、确立并坚持一以贯之的大战略目标是实施大战略的第一要务

在运筹与实施大战略期间，确立并坚持一以贯之的大战略目标，可以确保执行过程的稳定性、连贯性，对于大战略获得最终胜利具有至关重要的作用。隋文帝杨坚久有一统天下之志，称帝之初便"潜有吞并江南之志"①，并逐步将其付诸实践。从北平突厥、南灭陈朝，再到后来平定南方叛乱，隋文帝杨坚始终坚持统一天下的大战略目标，排除一切干扰，毫不动摇地将其贯彻到底。建立隋朝后，隋文帝杨坚多次与群臣讨论统一方略，在大力推行政治、经济、军事改革的基础上，为统一大业积极进行各项准备。南下灭陈是杨坚实现南北统一大业的根本战略目标。为此，杨坚根据尚书左仆射高颎的建议，选派名将贺若弼、韩擒虎等人镇守边境，为灭陈之战预做准备。开皇元年（581）九月，隋派遣高颎为总指挥，长孙览、元

---

① 《隋书》卷五十二《韩擒虎传》。

景山并为行军元帅，率军大举伐陈。但就在此时，居于漠北的突厥乘隋朝新建之际，接连不断地南下袭扰，给隋的统一大业带来了极大不利。解除突厥威胁便成为杨坚统一事业的一个重要环节。尽管由于形势突变而出现了战略方针的调整，但是隋文帝着眼统一的大战略目标始终未曾动摇改变，并在此总目标指引下顺利实现了大一统。

二、实施大战略必须始终把握重点，确定主要战略方向

把握战略重点是实施大战略的重要原则。所谓战略重点是指对战略全局成败具有决定性影响的要害部位、方向等。大战略指导者必须始终关注战略重点，确定主要战略方向，并由此做出正确的战略部署。隋文帝杨坚在实施大战略过程中，始终将着眼点放在主要战略方向，注重区分主次，统筹处理，措置裕如。在统一战争中，杨坚面对南北两个敌手，即南方的陈朝与北方的突厥。杨坚将陈朝视为主要对手，将南方确定为主要战略方向。后来，因形势突变，北方突厥南下袭扰加剧，乃临时将"先南后北"的统一战争指导方针改为"先北后南"，但对陈朝的战争准备工作却始终未曾停息，而北击突厥亦是着眼于为之后发动灭陈之战免除后顾之忧。在隋灭陈之战中，杨坚在沿长江战场同时八路出击，可谓多点进攻，但从总体来看，可主要区分为上游与下游两个作战方向。在这两个方向中，杨坚将下游确定为主要战略方向，并在此方向部署隋军主力，重兵屯驻下游寿春（今安徽寿县）、广陵（今江苏扬州）等地，由杨广直接指挥，目标直指建康。杨坚将上游确定为次要方向，上游隋军的作战目的在于牵制、阻止上游陈军驰援陈朝首都建康（今江苏南京），以此使下游诸军可以"择便横渡"。隋灭陈之战开始后，在上游诸军与陈军交战之时，下游诸军乘虚直捣建康，很快攻占了陈朝首都，俘虏了陈朝君主，一举扫灭陈朝。

三、富国强兵是实施大战略的坚实基础

早在先秦时期，《管子》指出"国富者兵强，兵强者战胜"①，首次提出了"富国强兵"的重大命题。中国古代成功的战争实践表明，富国强兵是战胜攻取、克敌制胜之本。大战略的实施也须以此为根基，否则只不过是可望而不可即的空中楼阁。为实现统一天下的大战略目标，隋文帝杨坚采取一系列举措，极大地增强了国力、军力。隋文帝的富国强兵之举收到了显著成效，隋朝由此出现"人多殷富""甲兵强锐"的局面，为实施大战略奠定了坚实的基础。首先是改革政治制度，加强中央集权，大力强化统治机构和完善职官制度，确立了"三省六部"的中央行政体制；针对地方行政机构"具僚以众，资费日多，吏卒人倍，租调岁减"②的严重情况，废除郡级机构，裁汰一批冗官，精简了地方机构，减少了国家开支，提高了行政效率；改革选举和用人制度，废除了魏晋以来的"九品中正制"，采取"举贤良"③的选官政策，由此出现"州县吏多称职，百姓富庶"④的局面；重修律例，加强法制，在修订旧法的基础上重新制定《开皇律》，一改前代法制之弊，废除许多酷刑峻法，有效地缓和了阶级矛盾，稳定了社会。其次是发展社会生产，增强经济实力。隋文帝颁布均田令，继续实行均田制度，整顿户籍，极大地促进了农业生产；一革西魏以来"制征税法颇重"⑤的弊端，实行了轻徭薄赋的利民政策，调动了农民的生产积极性；把派使巡察民情、赈恤灾民作为基本国策，通过救灾济民活动，减轻了农民的疾苦和负担；兴修水利，便利了水上交通和农田灌溉，促进了经济的恢复与发展。最后是抓紧军事建设，增强国防力量。隋文帝积极改

---

① 《管子校注》卷十五《治国》。
② 《隋书》卷四十六《杨尚希传》。
③ 《隋书》卷一《高祖纪上》。
④ 《资治通鉴》卷一百七十五《陈纪九》，宣帝太建十三年十月。
⑤ 《资治通鉴》卷一百七十五《陈纪九》，宣帝太建十三年三月。

革兵制，完善府兵制度，在继承西魏、北周的府兵制度的基础上，实行兵制改革，建立和健全卫府制度，把军事统率权完全集中于中央，大大加强了封建中央集权，同时整顿私人武装，将各地的乡兵、部曲纳入府兵系统，完善了府兵制度。在此基础上，隋文帝杨坚大力提倡习武练军，训练出一支较大规模且具备较强战斗力的军队，为之后的灭陈之战创造了有利条件。

四、先胜后战是确保大战略顺利实施的关键要素

孙子指出，"胜兵先胜而后求战"①，认为打胜仗的军队总是先有胜利把握，然后实施作战行动。用孙子的原话来说，这里的"先胜"是指"未战而庙算胜者，得算多也""多算胜，少算不胜"②。"多算胜"指的就是拥有胜利的足够把握，具体表现在战前的战略筹划与战争准备。隋文帝充分重视战备工作，在做好充分的战争准备和周密的军事部署之后，再慎重出兵，一举胜敌。首先是深思熟虑，周密拟定灭陈战略计划。自建隋至攻陈的数年时间里，隋文帝反复与臣僚商议灭陈之策，善于听取群臣意见，择善而从。赣州刺史崔仲方提出了正确选择战略攻击方向的战略实施计划，建议在长江上游沿江地区"速造舟楫，多张形势，为水战之具"③，长江下游沿江地区的隋军"密营渡计"，视陈军的军事行动而相机行事，"若贼必以上流有军，令精兵赴援者，下流诸将即须择便横渡。如拥众自卫，上江水军鼓行以前"④，一举攻灭陈朝。杨坚完全采纳了崔仲方这一较为符合实战需求的建议，制定了一个完整而周密的灭陈战略实施计划，主要内容包括破坏陈朝江防能力及其物资储备、南下灭陈的军事部署及其实施步骤等。其次是充分做好战争准备。在灭陈之战前，杨坚根据作战要求做了充分的准备，先后派遣仪同三司元寿、

---

① 《十一家注孙子校理》卷上《形篇》。
② 《十一家注孙子校理》卷上《计篇》。
③ 《隋书》卷六十《崔仲方传》。
④ 《隋书》卷六十《崔仲方传》。

上柱国杨素等人在长江上、下游修造战船，训练水军；密诏黄州（治今湖北武汉市新洲区）总管周法尚，"使经略江南，伺候动静"[1]。最后是选派得力将领，委以灭陈重任，调遣名将贺若弼、韩擒虎等人"置于南边，使潜为经略"[2]，极大地加强了长江一线兵力；先后派遣秦王杨俊坐镇襄州、晋王杨广坐镇寿春，分别统管长江上、下游的隋军战备以及作战事宜。在灭陈之战前，隋朝的国力远远超过了陈朝。但是，隋文帝杨坚仍然重视做好战争准备，慎战重战，不打无把握之仗，在战前做了长期、周到、有效的战争准备，使己方原先已经具备的有利条件得以更加充分的发挥，充分体现了"先胜后战"的用兵原则。实践证明，先胜后战是确保大战略顺利实施的关键要素。

五、文武叠用，灵活运用多种手段

文武叠用是指非军事手段与军事手段交互运用，以最小代价达成最佳效果。具体而言，文武叠用包含两层含义：其一，文武并举，相辅相成。无论是在战争准备阶段还是战争实施阶段，乃至在战争结束阶段，文武两手都必须给予足够的重视，不可偏废，并且要贯穿战争始终。在隋灭陈之战中，尽管隋在综合国力上占有绝对优势，但仍然重视文攻武备，一方面实施全方位的大战略，另一方面积极做好战争准备，派遣杨素训练水军，建造战船，最终使隋收到事半功倍之效。其二，因时制宜，因敌制宜，灵活运用文武手段。在实践过程中，文武两种手段相互为用，根据时势、敌情的变化而灵活施行。通常而言，在战争之前多以"文"即非军事手段为主，强调采用舆论战、心理战等手段；在战争中则以"武"即军事手段为主，重在杀伤敌人，歼灭其有生力量；在战争之后仍以非军事手段为主，以巩固和扩大战果。在长期战争实践中，杨坚注重军政并举，较好地做到了政治策略与军事打击相互配合运用，收到了显著成效。在

---

① 《隋书》卷六十五《周法尚传》。
② 《资治通鉴》卷一百七十五《陈纪九》，宣帝太建十三年三月。

隋灭陈之战中，隋文帝一方面实施外交战，运用外交手段使陈朝麻痹懈怠，放松警惕；另一方面又厉兵秣马，整军备战，并以多种手段误敌、疲敌、耗敌，在条件成熟时突然出军，兵分八路，大举进攻，使陈朝迅速土崩瓦解。隋文帝杨坚灵活运用文武手段，收到了相得益彰之效。

第二节　唐初统一战争的用兵方略

隋朝末年，天下大乱，各地反隋浪潮风起云涌。在众多的起义军和割据势力中，李渊集团的声势并不显赫，较之李密、窦建德等起义军的势力，尚显弱小。然而，最终成就帝业、一统天下的不是李密和窦建德，恰是曾经势力并不突出的李渊集团。这归因于李渊集团成功的战略谋划和作战指导。

一、据险养威、深根固本的地缘战略指导

李渊集团完成统一大业固然有政治、经济、军事等诸方面的因素，而对地缘战略的成功运用则是一个不容忽视的重要因素。李渊在统一全国的过程中，从自身力量弱小的现实出发，没有急于求成，而是深入分析天下地缘格局，并充分利用这一格局中有利于己的稍纵即逝的机遇，及时把握有利形势，乘虚入关，抢先占领具有极大政治号召力的长安；之后又利用关中的地缘优势，分兵略地，深根固本，最终一统天下。

（一）正确选择战略方向，不守一隅，谋取地利

若要考察李渊在太原起兵的原因，必须先分析当时的地缘格局。就太原而言，位于汾水上流，地处太行山和黄河之间，"控带山河，踞天下之肩背，为河东之根本"①，占有极大的地利之便，是夺

---

① 《读史方舆纪要》卷四十《山西二·太原府》。

取中原的必争之地。隋朝也十分看重其军事地位，将它作为北方重镇，在这里储存的布帛粮谷可供十年之用，但它同时又是一个四战之地。此时李渊集团面临的形势是：北有突厥、刘武周；东有窦建德、罗艺；南有李密、杨侗、王世充；西有梁师都、薛举、李轨等。当此地缘背景之下，太原不足以抵御四面强敌。若李渊只是单纯割据太原，自成独立王国，则其只能苟延残喘，不能有更大的作为。

就全国而言，当时的形势错综复杂，具有较大影响的农民起义军主要有三支，分别是中原李密领导的瓦岗军、窦建德领导的河北起义军、杜伏威领导的江淮起义军。同时许多大贵族官僚、豪强地主纷纷脱离隋王朝，各农民起义军和割据势力南北呼应，使长安、洛阳、江都成为三个互不相连的孤岛。李渊若想代隋而立，创建李唐王朝，就必须摧毁旧隋权力机构及有生力量，尤其要首先打击隋朝上层统治阶级，以灭敌人之威风、长自己之气势。李渊的战略进攻方向有三种选择：一是长安。尽管隋炀帝及大部分朝廷官员不在长安，但它仍是名义上的京城，具有很大的政治意义。二是洛阳。这里集中了隋朝的主力部队，是其精锐所在。三是江都。隋炀帝及多数朝臣悉集于此，若能擒贼先擒王，则其影响自不待言。

李渊显然认真考察了全国的地缘格局及太原的地缘处境。正是结合地缘格局之深刻分析，李渊在制定和实施整体战略时才避免了失误，使其更加稳妥可行。在三个战略方向上，李渊否定了后两个方向，选择了西入长安的战略进攻方向。其时，李密领导的瓦岗军长期在中原活动，建立了巩固的根据地，在中原一带拥有强大的势力。李渊若南下中原攻打洛阳，则无异于自投罗网。史载：

> 渊以书招李密。密自恃兵强，欲为盟主，使祖君彦复书曰："与兄派流虽异，根系本同。自唯虚薄，为四海英雄共推盟主。所望左提右挈，戮力同心，执子婴于咸阳，殪商辛于牧野，岂不盛哉！"且欲使渊以步骑数千自至河内，面结盟约。①

---

① 《资治通鉴》卷一百八十四《隋纪八》，恭帝义宁元年七月。

李渊又修书一封给李密，并说"天生烝民，必有司牧，当今为牧，非子而谁"①，言下之意是李密日后要当天子。李密得书非常高兴，以书示左右曰："唐公见推，天下不足定矣!"② 李渊的卑辞推奖、坐观虎斗之策略取得了极大成功。究其根本，还是因为李渊具有清醒的地缘战略意识，认识到在群雄争霸、逐鹿中原之时，不宜过早卷入其间，而应暂时采取观望的态度，保持超脱的地位，耐心等待有利时机。

李渊弃太原而西入长安，不偏守一隅而放眼全国，这也显出他深远的战略眼光。当然他也并非将太原拱手让人，仍然重视其作用，令四子李元吉镇守，承担后勤补给任务，为自己源源不断地输送人力、物力。

李渊起兵太原绝非贸然行事，而是立于对天下大势深思熟虑的基础上，并进行深入的地缘分析，做出了正确的战略方向选择，为乘虚袭取关中奠定了基础。

（二）乘虚袭取天下要害，据险养威

关中自秦以来，开始成为全国政治、军事、经济、文化的中心，这与其独特的地理位置密切相关。关中地区四周山水拱卫，地形完固，自古即被称为"四塞之国"；同时还是隋朝的都城长安所在地，乃当时天下之要害，又兼人口众多，是进可攻、退可守的战略要地。除此之外，关中还是当时实力并不强大的李渊集团能够全力夺取的地区。在群雄逐鹿中原之际，隋军在关中的守备空虚，易于李渊集团乘虚袭取，而洛阳隋军遭瓦岗军围攻，也无力西顾。李渊起兵河东，地近关中，便于入据，而当时关中隋军兵力空虚，外无救援，又给李渊以入据的良机。就李渊集团的势力而言，要想在中原战场击败包括李密、窦建德在内的对手，也是不现实的。这就需要寻找一个易守难攻的根据地以逐步发展壮大自己的力量。关中正好符合

---

① 《资治通鉴》卷一百八十四《隋纪八》，恭帝义宁元年七月。
② 《资治通鉴》卷一百八十四《隋纪八》，恭帝义宁元年七月。

一个优良根据地的基本条件。从地缘上讲，它北托长城，西依陇右，东阻潼关，南靠秦岭，既可避开突厥的威胁，又可不过早地与瓦岗起义军、窦建德起义军冲突，易于实现这一阶段的战略目的。因此，对李渊集团而言，夺取关中既便于代隋而立，又利于东向以争天下。李渊紧密联系当时关中的实际情况，审时度势，当机立断，做出了乘虚袭取关中的重大战略决策。

其实早在入关之前，李渊对此就有一个全盘打算。据史记载，他得到李密的回信后曾说过以下一段话："密妄自矜大，非折简可致。吾方有事关中，若遽绝之，乃是更生一敌；不如卑辞推奖以骄其志，使为我塞成皋之道，缀东都之兵，我得专意西征。俟关中平定，据险养威，徐观鹬蚌之势以收渔人之功，未为晚也。"① 从中亦可见李渊在夺取天下的过程中，充分考虑了当时的全国斗争形势及地缘格局，尤其看到了关中独特的地缘优势，定下了进据关中之策。

隋炀帝南巡江都后，关中地区力量空虚，京师及周围地区的军事力量很弱。为此，隋末几支势力都曾想一举进占关中，达到号令天下的目的。但是后来除了李渊以外，其他集团均为眼前小利所惑，留恋于一时一地的利益而在其他地方攻城略地，无暇顾及于此。唯有李渊集团从举兵之初起，便牢牢把握住这个战略目标，冒着丢弃晋阳根据地的危险，毅然进军关中。这就是由李渊亲自制定的"据险养威"战略。

对李渊集团来说，进军关中既是一步险棋，又是一步赢得成功的妙棋。这里既存在有利因素，隋朝并未在李渊集团进军沿途部署隋军主力；同时也存在不利因素，李渊集团进军途中有黄河天堑阻隔，一旦出兵，还要防备突厥乘机袭取后方以及瓦岗军从河南抢占关中。这时的瓦岗军有数十万之众，兵力明显强于李渊。在这种严峻的形势面前，李渊采取了几项措施：一是与突厥修好，订下盟约并向其借兵。二是主动修书李密，承认李密的盟主地位，以此赢得李密的信任，隐瞒了自己的企图。三是在进军关中过程中强调快速

---

① 《资治通鉴》卷一百八十四《隋纪八》，恭帝义宁元年七月。

机动，以速度来弥补军力不足的缺陷。从整个进军过程看，李渊的作战指导方针是能绕则绕，能打则打。霍邑之战是不可避免的，因为霍邑距晋阳很近，东逼晋阳，西屏河东，且有隋将宋老生的3万精兵盘踞于此，不得不除之。

河东之战是一场关键战役，也是进军关中的一个转折点。当时李渊集团内部对于打河东有两种意见。一种意见以裴寂为代表，认为"屈突通拥大众，凭坚城，吾舍之而去，若进攻长安不克，退为河东所蹑，腹背受敌，此危道也。不若先克河东，然后西上。长安恃通为援，通败，长安必破矣"①。另一种意见以李世民为代表，认为"兵贵神速，吾席累胜之威，抚归顺之众，鼓行而西，长安之人望风震骇，智不及谋，勇不及断，取之若振槁叶耳。若淹留自弊于坚城之下，彼得成谋修备以待我，坐费日月，众心离沮，则大事去矣"②。李渊对这两种意见采取兼顾折中的办法，留小部兵力监视、阻击河东隋军，亲率主力进军关中。这一战略决策有力保障了李渊集团原定的"乘虚入关"方针的顺利实施。因为形势变化很快，稍有迟疑，能否顺利入关即成问题。因而这一决策既着眼于进军速度，又考虑了后背的安全，是较为稳健的方案。后来李渊集团进展顺利，很快占领了长安。

（三）分兵略取周边地区，巩固关中，深根固本

李渊入据关中后，当时的形势是：刘武周盘踞于北，薛举集团窥伺于西，梁师都在朔方，李轨在武威，对关中都构成一定的威胁。但若进一步进行分析，刘武周远在马邑，且有李元吉在太原对他进行监视，一时不致为患；朔方梁师都想勾结突厥进犯关中，因李渊以金币贿赂突厥而未实现；对李轨则采取安抚策略，争取其中立；对关中威胁最大的乃是薛举集团。李渊到长安尚不及一个月，薛举就曾进攻扶风，被李世民击退。面对这一形势，李渊及时应变，定下了先巩固关中、打击关中周围割据势力的战略方针。

---

① 《资治通鉴》卷一百八十四《隋纪八》，恭帝义宁元年九月。
② 《资治通鉴》卷一百八十四《隋纪八》，恭帝义宁元年九月。

当时客观上有不少因素有利于李渊集团巩固关中。比如陇西、凉州各割据势力画地为牢，无视长安；瓦岗军专心在中原扩张势力范围而无意西向；东都隋军主力对李渊军不甚重视；等等。

为巩固关中，扩大地盘，李渊派刘文静出潼关略取新安（今河南新安）以西地区；派郑元寿、马元规等略取南阳、荆襄地区；派李孝恭略取汉中、巴蜀地区。当然，他派遣李世民率军平定薛举集团乃是最具战略意义的行动。李世民采取以逸待劳、后发制人的作战策略，最终击败了薛军。浅水原之战的胜利，使陇右地区尽为李渊所有，既巩固了关中，又扩张了势力，消除了西顾之忧。唐高祖武德二年（619）四月，突厥唆使刘武周向唐发动进攻，袭陷榆次（治今山西晋中市榆次区）。此时，易州（治今河北易县）起兵将领宋金刚被窦建德起义军战败，投靠刘武周。刘武周令宋金刚进攻太原，之后李元吉放弃太原逃至长安，关中震动，河东有尽失之可能。在这一形势下，唐廷就河东问题产生了"争"与"弃"的分歧。李渊认为："贼势如此，难与争锋，宜弃大河以东，谨守关西而已。"① 李世民不同意这种消极主张，上表说："太原，王业所基，国之根本；河东富实，京邑所资，若举而弃之，臣窃愤恨。愿假臣精兵三万，必冀平殄武周，克复汾晋。"② 李渊同意了李世民的意见，尽发关中兵，令李世民统率征讨刘武周。河东决策是事关全局的一项重要举措。显然，李渊在此问题上没有从战略全局着眼。如果放弃河东，宋金刚引兵西向，唐不但无法东向以争天下，关中一旦失去河东屏障，也势难巩固；只有收复河东，巩固关中，才能贯彻原定统一的战略方针。幸好李渊善于采纳良策，认真听取了李世民的意见，及时修正决策，保证了战争的顺利进行。李渊集团采取多种举措，全力巩固关中，基本上达到了"深根固本"的目的，为统一天下奠定了坚实基础。

---

① 《资治通鉴》卷一百八十七《唐纪三》，高祖武德二年十月。
② 《资治通鉴》卷一百八十七《唐纪三》，高祖武德二年十月。

二、灵活务实的政治策略

在天下群雄并立的态势下，李渊集团的力量并不强大，有时要面对实力远超自己的对手，显然单靠军事手段不易达成统一战争的目标。李渊集团清醒地认识到己方的弱势地位，较好地采取了军政兼施的策略，尤其注重发挥政治策略的作用，对敌方极尽分化瓦解之能事，巧妙地实施卑辞示弱之计，麻痹对手；同时注重收揽人心，争取广大民众的支持，不断壮大自身的力量，为逐步完成统一大业起到了重要的推进作用。

首先是卑事突厥，消除后顾之忧。隋末唐初，日渐强大的突厥不断兼并周围割据势力，称雄北方。李渊起兵之初，曾经派人向突厥求援，尽量放低姿态，"自为手启，卑辞厚礼"①，希望结好突厥，为之后兴兵起事能够顺利推进创造有利条件。李渊集团的卑事之举换来了突厥的积极回应："苟唐公自为天子，我当不避盛暑，以兵马助之。"② 突厥欲以兵马相助，但李渊也有自己的考虑，对突厥势力深入内地的危害性保持高度清醒："胡骑入中国，生民之大蠹也。"③ 他对派往突厥的使者刘文静做出指示："胡马行牧，不费刍粟，聊欲借之以为声势耳。数百人之外，无所用之。"④ 只想接纳突厥的优良战马，以此增强自己的骑兵部队，但并不想要突厥的军队进入自己的地盘。当突厥派来兵马时，李渊谢绝了其助兵，只购买了其战马。李渊主动与突厥结好是非常高明的政治策略，有效消除了突厥以及依附突厥的刘武周集团的威胁，保障了太原起兵能够按照预期计划顺利推进。

其次是分化瓦解敌对势力。起兵之后，李渊集团积极采用政治策略分化瓦解各割据势力，收到了一定的效果。李渊夺取长安后，

---

① 《资治通鉴》卷一百八十四《隋纪八》，恭帝义宁元年六月。
② 《资治通鉴》卷一百八十四《隋纪八》，恭帝义宁元年六月。
③ 《资治通鉴》卷一百八十四《隋纪八》，恭帝义宁元年六月。
④ 《资治通鉴》卷一百八十四《隋纪八》，恭帝义宁元年六月。

为保障关中安全，决定首先打击距离关中最近、对关中威胁最大的薛举、薛仁杲集团。为减少进军阻力、加快战事进程，唐高祖李渊采取分化瓦解之策，以孤立薛氏父子。占据河西五郡之地的李轨集团与薛举集团同处西北地区，对新建立的唐王朝而言都是不容小觑的安全威胁。当唐军在第一次浅水原之战中败于薛举军后，李渊利用李轨与薛氏父子的嫌隙，亲笔修书一封，派人秘密联络李轨，取得了李轨的支持。李轨派其弟李懋入贡，李渊晋封李懋为大将军，并派人册拜李轨为凉州总管，封爵凉王。唐高祖通过实施这一政治策略，成功地争取了李轨集团，从而使唐廷得以集中力量打击薛举集团。

最后是收揽人心，争取各方支持。李渊集团自起兵后就注意争取民心。军队每到一地，李渊都会慰劳吏民，开仓赈济百姓，同时对于有才能的人授予相应的官职。攻克长安后，李渊宣布废除隋朝苛政，与民约法，规定只有杀人重罪才处死刑。史载"三秦士庶、衣冠子弟、郡县长吏、豪族弟兄，老幼相携，来者如市"①，表明李渊集团颁布的政策受到了民众、地方官吏阶层的欢迎，取得了他们的支持。李渊还注意争取隋朝皇族、宗室和统治者高层的支持，移檄各郡县，谕尊隋代王杨侑；在进军途中以及攻打城池过程中，尤其在攻打长安时，命令全军将士"毋得犯七庙及代王、宗室，违者夷三族"②；攻克长安后，李渊迎代王杨侑即皇帝位，遥尊杨广为太上皇。李渊集团采取的这一系列政治策略，有效地缓和了隋朝宗室、重臣的敌意，取得了隋朝官吏的支持，减少了军事行动的阻力，加速了统一战争的进程。

三、先谋后战、后发制人的用兵方略

李渊集团在统一战争中注重庙算，高度重视掌握准确的敌情，遵循了"知彼知己，百战不殆"的用兵法则。为侦探对手兵力部署、

---

① 《大唐创业起居注》卷二《起自太原至京城凡一百二十六日》。
② 《资治通鉴》卷一百八十四《隋纪八》，恭帝义宁元年十月。

排兵布阵、将士战斗力等真实的情报，李世民数次亲临前线，或深入对方营地料敌观阵，获取了第一手信息，为正确庙算提供了可靠情报。在近四年的统一战争过程中，李渊集团贯彻了先谋后战的战略指导，在全面、深入、透彻地研判战略态势的基础上做出正确的战略决策，绝不贸然决策、仓促用兵，确保了作战行动的正确性和各行动之间的有序衔接，使统一战争在全盘筹划的基础上得以顺利推进。先谋后战、后发制人的战略指导思想在决战中原的洛阳、虎牢之战中得到了充分体现。

唐朝立国后，面临着严峻复杂的形势，各地的割据势力遥相呼应，极大地威胁着唐王朝的统治。为了巩固政权，唐高祖李渊做出了西征薛举、薛仁杲，北伐刘武周的战略决策。由于陇右对长安所构成的威胁最大，李世民受命征讨盘踞陇右的薛举、薛仁杲集团，在平定陇右之后又转兵山西，迅速歼灭了刘武周集团，基本上稳定了长安周边的形势，确保了首都的安全。在此期间，中原的军事形势发生了较大的变化，瓦岗军战胜了宇文化及部，但自身受到重创，实力大为削弱。正当瓦岗军休整之际，隋将王世充调集大军发动突然进攻，李密率军仓促应战，兵败而归唐，随后王世充占据了河南大多数州县，成为中原地区最强大的割据势力。唐高祖武德二年（619）四月，王世充在洛阳称帝，建国号为郑。唐王朝在依次平定陇右、朔方、河东之后，决定东出潼关征讨王世充，夺取中原地区，为完成统一大业扫除障碍。

唐高祖武德三年（620）七月，李世民统领大军出潼关东进。他充分利用政治优势，一开始就是以战略包围而非决战的进攻方式，指挥各路唐军逐渐收拢对洛阳的包围圈。在外围，北路唐军越太行山进攻怀州（治今河南沁阳），以切断洛阳北面的通道；南路唐军经宜阳（治今河南宜阳西）夺取龙门（今河南洛阳南），切断洛阳与南方襄阳的联系，继而东略轘辕（位于今河南偃师东南轘辕山），过汜水而趋管州（治今河南郑州市管城区），这样就形成对王世充军的南北大夹击。在中线，唐军主力李世民部在攻克洛阳西面的慈涧（今河南洛阳西）后，并不急于攻打洛阳坚城，而是分兵阻击王世充派往南北两路的援兵，并截击其粮道，自率军进屯洛阳北面的北邙山上。诸路唐军营寨相连，逐渐形成对洛阳的包围合拢态势。王世充则一开始即收缩各州精兵集于洛阳，到这年年底，中原地区的多数州县已落入唐军之手，王世充仅能控制洛阳孤城。次年二月，洛阳粮道完全断绝，李世民指挥唐军主力从北邙山南下，对王世充布置于青城宫的军阵发起猛攻，迫其退回城中，唐军随后将洛阳团团围住。在镇守虎牢的王世充部将的策应下，唐军拿下虎牢险关。在攻坚十余日不下后，一些将领请求退师，李世民坚持必破洛阳，令士兵在洛阳城周挖掘壕沟，筑垒围困。王世充被困在洛阳城，进出两难，只能等待窦建德的援兵早日到来。

窦建德援军自河北一路南下，先后攻克管州、荥阳、阳翟（治今河南禹州），水陆并进，兵锋直抵虎牢关。李世民召集将佐商议应对之策，唐军内部出现了意见分歧。众将担心腹背受敌，主张撤洛阳之围，等待时机再破敌。刺史郭孝恪和记室薛收等人则认为王世充已陷入"求战不得，守则难久"的困境，当务之急是切断王世充部和窦建德部的联系，阻止二者会师，否则"两寇合从，转河北之粟以馈洛阳"①，势必拖延统一战争的进程。他们主张唐军主力继续围困洛阳，擅长猛攻冲杀的李世民亲自占据虎牢之险，以逸待劳，寻机克敌，一战而定天下。李世民表示赞同郭、薛的建议，并且深刻地分析了当时的形势，指出"世充兵摧食尽，上下离心，不烦力攻，可以坐克。建德新破海公，将骄卒惰，吾据武牢，扼其咽喉"②，认为唐军不会陷入两面作战的困境，可以争取实现"一举两克"的战役目标，最终做出围城打援的战略决策。他命令李元吉率部继续包围洛阳，自率精骑从北邙大张旗鼓地挺进虎牢抗击窦建德军。李世民到达虎牢后，亲率 500 精骑沿虎牢东行，沿途设伏。他有意暴露自己，引敌来攻，最后以伏兵败敌，由此探测到窦军的实际战斗力。他还派遣轻骑千余抄掠窦军粮道。唐军与窦军对峙一个

---

① 《资治通鉴》卷一百八十九《唐纪五》，高祖武德四年三月。
② 《资治通鉴》卷一百八十九《唐纪五》，高祖武德四年三月。

多月后，窦军将士思归，士气低落。李世民决定待机破敌，不久得到了"建德伺唐军刍尽，牧马于河北，将袭武牢"①的谍报，决定将计就计，故意留马匹千余牧于河渚，引诱对手出击。窦建德果然上当，率大军倾巢而出，在汜水东岸的宽阔地带布置军阵。李世民看出窦军散漫无纪律和狂傲无阵法，根据窦军未经大战的状况，决定采取按兵不动以待其士气衰疲，然后追而歼灭之的惯用战术。他先只是以轻骑试探窦军锋芒，拒绝与多次叫阵的窦军作战，同时召回河渚之马。到午后，窦军已显疲态，更无军容可言，李世民决定乘隙进攻，先命令"宇文士及将三百骑经建德陈西，驰而南上"②，以此试探对手的反应。见窦军出现骚动，李世民下令全线出击。他亲率轻骑首先冲出，唐军主力紧随其后，在南北20余里宽的战场上往来冲杀，不多时，窦军阵后已是唐旗飘扬，窦军遂全线崩溃，窦建德也被俘虏，窦军先后投降者达5万余人。李世民押窦建德于洛阳城下以示王世充，王世充被迫投降。在指导洛阳、虎牢之战的过程中，李世民重视庙算，在深入料敌的基础上集思广益，正确决策，既审慎决战，又果敢英武，大胆决策，最终取得了中原决战的胜利。

四、出其不意、速战速决的作战指导思想

正当李世民率军在中原与王世充、窦建德集团交战之时，盘踞荆湖一带的萧铣集团内部发生分裂。萧铣是南北朝时期后梁宣帝萧詧的后代。他趁隋末大乱、群雄并起之时，打着恢复梁朝的旗号招兵买马，攻城略地，很快便占据了洞庭湖周围地区，并以此为依托，迅速向外扩展。不久，萧铣便拥有精兵四十余万，占据了"东自九江，西抵三峡，南尽交趾，北距汉川"③的广大地盘，一时声威大震，成为长江中游实力最强的割据势力。后来，他定都江陵，自立为帝，年号为凤鸣。此次的内部分裂主要起源于萧铣本人的猜忌心

---

①　《资治通鉴》卷一百八十九《唐纪五》，高祖武德四年四月。

②　《资治通鉴》卷一百八十九《唐纪五》，高祖武德四年五月。

③　《资治通鉴》卷一百八十五《唐纪一》，高祖武德元年四月。

理。为了制止部将不服调遣现象的蔓延，萧铣企图剥夺诸将领的军权，遭到将领的反对，一些人心生"怨望，谋作乱"①，由此导致集团内部发生分裂。萧铣手下的将领董景珍举长沙降唐。萧铣闻讯，立即派部将张绣率兵南下，攻克长沙。张绣后因恃功骄横，恣意妄为，被萧铣处死。此后，萧铣大杀文臣武将，致使叛逃者日益增多，上下离心，士气不振。

武德四年（621）八月，李世民率军取得中原决战的胜利后，李渊认为扫平萧铣的时机已经成熟，任命李孝恭为荆湘道行军总管，李靖摄行军长史，统领十二总管，自夔州沿长江东下，又令其他几路人马同时出击，从不同方向攻打萧铣驻守的江陵。同年九月，李孝恭、李靖率军自夔州（治今重庆奉节东）出发，当时正值雨季，长江三峡的江水猛涨，将士们都主张等待暴雨过后再出征，但行军总管李靖认为"兵贵神速，机不可失"②，坚决主张应抓住稍纵即逝的机会，乘敌方不知唐军已集结出征的有利时机果断出兵。李孝恭采纳了李靖的建议，率大军乘险东渡三峡，抵达夷陵。萧铣派遣部将文士弘率军抵抗，兵败后逃至百里洲，进入北江；唐军乘胜追击，占据了南江，双方形成南北相持局面。李孝恭不听李靖劝阻，立即率兵北攻文士弘，结果败走南岸；李靖则乘敌军抢夺唐军辎重之机，纵兵奋击，大破敌军，并乘胜追击至江陵城下，进入外郭，攻占了水城，缴获了大量战舰。李靖建议将缴获的四百艘战船全部丢弃到江中，任其随水漂流。众将不明白李靖的用意，对其做法议论纷纷，认为在江河作战中主动丢弃好不容易到手的战船，让其顺流而下，资助敌人，实在令人费解。李靖耐心解释道：

> 萧铣之地，南出岭表，东距洞庭。吾悬军深入，若攻城未拔，援军四集，吾表里受敌，进退不获，虽有舟楫，将安用之？今弃舟舰，使塞江而下，援兵见之，必谓江陵已破，未敢轻进，

———————————

① 《资治通鉴》卷一百八十八《唐纪四》，高祖武德三年十一月。
② 《旧唐书》卷六十七《李靖传》。

往来觇伺，动淹旬月，吾取之必矣。①

　　众将听后，认为言之有理。果然不出李靖所料，萧铣派人到长江下游调集的救兵在进军途中看到江面上漂荡着大量战船，怀疑江陵已经失守，犹豫不决，暂时停止进军。唐军趁机对江陵发起了猛烈攻击，萧铣困守孤城，迟迟不见救兵赶来，最后只好向唐军投降。李靖指挥唐军在围城的同时巧妙示形诈敌，以缴获的舰船放置江中，制造江陵已被攻破的假象，运用谋略成功制止了萧铣援军的行动；唐军则抓住战机持续不断攻城，最终促使对手在外无援军的形势下被迫投降。

　　唐高祖武德六年（623）八月，辅公祏叛唐造反，后在丹阳（治今江苏南京）称帝，建国号宋，署置百官。李渊令李孝恭率领诸路大军征讨辅公祏，一路势如破竹，一举占领芜湖。辅氏在芜湖之战失败后，迅速收缩战线，派部将冯惠亮等率水军 3 万屯驻博望山（今安徽当涂西南东梁山，与和县南西梁山夹江对峙），并在博望山与梁山之间连接铁链，锁断江面，又在梁山筑长达 10 余里的月城，还在青林山（今安徽当涂东南）屯驻 3 万步兵，自将重兵屯于丹阳。面对这样一个较为严密的防线，唐军众将认为，冯惠亮、陈正通拥有强兵，据水陆之险，加固城寨，不急于与唐军决战，因而唐军一味强攻，恐怕难以迅速得手，倒不如绕过对方直接袭击辅公祏老巢，攻下丹阳，冯惠亮等人自然就会投降。李靖反对直捣丹阳，主张先攻打当涂正面之敌，指出：

　　　　公祏精锐，虽在水陆二军，然其自统之兵，亦皆劲勇。惠亮等城栅尚不可攻，公祏既保石头，岂应易拔？若我师至丹阳，留停旬月，进则公祏未平，退则惠亮为患，此便腹背受敌，恐非万全之计。惠亮、正通皆是百战余贼，必不惮于野战，止为公祏立计，令其持重，但欲不战以老我师。今若攻其城栅，乃

────────

① 《资治通鉴》卷一百八十九《唐纪五》，高祖武德四年十月。

是出其不意，灭贼之机，唯在此举。①

李靖提出现今应该出其不意进攻当面之敌的城寨，一举消灭对手。李孝恭采纳了这一建议。李靖率部攻打冯惠亮，经过一番苦战，摧毁了对手设置于博望山、青林山的营寨，冯惠亮率领残部仓皇奔走。李靖率领轻骑直趋丹阳，李孝恭等部相继赶到，对丹阳形成包围夹击的态势。辅公祏领兵弃城往东逃窜，唐军穷追不舍，辅公祏一路丢盔弃甲，最后被俘。李孝恭下令"分捕余党，悉诛之，江南皆平"②，唐朝统一战争基本结束。

在平定萧铣集团、辅公祏反叛势力的作战中，李靖制定并贯彻了出其不意、速战速决的指导思想，善于利用和创造战机，抓住对手的空隙迅速出击，直至取得胜利。在轻骑兵取代重甲骑兵的时代背景下，李靖提出了"用兵上神，战贵其速"③的兵学主张，进一步发展了《孙子兵法》的"兵贵胜，不贵久"的速决战思想，平定江南之战较好地体现了这一思想。无论是平定萧铣集团，还是平定辅公祏反叛势力，李靖都是尽可能地在较短的时间内结束战事，避免与对方打持久战。在征讨萧铣时，尽管天气恶劣，李靖坚持出兵，出其不意地实施快速而突然的打击行动；平定辅公祏反叛势力时，李靖识破了对手冀望迫使己方师老兵疲的图谋，集中兵力攻打冯惠亮部，达成了速战速决的目的，赢得了战争的胜利。史家称李靖"临机果，料敌明"④，上述战役指导的成功印证了这一切合史实的评价。

---

① 《旧唐书》卷六十七《李靖传》。
② 《资治通鉴》卷一百九十《唐纪六》，高祖武德七年三月。
③ 《通典》卷一百五十四《兵典七·兵机务速》。
④ 《新唐书》卷九十三《李靖传》。

第三节　唐太宗、唐高宗经略朝鲜
半岛的战略策略

　　唐朝初年，朝鲜半岛呈现高句丽、百济和新罗三国鼎立的局面。高句丽占据朝鲜半岛北部，都城平壤（今朝鲜平壤），在三国中拥有最强大的力量。新罗占据朝鲜半岛东南部，都城金城（今韩国庆州）。百济占据朝鲜半岛西南部，都城泗沘（今韩国扶余），在三国中的势力最为弱小。

　　在朝鲜半岛三国之中，高句丽紧邻唐朝东北边疆，蓄意扩张，进而打破朝鲜半岛的原有秩序，破坏东北亚地区稳定，影响周边地区战略发展态势。唐朝在经略朝鲜半岛过程中，先后面临三种战略态势。一是高句丽积极拉拢周边势力，肆意对外扩张，侵占辽东，严重威胁唐王朝东北边疆安全，形成高句丽与唐朝对抗的战略态势。贞观十六年（642），泉盖苏文击杀对唐示好的高句丽荣留王高建武，立高藏为王，自立为莫离支。泉盖苏文一改高建武与唐修好之策，积极拉拢周边势力，暗中结盟，潜与薛延陀、黑水靺鞨勾结，不断扩大势力范围，逐渐蚕食辽东之地，妄图称霸东北亚地区，对唐朝中央权威构成严重挑战。贞观十九年（645），唐朝大举征讨，高句丽利用唐后防不稳的弱点，积极联合薛延陀。高句丽莫离支泉盖苏文"潜令靺鞨诳惑夷男，啖以厚利"①，意图与薛延陀结盟，对唐军形成夹击之势。但是由于夷男慑于唐朝军威而不敢动，高句丽的企图未能得逞。高句丽与黑水靺鞨建立了联盟关系。唐太宗"伐高丽，其北部反，与高丽合。高惠真等率众援安市，每战，靺鞨常居前"②。在唐太宗征讨高句丽的战争中，原先归服于唐朝而后又叛投

---

① 《旧唐书》卷一百九十九下《铁勒传》。
② 《新唐书》卷二百一十九《黑水靺鞨传》。

高句丽的黑水靺鞨充当了高句丽抵御唐军的先头部队，双方在抵抗唐军的军事行动中结成同盟关系。唐高宗永徽五年（654），高句丽联合靺鞨攻打唐朝的羁縻府州——松漠都督府，公然挑衅唐朝的统治权威，威胁唐朝的边疆安全。二是高句丽联合百济攻打唐朝盟友新罗，新罗岌岌可危，形成朝鲜半岛局势可能失控的战略态势。贞观十七年（643）九月十三日，新罗遣使至唐，控告"高丽、百济，累相攻袭，亡失数十城，两国连兵，意在灭臣社稷"[①]，指出高句丽与百济联合攻打新罗，企图吞并自己，乞兵援救。史载，百济"与高丽和亲通好，谋欲取党项城以绝新罗入朝之路"[②]。新罗西面遭到百济的连续进攻，同时北面遭到高句丽的进攻，处于被百济和高句丽两面夹攻的险境。永徽六年（655），"高丽与百济、靺鞨连兵，侵新罗北境，取三十三城"[③]，新罗危在旦夕。如果坐视不管，势必由此改变这一地区的力量对比，而唐朝也将失去新罗这一同盟，朝鲜半岛局势极有可能失去控制。三是日本企图借扶植百济复国之机，插手朝鲜半岛事务。唐朝联合新罗攻灭百济后，百济残余势力勾结日本图谋复国，日本则企图借此机会，将其势力渗透进朝鲜半岛，遂出兵援助百济，于是出现日本与百济残余势力联手对抗唐朝的战略态势。

出于应对高句丽挑战唐朝中央权威的战略考虑，改变自身在东北亚的被动局面，进而争取战略主动权，唐朝经略朝鲜半岛着眼于维护王朝边疆安全和巩固天下秩序，有效控制朝鲜半岛局势，不使其出现能够威胁唐朝安全利益的势力，有利于封建统治的长治久安。面临朝鲜半岛错综复杂的斗争态势，唐王朝不断调整经略朝鲜半岛的战略，采取了一系列相应的策略，成效不一，但总体而言是较为成功的。

一是巧妙运筹朝鲜半岛的三角斗争，在局势可控时辑睦和好或

---

① 《旧唐书》卷一百九十九上《新罗传》。
② 《旧唐书》卷一百九十九上《百济传》。
③ 《资治通鉴》卷一百九十九《唐纪十五》，高宗永徽六年正月。

居中调停，在边疆安全受到威胁时扶弱抑强，远交近攻。在朝鲜半岛的三角斗争中，唐朝从自身国家安全利益出发，在朝鲜半岛局势可以控制的情况下，对高句丽、百济、新罗均采取和好政策；在其相互攻伐时，则遣使居中调停。唐朝建国初期，对朝鲜半岛三国均采取和平友好的对外政策。武德二年（619），高句丽王高建武遣使来朝，两年后又遣使朝贡。武德五年（622），唐高祖在赐高句丽王高建武的玺书中指出："方今六合宁晏，四海清平，玉帛既通，道路无壅。方申辑睦，永敦聘好，各保疆场，岂非盛美。"① 武德七年（624），高建武又遣使，请颁历法。唐朝与高句丽进一步发展了两国和好关系。与此同时，唐朝与百济也保持了和好关系。武德四年（621），百济武王璋遣使入唐。武德七年（624），武王受唐册封为带方郡王、百济王。百济还遣使与唐通贡。贞观年间，百济频繁遣使来朝，贞观十一年（637），遣太子扶余隆来朝，并献贡物。唐朝与新罗建立联系始于唐高祖武德四年（621），新罗遣使入唐，贡献方物。武德七年（624），唐高祖派使节赴新罗，册封新罗王。两国由此建立了密切的关系，新罗在政治上依附于唐，向唐朝贡，并受唐册封，而唐则在政治上支持新罗，军事上予其以援助。但是，随着三国势力此消彼长以及相互之间复杂的利益关系，三国之间争斗不已。面对朝鲜半岛三国之间日益激化的矛盾，唐王朝遣使调停。百济攻占新罗6城后，新罗向唐告急。唐高祖为解新罗之危，于武德九年（626）派朱子奢为使，劝说新罗与高句丽结好。在高句丽、百济和新罗的激烈斗争中，唐高祖多次派遣使者劝解，在一定程度上保持了朝鲜半岛的政局稳定。唐太宗即位之后，对三国继续执行和好政策。百济遣使入唐，诉讼高句丽阻碍朝贡道路并且侵略其北境，太宗"诏使者平其怨"②；新罗与百济世结仇恨，攻战不已，太宗劝其各自"申和"，"宜忘前怨"③。贞观十七年（643），唐太宗

---

① 《旧唐书》卷一百九十九上《高丽传》。

② 《新唐书》卷二百二十《百济传》。

③ 《新唐书》卷二百二十《百济传》。

派使节赴高句丽，劝其与百济立即停止攻打新罗，否则"明年发兵击尔国矣"①，但高句丽泉盖苏文拒不同意。唐太宗复派使节，再次前往劝说高句丽停止军事攻伐行动。唐高宗永徽二年（651）十二月，百济王遣使朝贡，唐高宗下玺书，劝其与新罗停止相互攻伐。

唐王朝在处理三角斗争时，注意根据形势的发展变化而灵活应对，谋取有利于己的局面。当高句丽和百济联合攻打新罗，呈现两强击一弱的态势时，唐太宗权衡利害，果断采取"远交近攻"战略，与新罗结盟，共同对付高句丽和百济。高句丽联合百济攻打新罗，唐太宗先后两次派遣使节赴高句丽，劝其与百济立即停止攻打新罗。在调停无效之后，为避免新罗被高句丽和百济吞并，抑制高句丽的扩张，稳定朝鲜半岛局势，唐太宗决定以武力手段介入，出兵征讨高句丽。贞观十九年（645）五月，唐太宗调遣水陆两军近10万大军攻打高句丽，新罗也出兵3万助攻。唐太宗分别于贞观二十一年（647）、二十二年（648）两次组织进攻高句丽。更为严重的是，百济开始与高句丽接触，意图合攻新罗通往唐之要地——党项城，以切断新罗与唐的通路。如果听任两国进攻新罗，唐朝将失去重要的同盟，唐在朝鲜半岛的地位将面临严重危机。在这种情况下，唐王朝决定实施远交近攻战略，与新罗结盟，以新罗牵制高句丽。唐太宗征讨高句丽期间，新罗"遣大臣领兵五万人，入高丽南界，攻水口城，降之"②，牵制了高句丽，在一定程度上配合了唐朝的军事行动。唐太宗前后三次征讨高句丽，唐高宗即位后继续用兵朝鲜半岛，最终于显庆五年（660）灭百济，总章元年（668）灭高句丽。

二是因敌变化，适时调整战略进攻方针，持久敝敌。孙子指出，"水因地而制流，兵因敌而制胜。故兵无常势，水无常形，能因敌变化而取胜者，谓之神"③，强调要根据战场敌情的变化而灵活变化，因敌制胜。征讨高句丽失利后，唐太宗根据敌情的变化，适时调整

① 《资治通鉴》卷一百九十七《唐纪十三》，太宗贞观十七年九月。
② 《旧唐书》卷一百九十九上《新罗传》。
③ 《十一家注孙子校理》卷中《虚实篇》。

战略进攻方针，由原先的速决强攻战略改为对高句丽实施持久骚扰战略，收到疲敝高句丽之效。

唐太宗征讨高句丽，本想速战速决，毕其功于一役。但是，由于一系列主客观原因，唐朝第一次征讨高句丽虽然攻克辽东十城，但并未实现完全征服高句丽的最终目标。贞观二十一年（647）二月，唐朝君臣就再次讨伐高句丽进行廷议。大臣们提出建议："高丽依山为城，攻之不可猝拔。……今若数遣偏师，更迭扰其疆场，使彼疲于奔命，释耒入堡，数年之间，千里萧条，则人心自离，鸭绿之北，可不战而取矣。"① 唐太宗采纳了该建议，调整了战略进攻方针，决定对高句丽实施骚扰战略，由原来重兵攻坚战改为小股部队骚扰战，意在扰乱其军心民心，打击对方士气，逐次歼灭对方军队的有生力量，消耗高句丽的实力，通过疲敝对方而最终促其向唐臣服。三月，唐廷调兵遣将，命令左武卫大将军牛进达率兵万余人乘楼船自莱州（治今山东莱州）出征，太子詹事李勣率营州兵由新城道进发，分水陆两路袭击高句丽。李勣击败高句丽军队，焚其南苏罗城而还。牛进达率水军进入高句丽国内，经百余战，每战皆捷。贞观二十二年（648）正月，唐诏令"右武卫大将军薛万彻为青丘道行军大总管，右卫将军裴行方副之，将兵三万余人及楼船战舰自莱州泛海以击高丽"②，大获全胜，班师回唐。此后，高句丽举国不安，民废耕业。唐高宗继位后，对高句丽继续实施骚扰战略。永徽六年（655），高句丽与百济、靺鞨联兵进攻新罗北境，新罗王金春秋遣使入唐求救。唐高宗派遣营州都督程名振和左卫中郎将苏定方率兵出击高句丽军，大破其众，歼敌千余人，焚其南苏罗城及附近村落而还。显庆三年（658）六月，唐高宗派遣营州都督兼东夷都护程名振和右领军中郎将薛仁贵率兵进攻高句丽军，大破其众而还，达到了骚扰战略的目的。

三是及时调整战略进攻方向，迂回侧击，先弱后强，先灭百济

---

① 《资治通鉴》卷一百九十八《唐纪十四》，太宗贞观二十一年二月。
② 《资治通鉴》卷一百九十八《唐纪十四》，太宗贞观二十二年正月。

以孤立高句丽。贞观十九年（645），唐太宗以"为中国报子弟之仇，高丽雪君父之耻"①为名，将高句丽作为主要打击对象，倾全国之力征讨，收复了辽东大部分疆土。此后，唐太宗改用骚扰战略，仍着眼于正面攻打，逐步推进，虽然也沉重打击了对方，但始终未能彻底征服高句丽。唐高宗审时度势，决定避强击弱，调整战略进攻方向，联合新罗先打击实力相对弱小的百济，同时亦可剪除高句丽的军事同盟。刘仁轨曾就唐朝经略朝鲜半岛的先诛百济、后灭高句丽的战略做过明确的阐述。苏定方率军灭百济后，留郎将刘仁愿、刘仁轨等分守城池，安抚百济民众。苏定方奉诏讨伐高句丽，在攻打平壤失利后，率军回国。唐高宗敕书给驻守百济的刘仁轨："平壤军回，一城不可独固，宜拔就新罗，共其屯守。若金法敏借卿等留镇，宜且停彼；若其不须，即宜泛海还也。"②在唐军将士希望引军西归的情况下，刘仁轨陈述了唐朝统治者的战略意图："主上欲灭高丽，故先诛百济，留兵守之，制其心腹。"③将士们听刘仁轨言之有理，于是坚守百济。此后，唐朝与新罗集中优势兵力顺利消灭百济残余势力，粉碎了百济复国企图，使高句丽从此失去了战略防御屏障，陷入完全孤立的境地。此后，唐朝与新罗对高句丽形成南北夹击的有利战略态势，一举掌握了战争主动权。高句丽在唐军与新罗大军的夹击之下，内乱迭起，国力日益削弱，从而为后来唐与新罗联军消灭高句丽创造了有利条件。

四是粉碎日本扶植百济复国进而染指朝鲜半岛的企图，保障唐朝东北边疆安全利益。早在4世纪末期，倭国（即日本）曾派兵入侵朝鲜半岛南端的伽倻地区，被高句丽和新罗联兵击败。7世纪以后，日本（此时已由倭国改名为日本）暗中扶持百济。百济灭亡后，其残余势力聚众占据周留城（今韩国扶安）抗唐，并且遣使至日本，请求迎立在日本为人质的前百济王子扶余丰，并向日本乞求援师。

---

① 《资治通鉴》卷一百九十七《唐纪十三》，太宗贞观十九年三月。
② 《旧唐书》卷八十四《刘仁轨传》。
③ 《资治通鉴》卷二百《唐纪十六》，高宗龙朔二年七月。

日本齐明天皇为了保住在朝鲜半岛的势力，决定派兵护送扶余丰回国。龙朔元年（661）九月，天智天皇遣将率兵 5000 余人护送扶余丰返国即位，企图在百济扶植傀儡政权。龙朔二年（662），扶余丰遣使赴日本乞师援助。随后，日本出兵援助百济，以抗拒唐军和新罗军。龙朔三年（663），唐高宗派遣熊津道行军总管、右威卫将军孙仁师率部援助驻百济唐军。同年九月，孙仁师率部与刘仁愿、刘仁轨会合后，兵势大振，决定兵分两路，一路攻打百济残余军队的巢穴——周留城，另一路由刘仁轨、杜爽率水军从水路经熊津江进入白江，封锁白江的出海口，彻底切断周留城与海上的联系。刘仁轨所率水军行至白江口时，正与百济王扶余丰所引日军遭遇，白江口之战爆发，唐朝军队和日本军队在历史上首次正面交锋，唐军大胜。之后，周留城百济守军向唐军投降，唐与新罗联军很快平定百济全境。白江口之战不但彻底扫除了百济残余势力，奠定了 7 世纪以来东北亚地区的基本格局，同时将日本势力彻底逐出朝鲜半岛，粉碎了日本借扶植百济复国染指朝鲜半岛的企图。

五是战后"修功"有得有失，后期处置不当，导致新罗势力坐大。孙子指出："夫战胜攻取，而不修其功者，凶。"[1] 认为在战胜攻取后却不能巩固战争胜利成果的，必定会有祸患，主张战后务必采取适宜的善后措施，争取民心，巩固战果，进而达到有效控制局势的目的。唐朝在此方面既有成功的经验，但更多的是失败的教训。唐灭百济后，刘仁轨奉命镇守百济。在此期间，刘仁轨广施德政，劝课农桑，赈济贫民，恤养孤老，修补堤堰，兴复陂塘，整顿户籍，设置官吏，稳定了社会秩序，促进了生产发展，更重要的是收揽了民心，百济举国大悦，百姓安居乐业。刘仁轨可谓是战后"修其功"的成功实践者。但是唐朝在此方面的教训更为深刻。在征服百济、高句丽后，奉命镇守百济和高句丽的唐朝将领和官吏缺乏刘仁轨的战略眼光和政治经验，不善于从政治、经济、文化等方面筹划和实施战后"修功"，最终激起了当地居民大规模的反抗斗争。需要指出

---

[1]　《十一家注孙子校理》卷下《火攻篇》。

的是，此时的百济、高句丽已经发展为成熟的国家，具有较强的民族独立意识，在文化、风俗习惯等方面具有自身的民族特征。唐朝在经略朝鲜半岛时，未能透彻把握百济、高句丽实情，统治政策失之于简单、粗放，导致两国人民因不堪忍受唐廷统治而大量结队逃奔新罗，请求庇护。此外，唐朝在如何处理与新罗的战后关系的问题上也缺乏战略考虑，既未在战前提出战略前瞻意见，又未能在此问题出现后及时采取切实有效的解决手段。唐朝与新罗联手先后击灭百济、高句丽，打破了朝鲜半岛原先三国力量彼此制衡的态势，导致新罗势力坐大，最终形成尾大不掉之势，对唐朝统治构成新的威胁。唐朝通过扶植百济、高句丽贵族势力，在百济、高句丽故地建立了唐的统治；而势力日益壮大的新罗则企图逐步扩大自己的版图，最终统一朝鲜半岛。为达成此目标，新罗遂转而大力支持百济、高句丽故地人民的反唐斗争，逐步排挤唐朝势力。双方矛盾日益尖锐，政治与军事同盟关系瓦解，最终兵戎相见。

唐朝经略朝鲜半岛的战略既有值得总结的成功经验，又有引以为戒的教训。在边疆安全面临来自高句丽的威胁的历史背景下，唐朝统治者着眼于维护边疆安全利益，有效控制朝鲜半岛局势，在经略朝鲜半岛的实践中权衡利弊，审时度势，灵活调整战略进攻方针和战略主攻方向，巧妙运筹三角斗争，推行远交近攻的联盟战略，粉碎日本染指朝鲜半岛的企图，但在战后"修功"问题上考虑不周，处置失当。深刻反思并总结唐朝经略朝鲜半岛的经验教训，可资借鉴之处约略有如下几个方面。

第一，经略朝鲜半岛应重视庙算，事先做好充分准备，做到先胜而后战。孙子主张在战争之前要进行"庙算"筹划，从道、天、地、将、法"五事"，以及"主孰有道？将孰有能？天地孰得？法令孰行？兵众孰强？士卒孰练？赏罚孰明？"[1] 所谓的"七计"出发，对敌我双方情况进行全面的分析和计算，做到未战而先算，预先做好充分的战争准备，做到先胜而后战。

---

[1] 《十一家注孙子校理》卷上《计篇》。

　　首先是"知彼知己"，在战争开始之前侦察敌情，全面而详尽地掌握对手情况。贞观十五年（641），唐太宗借高句丽派使朝贡之机，派遣郎中陈大德前往高句丽以示慰问，而真实目的在于侦察敌情，摸清高句丽的国情和军情。陈大德在高句丽期间，以游览山水为名，借机留心高句丽的山川地势、民情风俗和军事情况，尤其关注高句丽的兵力、军事部署、物资及粮草储备情况。回国后，他向唐太宗汇报了在高句丽的所见所闻，为唐太宗做出正确的战略决策提供了极富价值的情报。为进一步掌握敌情，贞观十八年（644）七月，唐太宗命令营州都督张俭等将领统率军队，试探性进攻高句丽所占据的辽东地区，以察对手虚实。同年，唐太宗又令李道宗率领骑兵进入高句丽境内，开展侦察活动长达十余日，进一步掌握了高句丽的山川地势、兵力部署等情况。

　　其次是合理调度兵力，周密准备军械物资。在征讨高句丽前夕，唐太宗在全国范围内动员并调度兵力，敕令江南诸州督造船舰400艘，以运载军粮；任命太常卿韦挺为馈运使，民部侍郎崔仁师予以协助，专门负责河北诸州的粮草运输；命令少卿萧锐转运河南诸州的军粮，满足唐军的物资需要；又派行军总管姜行本、少监丘行淹督促工匠在安罗山制造攻城用具——冲梯。唐太宗还下诏在全国范围内募兵，得到积极响应，应募者云集，"募十得百，募百得千，其不得从军者，皆愤叹郁邑"[1]，一举征募了10万兵士。

　　最后是注重怀柔攻心，鼓舞己方士气，瓦解敌方军心。在征讨高句丽前夕，唐太宗先后发布两道诏书，历数泉盖苏文的罪恶，将其罪行公布天下，表明唐军征伐高句丽是代天伐罪，师出有名，以此争取民心；同时大力颂扬唐朝军威，列举了唐军的有利条件，以此震慑高句丽将士和民众，瓦解其士气。在战争过程中，唐朝注重心战，一方面抚慰将士，敕令治疗患病士兵；在攻城时，将士们一起负土填堑，极大地鼓舞了军队士气；另一方面注重"攻心为上"，对被俘的高句丽军民悉予慰谕，并赏赐粮仗、绢帛，实施怀柔之策，

―――――――――

① 《资治通鉴》卷一百九十七《唐纪十三》，太宗贞观十八年十二月。

以此瓦解高句丽军队士气。唐朝出兵辽东，高句丽白岩城城主孙代音请求投降，后又反悔。在唐军围攻下，白岩城守军被迫投降。唐太宗表示，"纵兵杀人而虏其妻孥，朕所不忍"①，接受了其投降。当唐太宗巡视白岩城时，高句丽降众欢呼雀跃，仰天下拜，万分感激唐太宗的不杀不辱之恩。在攻打安市城时，唐太宗指挥唐军打败高句丽援军，而后下令将三万余降兵全部释放。在盖牟城之战中，唐军俘虏了七百名高句丽士兵，唐太宗下令将其全部释放回家。唐朝推行的一系列优待俘虏、怀柔服心的措施，极大地瓦解了高句丽的军心士气。

第二，着眼战略全局，因敌制胜，根据战局和敌情变化及时调整战略进攻方针和战略主攻方向。确定战略进攻方针必须贯彻"知彼知己"兵法要则，全面掌握并深入分析敌我双方政治、经济、军事、外交、地理等方面情况，正确估量彼此力量对比，同时还要关注周边战略态势，综合考虑诸多关联因素，并能根据局势的发展变化适时调整，自我修正，力争获取最大的战略利益。唐朝在经略朝鲜半岛过程中，无论是战略进攻方针还是战略主攻方向都先后做了调整，更加符合当时的战争实际情况，收到了良好的效果。唐太宗三次征讨高句丽，虽然收复部分失地，但未能实现战前定的预期目标。高句丽表面臣服，实质上仍然坚持抗御唐朝的强硬立场。在深刻检讨之后，唐太宗将原先的一味强攻的战略进攻方针调整为持久骚扰战略进攻方针。唐高宗延续了这一战略方针，使得高句丽不堪其扰，举国困敝。相比之下，战略主攻方向的调整更能显示出唐朝最高决策者对战略全局的深刻洞察力、判断力以及对战局的掌控能力。唐太宗三次征讨高句丽均是正面进攻，逐步推进。由于高句丽善于依托城池、山地组织有效防御，加之唐太宗高估了唐朝军力而低估了高句丽军队的作战能力，因此，唐太宗最终未能彻底征服高句丽。此外，气候、后勤补给等因素也在一定程度上影响了唐军的军事行动。唐高宗总结了唐太宗征讨高句丽的经验教训，认为高句

---

① 《资治通鉴》卷一百九十八《唐纪十四》，太宗贞观十九年六月。

丽在三国之中拥有最强大的国力，且占据地利之便，所控据的朝鲜半岛北部和辽东之地易守难攻，遂果断调整战略主攻方向，由北攻高句丽改为南击百济，一举扭转战略被动局面，掌握了主动权，很快消灭了实力较弱的百济，使高句丽失去了战略同盟，为唐朝后来剪灭高句丽创造了有利条件。由此可见，唐王朝灵活调整战略进攻方针和战略主攻方向，对经略朝鲜半岛具有重大影响。在战局进展不畅的情形下，唐朝最高决策者能够因敌制宜，因情制变，及时有效地调整战略进攻方针及主攻方向，顺利地推动了战争进程。

第三，战争收局务必关注战后"修功"问题。唐朝经略朝鲜半岛的正反两面的经验教训深刻反映了战后"修功"的重要性。一旦处理不当，不仅会葬送来之不易的胜利成果，而且还可能导致局势失控，带来无可挽回的损失。首先要将战后"修功"纳入战前"庙算"，将其作为战略筹划的不可或缺的组成部分，在战争筹划阶段就对战后可能出现的问题进行深入的战略考虑，提前做出预案，形成富有针对性的应对之策。其次是以争取民心为核心，下大力做好赢得民众支持与拥护的工作，包括战前的舆论宣传，战争过程中注重严明军纪、不侵犯群众利益，战后优待俘虏等，顺应民意并巧妙引导，怀柔附远，德信取人。最后是注重实效，根据具体情况区分主次，全力解决影响全局的重点问题，巩固战果，控制局势，尤其在边疆地区要注意贯彻"因俗而治"思想，采取适合当地实际情况的一系列制度，同时还要注意恢复当地经济，大力发展生产，改善人民生活，为稳定社会秩序奠定坚实基础。

第四，灵活运用联盟战略，强己弱敌，营造有利态势。联盟战略是关系到国家与军队生存、发展甚至是生死攸关的大事。在运筹三角斗争时，确定与哪一角建立联盟是至关重要的战略，必须审时度势，因情制变，选择最佳策略，为己方赢得有利态势。唐朝经略朝鲜半岛，善于灵活运用联盟战略，强己弱敌，收效显著。首先是适时把握结盟的时机，遵循"非利不动，非得不用，非危不战"[1]

---

[1] 《十一家注孙子校理》卷下《火攻篇》。

的原则，在己方安全利益受到威胁的情况下选择结盟。唐高祖出于国内初定和朝鲜半岛局势基本稳定的主客观因素，对高句丽、百济、新罗采取和好政策。唐太宗即位以后，半岛局势逐渐发生变化，高句丽与百济结盟，对内攻打新罗，对外挑战唐朝统治秩序，威胁唐王朝东北边疆安全。在此态势下，唐太宗顺势而为，果断与新罗结盟，遣使新罗，令其"纂集士马，应接大军"①，从南面牵制高句丽，以分其势。其次是运用远交近攻的地缘战略，结交远邦以对付近邻，集中力量打击对己方威胁最大的势力。在三国之中，高句丽紧邻唐朝东北边疆，对唐王朝构成的威胁最大。唐朝在筹划远交近攻的地缘战略时，自然将高句丽列为头号打击对象。新罗位于朝鲜半岛东南部，与唐王朝距离最远，彼此之间不存在利害关系。尤其需要指出的是，新罗竭诚示好唐朝。贞观二十二年（648），新罗使节金春秋将子文王留唐宿卫，创新罗王族子弟入唐宿卫之始。宿卫实为人质，亦即质子。永徽元年（650），新罗王作五言《太平颂》，派使节献给唐高宗，歌颂大唐业绩。翌年，新罗王又派使节金仁问入唐宿卫。唐则回赠新罗以礼物，并授予从事宿卫的新罗王族子弟和使节以官职，唐与新罗军事同盟关系不断得到强化，而新罗已然成为唐朝在朝鲜半岛最可靠的盟友与最密切的利益攸关方。最后是"以夷制夷"，以邻制邻。针对朝鲜半岛高句丽、百济、新罗彼此之间因利害纠葛而争斗不已，各方力量不断消长的情况，唐朝灵活调整与三国的关系，采取"以夷制夷"之策。当高句丽欲图扩张称霸时，唐朝统治者遣使册封百济王、新罗王，达到以百济、新罗牵制高句丽的目的。

---

① 《旧唐书》卷一百九十九上《新罗传》。

第四节　唐朝经略西域的战略策略

自古以来，西域就是兵家必争之地。自从汉朝开通陆上丝绸之路后，西域的地位显得益发重要，不仅体现在经济贸易，而且也充分反映在中外政治联系、文化交流、人员流动等方面，尤其在巩固国防、拓展战略利益上具有重大价值。因此，经略西域对于历代中央王朝来说，都是一个关乎长治久安的重大战略问题。唐朝在经略周边地区的过程中，也面临与前朝相同的问题，即如何经略具有重大战略价值的西域。唐朝统治者为巩固王朝安全与维护天下秩序，实施了一系列战略策略，以此加强对西域的控制，极大地拓展了唐朝的战略利益。

一、唐朝经略西域的战略背景

唐太宗贞观年间，唐朝在西北方向主要面临着西突厥、吐谷浑、吐蕃等几股势力的安全威胁。依距离远近而论，盘踞青海一带的吐谷浑对唐朝构成的直接威胁最大，可谓肘腋之患。此外，吐谷浑的势力范围正处于中西陆路交通的必经之地，从其政治中心伏俟城（今青海共和西北），有三条道路可通往西域。由于吐谷浑紧邻河西走廊，因此对唐朝陆上丝绸之路能否顺利通行具有至关重要的影响。西突厥横跨金山（今阿尔泰山）至乌浒河（今阿姆河）之间的广阔地域，势力最强盛时期"北并铁勒，西拒波斯，南接罽宾，悉归之，控弦数十万，霸有西域，据旧乌孙之地"[1]。由此可见，西突厥乃是唐经略西域的最强劲的对手。吐蕃僻居青藏高原，后迁都逻些（今西藏拉萨），而后推行一系列政治、军事制度改革，逐渐走向强大。唐高宗统治期间，吐蕃国力日益强盛，逐渐将势力扩展至西域、河

---

① 《旧唐书》卷一百九十四下《突厥传下》。

西走廊等地，直接威胁唐朝西部边防安全。双方先后爆发大非川之战、承风岭之战、白水涧之战等数次重要战事，唐朝基本上遏制了吐蕃的扩张势头，稳定了西陲战略态势。

二、断隔南北、"抚宁西域"的地缘战略

西域处于东西交通要枢，同时又是南北势力交会所在，自然受到诸多势力觊觎，历来是多方力量博弈之地。在 7 世纪至 8 世纪，唐朝、吐蕃、西突厥三方展开了对西域的争夺。唐王朝积极经略西域，不仅是出于巩固边防安全的考虑，而且也是出于断隔西域南面吐蕃与西域北面西突厥联系的考虑，进而达到牢固控制西域的战略目的，为畅通丝绸之路与拓展战略利益提供安全保障。唐朝统治者为此确定了断隔南北、"抚宁西域"① 的地缘战略，并采取了相应的稳妥推进的战略举措。

一是征服吐谷浑，经略河西。河西走廊位于甘肃省西北部祁连山以北、乌鞘岭以西、合黎山和龙首山以南，呈狭长笔直之状，形如走廊，又因地处黄河以西而得名。汉朝张骞通西域开辟丝绸之路后，河西成为中原通向中亚、西亚的交通要道，也成为军事要地。7 世纪初，主要盘踞青海一带的吐谷浑趁中原战乱之机，大肆向河陇地区扩张，先与割据河西的军阀李轨联合，后又南联党项羌人，不断侵扰唐西北洮（治今甘肃临潭）、岷（治今甘肃岷县）、凉（治今甘肃武威）诸州，严重威胁唐西北安全。唐朝统治者着眼经略边防大局，制定了由内而外、由近及远、先退后进、先北后西、重点向西的地缘战略，在解除北面威胁后转而向西，"首先击败吐谷浑，在河西陇右建立起牢固的前进基地"②。唐太宗先后于贞观八年（634）、贞观九年（635）果断派遣大军痛击吐谷浑，扫除了西进障碍。之后，吐谷浑内附，唐与其保持了长时期的藩属关系，稳定了

---

① 《资治通鉴》卷二百一十五《唐纪三十一》，玄宗天宝元年正月。
② 周德钧：《略论唐代治理西域的大战略》，《湖北大学学报》（哲学社会科学版）2011 年第 1 期。

河西局势。

二是讨平高昌，控扼西域门户。高昌地处河西与西域交接处，实为中原通往西域的交通要道之咽喉所在，控扼着进出西域的门户，成为唐王朝经略西域的必争之地。高昌曾与唐保持友好关系，但后来因贪图私利，"凡西域朝贡道其国，咸见雍掠"[1]，更兼与西突厥勾结，共同出兵攻打伊州（治今新疆哈密市伊州区），严重侵害了唐朝安全利益。有学者指出："守长安必须守河西，守河西必须镇西域。"[2] 其实，笔者以为这里还有一层意思未明确说出，即"镇西域必须平高昌"。唯有完全掌控高昌，才能彻底打开西域门户，同时可有效削弱西突厥势力，为进一步解除其对西域的安全威胁创造有利条件。因此，征服高昌成为唐经略西域能否成功的关键环节。在诏令告诫无效后，唐派遣吏部尚书侯君集率大军西征，经长途行军，出其不意进逼高昌。慑于唐军强大的兵威，西突厥欲谷设率军后遁，不敢援助高昌。高昌王在孤立无援之下，被迫投降唐军。唐太宗在此设西州（治今新疆吐鲁番市东南），留兵镇守。唐讨平高昌并设置州县，对于经略西域具有极其重大的意义，不仅使唐王朝成功打开了突破口，在西域拥有了一块立足之地，而且间接打击了西突厥，使其在西域失去了一个盟友，为唐后续经略西域奠定了良好的基础。

三是设置安西四镇，"抚宁西域"。继平定高昌后，唐趁势西进，派遣安西都护郭孝恪率军进击焉耆。原先对唐友好的焉耆，因被西突厥拉拢，相互结盟共抗唐朝，"由是相为唇齿，朝贡遂阙"[3]。在此情形下，唐若要彻底掌控西域，就非平定焉耆不可。为进一步打击西突厥并统一西域，唐太宗派遣左骁卫大将军阿史那社尔率领大军讨伐龟兹，大获全胜。唐将安西都护府从西州迁徙至龟兹（治今新疆库车），统领龟兹、于阗（今新疆和田西南）、焉耆（今新疆焉耆西南）、疏勒（今新疆喀什）四镇，史称安西四镇。安西四镇的

---

① 《新唐书》卷二百二十一上《高昌传》。
② 《隋唐的边疆政策》，第174页。
③ 《旧唐书》卷一百九十八《焉耆传》。

设置缘于当时的客观形势和西域的地缘位置。当时，西域之南的吐蕃迅速崛起，力量日益壮大，逐渐滋生向西域、河西扩张的野心；西域之北的西突厥重归统一，暗中勾结高昌、焉耆等国，"侵暴西域"。四镇处于西域的地缘枢纽地带，控扼天山南路的通道，同时也是唐、吐蕃、西突厥三方力量的交会处。唐廷设置安西四镇，旨在以此作为经略西域的战略支撑，北防西突厥南侵，南拒吐蕃北犯，使西域免受南北夹击威胁。从某种意义上来说，控制了四镇，也就基本上控制了西域。当代学者王永兴认为，安西都护府是唐经营天山以南以及三十六蕃以外地区的前方指挥机构，[①] 可视为唐、吐蕃、西突厥三方斗争的一线。作为前沿基地的安西四镇是多方势力博弈的关键所在，承受了远远超过河西、西州的军事压力。四镇的得失很大程度上决定了唐廷在西域的进退，也决定了唐廷对西域的控制权。就此而言，四镇对于唐朝经略西域的重要性，是无论如何强调都不为过的。

　　四是平定西突厥，设置羁縻州府。在围绕西域展开争夺的诸多势力中，西突厥的力量是比较强大的。贞观十四年（640），咄陆可汗攻杀叶护可汗，重归统一后的西突厥汗国的势力更加强大。此后，咄陆可汗"自恃强大，遂骄倨，拘留唐使者，侵暴西域，遣兵寇伊州"[②]。显然，"自恃强大"的西突厥意图将西域纳入自己的势力范围，多方打击唐朝力量，企图将唐王朝势力排挤出西域。唐太宗命令安西都护郭孝恪率军反击，数次击败西突厥军，收复了可汗浮图城（今新疆吉木萨尔北破城子），取得了遏索山（今新疆乌鲁木齐县西南天山山脉中段）之战的胜利。此后，唐与西突厥时战时和，直至西突厥汗国灭亡。唐在西突厥境内全面设置羁縻州府，先设置昆陵都护府、濛池都护府，又在都护府下设若干州府，极大地加强了对归附的西突厥诸部的羁縻统治，也进一步巩固了对西域的战略控制。

---

① 参见《唐代前期西北军事研究》，第 54 页。
② 《资治通鉴》卷一百九十六《唐纪十二》，太宗贞观十六年九月。

三、依托都护府总揽全局，依托军镇和府州控扼要地

西域疆土广袤，地形复杂，部落众多，更兼远离中原，与长安相距遥远，互通声息不便，因此在此地实行有效的管辖绝非易事。唐朝统治者因地制宜，在西域推行了一套特殊的军政合一的管理体制，既有别于内地，同时也借鉴了内地州县制的做法，从而较好地适应了边疆的特殊情况，确保唐廷对西域的有效管辖。唐廷全面有效经略西域的标志就是安西、北庭两大都护府的先后设立。唐太宗派军平高昌、设西州，以此为楔子，艰难地打开了经略西域的局面。西州既是大唐踏入西域的门槛，也是后来坚守西域的最后防线，具有无可替代的地位，皆由其控扼河西进出西域之门户的独特地缘位置所决定。因此，唐初设安西都护府，即将治所置于西州。唐军乘胜南进，先后平定焉耆、龟兹，"太宗既破龟兹，移置安西都护府于其国城，以郭孝恪为都护，兼统于阗、疏勒、碎叶，谓之'四镇'"[1]。在击败西突厥之后，为加强对天山北部的管辖，唐廷在庭州（治今新疆吉木萨尔北破城子）设置了北庭都护府，由此形成了安西、北庭两大都护府分治天山南北诸地军政事务的局面，也揭开了唐王朝经略西域的新篇章。

为加强对西域广土众民的治理，安西、北庭大都护府主要通过分处各要地的军镇、州府实现有效管辖。军镇是指以安西四镇为代表的军政合一的驻军单位。"凡军镇，二万人以上置司马一人，正六品上；增仓曹、兵曹参军事各一人，从七品下。不及二万者，司马从六品上，仓曹、兵曹参军事正八品上。"[2] 军镇位于军事要地，驻有重兵，负有监护之责，是镇压叛乱、抵御外敌的主要兵力。从某种意义上来说，军镇的兴衰置废，反映了唐廷经略西域的进退成败。军镇能否在天山南路立足并有所发展，直接关系着唐廷能否对此地实施有效管辖，中央政令能否通达西疆，当然也事关经略西域的战

---

① 《旧唐书》卷一百九十八《龟兹传》。
② 《新唐书》卷四十九下《百官志四下》。

略大局。有学者认为，军镇是唐朝西域防御体系的战略枢纽，"军镇"之下的"守捉""城""关""烽""铺"等组织编织成一张覆盖整个西域地区的防御网。① 唐王朝声威远播、国力强盛之时，军镇能够充分发挥安边靖乱的职能，但当唐朝国力衰退之后，军镇的处境也愈发艰难。8 世纪末，在吐蕃大举入侵西域后，唐廷最终彻底放弃了安西四镇。唐朝势力退出西域，也由此丧失了对该地区的管辖权，宣告了经略西域的终结。

除军镇之外，分散各地的州府也是唐廷有效管辖西域的重要倚靠。西域的州分为两种情形，第一种是中央政府直接管辖的直属州，另一种是由各部落首领管辖的羁縻州。唐廷根据西域的特殊社情、民情，顺俗施化，因地制宜，采取了迥然不同的两种管理制度。唐在毗邻内地的西州、伊州、庭州等地建立直属州县，因为这些地区的社会经济、文化和风俗接近中原，汉族人口较多，所以唐廷决定在此实行与中原相同的管理制度，对其进行直接管辖。西域其他地区的社会经济、文化、生活习俗与中原大相径庭，唐廷采取因俗而治之法，在这些地区建立羁縻府州，任命各地部落首领为羁縻府州的都督、刺史，以此实现对各地的管辖。

需要指出的是，羁縻统治能否取得成效，以及取得多大成效，关键在于朝廷是否拥有强大的国力，以及在此基础上能否正确处理好文事与武备的关系。唐太宗、唐高宗以及唐玄宗前期之所以在经略西域上大获成功，很大程度上得益于强大的兵威与灵活有效的怀柔招抚能够巧妙结合使用，恩威兼施，刚柔相济，根据战略态势的发展变化，相机采取政治策略或武力打击或二者综合实施，牢牢掌控了战略主动权，故而在处理边防事务、筹划西域经略问题上显得游刃有余。此外，能否选用熟谙边事、善于抚驭的治边将吏，对于经略西域也非常重要。被誉为"武纬文经"的一代治边名将郭元振，曾任安西大都护，守边多年，善于运用政治策略安抚边疆部落，以

---

① 参见周德钧：《略论唐代治理西域的大战略》，《湖北大学学报》（哲学社会科学版）2011 年第 1 期。

诚相待，深受各酋长爱戴，虽无显赫武功，却取得了"安远定边"的不世业绩，由此足见一名优秀边将对于巩固边防具有何等重要的作用。

四、因地制宜，广开军屯，屯戍结合

纵观中国古代王朝经略边疆，屯田始终是一项重要举措，不仅关系边疆社会经济的发展，而且与国家边疆安全利益攸关。当代学者林立平在定义"屯田"时，将其与边防直接联系起来，指出屯田"是为解决边防军粮，主要依靠戍卒从事耕耘收获的农业生产"①。唐朝充分借鉴了前人特别是汉朝的屯田经验，规定"凡军、州边防镇守转运不给，则设屯田以益军储"②，要求边防驻军开展屯田，增加军粮储备。唐朝在西域屯田当始于贞观十四年（640）初设安西都护府之时。史载："贞观中，李靖破吐谷浑，侯君集平高昌，阿史那社尔开西域，置四镇……于是岁调山东丁男为戍卒，缯帛为军资，有屯田以资粮粮，牧使以娩羊马。大军万人，小军千人，烽戍逻卒，万里相继，以却于强敌。"③ 唐廷在西域先后设置安西、北庭两大都护府，强化了对西域的管辖，极大地促进了这一地区屯田的发展。

唐廷在西域的屯田较汉代有很大发展，在屯田规模、屯田管理、屯田成效等方面都有所反映。就屯田组织形式而言，西域屯田可分为集中屯田和分散屯田；就屯田主体而言，可分为军屯和民屯。西域屯田以军屯为主。因远离内地，军粮转运不便，且西域戍守的唐军边防将士人数众多，其中安西都护府、北庭都护府各自"管戍兵二万四千人""管兵二万人"④，唐廷为解决其军粮供给问题，遂大兴屯田，既可满足边军之需，又可减省转运之费。出于充分保障前

---

① 《隋唐的边疆政策》，第 167 页。
② 李林甫等撰，陈仲夫点校：《唐六典》卷七《尚书工部·屯田郎中员外郎》，中华书局，1992 年。
③ 《旧唐书》卷一百九十六上《吐蕃传上》。
④ 《旧唐书》卷三十八《地理志一》。

线军需的考虑，唐廷在天山南北广开屯田，在玄宗开元年间共计建有56处屯垦区："安西二十屯，疏勒七屯，焉耆七屯，北庭二十屯，伊吾一屯，天山一屯。"① 此处的"安西""北庭"当各指两大都护府治所龟兹、庭州。有学者对唐代西域屯垦规模及区域分布做了探讨，指出"唐朝对西域的屯田由东向西、先南后北发展，最终形成了东部屯田区、安西四镇屯田区和其他屯田区的三大区域"②。这里的东部屯田区包括伊州屯田、西州屯田、庭州屯田，安西四镇屯田区包括龟兹屯田、疏勒屯田、于阗屯田、碎叶（后改焉耆）屯田，其他区域屯田包括轮台屯田、清海屯田、乌垒屯田。上述十一大屯垦区大体反映了唐代西域屯田的区域分布情况。就屯田规模而言，龟兹屯田面积约为10万亩，为唐在西域开发出来的最大的屯垦区，当与其担负安西大都护府治所，处于西域中心，且水草丰美，宜农宜牧的优越地理环境有着密切关系。此外，北庭、碎叶屯田最盛时也在10万亩左右。疏勒屯田、焉耆屯田均为3.5万亩，轮台屯田、清海屯田、乌垒屯田面积均为1万多亩，伊州、西州屯田5000亩，于阗屯田规模不可考。③

　　唐朝制定了严格的屯田管理制度，由屯田郎中掌管具体事务，下设司农系统和边州军镇系统，分掌内地和边州屯田事务。西域屯田事务由安西、北庭两大都护府统管，都护府专设支度营田使管理屯田事务。各州镇屯田由军政长官掌管，下置屯官负责。屯官也叫屯主，直接组织本屯的生产，以集中大批戍卒进行军屯为主。每屯有屯兵500人左右，按照唐廷规定"镇戍地可耕者，人给十亩以供粮"④ 的标准，每屯耕地面积在5000亩左右。安西、北庭大都护府采取大规模的集中性的军屯方式，辅以边僻之地且驻军较少的分散

---

① 《唐六典》卷七《尚书工部·屯田郎中员外郎》。
② 张安福、郭宁等：《唐代的西域屯垦开发与社会生活研究》，中国农业出版社，2011年，第53页。
③ 参见《唐代的西域屯垦开发与社会生活研究》，第53—62页。
④ 《新唐书》卷五十三《食货志三》。

屯田，戍屯结合，就地补给，较好地解决了边防军的粮食供应问题，也在一定程度上促进了当地社会经济的发展，为巩固边防发挥了积极作用。在吐蕃占领河西，截断西域与中原的联系后，戍守西域的唐军仍然能够继续捍卫领地，坚守边陲御戎数十年，这在很大程度上不能不归结于屯田之功。

第五节　唐朝平定安史之乱的战略指导之得失

唐玄宗李隆基登基后，励精图治，重振朝纲，唐王朝在政治、经济、军事、文化等方面均取得卓越成就，缔造了为后世所称道的开元盛世。但在此繁荣景象之下，唐玄宗的穷兵黩武思想日益膨胀，为安史之乱埋下了隐患。他在边境频繁用兵，开疆拓土，炫耀武功，起先在沿边设置 10 个节度使、经略使，后又不断增设节度使，并赋予其军事、行政、财政大权。节度使不仅拥有重兵，擅权自专，而且久任一方，长期经营所辖边地，遂成尾大不掉之势。安禄山依靠逢迎贿赂，从一名小吏不断得到提拔，直至升为节度使。他百般讨好唐玄宗，一再表示自己的忠心，成功迷惑了最高统治者，受到了异乎寻常的优厚待遇，由平卢节度使兼任范阳节度使，之后又兼任河东节度使，掌握三地兵马达 18 余万人，为后来发动叛乱提供了便利条件。

一、唐阻击安军的战略指导之得失

唐玄宗天宝十四载（755）十一月九日，安禄山以讨宰相杨国忠为名，在范阳举兵南下，安史之乱由此爆发。安禄山亲率主力迅速南下，以直取东、西两京为战略目标。面对猝然兵变，唐廷全无防备，仓促间采取了一系列应急举措，其中具有重大战略意义的措施主要是如下三条：首先是任命了一批将领率军抵御安军，以右羽林大将军王承业为太原尹，以金吾将军程千里为潞州（治今山西长治）

长史，就地募兵，控制要隘，阻遏安军；以九原（治今内蒙古五原）太守郭子仪为朔方节度使，随时领兵开赴前线。其次是以卫尉卿张介然为新增设的河南节度使，组织军事力量阻击安军。最后是命令安西节度使封常清前往东京洛阳募兵，迎击安军；命令前安西节度使高仙芝统率在长安临时征集的 5 万人马，屯驻陕郡（治今河南三门峡市陕州区），作为抗击安军的后续部队。

安军自范阳急速南下，势如破竹，二十余日进抵河南，先后攻陷陈留、荥阳、虎牢，击败了封常清率领的唐军，长驱直入，攻占了东京洛阳。封常清率残部退却至陕郡，向高仙芝建议道："常清连日血战，贼锋不可当。且潼关无兵，若贼豕突入关，则长安危矣。陕不可守，不如引兵先据潼关以拒之。"① 高仙芝接受其建议，率军退守潼关。监军边令诚为泄私愤，向上进献谗言，玄宗命令斩杀高、封二将，改任河西、陇右节度使哥舒翰为兵马副元帅，领兵进驻潼关。玄宗急于收复失地、迅速平叛，要求"天下四面进兵，会攻洛阳"②，命令哥舒翰出关作战，尽早收复洛阳。哥舒翰本想据险固守徼敌，但在诏令之下不得不率兵出关，结果遭到伏击，被安军击败，潼关、长安先后失守，唐王朝命悬一线，几乎到了覆亡的边缘。

唐阻击安军的战略指导有得有失，失大于得。唐廷战略指导的成功之处是开辟了侧翼战场，从南、北两翼尤其是在河北方向沉重地打击了安军，对其后方构成威胁，迫使安禄山在洛阳屡次调兵回救，以保证自身后方的安全。郭子仪、李光弼率朔方军在云中（今山西大同）、常山（今河北正定）、九门（今河北石家庄市藁城区西北）、嘉山（今河北曲阳东）等地击败安军，有力地遏制了安军的攻势，扭转了山西、河北战场态势，稳定了唐廷的北方战线，为以后实施战略反攻创造了有利条件。安禄山为应对河北、河南军民的抗击，被迫分兵作战，在一定程度上消耗了安军的军事力量，也牵制了其西进袭取两京的军事行动。

---

① 《资治通鉴》卷二百一十七《唐纪三十三》，玄宗天宝十四载十二月。
② 《资治通鉴》卷二百一十七《唐纪三十三》，玄宗天宝十四载十二月。

唐廷战略指导的主要教训在于料敌不明，"怒而兴师"，急于求成，犯了《孙子兵法》所说的"不知三军之权，而同三军之任"①的错误，最高统治者直接干预前方具体的军事行动，最终落得几近亡国的下场。安军集结精兵强将自北向南快速进军，趁内地兵力空虚、武备废弛之际，实施战略突袭，长驱直入，进展迅猛。这里有两个因素发挥了重要作用，一是安禄山制定的突然袭击的战略方针基本奏效，二是在进攻中拥有对唐军的兵力优势。尽管唐军在综合实力上强于安军，但当安禄山突然发动叛乱并快速南下，此时唐廷的大部分兵力还远在边陲，一时难以救急。因此，唐廷在兵力对比上是暂时劣于安军的。但是，急于收复洛阳的玄宗昧于形势，不知彼不知己，高估了唐军实力而低估了安军实力，先是听信边令诚"常清以贼摇众，而仙芝弃陕地数百里，又盗减军士粮赐"②的谗言，震怒于高、封败退并武断斩杀二将；之后又听信杨国忠的一面之词，以为安军在陕州"兵不满四千，皆羸弱无备"③，遂强令哥舒翰主动出关进攻安军。哥舒翰是一名长期戍边、具有丰富作战经验的将领，对前线战场敌我态势了然于胸。他对玄宗做了一番比较透彻的战场态势研判。

> 禄山久习用兵，今始为逆，岂肯无备！是必以羸师以诱我，若往，正堕其计中。且贼远来，利在速战；官军据险以扼之，利在坚守。况贼残虐失众，兵势日蹙，将有内变；因而乘之，可不战擒也。要在成功，何必务速！今诸道征兵尚多未集，请且待之。④

哥舒翰的战略意图是利用潼关天险稳固防守，以收挫锐敝敌之

---

① 《十一家注孙子校理》卷上《谋攻篇》。
② 《资治通鉴》卷二百一十七《唐纪三十三》，玄宗天宝十四载十二月。
③ 《资治通鉴》卷二百一十八《唐纪三十四》，肃宗至德元载六月。
④ 《资治通鉴》卷二百一十八《唐纪三十四》，肃宗至德元载六月。

效，在消磨对手锐气且等到其出现内变时，我方再乘隙攻击，可以一举获胜。应该说，这不失为一个稳妥可行的作战方案。但是，意气用事的玄宗固执己见，听不进前线将领的正确意见，杨国忠又在一旁怂恿："贼方无备，而翰逗留，将失机会。"① 促使玄宗决定主动出击，逼迫哥舒翰出关进攻安军。孙子曰："不知军之不可以进，而谓之进；不知军之不可以退，而谓之退，是谓縻军。不知三军之事，而同三军之政者，则军士惑矣。不知三军之权，而同三军之任，则军士疑矣。三军既惑且疑，则诸侯之难至矣，是谓乱军引胜。"② 显然，唐玄宗正是这样一个自乱其军而招致失败的不明智的统治者。他在不明彼己军情的情况下，却一再误信边令诚、杨国忠的不实之词，导致其进一步误判了战场态势，由此做出了不正确的战略决策，直接插手潼关守将的作战指挥，拱手让出潼关天险之地利，逼令哥舒翰在彼强己弱的态势下出关作战，遂酿成潼关、长安失守的局面。毋庸置疑，唐玄宗的错误决策是导致这一败局的根源所在。

二、唐对峙安军的战略指导之得失

唐廷阻击安军不利，洛阳、长安两京失守，王朝危在旦夕。目光短浅的安禄山忙于巩固地盘、抢掠财富，未派军追击唐玄宗一行。太子李亨在左右建议下，奏请留下兴复社稷，得到玄宗允许。天宝十五载（756）七月，李亨在灵武（治今宁夏灵武西南）即帝位，是为肃宗。此后，肃宗调整战略部署，整军经武，尤其是重用郭子仪、李光弼等得力干将，任命郭子仪为武部（即兵部）尚书，以李光弼为户部尚书、北都（今山西太原西南）留守，确保河东安全；同时任命第五琦为江淮租庸使，确保江淮租赋和唐军后勤补给的安全。在这一期间，唐军在太原至两京、睢阳（治今河南商丘南）一线与安军处于战略对峙态势。双方围绕北方重要据点太原、河南重要据点睢阳展开激烈争夺。

---

① 《资治通鉴》卷二百一十八《唐纪三十四》，肃宗至德元载六月。
② 《十一家注孙子校理》卷上《谋攻篇》。

　　唐廷在这一时期的战略指导之得，主要是在北、南两个方向取得了太原保卫战、睢阳保卫战两场局部胜利，稳定了唐军的两翼，威胁了安军的侧背安全，为之后唐军的战略反攻争取了准备时间，对战略全局产生了深远的影响。

　　李光弼率军坚守太原，在安军重兵围攻城池的态势下，沉着应对，善于出奇制胜。他命人把地道挖到城外，不仅通过地道突然攻击安军，而且将地道挖到土山之下，以此倾倒对手用于攻城的土山，有效破坏了对手的进攻行动。他采取诈降之计，同时预先派人挖地道至敌营下面，等到敌人受降之时，命人在地道抽去撑柱，敌营顿时坍塌，城内唐军趁乱出击，大获全胜。李光弼还注重改良武器装备，制作了守城利器擂石车，用人力发射巨石，每次能够毙伤敌人几十人。李光弼之所以能够取得太原保卫战的胜利，最重要的原因还在于他不是一味消极防守，而是坚持攻守结合，在防守的同时，注意抓住战机积极主动地出击，有力地打击了对手，也极大地振奋了守城军民的士气。太原之战的胜利巩固了唐军的北翼，对安军巢穴范阳及其侧背构成了巨大威胁。

　　睢阳之战是在河南战场爆发的一场重要战役。睢阳地处交通要冲，控扼江淮物资运输通道，对唐平定叛乱有重要作用。张巡、许远等坚守睢阳达 10 个月，"前后大小战凡四百余，杀贼卒十二万人"[1]，极大地挫伤了安军的士气，保障了江淮租庸的西运，一定程度上改变了两军兵力对比，对于平叛战争具有重大的战略意义。

　　当然，唐廷在战略指导上仍然有其失误，主要反映在对各战场缺乏集中统一的战略筹划与指导，导致太原、睢阳以及其他战场各自为战，彼此未能做必要的联络与声援。当睢阳被安军围困陷入绝境时，张巡派部将南霁云突围求救，驻守临淮（治今江苏盱眙西北）的河南节度使贺兰进明、驻守谯郡（治今安徽亳州）的许叔冀、驻守彭城（今江苏徐州）的尚衡均无动于衷，拥兵不救。这在很大程度上削弱了唐军的整体战斗力，也容易被安军各个击破。这一局面

---

① 《资治通鉴》卷二百二十《唐纪三十六》，肃宗至德二载十月。

的出现，无疑与唐廷战略指导不力有着密切的关系。唐王朝最高统治者对此负有不可推卸的责任。

三、唐收复两京、夺控河南的战略指导之得失

两京沦陷后，唐肃宗一直谋划收复失地。至德元载（756）十月，他任命宰相房琯率军 5 万进攻长安，大败而回，唐军士气大为受挫。之后，郭子仪出兵攻占了河东郡（治今山西永济西南蒲州镇），陇右、河西、安西等地的军队陆续集结完毕，江淮庸调也运送到达洋川郡（治今陕西洋县），至此反攻所需要的兵力、物资条件已经基本具备。至德二载（757）二月，李泌再次提出迂回袭取范阳的战略方案，认为"今所恃者，皆西北守塞及诸胡之兵，性耐寒而畏暑""不若先用之于寒乡，除其巢穴，则贼无所归，根本永绝矣"①，但遭到肃宗的否决。肃宗急于收复长安，并且自认为兵力、庸调已准备妥当，于是定下正面反攻长安的战略决策。郭子仪被任命为天下兵马副元帅，负责指挥攻城事宜，经过与安军的两次交战，最终收复长安。随后郭子仪率军东征，先后收复潼关、陕州、洛阳等地。

安庆绪率残部退至邺城（今河南安阳）。唐肃宗在收复两京后，忙于封官晋爵，并迎接唐玄宗返回长安，迁延日久才派军进攻安庆绪。乾元元年（758）九月，肃宗命令朔方节度使郭子仪、淮西节度使鲁炅、北庭节度使李嗣业、河东节度使李光弼等九节度使围攻邺城。围城唐军人多势众，但由于未设统帅，行动不一，导致久攻不下。史思明应安庆绪之请，率军南下驰援，两军交战之时狂风大作，各自溃退。不久，史思明率军卷土重来。肃宗任命李光弼为朔方节度使、天下兵马副元帅，负责指挥对安军的作战事宜。因兵力不足，唐军无法实施全面防御。李光弼决定主动放弃洛阳，坚守河阳（治今河南孟州南），对安军构成"猿臂之势"，以此控扼对手西进洛阳、潼关之道，成功阻止了安军的西进行动。上元二年（761）二月，肃宗在陕州观军容宣慰处置使鱼朝恩等的建议下，决定反攻洛

---

① 《资治通鉴》卷二百一十九《唐纪三十五》，肃宗至德二载二月。

阳。李光弼认为"贼锋尚锐，未可轻进"①，不同意该作战方案。但是，肃宗固执己见，不停派中使催其出战。李光弼只得率军攻打洛阳，在邙山之战中因仆固怀恩未依令布阵，唐军大败，河阳、怀州相继失守。唐军因反攻行动受挫转入守势，而史思明集团内部发生内讧，史思明被杀，史思明长子史朝义夺取领导权，史军力量因相互争权夺利而大为削弱，无力组织大规模的军事进攻行动。

唐在战略指导上的成功之处主要体现在两个方面：

一是主将选用得当。唐廷在收复两京之战中，任命郭子仪为天下兵马副元帅，全权负责作战指挥；在围邺之战后，任命李光弼代为朔方节度使、天下兵马副元帅，取代郭子仪指挥唐军作战。唐廷上述两次选用主将都很合理，在当时找不出比郭子仪、李光弼更合适的主将，而他们的指挥实践也充分证明自己胜任此职。郭子仪率军成功收复两京，稳定了动荡局势，振奋了军心士气；李光弼率军取得河阳之战的胜利，阻止了安军的西进，保障了长安的安全。

二是合理运用回纥军，收到了奇效。唐廷在平定安史之乱中，向回纥提出借兵助战的请求。至德二载（757）九月，"怀仁可汗遣其子叶护及将军帝德等将精兵四千余人来至凤翔"②，后随郭子仪参与收复两京之战，在长安之战中充当奇兵，"李嗣业又与回纥出贼陈后，与大军夹击，自午及西，斩首六万级，填沟堑死者甚众，贼遂大溃"③；在收复洛阳的新店（今河南三门峡市陕州区西）之战中再次充当奇兵，"自南山袭其背，于黄埃中发十余矢。贼惊顾曰：'回纥至矣！'遂溃。官军与回纥夹击之，贼大败，僵尸蔽野"④。在平定安史之乱中，回纥骑兵充分发挥剽悍骁勇、迅疾如风、擅长骑射之优长，屡次重创安军，取得了出奇制胜的效果。

唐在战略指导上有诸多失误，具体反映在如下四方面：

一是一味正面强攻，战略主攻方向欠妥，且缺乏其他方向的战

---

① 《资治通鉴》卷二百二十二《唐纪三十八》，肃宗上元二年二月。
② 《资治通鉴》卷二百二十《唐纪三十六》，肃宗至德二载九月。
③ 《资治通鉴》卷二百二十《唐纪三十六》，肃宗至德二载九月。
④ 《资治通鉴》卷二百二十《唐纪三十六》，肃宗至德二载十月。

略支援配合。唐朝统治者始终将收复两京视为重中之重，急于求成，对李泌提出的富有远见的先疲后歼、捣敌巢穴的战略方案未予采纳，没有对安军老巢范阳进行战略打击。在收复两京之战中，唐军与安军殊死作战，未能得到其他方向的战略支援或战略配合行动，以致其为达成战略目标而付出了较大的代价。

二是过于注重收复失土，忽视歼灭对手有生力量。唐廷高度重视收复失土，急于恢复原来的统治秩序，但忽视了对安军的军事打击，尤其体现在大胜之后未能及时有效地歼灭对手有生力量。在第二次反攻长安的作战中，郭子仪率军大败安军，仆固怀恩建议主帅李俶（即唐代宗李豫，初名俶，时为广平王）派军乘胜追击，李俶认为军队将士疲劳，想等部属休息好之后的第二天再采取行动。仆固怀恩当场指出："归仁、守忠，贼之骁将，骤胜而败，此天赐我也，奈何纵之！使复得众，还为我患，悔之无及！战尚神速，何明旦也！"① 此后，他又接连请求了四五次，李俶始终不同意派军追击安军。第二天天明，唐军发觉安守忠、李归仁等人果然乘夜弃城逃走了。唐军在收复洛阳之后，也未派军乘胜追击安军，以致安庆绪仍然有条件纠集各路残军，重整旗鼓，与唐军对峙。究其原因，唐廷战略指导的短视难辞其咎。

三是军无统帅，监军掣肘。唐军连克两京后，战略形势大好，安军纠集残部退守邺城，唐廷诏令九节度使以重兵围攻邺城。在唐军占据兵力优势的情况下，生性多疑的唐肃宗对前线手握重兵的将领极不放心，派出自己的亲信宦官鱼朝恩担任观军容宣慰处置使，监督唐军，握有节制各节度使之权。由于鱼朝恩不懂军事且专横跋扈，不仅没有能力指挥与协调各节度使的攻城行动，而且拒绝了李光弼提出的"先打援后围邺"的建议，即唐军以主力东征魏州（治今河北大名东），断绝安庆绪的外援，而后再攻打已成孤城的邺城之敌。尽管唐军占有兵力上的优势，但由于"既无统帅，进退无所

---

① 《资治通鉴》卷二百二十《唐纪三十六》，肃宗至德二载九月。

禀……城久不下，上下解体"①，最终给对手以可乘之机，葬送了大
好局面。

四是急于反攻洛阳，插手前线指挥。唐肃宗听信观军容使鱼朝
恩和朔方节度使仆固怀恩之言，不等时机成熟，无视史军尚保存有
较强实力的现状，强令李光弼主动出击。孙子曰："将能而君不御者
胜。"② 多谋善战的李光弼苦心经营，以"猿臂之势"扼制住史军西
进之路，稳定了陕、洛形势。唐军如能坚守敝敌，战争形势必将向
有利于唐的方向发展，而专恃武力烧杀抢掠、暴虐无道的史军不得
民心，必将快速走向毁灭。但是，唐肃宗命令唐军提前发起反攻，
打乱了李光弼的战略部署，致使唐军遭到重大失利，唐廷再次陷入
困难局面。

四、唐全面反攻史军的战略指导之得失

宝应元年（762），唐代宗即位后，以长子李适为天下兵马元帅，
以仆固怀恩为副元帅，重新部署平叛行动，集合各路大军攻打洛阳。
在与史军作战时，仆固怀恩巧妙运用战法，派遣精锐骑兵和回纥兵
分别迂回至史军阵后，实施前后夹击，自己亲率军队从正面进攻，
一举打败史军。史朝义率主力部队急忙出城援救，结果还是大败而
归。史朝义见大势已去，率残部向东逃窜。唐军顺利收复洛阳，而
后乘胜追击，先后收复河南、河北，史军内部分崩离析，薛嵩、张
忠志等将领先后投降唐军。众叛亲离的史朝义走投无路，被迫自杀，
平叛战争取得最终胜利。

唐全面反攻的战略指导的成功经验主要有两条：一是集中兵力，
统一指挥。在全面反攻阶段，唐代宗集中兵力会攻洛阳，以仆固怀
恩为天下兵马副元帅，负责指挥收复洛阳之战，在初战获胜后又及
时集中唐军主力乘胜追击，收复了河南、河北的大片土地。在战略
追击的最后阶段，唐廷任命仆固怀恩为河北副元帅，加左仆射兼中

---

① 《资治通鉴》卷二百二十一《唐纪三十七》，肃宗乾元二年二月。
② 《十一家注孙子校理》卷上《谋攻篇》。

书令、朔方节度使等，全面负责河北方面的军事行动，实施统一指挥。在仆固怀恩指挥唐军实施反攻和战略追击过程中，代宗没有干预前线指挥，保证了前线指挥员对作战行动的集中统一指挥，也使原定军事计划得以顺利贯彻执行。二是坚决实施战略追击。仆固怀恩在全面反攻取得初步战果后，迅速组织唐军实施多路追击，穷追猛打，没有给对手喘息之机，从而在较短的时间内结束了战事，达成了平叛的战略目标。

唐在全面反攻战略指导上的教训主要是对安史集团降将处置不当，以致酿成后患。仆固怀恩为加速平叛进程，建议朝廷采用纳降分化之计，以分化史军阵营，尽早结束战事。唐廷接受了这一建议，并对已投降的薛嵩、张忠志等人分别授予相卫节度使、成德军节度使等职。唐廷在战争期间实施该权宜之计，确实收到了效果。田承嗣见此情形，主动献城投降，加速了史军阵营的覆灭。但是，唐廷在平叛战争结束后却对这些史军降将姑息迁就，未能采取有效措施削弱或收回其兵权，放任他们巧取豪夺，不断增强实力、扩大地盘。软弱无能的唐代宗企图以笼络手段拉拢田承嗣，结果却适得其反，助长了其骄横之气，最终形成藩镇割据的局面。

第六节　隋唐江河作战的战略战术

在中国古代军事史上，江河作战是一种比较常见的作战样式，尤其在水网密布、江河湖泊纵横的南方更为普遍。隋唐之前，曹操集团与孙权集团、刘备集团之间爆发的赤壁之战，西晋灭吴之战是历史上非常著名的两次大规模的江河作战。隋唐江河作战与之前的江河作战相比，既有一些共同点，也有自身的独特性，充分反映了战略战术和军事技术的进步，集中体现在水陆并进、八路出击的高难度的战争指导，大型战船五牙船的建造，以及横贯长江上、中、下游的广阔作战空间等方面。

一、着眼江河作战，大力发展水军的战略筹划

隋唐江河作战的战场均在长江流域，交战双方分别是北方政权与南方政权。南、北方地理条件的差异性对各自作战指导思想、军兵种建设产生了深远影响。北方多平原旷野，将士擅长骑射之术，骑兵成为主要兵种，骑战思想是主要作战指导思想。在骑战思想的指导下，北方政权重视发展适合骑兵作战的武器装备，诸如以刀、马槊、巨弩、铠甲为代表的格斗兵器、远射兵器、防护装具。与北方相反，南方江河湖泊纵横，水渠交错，将士擅长凭水作战，水军成为主要军种，水战思想成为主要作战指导思想。在水战思想的指导下，南方政权重视发展适合水军作战的水战装备，诸如种类齐全、功能多样的大型战舰、中型战舰和小型战船。隋唐政权均是北方政权，擅长骑战。若要实现统一大业，他们势必要挥师南下，横渡长江，而南方政权所拥有的强大的水军是阻止统一的最大障碍。因此，江河作战关系到北方政权的大一统能否完成和南方政权的隔江自保能否实现。

在江河作战之前，隋朝统治者已经从战略上着手筹划造战船、建水师。开皇六年（586），虢州刺史崔仲方建议在长江中上游地区的益州（治今四川成都）、信州（治今重庆奉节东）、襄州（治今湖北襄阳市襄城区）、荆州（治今湖北荆州市荆州区）、基州（治今湖北钟祥南）、郢州（治今湖北武汉市武昌区）等州"速造舟楫，多张形势，为水战之具"①。之后，隋文帝杨坚接受萧岩等人投降，并说道："'我为民父母，岂可限一衣带水不拯之乎！'命大作战船。人请密之，隋主曰：'吾将显行天诛，何密之有！'使投其柿于江，曰：'若彼惧而能改，吾复何求！'"② 隋军在长江中上游大张旗鼓建造战船，不但毫不隐瞒，反而有意将造船削下来的木片投入江中，顺流漂下，以此震慑在下游守备的陈军将士以及陈朝君臣。在此期

---

① 《隋书》卷六十《崔仲方传》。
② 《资治通鉴》卷一百七十六《陈纪十》，长城公祯明元年十一月。

间，柱国李衍、上柱国杨素、仪同三司元寿、徐州总管吐万绪、吴州总管贺若弼在襄州、永安（治今重庆奉节东）、吴州（治今江苏扬州西北）等地建造战船，训练水军，或者"监修船舰"①，或者"以老马多买陈船而匿之"②，积极为渡江作战做准备，其中以杨素最具代表性。他在永安"造大舰，名曰'五牙'。上起楼五层，高百余尺，左右前后置六拍竿，并高五十尺，容战士八百人。次曰'黄龙'，置兵百人。自余平乘、舴艋各有等差"③。这里的"五牙"属于大型战舰，舰上建有五层楼，高百余尺，可容纳 800 名战士，载重量大，船身高，拥有强大的水上进攻和防护能力。"黄龙"属于中型战舰，可以装载 100 名士兵，舰体介于大舰和小船之间，通常舰上建有两层建筑，在水战中担负冲锋突击的任务。"舴艋"属于小型战船，船体小而轻便灵活，速度快，经常运用于小规模的水上作战或担负突击任务。由此可见，隋已经能够建造多种型号、不同性能的舰船。一旦战事爆发，隋军可以将大、中、小型舰船编组成一支战斗力强大的水军。这也在之后的江河作战实践中得到了充分的体现。

二、水陆并进、各路配合、重点突破的战略指导方针

在进行了长期充分的战争准备之后，隋唐均拥有远远越过对手的强大实力，仅就兵力而言，隋投入江河作战的兵力达到"五十一万八千"④，而陈朝"甲士不过十万"⑤。如何在江河作战中充分发挥己方的优势，以最小的代价在最短的时间内赢得最大的胜利，是对隋唐统治者的巨大考验。由战前的态势可知，隋陈双方的兵力对比是比较悬殊的，陈朝在兵力上的巨大劣势极大地影响了其作战部

---

① 《隋书》卷六十三《元寿传》。
② 《资治通鉴》卷一百七十七《隋纪一》，文帝开皇九年正月。
③ 《资治通鉴》卷一百七十六《陈纪十》，长城公祯明元年十一月。
④ 《资治通鉴》卷一百七十六《陈纪十》，长城公祯明二年十月。
⑤ 《资治通鉴》卷一百七十六《陈纪十》，长城公祯明二年十二月。

署，导致陈朝军队"分之则势悬而力弱，聚之则守此而失彼"①。因此，杨坚决定在长江沿岸地区组织实施宽正面战场攻势行动，八路人马分进合击，直指陈朝都城建康（今江苏南京）。其具体部署如下。

> 命晋王广、秦王俊、清河公杨素皆为行军元帅。广出六合，俊出襄阳，素出永安，荆州刺史刘仁恩出江陵，蕲州刺史王世积出蕲春，庐州总管韩擒虎出庐江，吴州总管贺若弼出广陵，青州总管燕荣出东海，凡总管九十，兵五十一万八千，皆受晋王节度。东接沧海，西拒巴蜀，旌旗舟楫，横亘数千里。②

由上可知，隋军的进攻部署具有指挥体制顺畅、战场主次分明、作战手段多样、相互配合密切的特点。

首先，杨坚任命晋王杨广为渡江作战总指挥，全权负责指挥此次作战行动，秦王杨俊、清河公杨素协助杨广指挥作战，建立了集中统一且各司其职的指挥体制。

其次，明确区分主战场和次战场。长江下游为主战场，共有晋王杨广、蕲州刺史王世积、庐州总管韩擒虎、吴州总管贺若弼、青州总管燕荣五路人马投入其中，由杨广指挥协调各路军事行动；长江上游为次战场，共有秦王杨俊、清河公杨素、荆州刺史刘仁恩三路人马投入其中，"秦王俊督诸军屯汉口，为上流节度"③，由杨俊指挥协调各路军事行动。

再次，水陆并进，水军与陆军同时进攻。在隋军所部署的八路人马中，既有水军，又有步兵，还有水陆兼备的混编型军队。其中，杨素、王世积、燕荣统率的军队均是水军，杨俊统率的军队以水军为主，其他军队为步兵或以步兵为主。渡江之战开始后，隋军各路

---

① 《资治通鉴》卷一百七十六《陈纪十》，长城公祯明二年十二月。
② 《资治通鉴》卷一百七十六《陈纪十》，长城公祯明二年十月。
③ 《资治通鉴》卷一百七十六《陈纪十》，长城公祯明二年十二月。

人马在各自方向同时发起进攻，水军与步兵齐头并进，充分发挥各自军兵种的优势。

最后，分进合击，重点突破。隋军在"旌旗舟楫，横亘数千里"的战场上，采取次要战场配合主要战场、主要战场两翼配合主力、主要战场主力部队实施重点突破的作战指导，"以主力歼敌主力，直捣腹心，以偏师策应主力，钳制分割敌军，主次配合，东西呼应，彻底打乱敌人的部署，使其完全陷入首尾脱节、顾此失彼的被动挨打局面"①。在实战过程中，杨俊、杨素、刘仁恩三路人马从长江上游顺流而下，迅猛进军，采取分割围歼的战法，切断了上游陈军支援下游建康之路，从战略上有力地配合了下游隋军夺取建康的作战行动。在此行动中，杨素"亲帅黄龙数千艘，衔枚而下"②，浩浩荡荡，"舟舻被江，旌甲曜日"③，由此可见其水军的强大阵势。杨素率军先后攻克狼尾滩（在今湖北宜昌西长江中）、岐亭（在今湖北宜昌西北西陵峡口）等地，挺进至汉口，与杨俊军队会合，"上流诸州兵皆阻杨素军，不得至"④，牵制了大批企图向下游机动回援的陈军。杨广、王世积、韩擒虎、贺若弼、燕荣五路人马担负主战场的进攻任务，其中以杨广、韩擒虎、贺若弼三路为主力，分别从桃叶山（今江苏南京市六合区南）、横江浦（今安徽和县东南）、广陵（治今江苏扬州）出发，分进合击陈朝首都建康；王世积、燕荣各率水军在主战场的西翼、东翼策应，切断外围陈军与建康的联系，配合隋军主力进攻建康的军事行动。

有学者认为："统一战争是事关全局的决定性战争。战争指导者一般都利用己方的兵力优势，采取多路出击、水陆齐发、重点突破的方略，钳制敌方的兵力，使之首尾不得相顾，处于被动挨打的境

---

① 《中国兵学思想史》，第253页。
② 《资治通鉴》卷一百七十六《陈纪十》，长城公祯明二年十二月。
③ 《资治通鉴》卷一百七十六《陈纪十》，长城公祯明二年十二月。
④ 《资治通鉴》卷一百七十六《陈纪十》，长城公祯明二年十二月。

地。"① 虽然这里是针对统一战争而言，但同样适用于隋唐江河作战，而其战争实践也对此做了很好的印证。

三、把握战机，果断出击，奇袭制胜

中国古代兵家历来重视对战机及时、准确的把握。《六韬》指出："兵胜之术，密察敌人之机而速乘其利，复疾击其不意。"② 强调要借可乘之机，出其不意地给敌人以迅猛的打击。《将苑》言简意赅地提出："善将者，必因机而立胜。"③ 认为只有善择战机获得胜利者才是高明的指挥员。隋唐将领在指挥江河作战时，善于把握战机，在对手意想不到的时间横渡长江或顺流而下，对敌发起突然袭击，攻其无备，在较短的时间内迅速击败对手，收到了速战速决的效果。

隋军在长江上游向陈军发起攻击之时，驻扎在下游各处的隋军也秘密向长江沿岸移动，陆续到达各自的集结地点。开皇九年（589）正月初一，陈朝举国欢庆，陈叔宝朝会群臣，守备长江沿岸的陈军也放松了戒备。隋军选择陈朝庆祝元会防备空虚之际，分数路横渡长江。正好这时长江"雾气四塞"④，也有力地掩护了隋军行动。由于选择了合适的渡江时机，加上有浓雾掩护，"弼之济江，陈人不觉。韩擒虎将五百人自横江宵济采石，守者皆醉，遂克之"⑤。贺若弼、韩擒虎领兵顺利渡江，迅速进军，所向披靡，兵威大振，不少陈军将领率部投降，大大加速了战争进程。

唐平萧铣之战是唐朝初统一战争中一次典型的江河作战。武德四年（621）九月，李孝恭、李靖率军出发之际，长江三峡水势正好上涨，诸位将领认为此时乘船出行异常危险，请求等到水势回落之

① 孙远方：《中国历代统一战争的战略指导》，《军事历史研究》2007 年第 2 期。

② 《六韬》卷一《文韬·兵道》。

③ 《诸葛亮集·文集》卷四《将苑·机形》。

④ 《陈书》卷六《后主纪》。

⑤ 《资治通鉴》卷一百七十七《隋纪一》，文帝开皇九年正月。

后再进军。李靖对此坚决反对，并提出疾速进兵的主张："兵贵神速，机不可失。今兵始集，铣尚未知，若乘水涨之势，倏忽至城下，所谓疾雷不及掩耳，此兵家上策。纵彼知我，仓卒征兵，无以应敌，此必成擒也。"① 李孝恭采纳了李靖的建议，率军冒险乘船东渡，迅速通过三峡。史载："赵郡王孝恭帅战舰二千余艘东下，萧铣以江水方涨，殊不为备。"② 萧铣军队遭到突然袭击，猝不及防，一触即溃。李孝恭率水军接连攻克荆门、夷陵、江陵，取得平萧铣之战的胜利。在这次作战中，唐军及时把握了长江水势上涨的时机，充分发挥顺流而下的水路优势，趁对手没有防备之时果断进军，迅猛出击，连战连捷，势如破竹，最终达成犁庭扫穴的作战目的。由此可见，隋唐江河作战之所以能够取胜，与其把握战机、善用奇袭战术有着密切的关系。

第七节　隋唐攻守城作战思想

中国古代战争频繁，作战形式也多种多样，其中陆战的基本作战形式可分为野战和城邑战。③ 在中国古代战争史上，城邑战占有不可忽视的地位。公元前 11 世纪，周文王率大军进攻崇（今陕西西安市鄠邑区东），崇军凭借坚城固守，周军在久攻不下之后，采用"临冲"等攻城器械，最终攻取了城邑。这是中国历史上有明确记载的最早的攻守城作战。随着攻守城器械和筑城技术的发展，攻守城作战思想也得到了很大发展。孙子提出"其下攻城。攻城之法，为

---

① 《旧唐书》卷六十七《李靖传》。
② 《资治通鉴》卷一百八十九《唐纪五》，高祖武德四年十月。
③ 参见俞世福、韩晓林：《谈中国古代的城邑战》，《军事历史》1992 年第 1 期。

不得已"①；墨家主张"城郭不备完，不可以自守"②，提出了以城邑为依托，建立多道防线、实行纵深防御的城防思想；《尉缭子》强调"攻不必拔，不可以言攻"，主张"城邑空虚而资尽者，我因其虚而攻之"③，同时也强调"守者，不失险者也"，认为"千丈之城则万人之守，池深而广，城坚而厚，士民备，薪食给，弩坚矢强，矛戟称之，此守法也"④，深入地阐述了攻守城应把握的基本原则，涉及攻守城的作战指导思想、战法、行动要领等。后世兵家对此又做了持续不断的探讨，在战争实践中进一步充实、完善了攻守城战法。隋唐时期，中国古代冷兵器发展至鼎盛，筑城技术也有了极大发展，洛阳城就是当时筑城技术的杰作。在这样的历史背景下，围绕城邑的争夺异常激烈，城邑攻守作战成为这一时期尤其是安史之乱及其后藩镇割据战争的重要作战形式。隋唐兵家创新、发展了攻守城作战思想，在兵学理论和兵学实践中做了可贵的探索。

一、围城打援，一举两克

孙子曾经指出"拔人之城而非攻也"⑤，主张不靠硬攻的方法夺取敌人城邑。尽管孙子是在攻城手段少、攻城装备不太先进的背景下发表上述观点的，但对后世兵家实施攻城作战仍有启发，尤其是面对坚城切忌一味强攻，创新攻城之法乃是行之有效的取胜之道。在唐初统一战争中，李世民率领唐军逐鹿中原，在指挥洛阳、虎牢之战中，承受了同时来自东、西方向的王世充集团、窦建德集团的压力，正确采取了围城打援的战法，收到了"一举两克"⑥ 的作战效果。

---

① 《十一家注孙子校理》卷上《谋攻篇》。
② 吴毓江撰，孙启治点校：《墨子校注》卷一《七患第五》，中华书局，2018 年。
③ 《尉缭子》卷二《攻权》。
④ 《尉缭子》卷二《守权》。
⑤ 《十一家注孙子校理》卷上《谋攻篇》。
⑥ 《资治通鉴》卷一百八十九《唐纪五》，高祖武德四年三月。

　　李世民率军在接连取得浅水原之战、柏壁之战的胜利后，随即东进中原，兵锋直指洛阳。在唐军的强大攻势下，王世充部的将吏相继降唐，河南地区基本被唐控制，只剩下洛阳一座孤城。一贯擅长野战的李世民面对坚城洛阳发起攻坚战，但效果不佳。洛阳守军严密防卫，所使用的大型抛石机和"八弓弩箭"具有极大的杀伤力，50斤的飞石可掷出200步，"镞如巨斧"①的弩箭可以"射五百步"②。由于王世充军顽强防守洛阳，唐军久攻不下。正当唐军长期围攻洛阳之时，窦建德应王世充之请，率十余万大军从河北南下援救。攻城未下，对手援兵又即将到来，唐军突然面临两个强敌、两个战场的困难局面。在前有坚城不克，侧翼有敌人援军威胁的严峻形势下，李世民认为当务之急是要牢固扼守虎牢（因避讳李唐王朝创建者李渊祖父李虎之名，史书改称"虎牢"为"武牢"），阻止窦建德军继续西进，指出"若不速进，贼入武牢，诸城新附，必不能守；两贼并力，其势必强"③，由此定下了围城打援之策。他派出部分兵力继续包围洛阳，自己亲率主力迎战窦建德，一举击败窦军，随后迫降王世充。李世民之所以能够接连取得虎牢之战、洛阳之战的胜利，关键在于对王世充、窦建德两军的透彻分析，抓住了其致命弱点，确定了"围城打援"的战法：一方面继续围困洛阳城，围而不攻；一方面迅速阻击敌人援军，据守虎牢，在相持中"避其锐气，击其惰归"④，击败了对手援军，由此断绝了洛阳的外援，"绝其所恃"⑤，促使王世充集团在失去援军、无法突围的困境下被迫投降，最终达成了"一举两克"的预期目标。

---

① 《资治通鉴》卷一百八十八《唐纪四》，高祖武德四年二月。
② 《资治通鉴》卷一百八十八《唐纪四》，高祖武德四年二月。
③ 《资治通鉴》卷一百八十九《唐纪五》，高祖武德四年三月。
④ 《十一家注孙子校理》卷中《军争篇》。
⑤ 《长短经》卷九《兵权·攻心》。

二、稳固防守，守中有攻，寓反击于防御之中

孙子提出"不可胜者，守也；可胜者，攻也。守则不足，攻则有余"①，深刻揭示了攻与守的关系。能否正确处理攻守关系，直接影响攻守城作战的结果。隋唐战争指导者善于灵活转换战法，攻守进退裕如，尤其在面对强敌攻城之时，注重凭城坚守，抓住有利时机大胆反击，有效杀伤敌人有生力量，在被动防御中逐步扭转局势。实践证明，在守城作战中实施片面防守是不可取的。只有在稳固防守的基础上守中有攻，寓反击于防御之中，攻守结合，才能取得良好的效果。

李光弼指挥的太原之战是积极守城作战的典范。当时，据守太原的唐军不足万人，而安军派出四路兵马合围太原，合计十万大军。在双方兵力悬殊的态势下，李光弼并没有消极防守，而是灵活采取袭击战、地道战等多种作战手段，主动出击，积极有效地打击敌人。首先，在安军围城之前，他组织军民在城外挖壕沟，构筑坚固堡垒，加大防御纵深。其次，安军在攻城不下后，派人秘密从外地迎取攻城器具。李光弼获悉后，派遣人马在半途截击，烧毁了安军所运送的攻城器具。再次，李光弼借助地道伺机主动出击。唐军实施诈降之计，在对手放松戒备之时，将地道挖到敌营之下。等到安军准备接受唐军投降时，藏在地道中的唐兵趁机撤去撑木，安军大营突然塌陷，"死者千余人，贼众惊乱，官军鼓噪乘之，俘斩万计"②，唐军歼敌万余人。最后，当史思明从太原撤走之后，李光弼趁安军人心不稳之际，率领敢死之士主动出击，大败蔡希德军，最终取得了太原之战的胜利。

雍丘（今河南杞县）、睢阳（治今河南商丘南）之战也是唐代城邑坚守防御作战的成功战例。张巡指挥将士英勇抗击安军，在内无粮草、外无援军的情况下，坚守睢阳长达十个月，"前后大小战凡

① 《十一家注孙子校理》卷上《形篇》。
② 《资治通鉴》卷二百一十九《唐纪三十五》，肃宗至德二载正月。

四百余，杀贼卒十二万人"①。在坚守防御作战中，张巡注重以攻为守，攻守结合，主动出击，常能以少胜多。至德元载（756），安军4万人围攻雍丘，唐军人心惶惶。张巡临危不乱，认为"贼知城中虚实，有轻我心。今出不意，可惊而溃也，乘之，势必折"②。于是，他亲率1000人马开城出击，直冲敌阵。安军没有做好准备，被唐军杀得大败而逃。至德二载（757），安军进攻睢阳，张巡率兵出城作战。对手见唐军兵少，以为不堪一击。张巡亲执战旗冲击敌阵，将士一拥而上，安军大败。唐军乘胜追击数十里，斩杀敌将30余人、士卒3000余人。当对手有所提防后，张巡善于运用谋略，以计诈敌，以此创造良好的战机，而后再伺机而动，突袭制胜。同年五月，安军将领尹子奇增兵围攻睢阳城。到了夜间，张巡命部属在城内鸣鼓整队，安军以为唐军要出城偷袭，通宵戒备，严阵以待。天亮以后，城内偃旗息鼓。安军派兵登上飞楼俯瞰城中，看见城内没有动静。于是，彻夜不息而困乏不堪的安军士卒解甲休息。趁对手休息之时，张巡率军突然出城袭击，安军猝不及防，阵营大乱。唐军"斩贼将五十余人，杀士卒五千余人"③，安军败退。张巡在守城战中所采取的主动出击行动具有鲜明的特点。一是身先士卒，带头冲锋陷阵，以个人的英勇气概激励将士奋勇作战，具有极大的感召力，经常能一举冲垮敌阵。二是分兵出击，将出击部队分成多股精锐小分队，多道出击，使敌防不胜防。在睢阳之战中，张巡、南霁云、雷万春等10余名将领各率50名骑兵，出城突袭安军，大败对手。三是兵不厌诈，示形欺敌。张巡在防守雍丘之战中，命人扎草人着军服，夜间缒城，安军以为唐军出击，万箭齐发。几次之后，安军发觉上当，对缒城者不再射箭，也不加戒备。张巡精选骁勇善战者在夜间缒城而下，突袭敌营，大获全胜。

---

① 《资治通鉴》卷二百二十《唐纪三十六》，肃宗至德二载十月。
② 《新唐书》卷一百九十二《张巡传》。
③ 《资治通鉴》卷二百一十九《唐纪三十五》，肃宗至德二载五月。

三、多种手段攻城，强攻与围困兼用

由于唐代武器装备依然停留在冷兵器时代，导致其攻城基本战法并未出现实质性变化。但与前朝相比，唐代战争指导者在激烈的实战中，更加注重综合运用强攻、围困等多种手段攻城，根据战场态势相机施用，以此实现破城降敌的目的。

安史之乱爆发后，安禄山率军快速南下，在较短时间内占据了河北、河南的大片土地，夺取了战争主动权。唐廷在毫无准备的情况下丧师失地，陷入极其被动的局面。就战争全局而言，太原、睢阳是双方争夺的战略要地，直接影响北段、南段战场主动权的归属。安军对太原、睢阳二城投入重兵，尤其对地处中原的睢阳更是势在必得。自至德二载正月至十月，安军对睢阳实施了猛烈的、长时间的攻城作战，强攻与围困交相运用，攻城部队与守城部队交战之惨烈为唐代罕见。安军先以强攻之法攻城，"贼悉众逼城，巡督励将士，昼夜苦战，或一日至二十合"①，由此可见战事之激烈。安军为攻破城池，先后使用了云梯、钩车、木驴等攻城器械，以及用于登城的磴道，但是都没有得手。尽管张巡率守城将士屡屡挫败安军的进攻，但是安军始终没有放弃对睢阳城的围攻，在城外挖了三重壕堑，立木栅实施围困，张巡也在城内挖掘壕沟，加强防备，双方攻守城作战陷入长期胶着状态。在睢阳被安军围困期间，"许叔冀在谯郡，尚衡在彭城，贺兰进明在临淮，皆拥兵不救"②。张巡在外无援兵、势孤力单的形势下，依然坚守防御，一直战斗到了粮食断绝、将士患病的最后一刻，安军最终攻占了睢阳。在长达 10 个月的攻城作战中，安军接连不断地发起强攻，受挫后又调集更多的人马攻城，退而复攻，未曾中断；在强攻的同时实施长期围困，最终收到了"久围睢阳，城中食尽"③ 的围城效果。作战之初，唐军守城"卒仅

---

① 《资治通鉴》卷二百一十九《唐纪三十五》，肃宗至德二载正月。
② 《资治通鉴》卷二百一十九《唐纪三十五》，肃宗至德二载八月。
③ 《资治通鉴》卷二百二十《唐纪三十六》，肃宗至德二载十月。

万人，城中居人亦且数万"①，到城池陷落前"所余才四百人"②。更为致命的是，由于长期缺粮，守城"将士病，不能战"③，已经完全丧失了战斗力，城池自然也就沦陷了。安军采取强攻与围困兼用的攻城作战手段，终于攻克了睢阳，不过这是在付出沉重的代价之后才艰难获取的。

四、侧面钳制，猿臂守城

在攻守城作战中，高明的指挥员善于从战略高度着眼战争全局来指导作战，绝不只关注一地一域的争夺。如果只着眼一座城池而忽略全局，即使攻占或者守住了城池，也未必对战争全局有所裨益。明乎此者，方可称得上是智将、良将；不明乎此者，只可称为斗将。就此而言，李光弼是一位名副其实的智将。他在河阳之战中主张以"猿臂之势"实施防御，深刻地体现了侧面钳制、猿臂守城，以控扼陕洛、稳定全局的作战指导思想。唐肃宗乾元二年（759）九月，史思明率大军渡过黄河后挺进中原，兵锋直指洛阳。正在巡视河防的李光弼得知汴州失守，立即与部将商讨对策。在聆听了部下提出的或退守潼关或不弃守洛阳两种不同意见后，李光弼针对当时唐军兵力不足而史军连战连捷的状况，提出了一个以"猿臂之势"④钳制对手的作战方案，解决了难以守住洛阳但又必须控制洛阳的难题。他知道以现有兵力无法守住洛阳，但又不能放任史军从容占领洛阳而继续西进，否则势必危及京师长安，于是选择北守河阳，依托晋南、黄河控制洛阳，从陕洛大道的侧面钳制企图进军关中的史军，迫使史军因顾虑其后路被李光弼切断而不敢贸然向西进军，从而达成了阻滞史军的战略目的。尽管李光弼只是防守一座河阳城，却在一定程度上改变了唐军在中原战场上的不利处境，暂时稳定了战争局势，充分体现了其富有远见的守城作战指导思想。

---

① 《资治通鉴》卷二百二十《唐纪三十六》，肃宗至德二载十月。
② 《资治通鉴》卷二百二十《唐纪三十六》，肃宗至德二载十月。
③ 《资治通鉴》卷二百二十《唐纪三十六》，肃宗至德二载十月。
④ 《资治通鉴》卷二百二十一《唐纪三十七》，肃宗乾元二年九月。

五、出其不意，奇袭攻城

孙子在探讨用兵之道时，尤为强调"攻其无备，出其不意"①，主张"乘人之不及，由不虞之道，攻其所不戒也"②。他在这里总结出来的用兵常法，同样也适用于攻城作战。尽管攻城战不同于野战，但也强调进攻的突然性，或在敌方意想不到的时间实施进攻，或从敌方没有防备之处展开攻击，或在其尚未准备就绪就予以打击，或以假象迷惑敌人，趁其放松戒备突然袭击，常能极大地震撼、摧垮对手心理，由此减弱其战斗力，最终使攻城行动收到事半功倍的效果。唐军经常采取奇袭战术攻城，取得了突袭焉耆、雪夜袭蔡州等作战的胜利。贞观十八年（644），安西都护郭孝恪率步骑三千征讨焉耆。焉耆王龙突骑支自恃城池"四面皆水，恃险而不设备"③。唐军倍道兼行，深夜到达焉耆城下，立即浮水渡河。这时，焉耆城内的守军还丝毫没有察觉到唐军的行动。拂晓时分，唐军突然登上城墙，在敌军措手不及的情况下就擒获了焉耆王，攻占了焉耆城，取得了一场速胜。唐军之所以能够迅速获胜，就在于利用了焉耆王以为自己远离中原且焉耆城地形险要、易守难攻，唐军不会进攻自己的心理，果断实施长途奔袭，趁对手不设防之时突然攻城，很快就夺占了城池。唐宪宗元和十二年（817），被任命为唐随邓节度使的李愬奉命征讨淮西镇吴元济。为了创造有利作战态势，李愬到唐州（治今河南唐河）后采取了示弱蓄势之策，上任后对军政之事不做大的调整，佯示无所作为，以此麻痹对手。吴元济因过去常打败唐军，又轻视李愬名位不高，于是放松了对唐州方向的戒备。李愬制定了奇袭攻城计划，宰相裴度给予了高度称赞："兵非出奇不胜，常侍良图也。"④ 随后，李愬趁对手西线空虚之时，顶风冒雪，连夜长途急行军，攻其无备，出乎对手意料奇袭蔡州（治今河南汝南），一举获

① 《十一家注孙子校理》卷上《计篇》。
② 《十一家注孙子校理》卷下《九地篇》。
③ 《资治通鉴》卷一百九十七《唐纪十三》，太宗贞观十八年九月。
④ 《资治通鉴》卷二百四十《唐纪五十六》，宪宗元和十二年十月。

胜，成为中国古代军事史上出奇兵雪夜攻城的经典战例。

第八节　五代时期的作战思想

五代十国时期仅存世 54 年，诸多政权并立，社会动荡不安。这一时期，军事上的显著特征表现为频繁激烈且类型多样的战争。有学者认为，五代十国的战争大致有五种不同情况：各国相互兼并或谋求统一全国的战争，各国中央政权与地方藩镇的战争，各国最高统治集团内部争夺权力的战争，契丹入侵中原的战争，人民群众的起义战争。① 简而言之，该时期的战争类型包含兼并战争、民族战争、统一战争、农民战争等，其中以兼并战争为主，辅以民族战争、统一战争、农民战争。尽管这一时期尚未见到兵书传世，但丰富的战争实践充分反映出该时期兵家独特的作战思想。

一、充分发挥骑兵优势，远程奔袭或迂回突击

在五代十国时期，骑兵战术运用得最成功者当推后唐将帅。后唐太祖李克用、庄宗李存勖、明宗李嗣源都是善用骑兵的高手。他们出身于沙陀族，拥有高超的骑射本领，惯于骑兵作战，具有很强的战斗力。在唐末农民战争中，唐廷在起义军的强大攻势下接连失利，在极端不利处境下诏令李克用出兵镇压义军。李克用率骑兵在与义军作战中发挥了较大作用，在梁田陂之战等战役中屡屡击败义军，对义军构成很大威胁。李克用军将士皆身穿黑衣，所以被称为"鸦军"。义军士卒对其颇为忌惮，称"鸦军至矣，当避其锋"②，由此可见其骑兵战斗力之强大。唐庄宗李存勖在灭后梁的战争中，多

① 参见方积六：《五代十国军事史》，军事科学院主编：《中国军事通史》第十一卷，军事科学出版社，1998 年，第 18 页。
② 《资治通鉴》卷二百五十五《唐纪七十一》，僖宗中和二年十二月。

次运用骑兵战术击败对手，先后取得柏乡之战、魏州之战、郓州之战、奇袭大梁之战等的胜利，尤以后两次作战殊为成功。同光元年（923），后唐军与后梁军在黄河北岸沿线展开激战，互有胜负，僵持不下。后梁郓州军将卢顺密向后唐投降，并建议道："郓州守兵不满千人，遂严、颙皆失众心，可袭取也。"[1] 唐庄宗也认为"梁人志在吞泽潞，不备东方，若得东平，则溃其心腹"[2]，随即派遣李嗣源率领五千精兵快速迂回突击郓州。李嗣源率军冒雨急行军，夜晚抵达城下，趁守军不备，发起攻击，顺利夺占郓州。后唐以骑兵奇袭大梁之战是充分展示骑兵长途奔袭战术的经典战例。唐庄宗听取康延孝、李嗣源的建议，决定趁后梁主力北上、后方空虚之机，派军队长驱直入。李嗣源率领一千骑兵担任前锋，昼夜兼程，攻下曹州后立即又疾速奔袭大梁。梁末帝见大势已去，放弃了抵抗，唐军不战而夺取了大梁。后唐军从郓州出发至袭取大梁，总共用时不到五天，固然主要是因为战略决策正确，但亦可看出骑兵在其中发挥了极其重要的作用。李嗣源率骑兵攻虚击弱，抓住有利时机，不间断地行动，在夺取曹州后未作停留，最终兵不血刃占领了大梁城。

二、集重兵主攻强敌，长围久困，伺机歼敌

孙子曾经提出"我专而敌分"的用兵原则，主张"我专为一，敌分为十，是以十攻其一也，则我众而敌寡，能以众击寡者，则吾之所与战者，约矣"[3]，强调要在作战中集中己方优势兵力，创造有利的态势。这一用兵原则具有普遍的指导意义，尤其在冷兵器时代，兵力优势直接影响战争结局，乃是战胜攻取的至关重要的因素。五代名将郭威在平定关西三叛之战中，较好地运用了这一原则，做出了正确的战略部署，而且制定了适宜的战术，自始至终把握了作战的主动权，顺利达成了预期目标。

---

① 《资治通鉴》卷二百七十二《后唐纪一》，庄宗同光元年闰四月。
② 《资治通鉴》卷二百七十二《后唐纪一》，庄宗同光元年闰四月。
③ 《十一家注孙子校理》卷中《虚实篇》。

一是集重兵主攻强敌的战略部署。乾祐元年（948），后汉朝廷收到关于河中节度使李守贞与长安赵思绾、凤翔王景崇兴兵作乱的奏报，立即派出多路人马分头平定叛乱。由于后汉军未设置主帅，分兵各自指挥，所以出现了进讨不力的状况。后汉朝廷任命枢密使郭威前往统一指挥平叛行动。在商讨平叛战略部署时，不少将领主张先打弱敌，即先进攻长安、凤翔，而后再进攻河中（治今山西永济西南蒲州镇）。另有将领主张先攻河中，认为"守贞亡，则两镇自破矣。若舍近而攻远，万一王、赵拒吾前，守贞掎吾后，此危道也"①。郭威采纳了"合诸将之兵以攻一城"②的建议，决定集中主要力量分三路进攻河中，同时派兵牵制长安、凤翔之敌。这一战略部署强调集中优势兵力就近歼敌，逐次推进，由此可以避免出现贸然进军关中而遭到前后夹击的局面，总体而言是比较稳妥可行的。尽管是先打强敌，但后汉军还是占据相对优势，只要处置得当就有较大胜算。

二是切断内外联系，主力围困河中。郭威统一指挥平叛战争，对河中、长安、凤翔实施分割包围，完全切断了李守贞、赵思绾、王景崇之间的联系。他亲临前线，认为河中城防坚固，易守难攻，只有"设长围而守之"③才能获胜。于是，他命令将士严密围困河中，征发民夫在城池外围挖长壕，修筑连城；在黄河沿岸设置火铺，以步兵轮番守卫；同时又派水军停船在岸边，只要有偷渡黄河者一律捉拿。困守城中的李守贞、赵思绾、王景崇不断派使者向南唐、后蜀、契丹求救未果，企图率军突围，均遭到挫败。郭威率军围城八个月，"河中城中食且尽，民饿死者什五六"④，不久，"守贞将士降者相继"⑤。郭威知道对手已经军心溃散，命令后汉军发起猛攻，

---

① 《资治通鉴》卷二百八十八《后汉纪三》，高祖乾祐元年八月。
② 《新五代史》卷五十二《李守贞传》。
③ 《资治通鉴》卷二百八十八《后汉纪三》，高祖乾祐元年八月。
④ 《资治通鉴》卷二百八十八《后汉纪三》，隐帝乾祐二年四月。
⑤ 《资治通鉴》卷二百八十八《后汉纪三》，隐帝乾祐二年五月。

最终顺利攻克河中。

三是分兵包围长安、凤翔，促其内变。当郭威率军围攻河中之时，郭从义率军围困长安，赵晖率军围攻凤翔，担任次要方向的围歼任务，以配合后汉军主力的军事行动。郭从义包围长安城长达一年多，同时还击退了后蜀的援军。走投无路的赵思绾只好向后汉乞降，在获准后又迁延行期，不肯离开长安。后汉军果断攻城，顺利夺占了长安。相形之下，赵晖围攻凤翔的任务更为艰巨，因为凤翔紧邻后蜀边界，可以得到后蜀持续不断的支援，因而给后汉军施加了不小的压力。赵晖在围攻凤翔期间，屡次分兵作战，一部围城，一部阻击后蜀援军。史载："王景崇累表告急于蜀，蜀主命安思谦再出兵救之。"① 安思谦率兵击败后汉军，赵晖向郭威告急，形势一度很危险。但时隔不久，后蜀军因为军粮用尽而被迫退兵。在后汉兵的长期围困下，守城将士陷入分崩离析的状态，王景崇自杀，大部分将士投降，后汉军顺利取胜。

三、综合运用多种战法，歼灭有生力量，迫降守城之敌

柴荣在寿州之战中，善于综合运用包括围城打援、水陆配合作战、劝降迫降等多种手段，重点打击对手力量，在全面掌控战场态势之下迫使守城之敌投降，收到了良好效果。首先是集中兵力围攻寿州，在围城期间阻击援军，歼灭敌有生力量。后周军在南下作战初期占领了大量地盘，但是兵力分散，未能进一步推动战争进程。周世宗柴荣在第二次亲征江淮时，调整兵力部署，集中重兵围攻寿州，同时又派张永德率军阻击南唐林仁肇的援军，破坏南唐战船，并用铁索横置河面，阻挡南唐战船通过。显德四年（957），寿州危在旦夕，南唐前线统帅李景达派遣许文稹、边镐、朱元领兵数万前往援救，"列十余寨如连珠，与城中烽火晨夕相应，又筑甬道抵寿春，欲运粮以馈之，绵亘数十里"②。李重进派兵拦截了南唐援军并

---

① 《资治通鉴》卷二百八十八《后汉纪三》，高祖乾祐元年十二月。
② 《资治通鉴》卷二百九十三《后周纪四》，世宗显德四年正月。

获得大胜，南唐军死亡 5000 人，重挫了对手的救援行动。其次是水陆配合，坚决追击逃跑之敌。周世宗亲临寿州城下，统一指挥对城外南唐援军的攻击行动。这时正好南唐将领朱元对自己的军职被撤十分不满，愤而投降后周。柴荣乘敌内乱之机，对南唐援军发起猛烈攻击，一举攻占敌营，残敌沿淮河向东逃跑。柴荣"将骑数百循北岸追之，诸将以步骑循南岸追之，水军自中流而下"①，水军与骑兵、步兵相配合，三路人马齐发，对逃敌进行坚决追击，南唐将士战死、溺死、投降者将近 4 万人，后周军还缴获了对手大量的舰船、粮食和兵器。最后是在大局已定的情况下，劝降、迫降寿州守城者。后周军大败南唐援军，南唐诸道兵马元帅李景达放弃了援救寿州的行动，逃回了金陵。柴荣给寿州主将刘仁赡赐诏书，劝其投降。几天后，刘仁赡病重，不省人事。寿州监军使周廷构等人以刘仁赡名义遣使奉表投降，柴荣最终兵不血刃夺取了寿州城。

四、因机立胜，暗袭破城

在火器尚未运用于战场、攻城技术条件有限、攻城效果不佳的情况下，如何夺取城池尤其是守备坚固的城池，是冷兵器时代的攻城将领普遍面临的难题。他们均注重因敌制宜，在作战中采取的攻城手段多种多样，效果也各不相同，或着力改进攻城器械，增强攻城能力；或创新运用穴攻、水攻、火攻等攻城战法；或攻心夺志，巧妙地实施心战；或围城打援，长围久困，使其弹尽粮绝，迫其投降。后梁将领刘鄩善于运用谋略，"因利而制权"②，及时、准确地把握敌方的间隙乘虚而入，巧妙破城，用力小而收效大，可谓深谙用兵之道。

刘鄩先后有两次成功的破城行动，而所用的破城之法并不相同，各尽其妙。天复三年（903），刘鄩率军准备攻取兖州。在攻城之前，他派出间谍打扮成卖油商贩，打探城内虚实以及城池的出入口情况。

①《资治通鉴》卷二百九十三《后周纪四》，世宗显德四年三月。
②《十一家注孙子校理》卷上《计篇》。

根据所搜集的情报，刘郭亲率五百精兵"夜自水窦入，比明，军城悉定，市人皆不知"①。他采取偷袭战法，率军从城下的一条水道秘密进入城内，出其不意，迅速占领了兖州。另外一次攻城行动发生在开平三年（909）。因为同州节度使刘知俊突然兵变，占据长安和潼关（今陕西潼关东北），梁太祖派遣刘郭领兵前往征讨。刘郭率军到达潼关东时，俘获了对方预设的伏兵蔺如海等30人，将他们释放后，在队伍前面充当向导。到了城下，潼关守吏不知道蔺如海等人已投降梁军，打开关门，让其入关。刘郭率兵抓住时机，"乘门开直进，遂克潼关"②。刘郭以降卒诈开城门，"因机而立胜"，及时把握城门打开的机会趁隙而入，夺占了潼关。如果采取孙子所说的攻城之法，"修橹轒辒，具器械，三月而后成；距闉，又三月而后已"③，最终的结果是"将不胜其忿而蚁附之，杀士三分之一，而城不拔者，此攻之灾也"④。可见，强攻不仅会带来惨重的伤亡，还未必能攻下城池，绝非攻城首选。相形之下，刘郭能够机敏把握敌方间隙，相机采取偷袭战法攻取城池，不失为可资后世兵家借鉴的攻城良策。

五、巧借风势，水战火攻破敌

"因风纵火"是古代兵家常用的火攻法，《孙子兵法》专设《火攻篇》，论述了火攻的方式、实施条件以及因敌制变的处置措施，提出"凡火攻有五：一曰火人，二曰火积，三曰火辎，四曰火库，五曰火队。行火必有因，烟火必素具。发火有时，起火有日"⑤，强调"以火佐攻者明"⑥，对春秋末期之前的火攻作战经验做了深刻的总结。在此后的战争史上，先后出现了以火攻取胜的赤壁之战、夷陵之战等著名战例，善用火攻者往往能以较小的代价赢得作战的胜利。

---

① 《资治通鉴》卷二百六十三《唐纪七十九》，昭宗天复三年正月。
② 《资治通鉴》卷二百六十七《后梁纪二》，太祖开平三年六月。
③ 《十一家注孙子校理》卷上《谋攻篇》。
④ 《十一家注孙子校理》卷上《谋攻篇》。
⑤ 《十一家注孙子校理》卷上《火攻篇》。
⑥ 《十一家注孙子校理》卷下《火攻篇》。

五代十国时期，吴国与吴越之间爆发的一场水战就成功运用了火攻法。贞明五年（919），吴越国节度副大使钱传瓘被任命为诸军都指挥使，率 500 艘战舰北击吴国。吴国舒州刺史彭彦章率军抗击。在交战之前，钱传瓘提出了明确的作战指导思想，"彼若径下，当避其初以诱之，制胜之道也"①；同时又命每艘船上装载灰、豆、沙。双方水军在狼山江展开大战，吴国战船顺风而进，直冲向吴越钱传瓘的船队。钱传瓘命令避开对方战船，让其驶过之后，命令吴越战船紧紧尾随在对手后面。吴国战船急忙调转船头，但此时的吴国战船是逆风而行，吴越国的战船反而处在上风区。钱传瓘当机立断，"使顺风扬灰，吴人不能开目"②。等到两支船队接战之时，钱传瓘"使散沙于己船而散豆于吴船，豆为战血所渍，吴人践之皆僵仆。传瓘因纵火焚吴船，吴兵大败"③，吴越水军取得了胜利。钱传瓘在狼山江之战中预先制定了诱敌进攻、伺机火攻的作战方案，做到了"未战而庙算胜"④；在交战之初，通过巧妙避开对方战船再尾随其后，迅即改变了双方的战场位置，对方战船由上风区变为下风区，而己方由下风区变为上风区，为而后顺风实施火攻提供了有利条件。当吴国战船掉转船头作战，这时就是逆风而行，更增加了其作战难度。此外，钱传瓘事先准备好的灰、豆、沙都在交战过程中发挥了作用，最终通过火攻彻底摧毁了对手船队，"焚战舰四百艘"⑤，取得了一次水战大捷。钱传瓘在实施火攻时，遵循了孙子所说的"必因五火之变而应之"⑥ 的原则，做到了"极其火力，可从而从之"和"火发上风，无攻下风"⑦，坚决从上风处纵火进攻，并且借助旺盛的火势果断发起进攻，最终大胜对手。

---

① 吴任臣：《十国春秋》卷七十九《吴越·文穆王世家》，中华书局，1983 年。
② 《资治通鉴》卷二百七十《后梁纪五》，均王贞明五年四月。
③ 《资治通鉴》卷二百七十《后梁纪五》，均王贞明五年四月。
④ 《十一家注孙子校理》卷上《计篇》。
⑤ 《资治通鉴》卷二百七十《后梁纪五》，均王贞明五年四月。
⑥ 《十一家注孙子校理》卷下《火攻篇》。
⑦ 《十一家注孙子校理》卷下《火攻篇》。

结　语

隋唐五代处于中国封建社会的中期，在结束了长期分裂割据局面的基础上，开启了大一统时代的新纪元，封建中央集权得到了极大强化，经济、文化、科技进一步向前发展，先后出现了"贞观之治""开元盛世"的局面。隋唐五代兵学体现了鲜明的时代特征，契合了当时的实践需求，同时也影响了后世兵学的发展。

纵观中国历史演变轨迹，经过长期的分裂之后，隋唐五代统治者重新将封建社会推入大一统的发展轨道，而大一统不仅成为隋唐五代，也成为其后较长时期内的主基调，表明封建社会在经过先秦时期的草创阶段、秦汉时期的奠基阶段、魏晋南北朝时期的曲折发展阶段之后，至隋唐五代进入繁荣发展阶段。隋唐五代兵学产生于这一历史大背景，而大一统也由此成为兵学研讨的主题。具体而言，这一时期的兵家孜孜探求统一天下之策与治国安邦之道，旨在实现平天下与治天下的终极目标。隋文帝杨坚素怀大志，登基后"潜有吞并江南之志"①，博采众议，吸纳高颎"取陈之策"、贺若弼"御授平陈七策"的合理化建议，实现了平天下的夙愿。唐高祖李渊起兵太原，顺应时代大势，乘虚入关，据险养威，号令天下，最终建唐以取代旧朝。在纷争不已、战乱不休的五代十国时期，颇具远见卓识的王朴着眼于结束天下分崩离析的局面，给一代雄主周世宗柴荣献上《平边策》，提出了统一天下的总方略，为周世宗及之后的宋太祖实现统一大业奠定了基础。

大一统观念确立于春秋战国时期，强化于秦汉时期，而后进一

---

① 《隋书》卷五十二《韩擒虎传》。

步发展，至隋唐五代时期得到了更加广泛的推广。经过中华文化的长期熏陶和统一实践活动的持续开展，大一统已成为内化于历代统治者心中的观念意识，成为指导其军事行动的自觉思维。这不仅反映在平天下的过程之中，也反映在维护国家统一、治理天下的过程之中，尤其是在平定安史之乱、平定藩镇割据战争中得到了更加充分的体现。为了巩固政权、维护统一，唐代前期实行居重驭轻原则，重点保障京师安全，使中央和地方部队内外相维，形成合理的国防力量布局；唐代后期的杜牧坚决主张削除藩镇割据，呼吁朝廷树立绝对权威以图强，反对实行姑息之政，并且呈献了派兵扼险、径捣上党、覆其巢穴的用兵方略，为平定昭义叛乱发挥了积极作用。

与其他朝代相比，隋唐五代的思想文化氛围较为自由宽松，统治者实行"三教并奖"之策，儒、佛、道三教都得到了不同程度的发展。在多元化的思想文化背景下，兵学在与其他思想流派的交流互鉴中也得到了较大发展，焕发了蓬勃的生命力，呈现出兼容并包、多姿多彩的时代特征。在这一时期，儒家、道家、杂家、兵家融会贯通，互相取长补短，而兵学在借鉴、吸纳其他思想的基础上实现了突破，产生了一大批颇有影响的上乘之作，堪为代表者有儒兵交融的《贞观政要》、道兵交融的《道德经论兵要义述》、道兵儒交融的《太白阴经》、道兵儒法纵横诸家融合的《长短经》。这是就其主体思想概而言之，然而由此亦可看出该时期诸家思想交融的时代风貌，其中道家与兵家的思想交融占据主导地位，道家、儒家、法家、纵横家等思想与兵家思想相互激荡，共同推动了隋唐五代兵学的发展。

承魏晋南北朝时期的民族大融合之余绪，隋唐五代延续了民族融合的进程，游牧民族与农耕民族在融合过程中相互交流，不仅影响了双方的政治、经济、文化、科技等，也影响了双方的兵学思想，使得这一时期的兵学打上了胡汉兵法深度融合的历史烙印。需要指出的是，该时期的兵学仍以汉文化为主体，但同时受到了胡文化的深刻影响，具体反映在战略、战术、后勤保障等方面。① 隋唐五代正处于封建社会上升时期，在开疆拓土的过程中，大量的游牧民族将领和士卒被编入中原王朝的军队之中，尤以唐代最为突出，对唐军的战法产生了极大影响，长途奔袭、大纵深追击成为唐军惯用的战术，在巩固边疆作战中收效显著。五代十国时期的后唐、后晋、后汉均为沙陀族人所创建的王朝，进一步推动了中原地区的民族融合、文化交流，也促进了胡汉兵学交融，涌现了以李存勖为代表的一批兼通胡汉兵法的著名将帅，极大地丰富了中国古代兵学的内容。

在多元化的思想文化氛围、胡汉交流融合、冷兵器进一步发展、轻骑兵勃兴、大规模战争持续不断等诸多因素的综合作用之下，隋唐五代兵学实现了理论和实践创新的统一。在兵学理论创新方面，隋唐五代兵家在兵学体系分类、兵学范畴、阵法、训练和心战理论上取得了较大突破；而其兵学实践创新则主要体现在大规模江河作战、轻骑兵作战、攻守城作战等方面。

在继承前代兵学发展成就的基础上，隋唐五代兵学取得了多方面的长足进步，不仅将冷兵器时代的兵学理论推向了一个新阶段，也为两宋时期兵学走向兴盛创造了有利条件，有力地推动了中国兵学的发展进程。就此而言，隋唐五代兵学理应在中国兵学史上占有一席之地。

---

① 　参见王援朝：《唐代兵法形成新探》，《中国史研究》1996 年第 4 期。

主要参考文献

一、著作类

司马迁. 史记［M］. 北京：中华书局，1959.

班固. 汉书［M］. 北京：中华书局，1962.

陈寿. 三国志［M］. 北京：中华书局，1959.

房玄龄，等. 晋书［M］. 北京：中华书局，1974.

李延寿. 北史［M］. 北京：中华书局，1974.

魏徵，令狐德棻. 隋书［M］. 北京：中华书局，1973.

刘昫，等. 旧唐书［M］. 北京：中华书局，1975.

薛居正，等. 旧五代史［M］. 北京：中华书局，1976.

欧阳修，宋祁. 新唐书［M］. 北京：中华书局，1975.

欧阳修. 新五代史［M］. 北京：中华书局，1974.

司马光. 资治通鉴［M］. 北京：中华书局，1956.

李林甫，等. 唐六典［M］. 陈仲夫，点校. 北京：中华书局，1992.

杜佑. 通典［M］. 王文锦，等点校. 北京：中华书局，1988.

吴兢. 贞观政要集校［M］. 谢保成，集校. 北京：中华书局，2009.

温大雅. 大唐创业起居注［M］. 李季平，李锡厚，点校. 上海：上海古籍出版社，1983.

王钦若，等. 册府元龟［M］. 北京：中华书局，1960.

顾祖禹. 读史方舆纪要［M］. 贺次君，施和金，点校. 北京：中华书局，2005.

孙武，撰；曹操，等注. 十一家注孙子校理［M］. 杨丙安，校理. 北京：中华书局，1999.

张震泽. 孙膑兵法校理［M］. 北京：中华书局，1984.

吴如嵩，王显臣，校注. 李卫公问对校注［M］. 北京：中华书局，2016.

赵蕤. 长短经［M］. 梁运华，整理. 北京：中华书局，2017.

王真. 道德经论兵要义述［M］. 南京：江苏古籍出版社，1988.

王弼，注. 老子道德经注校释［M］. 楼宇烈，校释. 北京：中华书局，2008.

黎翔凤. 管子校注［M］. 梁运华，整理. 北京：中华书局，2004.

张双棣. 淮南子校释［M］. 北京：北京大学出版社，1997.

诸葛亮. 诸葛亮集［M］. 北京：中华书局，1960.

陆贽. 陆宣公集［M］. 刘泽民，点校. 杭州：浙江古籍出版社，1988.

杜牧. 樊川文集［M］. 上海：上海古籍出版社，1978.

董诰，等. 全唐文［M］. 北京：中华书局，1983.

《中国兵书集成》编委会. 中国兵书集成［M］. 北京：解放军出版社，沈阳：辽沈书社，1987—1998.

许保林. 中国兵书知见录［M］. 北京：解放军出版社，1988.

马大正，主编. 中国古代边疆政策研究［M］. 北京：中国社会科学出版社，1990.

军事科学院，主编. 中国军事通史［M］. 北京：军事科学出版社，1998.

王永兴. 唐代前期西北军事研究［M］. 北京：中国社会科学出版社，1994.

于汝波，主编. 孙子学文献提要［M］. 北京：军事科学出版社，1994.

于汝波. 大思维：解读中国古典战略［M］. 北京：军事科学出

版社，2001．

于汝波，主编．孙子兵法研究史［M］．北京：军事科学出版社，2001．

王厚卿，主编．中国军事思想论纲［M］．北京：国防大学出版社，2000．

吴相洲．玄宗与盛唐气象［M］．郑州：大象出版社，2000．

张安福，郭宁，等．唐代的西域屯垦开发与社会生活研究［M］．北京：中国农业出版社，2011．

黄朴民，魏鸿，熊剑平．中国兵学思想史［M］．南京：南京大学出版社，2018．

二、论文类

任继愈．李筌的唯物主义观点和军事辩证法思想［J］．北京大学学报（人文科学），1963（6）．

于汝波．唐代兵学述要［J］．中国军事科学，1991（3）．

于汝波．略谈《孙子兵法》的仁诈辩证统一思想［J］．管子学刊，1992（1）．

俞世福，韩晓林．谈中国古代的城邑战［J］．军事历史，1992（1）．

高殿芳，穆志操．涌入日本的《孙子兵法》［J］．军事历史，1992（1）．

王援朝．唐初甲骑具装衰落与轻骑兵兴起之原因［J］．历史研究，1996（4）．

王援朝．唐代兵法形成新探［J］．中国史研究，1996（4）．

于汝波．关于《李靖问对》的成书时间及主要理论建树［J］．军事历史研究，1998（3）．

黄朴民．兵儒合流与学术兼容［J］．中国军事科学，1999（3）．

张文才．论《太白阴经》的军事思想及其主要特色［J］．军事历史研究，2004（3）．

于汝波．论《孙子兵法》的战后"修功"思想及其实现途径

［J］. 军事历史研究，2005（1）.

张云胜，陈飞. 乱世元勋的为将为臣与为人——唐代名将郭子仪功业中的人格因素分析［J］. 军事历史研究，2006（4）.

孙远方. 中国历代统一战争的战略指导［J］. 军事历史研究，2007（2）.

周兴涛，汪荣. 唐代武举考论［J］. 山西师大学报（社会科学版），2009（3）.

况腊生. 试论唐代驿站的军事化管理体制［J］. 军事历史，2010（6）.

周德钧. 略论唐代治理西域的大战略［J］. 湖北大学学报（哲学社会科学版），2011（1）.

刘海霞. 困蕃之策：中唐名臣李泌的边疆战略［J］. 文山学院学报，2011（5）.

王凤翔. 论唐代孙子兵学的渊源与发展［J］. 滨州学院学报，2011（5）.

王凤翔. 兵势水形：唐代道兵家发微［J］. 管子学刊，2016（3）.

于国庆，詹石窗. 道教兵学简论［J］. 哲学研究，2012（12）.

于国庆，詹石窗. 道教与传统兵学互通关系略论［J］. 社会科学战线，2013（4）.

朱亚非，张贵芳. 试论郭子仪建功立业的生存智慧［J］. 湖湘论坛，2015（6）.

姚振文. 论李筌对孙子学发展的贡献［J］. 孙子研究，2018（1）.